9788570600387
CB133606

# CORREIO BRAZILIENSE

ou

# *ARMAZÉM LITERÁRIO*

JULHO - DEZEMBRO, 1817

## Imprensa Oficial do Estado

*Diretor-Presidente em exercício*
Luiz Carlos Frigerio

*Diretor Industrial*
Carlos Nicolaewsky

*Diretor Financeiro e Administrativo*
Richard Vainberg

## Correio Braziliense

*Diretor-Presidente*
Paulo Cabral de Araújo

*Diretor Vice-Presidente*
José de Arimatéia Cunha

*Diretor Executivo*
João Augusto Cabral

*Diretor Comercial*
Paulo César Marques

*Diretor Industrial*
Osvaldo Abílio Braga

*Diretor Gerente*
Evaristo de Oliveira

*Diretor de Redação*
Ricardo Noblat

*Diretor Financeiro*
Mauro Nakao

*Diretor de Circulação*
Luiz Alberto Albuquerque

## Instituto Uniemp

*Diretor-Executivo*
Carlos Vogt

## Observatório da Imprensa

*Editor-Responsável*
Alberto Dines

## Laboratório de Estudos Avançados em Jornalismo (Labjor)

*Coordenador*
Carlos Vogt

*Pesquisador*
Alberto Dines

HIPÓLITO JOSÉ DA COSTA

# CORREIO BRAZILIENSE

ou

# *ARMAZÉM LITERÁRIO*

EDIÇÃO FAC-SIMILAR

CORREIO BRAZILIENSE

IMPRENSA OFICIAL
SERVIÇO PÚBLICO DE QUALIDADE

2002

## EQUIPE EDITORIAL

**Projeto e edição:** Alberto Dines
**Co-edição:** Isabel Lustosa
**Arte:** Alfredo Nastari
**Secretaria Editorial:** Cláudio Giordano
**Editoração:** Cláudio Marcondes
**Auxiliar de Pesquisa:** Patrícia Souza Lima
**Apoio:** Lu Fernandes

## Imprensa Oficial

**Coordenação Editorial:** Carlos Taufik Haddad

**Pré-Impressão**
**Gerente:** José Paulo Prado
**Chefe de Divisão:** José Lucio Silva
**Supervisão de Editoração:** Solange Couto Briant

**Digitalização e Tratamento de Imagens**
Anderson de Lima, José Carlos da Silva, Andréa Pissarro, Dorival Marques de Souza, Aline Navarro, Edson Luiz Modena, Edison Dipardo, Miriam de Oliveira, Paulo Teixeira, Richard Veiga, Ana Lúcia Pinedo dos Santos, Wanderlei Santos de Oliveira, Angela Cristina Franco, Marly Keiko Shiba, Alexandra Fujimori, Ivan Dias Barbosa Barcelos e Vanessa Merizzi de Oliveira

**Editoração Eletrônica**
Andreza Kimie Fujikake e Jessica Ferreira Peixinho

Reprodução, Fotolito e Impressão
**Imprensa Oficial do Estado**
Rua da Mooca, 1921 - 03103-902 - São Paulo - SP
Tel.: (11) 6099-9800 Fax.: (11) 6692-3503 SAC:0800-123401
Home page: www.imprensaoficial.com.br
E-mail: divulgacaoeditoriais@imprensaoficial.com.br
Foi feito o depósito legal.

**Dados Internacionais de Catalogação na Publicação (CIP)**
**(Câmara Brasileira do Livro, SP, Brasil)**

---

Costa, Hipólito José da
Correio Braziliense, ou, Armazém literário, vol. XIX / Hipólito José da Costa. -- São Paulo, SP : Imprensa Oficial do Estado: Brasília, DF : Correio Braziliense, 2002.

"Edição fac-similar"

ISBN 85-7060-051-8 (Imprensa Oficial do Estado)

1. Correio Braziliense 2. Costa, Hipólito José da, 1774-1823 3. Imprensa – Brasil – História I. Título. II. Título: Armazém literário.

02-2700 CDD-079.81

---

**Índices para catálogo sistemático:**
1. Brasil : Jornais e jornalismo : História 079.81

Sumário

# DOS EDITORES

Este volume (jul.-dez. 1817) começa com um erro tipográfico intencional do redator. Sob o título de "Porcaria" apresenta-se uma portaria, assinada em 1812 pelo falecido conde de Linhares, relativa à proibição do *Correio Braziliense* e "de todos os escritos de seu furioso e malvado autor". Hipólito explica que o edital da Mesa do Desembargo do Paço, de 25 de junho de 1817, mandando executar aquela portaria, deveria ser publicado na página seguinte; porém, por erro do redator, publicou-se no lugar uma permissão para que, durante a Quaresma, quem não tivesse azeite pudesse "adubar a sua comida" com gordura de porco. Além disto, diz o redator, por outro erro tipográfico, "à *Portaria* se lhe chamou *Porcaria*".

Hipólito explicita, neste volume, sua oposição à malograda Revolução Liberal Pernambucana de 1817. A seu ver, nenhuma reforma justificava a deposição do governo ("destruído o governo, quem há de remediar os males e abusos da nação?"). Outro equívoco fora a expectativa de apoio estrangeiro. O que se viu foi que Inglaterra e Estados Unidos proibiram logo a exportação de armamentos para Pernambuco. Para Hipólito, os revolucionários não visavam a independência, "porque essa já a possui o Brasil", nem a proclamação de uma República, pois "tal forma de governo não convém aos costumes do país". Tendo como objetivo acabar com os abusos da administração, a revolução, por ignorância dos seus líderes, concentrou-se em mudar a forma de governo, "e essa vereda errada destruiu a mesma obra que desejava edificar". O *Correio* publica ainda extensa lista de revolucionários presos, entre os quais Antônio Carlos Ribeiro de Andrade, frei Joaquim do Amor Divino, Francisco Moniz Tavares e Francisco da Rocha Paes Barreto.

Por outro lado, Hipólito condena a forma como foram julgados e sentenciados os participantes da conjuração portuguesa de 1817. "As confissões foram extorquidas em exames feitos em segredo, com os presos atemorizados." Maior indignação lhe causa a sentença aplicada a Gomes Freire de Andrada: "Julgam os desembargadores ser verossímil que o réu tivesse sentimentos revolucionários e o condenam pela verossimilhança. Porém, verossimilhança de quê? Não de ter cometido algum fato criminoso; mas simplesmente verossimilhança de ter sentimentos revolucionários!" Hipólito conclui não ter havido conspiração contra o rei, e sim contra o todo-poderoso marechal do Exército português, William Beresford. E termina dizendo: "É verdade que se nos dirá, que quer a sentença seja válida, quer nula, já os mortos se não podem tornar a trazer à vida".

Notícias da Espanha dão conta de que, apesar da anistia para os crimes políticos, fora executado em Maiorca o general Luís de Lacy, líder de conspiração liberal em Barcelona: "Na Espanha, na Turquia, e outros governos semelhantes, [...] as pessoas, a quem os governantes temem, são esganadas ou garroteadas de noite, em prisões solitárias, ou se lhes tira a vida em algum lugar remoto, como Sua Majestade Católica acaba de executar com o general Lacy".

A obra do célebre abade De Pradt, *Des trois derniers mois de l'Amérique meridional et du Brazil*, merece longo comentário crítico, sobretudo quando o autor afirma que, com a mudança da Corte para a América, ter-se-ia invertido a ordem entre Portugal e Brasil: "O Brasil vivificado e enriquecido pela presença do soberano; e Portugal humilhado e empobrecido pela sua ausência". Hipólito lembra que havia províncias no Brasil cujo acesso à Corte do Rio de Janeiro era mais difícil do que à de Lisboa e que o que mudara foram as relações comerciais entre os dois países, devido à invasão francesa de Portugal e a conseqüente abertura dos portos brasileiros.

W. Ludwig von Eschwege, em carta sobre o Brasil, diz que os estrangeiros têm noções equivocadas sobre suas riquezas e. acrescenta: "Tenho visto muitos, que vieram aqui ter com a esperança de voltar em breve tempo carregados de riqueza, tornar a irse embora desconsolados, e talvez mais pobres do que vieram." Isto se deveria ao fato de as riquezas já não se acharem na superfície, exigindo o conhecimento das novas técnicas de mineração.

Na Academia Real das Ciências de Lisboa foi lida uma memória sobre as experiências de Alexandre Vandelli com dois tipos de quina do Pará e recitado um elogio a Alexandre Rodrigues Ferreira. Dentre as obras publicadas destaca-se o *Breve tratado da geometria esférica*, de Francisco Villela Barbosa. Anuncia-se nova edição *de os Lusíadas*, de Camões, a partir de cópia fiel de um manuscrito corrigido pelo próprio autor. Em Paris, publicou-se uma obra de Alexander von Humboldt sobre a distribuição geográfica das plantas, e outra. de Pierre-André Latreille, sobre a distribuição dos insetos.

# *CORREIO BRAZILIENSE*

OU

# ARMAZEM LITERARIO.

---

VOL. XIX.

---

LONDRES:

*IMPRESSO POR L. THOMPSON, NA OFFICINA DO CORREIO BRAZILIENSE, GREAT ST HELENS, BISHOPSGATE STREET.*

---

1817.

# CORREIO BRAZILIENSE,

## DE JULHO, 1817.

> Na quarta parte nova os campos ára
> E se mais mundo houvéra la chegára.
>
> CAMOENS, C. VII. e. 14.

# POLITICA.

### REYNO UNIDO DE PORTUGAL BRAZIL E ALGARVES,

*Porcaria dos Governadores de Portugal, prohibindo o Correio Braziliense.*

MANDA EL Rey Nosso Senhor excitar a exacta observancia da sua Real Ordem de 17 de Septembro 1811 participada á Meza do Dezembargo do Paço, em 22 de Março de 1812, e que prohibio nestes Reynos a entrada e publicaçaõ do periodico intitulado *Correio Braziliense*, e de todos os escriptos de seu furioso e malvado Author. E por que ainda saõ mais sediciosas e incendiarias, se he possivel, as terriveis maximas do outro periodico intitulado o *Portuguez*, que tambem se dirige a concitar tumultos é revoluçoens nos povos, para perturbar a harmonia estabelecida, em todas as ordens do Estado, e introduzir a anarchia, fazendo odiosos os dous supremos poderes, que Deus ordenou para governar os homens, com o evidente objecto de destruir os altares e os thronos: manda outro sim Sua Majestade, que sêja igualmente prohibida a entrada e publicaçaõ nestes Reynos do dicto Periodico o *Portuguez*: manda finalmente o mesmo Augusto Senhor, que todos os vassallos destes Reynos naõ recêbam nem vendam ou retenham em seu poder os referidos dous periodicos, e menos os espalhem por qualquer modo que sêja, antes entreguem na Secretarìa respectiva da Meza do Desembargo do Paço os que vierem âs suas maõs, debaixo das penas impostas pelas leys contra os que divulgam ou retem livros ou papeis impressos, sem licença, ou prohibidos pelas suas Reaes determinaçoens. A Meza do Desembargo do Paço o tenha assim entendido e o faça executar com o maior cuidado e vigilancia, expedindo as ordens e edictaes convenientes. Palacio do Governo, em 17 de Junho de 1801.

Com as rubricas dos Governadores do Reyno.

---

*Portaria dos Governadores de Portugal, ordenando ao Juiz da Inconfidencia o processar certos réos do crime de conjuraçaõ.*

Constando, com toda a certeza, a existencia de uma Conjuraçaõ formada por alguns traidores, os quaes com opprobrio da lealdade hereditaria dos *Portuguezes*, concebêraõ o louco, e destavel projecto de estabelecer um governo revolucionario, procurando com falsos, e affectados pretextos, que por si, e por seus adherentes espalhávam no Publico, encobrir os verdadeiros fins de um plano, que se chegasse a realizar-se, precipitaria este Reyno nos horrores da anarchia, e renovaria em *Portugal* as scenas de sangue, e devastaçaõ, que em nossos dias affligîram a desgraçada *França*; chegando a sua halucinaçaõ a persuadir-lhes que um Povo e um Exercito, que saõ, e foraõ sempre os maîs vigilantes guardas, e defensores da Religiaõ, do Soberano, e da Patria, poderiam já mais dar ouvidos á vil seducçaõ de infames, e despreziveis rebeldes: E estando a proceder-se com toda a legalidade, e possivel promptidaõ, para se vir no conhecimento dos Réos deste horrendo, e abominavel delicto, de maneira que os culpados sejam punidos com as penas determinadas pelas Leys, e os innocentes absolutos: Manda El Rey Nosso Senhor que, logo que se concluirem as averiguações, a que se está procedendo, formado, e preparado o Processo, seja este sentenciado, como direito for, em Relaçaõ, pelo Juiz da Inconfidencia, e Adjuntos competentes: Manda Sua Magestade outrosim, que o Doutor *Antonio Gomes Ribeiro*, do Seu Conselho, Desembargador do Paço, e Juîz da Inconfidencia, o tenha assim entendido, e o execute pela parte que lhe toca. Palacio do Governo em 31 de Maio de 1817.

*Com tres Rubricas dos Governadores do Reyno.*

---

*Portaria dos Governadores de Portugal, pedindo aos Negociantes uma contribuiçaõ para bloquear Pernambuco.*

Constando, que no dia 5 de Março do presente anno se levantou em Pernambuco um bando de facciosos, que se attrevêram a rebelar-se, contra, seu legitimo Soberano, procurando comprimir, pela força, os principios de lealdade, que animam aquelles habitantes, a fim de se apoderarem de seus cabedaes e dos que ali se acham pertencentes aos negociantes deste Reyno; e tendo o corpo do commercio representado a indispensavel necessidade de repellir com a maior energia, e promptidaõ este horroroso e execrando attentado, que deverá desvanecer-se em breve tempo, apparecendo em aquellas paragens uma força capaz de atterrar os perversos, e apoiar os cidadaõs bons e fieis, que a seu pezar fôram obrigados a ceder á violencia: tem S. M. resolvido mandar immediatamente bloquear o porto e costas de Pernambuco, e enviar um corpo das mesmas tropas, que, havendo-se ja illustrado na Europa por suas victorias, voltaraõ corôadas de novos louros que vám colher na America, castigando os perfidos, que se arrojáram a tramar tam detestavel traiçaõ. Sendo porém incompativel com as forças do Real Erario fazer actualmente a consideravel despeza, que exige esta expediçaõ, a qual naõ só tem por objecto a integridade da Monarchia, mas mui particularminte os interesses do commercio de Portugal, que em consequencia das ambiciosas miras dos revolucionarios se, acha em eminente risco de perder o importantissimo cabedal, que tem em Pernambuco, se este mal naõ for atalhado, com as mais rapidas, e efficazes providencias: manda El Rey nosso Senhor, que a Real Juncta do commercio, Agricultura, Fabricas e Navegaçaõ, participando aos commerciantes, sem perda de tempo, as referidas disposiçoens, que devem restituir a paz áquella Capitania, e pôr em salvo os seus interesses mercantis, lhes annuncie, que o mesmo Senhor espéra, que o corpo do commercio com o zêlo e patriotismo, de que tem dado tam louvaveis e repetidas provas, concorra de sua parte a auxiliar o Estado com os meios indispensaveis para a exceuçaõ de uma empreza, de que lhe resultam as maiores vantagens, para a segurança e continuaçaõ das suas relaçoens com aquella praça. A mesma Real Juncta do Commercio o tenha assim entendido, e faça executar. Palacio do Governo em 28 de Maio de 1817.

Com tres Rubricas dos Governadores do Reyno.—

Cumpra-se e Registe-se. Lisboa 29 de Maio, de 1817. Com quatro Rubricas do Presidente, e Deputados da Real Juncta do Commercio.

---

*Proclamaçaõ do Commandante da Fragata Perola, mandado a bloquear o porto de Pernambuco.*

Habitantes de Pernambuco! Chegando á noticia dos Governadores do Reyno de Portugal e dos Algarves, o horroroso attentado commettido nesta capitania nos dias 6 e seguintes de Março do presente anno, vîram com a dor indignaçaõ de que estaõ penetrados todos os bons Portuguezes, que um bando de facciosos e revolucionarios, comprimindo momentaneamente pela força os sentimentos de honra, e fidelidade, de que tendes dado tam decisivas provas, apresentáram á Europa espantada o primeiro exemplo entre Portuguezes de deslealdade a seu natural e legitimo Soberano!

E naõ estaõ ainda saciados de sangue e de lagrimas esses monstros, que por espaço de 25 annos inundáram grande parte da terra, com as mais funestas calamidades, sendo talvez instrumentos, com que a Justiça Divina, irritada pela immoralidade, e irreligiaõ destes ultimos tempos, quiz castigar a Europa, e dar a todo o Mundo um temeroso exemplo da severidade com que o braço omnipotente confunde e aterra os impios, que desprezám a sua Sancta Ley.

He possivel que o conhecimento das desgraças, que produzio o furor revolucianario, em quanto a Providencia lhe naõ pôz termo, naõ fosse bastante para vos arredar do horrivel abismo, em que esses inimigos da ordem vos pretendem precipitar! Pódem acaso esses miseraveis sectarios da mais fatal rovoluçaõ, esses instrumentos vis e abjectos do mais feroz tyranno, que ella produzio; achar ainda em qualquer lugar da terra a que houver chegado a historia deste calamitoso periodo, pessoas a quem illudam com frazes especiosas, e com principios de que uma triste experiencia fez ja conhecer a falsidade, e as desastradas e inevitaveis consequencias!

Naõ, Pernambucanos: vossos irmaõs os Portuguezes o naõ poderaõ jamais accreditar, estando pelo contrario intimamente persuadidos de que, se a violencia, e o artificio de uma perfida conjuraçaõ chegáram a surprender por um instante a vossa lealdade, vos mesmos quebrareis bem depressa os grilhoens, que vos, opprimem, e fareis conhecer ao Mundo, que se houve entre vos neste seculo de corrupçaõ e immoralidade imitadores do infame traidor Calabar, existem nos descendentes dos Vieiras, dos Vidaes dos Camaroens, e dos Henriques Dias os mesmos sentimentos de fidelidade e amor ao seu Soberano, que tanto os illustraram, e de que déram um exemplo que a historia tem transmittido a todos os seculos, para immortal honra dos Pernambucanos, que esses indignos revolucionarios pretendem agóra manchar com uma indelevel nodoa.

Naõ éra por certo o captiveiro, de que esses heroes vos libertáram, mais horroroso do que aquelle de que estais ameaçados. Se os Hollandezes, pela differença de religiaõ, punham em perigo a pureza e o exercicio da que felizmente professamos, estes revolucionarios procuram destruir em toda a parte, e derribar pelas bazes, todas as ideas religiosas e moraes. E posto que em quanto lhes convem se vos apresentam disfarçados com a mascara da hypocrisia, affectando respeitar uma religiaõ de que mofam, e que desmentem nas suas proclamaçoens, fazendo a Providencia cumplice do crime mais atroz que póde cometter um povo, qual he o de faltar á fidelidade devida ao Seu Soberano, podeis estar certos que se chegassem uma vez a alcançar os seus fins rasgariam immediatamente o veo com que cóbrem seus verdadeiros projectos, experimentarieis entaõ a mesma intolerancia, de que falsamente nos accusam, que os seus socios practicáram em França, e que practicará sempre ésta seita desorganizadora, em toda a parte em que puder firmar a sua dominaçaõ.—Considerai que, se os Hollandezes conquistando este paiz, procurávam despojar-vos das vossas riquezas, naõ saõ tambem agora outros os fins desses homens, que vos tyranîzam: pouco importa que se gloriem do nome de Brazileiros, ou de Portuguezes, desligados pela immoralidade de seus principios de todos os vinculos divinos e humanos que sugeitam o homem aos deveres de cidadaõ, e as relaçoens de familia e de amizade, entaõ devoradas de uma desmedida ambiçaõ de riqueza e poder, estando sempre promptos a sacrificar á estas duas tam insaciaveis, como funestas paixoens todas as consideraçoens, que as pódem modificar no coraçaõ dos homens, que conhecem, e respeitam a virtude.

Que fé, que honra, que probidade se póde esperar de gente, que principia calcando aos pés e ocultando todos estes sentimentos? Que segurança póde ter contra a força do poder collocado em taes maõs o capitalista opulento, cujas riquezas estaõ desafiando todos os dias a sêde ardente de ouro, que os domina? Infelizmente as fataes scenas da revoluçaõ Franceza, cujos principios elles proclamam, devem abrir os olhos a toda a casta de proprietarios, e aos mesmos povos, de quem aquelles revolucionarios se servîram como instrumentos, e que conheceraõ á sua custa, mas ja tarde, que a lijongeira linguagem, com que illudîram até as ultimas classes da naçaõ, naõ éra mais do que um veneno subtilmente preparado, que veio a degenerar para todos no mais tyrannico despotismo e insuportavel miseria. Se taes vem a ser indispensavelmente os effeitos que os principios revolucionarios modernos devem produzir, e realmente produzîram na Europa, que incalculaveis males naõ ameáçam o Brazil, no seu estado actual? O exemplo da Ilha de S. Domingos he tam horroroso, e está ainda tam recente, que elle só será bastante para aterrar os proprietarios deste continente.

Extirpai, habitantes de Pernambuco, extirpai sem demora o monstro, que quer sepultar os pacificos povoadores do Brazil, nos horrores, que por mercê da Providencia apenas lhes tem sido conhecidos pelos annaes da historia; suffocai immediatamente a venenosa serpente, que vos devorará sem remedio, se lhe déreis tempo de medrar e crescer. Restabelecei promptamente a ordem e as authoridades legitimas; voltai á obediencia do mais amavel Soberano, verdadeiro pay de seus povos, por quem tem feito os mais heroicos sacrificios, e por quem he temido e adorado, em todas as regioens de seu dilatado imperio. Os Governadores do Reyno de Portugal e dos Algarves, informados deste sacrilego attentado contra a soberania do nosso Augusto Rey e Senhor, e da violencia com que o chamado governo provisorio detém as propriedades dos Portuguezes, que provavelmente pertende roubar, para com ellas se pôr em salvo; e persuadindo-se de que, em similhante crise, todos os vassallos de Sua Majestade devem acudir sem demóra a destruir no berço uma rebeliaõ, que, se ganhasse forças, faria nadar em sangue este delicioso paiz, me ordenáram em seu Real Nome, que, em quanto se naõ recebem as ordens do mesmo Senhor, viesse com a força do meu commando bloquear os portos desta Capitanîa, cujo bloqueio, que será auxiliado brevemente com mais poder, deverá durar em quanto Sua Majestade naõ mandar o contrario, ou em quanto os fieis habitantes desta capitania naõ conseguirem sacudir o jugo que os opprime, restituindo nella o suave e legitimo, governo de Sua Majestade.

Os Pernambucanos leaes receberaõ da parte dos navios de guerra de Sua Majestade, encarregados deste serviço, toda a ajuda e favor, de que precizarem, para o util e glorioso fim de restituir a paz, e felicidade a ésta interessante porçaõ dos dominios de Sua Majestade, mesmo antes que as immediatas providencias aqui possam chegar.

VIVA EL REY NOSSO SENHOR.

Dado a bordo da Fragata Perola, &c.

---

## CARTA DE LEY.

*Dando escudo d'Armas ao Brazil, e incorporando-as nas do Reyno Unido.*

*D. Joaõ*, por Graça de Deos, Rey do Reyno-Unido de *Portugal* e do *Brazil* e *Algarves*, d'aquem d'além mar em *Africa*, Senhor de *Guine* e da Conquista, Navegaçaõ, e Commercio da *Ethiopia*, *Arabia*, *Persia*, e da *India*, etc. Faço saber aos que a presente Carta de Ley virem: Que tendo sido servido unir os meus Reynos de *ortugal*, *Brazil*, e *Algarves*, para que junctos constituissem, como effectivamente constituem, um só e mesmo Reyno; he regular e consequente o incorporar em um só Escudo Real as Armas de todos os tres Reynos, assim e da mesma fórma, que o Senhor Rey *D. Affonso Terceiro*, de Gloriosa Memoria, unindo outróra o Reyno dos *Algarves* ao de *Portugal*, unio tambem as suas Armas respectivas: E occorrendo que para este effeito o meu Reyno do *Brazil* ainda naõ tem Armas, que caracterizem a bem merecida preeminencia a que me aprouve exaltallo: hei por bem, e me praz ordenar o seguinte.

1. Que o Reyno do *Brazil* tenha por Armas uma Esféra Armillar de Ouro em campo azul.

II. Que o Escudo Real *Portuguez*, inscripto na dicta Esféra Armillar de Ouro em campo azul, com uma Coroa sobreposta, fique sendo de hoje em diante as Armas do Reyno-Unido de *Portugal*, e do *Brazil*, e *Algarves*, e das mais Partes integrantes da minha Monarchia.

III Que estas novas Armas sejam por conseguinte as que uniformente se hajam de empregar em todos os Estandartes, Bandeiras, Sellos Reaes, e Cunhos de Moedas assim como em tudo mais em que até agora se tenha feito uso das Armas precedentes.

E esta se cumprirá coma nella se contém. Pelo que mando a uma e outra Meza do Desembargo do Paço, e da Consciencia e Ordens, Presidente do Meu Real Erario; Regedores das Casas da Supplicaçaõ; Conselhos daMinha Real Fazenda, e mais Tribunaes do Reyno-Unido; Governadores das Relações do *Porto*, *Bahia* e *Maranhaõ;* Governadores e Capitaens Generaes, e mais Governadores do *Brazil*, e dos Meus Dominios Ultramarinos, e a todos os Ministros de Justiça, e mais Pessoas, a quem pretencer o conhecimento, e execuçaõ desta Carta de Ley, que a cumpram, e guardem, e façam interiamente cumprir, e guardar como nella se contém naõ obstante quaesquer Leys, Alvaras, Regimentos, Decretos, ou Ordens em contrario, porque todos, e todas hei por derogadas para este effeito sómente, como se dellas fizesse expressa e individual mençaõ, ficando aliás sempre em seu vigor. E ao Doutor *Thomás Antonio de Villa Nova Portugal*, do Meu Conselho, Desembargador do Paço, e Chanceller Mór do Reyno do*Brazil*,mando que a faça publicar na Chancellaria, e que della se remettam Copias a todos os Tribunaes, Cabeças de Comarca, e Villas deste Reyno; publicando-se igualamente na Chancellaria Mór do Reyno de *Portugal*, remettendo-se tambem as referidas Copias ás Estações competentes; registando-se em todos os lugares onde se costumaõ registar simillhantes Cartas, e guardando-se o Original onde se guardam as minhas Leys, Alvarás, Regimentos, Cartas, e Ordens deste Reyno do *Brazil.* Dada no Palacio do *Rio de Janeiro* aos treze de Maio de mil oitecentos e dezeseis.—ELREY. Com Guarda.—

MARQUEZ de AGUIAR.

---

Domingo 15 do corrente se cantou em todas as Igrejas desta Capital a Missa votiva a Nossa Senhora, seguida do Hymno *Te Deum laudamus*, em acçaõ de graças, em cumprimento do que se ordenou pela Provisaõ acima.

---

*Aviso do Secretario de Estado, o Conde da Barca, sobre o Commercio da escravatura.*

Sua Majestade, querendo dar aquellas providencias, que póssam melhor contribuir para a restricta e inviolavel execuçaõ do Tractado de 22 de Janeiro, pelo qual houve por bem prohibír aos seus vassallos o commercio da escravatura em todos os portos da costa d' Africa ao norte do Equador, e em alguns ao sul desta linha, aonde a Corôa do Reyno Unido naõ tem dominio ou direito. E havendo reconhecido, que uma das medidas mais efficazes para precaver as simuladas violaçoens do referido tractado, he sem duvida a de prohibir que os navios Hespanhoes se armem nos portos deste Reyno, para írem fazer o trafico de escravos n'aquelles portos da costa d' Africa, em que tem direíto de continuarem ainda o mesmo trafico, e que saõ os que se acham comprehendidos entre o Equador e o decimo gráo de latitude septentrional. He o mesmo Senhor servido ordenar, que tres mezes depois da data do presente Avizo se entenda prohibido aos navios Hespanhoes o armarem-se nos portos do Reyno Unido, para îrem fazer o commercio de escravos, nos portos da costa d' Africa acima designados, cumprindo que as authoridades, a quem compete fiscalizar a carga e aprestos de similhantes navios dem todas as providencias, que entenderem necessarias, para que ésta prohibiçaõ haja de sortir o seu devido effeito. O que participo a V. S. para sua intelligencia, e para que o faça exactamente cumprir pela parte que lhe toca.—Deus guarde a V. S. Paço em 17 de Fevereiro, de 1817.

(*Assignado*) CONDE DA BARCA.

Senhor LUIZ JOZE de CARVALHO e MELLO.

---

PORTARIA.

*Sobre as contribuiçoens do Monte-Pio em Portugal.*

Havendo Representado o Marechal General Marquez de *Campo Maior*, que o prazo de seis mezes concedido no No. XIII do Artigo XXIII do Regulamento de 21 de Fevereiro de 1816, para os Officiaes poderem reclamar as contribuições com que tiverem entrado na Caixa do Monte-Pio, quando naõ queiraõ sugeitar-se ás condições alli determinadas, he muito limitado. E conformando-se El Rey Nosso Senhor com o que o mesmo Marechal General propoz a similhante respeito, e á vista das razõens por elle ponderadas, ha por bem prorogar aquelle prazo por mais seis mezes.

As Authoridades a quem pretencer o tenham assim enteneido e executem.—Palacio do Governo aos 17 de Maio de 1817 — *Com as Rubricas dos Senhores Governadores do Reyno.*

---

*Edictal da Juncta da Saude, em Lisboa; sobre o contagiò em Toscana.*

A Junta da Saude Publica faz saber as providencias que vám pôr-se em prática, a fim de obstar á introducçaõ da febre Petechial contagiosa, que desgraçadamente se acaba de manifestar na Cidade de *Grosseta* em *Toscana*, e que dalli tem espalhado os seus fenestos estragos por quasi toda a *Italia*, o que tudo consta pela Correspondencia Official dos Consules *Portuguezes*, e particularmente do de *Genova*, em data de 29 de Abril, e do de *Alicante* em 13 de Maio do corrente anno.

Art. I. Saõ considerados como actualmente inficionados da febre Petechial contagiosa todos os Portos da *Toscana*; e as Embarcações, que delles houverem saìdo, seraõ admittidas só, e exclusivamente no Porto de *Lisboa*, debaixo de uma quarentena de 20 dias para as fazendas susceptiveis, e de 12 dias de observaçaõ para as pessoas da Tripulaçaõ, e Passageiros.

II. Saõ considerados como muito suspeitosos da sobredicta febre todos os outros Portos da *Italia* propriamente dicta; e as Embarcações que delles houverem saìdo seraõ admittidas só, e exclusivamente no Porto de *Lisboa* debaixo de uma quarentena de 12 dias para as fazendas susceptiveis, e de 7 dias para as pessoas da Tripulaçaõ, e Passageiros.

III. As Ilhas de *Corsega*, *Sardenha*, e as mais adjacentes ás Costas da *Italia*, saõ consideradas como suspeitosas; e as Embarcações que dellas houverem saìdo, sujeitas a uma observaçaõ de 8 dias.

E para que chegue á noticia de todos, e se naõ possa allegar ignorancia, se mandou affixar o presente Edictal em todas as Praças e Lugares publicos dos Portos do Reyno, ficando aliàs no seu vigor o Edital de 11 de Setembro do anno proximo passado, em todos e cada um dos Artigos de que neste se naõ faz expressa mençaõ. Lisboa 31 de Maio de 1817.

MANOEL CYPRIANO DA COSTA.

*Indulto do Delegado Apostolico em Portugal, para que se possa comer gordura de porco.*

*D. Vicente Macchi*, Camarista Intimo do Santissimo Padre *Pio* Papa Septimo Nosso Senhor, Protonotario, e Delegado Apostolico nestes Reynos de *Portugal*, e *Algarves*, &c. &c. &c.

" Os Illustrissimos e Excellentissimos Senhores Governadores, animados pelo zelo da Observancia das Leys Ecclesiasticas, e movidos ao mesmo tempo pelo seu paternal amor aos Vassallos de Sua Majestade Fidelissima, nos representáram, que visto estar proximo o tempo da Quaresma, e ter subido extraordinariamente o preço do Azeite, naõ só nesta Capital, como em outras Provincias, e naõ podendo o Povo sem grave incommodo comprallo para temperar as comidas, nos dias de abstinencia, summamente desejavam, que fosse por Nós concedido a favor das tres Provincias da *Extremadura*, *Alemtéjo*, e *Beira*, o uso da gordura de Porco, de cujo genero ao presente se abunda, na conformidade do que por Graça da S. Sé Apostolica se pratica, ha já muito tempo, em algumas outras terras do Reyno. Por tanto annuindo Nós ás instancias dos referidos Illustrissimos e Excellentissimos Senhores Governadores, e a fim de acudirmos do modo possivel aos Fieis deste Reyno na actual penuria, usando da Apostolica Authoridade a Nós delegada, e em Nome de Sua Sanctidade, concedemos aos habitantes das mencionadas Provincias da *Extremadura*, *Alemtéjo*, e *Beira* o Indulto, e Dispensa para poderem durante o tempo da proxima Quaresma adubar as hervas, legumes, e mais comidas de magro com a gordura de Porco, em lugar de Azeite, á excepçaõ da Quarta feira de Cinza, das quatro Temporas, e das Sextas feiras, e Sabbados; observando-se porém a Ley, e forma do jejum em todos os dias, em que obriga este preceito: Naõ obstante qualquer cousa em contrario. Dado em *Lisboa* nas Casas da Nossa Residencia, sob Nosso signal, e Sello das Nossas Armas, aos 15 do mez de Fevereiro de 1817, e do Pontificado de Sua Sanctidade o P. P. *Pio* Septimo anno Decimo Septimo.—

VICENTE MACCHI, Delegado Apostolico.

JOZE MANOEL GONÇALVES ANJO, Secretario."

"El Rey Nosso Senhor ha por bem acordar o seu
" Real Beneplacito para que se possa executar o indulto
" juncto, pelo qual nos dias, e pelo tempo, que nelle se
" declara, he permittido aos Habitantes das Provincias da
" *Extremadura*, *Alemtéjo*, e *Beira* o poderem adubar
" as hervas, legumes, e mais comidas de magro com
" gordura de Porco, em lugar de azeite. Palacio do
" Governo em 15 de Fevereiro de 1817.

JOAÕ ANTONIO SALTER de MENDONÇA."

" Está conforme. LOURENÇO JOZE da MOTTA MANSO."

### ALEMANHA.

*Memorial das Cidades livres de Lubeck, Frankfort, Bremen e Hamburgo, á Dieta de Frankfort sobre os piratas de Barbaria.*

Os Senados das cidades Hanseaticas de Lubeck, Bremen e Hamburgo se julgam obrigados a chamar a attençaõ da Dieta para um objecto, que he da maior importancia, naõ só directamente para estas cidades, e para todos os outros Estados Alemaens maritimos, mas tambem para toda a Confederaçaõ Alemaã. He ja sabido, pelas noticias das gazetas publicas que os Tunisianos exercem a pirataria agora de maneira inaudita, nos mares do Norte, e até mesmo no Canal. Parece tambem de varias relaçoens officiaes, transmittidas pelos encarregados de negocios e consules das Cidades Hanseaticas em Madrid e Lisboa, que, segundo as communicaçoens formaes, que fez o Ministro do Rey dos Paizes-Baixos, na primeira, e o Consul Geral Francez, na segunda Côrte, varios corsarios armados da Barbaria, entre os quaes ha particularmente dous Tunesianos, se fizéram á vela para o Oceano Atlantico em ordem a cruzar contra os navios das cidades Hanseaticas e alguns outros Estados Alemaens, porém manifestamente contra os navios Prussianos; e tem expressamente declarado, este designio, debaixo do pretexto de que estaõ em guerra com estes Estados.

Aos 16 do mez passado fôram aprezados por estes piratas o navio Hamburguez Oceano, com uma carga de grande valor; o Christiana, de Lubeck; e ainda mais recentemente um navio Hamburguez, e outro Oldenburguez, ambos chamados Catharina. Felizmente alguns navios de guerra Britannicos se encontráram com estes ladroens e leváram-nos a elles e aos navios aprezados, para os portos Inglezes; d' onde os ultimos tivéram permissaõ de continuar as suas respectivas viagens; no entanto o Capitaõ do navio Oceano, e cinco de sua equipagem, que tinham sido passados para bordo de outro pirata, ficáram nas maõs dos Tunesianos; e, em tanto quanto se sabe, os mares Atlantico e do Norte naõ estaõ seguros contra as depredaçoens dos corsarios Tunesianos. E com tudo, deve-se reconhecer com gratidaõ, que a Inglaterra, pelo seu acto neste exemplo, declarou que naõ permittiria que se commettessem taes crimes, nos mares, que banham suas costas; e he de esperar que as outras Potencias maritimas da Europa (a quem o Senado de Hamburgo se tem ja dirigido por meio de seus ministros residentes,) concorreraõ em adoptar medidas activas para o restabelicimento da segurança da navegaçaõ, que he tam importante á Europa toda; porém os Senados das Cidades Hanseaticas, naõ obstante, considéram proprio, e até olham como de seu dever, reclamar urgentissimamente da Alta Dieta Alemaã, e de todos os seus membros, a sua poderosa cooperaçaõ, para a total aboliçaõ de depredaçoens, que saõ calculadas a interromper todo o commercio maritimo.

A existencia das piratarîas das Potencias da Barbaria, ainda dentro dos limites, a que os seus roubos se tem até aqui limitado, he sem duvida uma injuria publica a toda a Europa; e a exclusaõ compulsoria, que por isso se effectua no Mediterraneo, dos navios daquelles Estados Alemaens, que naõ pódem procurar protecçaõ ás suas bandeiras, nem por uma força naval, nem fazendo consideraveis sacrificios pecuniarios, éra d'antes, naõ somente para elles, para os outros interessados no commercio que elles fazîam, um mal de naõ pequena magnitude, e que além disso se augmenta, pela fatta de segurança em uma parte do Atlantico. A aboliçaõ da pirataria das Potencias da Barbaria, mesmo dentro daquelles limites, tem vindo a ser o anxioso desejo de toda a Europa, e éra um objecto a que se dirigio a attençaõ das Potencias junctas no Congresso de Vienna. Porém quam insignificante he este mal parcial, quando se compára com as incalculaveis consequencias perniciosas, que se podem seguir, se se permittir a estes piratas Africanos, o velejar sem interrupçaõ desde suas costas infestadas, e espalhar em paizes distantes as enfermidades que trazem com sigo! Em quanto o perigo se limitava ao mar Mediterraneo, pelo menos se sabia o seu termo, e se podiam adoptar medidas de precauçaõ contra elle; e ainda que éstas medidas de segurança, junctamente com a diminuiçaõ dos concurrentes necessariamente levantasse o preço das producçoens daquella parte do mundo; comtudo o commercio, posto que alguma cousa impedido nunca ficou inteiramente parado A estagnaçaõ completa da navegaçaõ e commercio da Alemanha, deve certamente succeder, se os piratas da Barbaria naõ fôrem rigorosamente restrictos de as extenderem a outros mares. Se se soffrer que elles andem a corso nos mares Altanticos do Norte e Baltico, se se lhes naõ impedir que ataquem os navios mercantes, que, durante o tempo de paz, descançam confiadamente na navegaçaõ e commercio Alemaõ. Tambem será inutil daqui em diante mandar os productos e manufacturas da Alemanha, pelos rios, que communicam com o mar do Norte, e Baltico, nem ainda mesmo conduzîllos por terra aos differentes portos de mar, a fim de os transportar em vasos para os paizes estrangeiros. Similhante sorte espéra aquelles artigos destinados a serem importados para a Alemanha. O negociante se protege, pelo seguro, contra os perigos ordinarios a que os navios estaõ usualmente expostos no mar. Mesmo durante uma guerra maritima, que he tam perniciosa ao commercio e á navegaçaõ, se obtém de algum modo a mesma protecçaõ, em certo gráo, pelos premios mais subidos, ainda que os pagamentos destes premios sêjam um pezado tributo tanto sobre o fabricante como sobre o consumidor; porém elles naõ poderaõ de forma alguma asegurar a sua propriedade contra os ataques, com que ameaçam os piratas da Barbarîa.

Estes piratas, que saõ totalmente ignorantes do direito das gentes, e que fazem o corso para o expresso fim de roubar, commeçáram a annunciar adeclaraçaõ da guerra por seus ataques. Naõ se deve suppor que estes vasos saõ propriedade de individuos particulares; elles saõ esquipados em execuçaõ de suas leys. Estes ladroens naõ se limîtam a tempo nem a formas; elles atacam inesperadamente navios mercantes indefezos, e levam com sigo naõ somente a propriedade mas a gente, concidadaõs Alemaens, cujas lagrimas e choro retumbam desde as costas de seu paiz natal, que estes piratas Africanos submergem nas tetras masmorras da escravidaõ. Perigos de tal natureza nunca pódem ser anticipados, e consequentemente nenhumas precauçoens se adoptáram contra elles.

Occurrencias desta natureza tem originado sentimentos de falta de segurança, os quaes tem interompido a navegaçaõ e o commercio; porque ninguem sabe quanto durará a continuaçaõ destas atrocidades, que no entanto tem occasionado a total estagnaçaõ do commercio. Estes piratas se faraõ mais audazes, permittindo-se o escapar sem castigo, e serem bem succedidos em suas emprezas momentaneas. E até he provavel que, durante o seu corso, desembarquem em alguma das costas Alemaãs expostas e sem defensa; e levem ali adiante o seu trafico de roubar, e furtar gente; espalhando a miseria e devastaçao por toda a parte. Alem de todas as desgraças debaixo das quaes a Alemanha tem gemido por tam longo periodo, ¿ naõ será possivel que elles nos communiquem a infecçaõ de sua natural peste, a mais horrorosa de todas as calamidades da terra? O que ja se tem dicto, sem duvida explicará porque os Senados das Cidades Hansenticas tem representado á Dieta, que naõ somente éstas cidades, mas tambem todos os Estados maritimos e commerciaes; e de facto toda a naçaõ Alemaã está interessada em pôr termo ás depredaçoens dos piratas da Barbaria. Os Senados tem razaõ para esperar que as abominaveis occurrencias, que tem motivado ésta representaçaõ, excitaraõ a maior indignaçaõ entre os altos e illustres membros da Confederaçaõ Alemaã; e que naõ sómente cada um dos membros individualmente se esforçará para erradicar este mal, mas tambem que a alta

Confederaçaõ, como uma Potencia collectiva e Europea, adoptará todas as medidas efficazes para pôr fim a éstas piratarias, que affrontam a honra da bandeira Alemaã, e o bem da naçaõ Alemaã.

Ainda que a Confederaçaõ Alemaã, como corpo federativo, naõ possua forças navaes; nem lhe falta o poder nem os meios necessarios para vigiar effectivamente a segurança da navegaçaõ Alemaã; e as Cidades Hanseaticas justamente entretem a esperança de que a proposiçaõ para uma séria consideraçaõ deste importante negocio terá a approvaçaõ da Dieta.

---

Propondo-se a questaõ pelo Presidente, fôram unanimes todos os votos em declarar, que as suas respectivas altas cortes e constituintes deviam ser informados destas circumstancias, para que adoptassem os meios mais efficazes á protecçaõ do commercio Alemaõ. A maioridade foi de opiniaõ, que se devia nomear uma commissaõ de cinco membros, para preparar as necessarias proposiçoens, sobre que se fundasse um relatorio.

---

A Dieta elegeo para membros da Commissaõ o Conde Von Goltz, Baraõ Von Eyben, Baraõ Von Gagern, Herr Von Berg; e o Syndico Danz.

---

### Resoluçaõ.

Que os Enviados Conde Von Goltz, Baraõ Von Eyben, Baraõ Von Gagern, Herr Von Berg, e Syndico Danz, subméttam a sua unida opiniaõ sobre as precauçoens mais efficazes, que se podem adoptar, para segurar a navegaçaõ Alemaã, contra as piratarias dos corsarios da Barbaria, com o fim de se fazer um relatorio ás Côrtes e Constituintes dos membros da Dieta.

## HESPANHA.

### *Circular do Ministro da Fazenda aos Intendentes das Provincias.*

Communicando-vos o decreto de 30 de Maio proximo passado, pelo qual se estabelece um systema geral de Finanças, e as instrucçoens, que se devem observar na distribuiçaõ e collecta das contribuiçoens do Reyno, acompanhadas das bullas de S. Sanctidade o Papa Pio VII. relativamente áquelle objecto, El-Rey me ordena que vos pergunte, em seu Real nome, e que exija de vós uma resposta cathegorica, se achais que tendes a disposiçaõ, saude, energia e outras qualificaçoens necessarias, para o efficaz desempenho de vossos deveres, e para executar com a maior exactidaõ, na provincia encarregada ao vosso cuidado, o que S. M. tem resolvido, sem repugnacia nem falencia, em algum dos objectos comprehendidos no Real decreto e instrucçoens. No caso de vossa resposta ser pela affirmativa, ficareis sugeito á maior responsabilidade, se em qualquer occasiaõ as ordens d' El Rey forem transgredidas em todo ou em parte. Se a vossa resposta for pela negativa, El Rey appreciará a vossa franqueza e boa fé; e, tendo respeito ao que a manifestaçaõ destas virtudes merece, está disposto a segurar, de maneira honrosa, a vossa felicidade, e a da vossa familia.

Communico-vos isto em nome d' El Rey, para que possa receber uma resposta immediata.

Madrid 4 de Junho, 1817.

## INGLATERRA.

*Falla do Orador da Casa dos Communs a S. A. R. o Principe Regente, no encerramento da Sessaõ do Parlamento.*

Possa ser do agrado de V. A. R.

Em obediencia ás ordens de V. A. R. nós os fieis Communs do Reyno Unido da Gram Bretanha e Irlanda viemos á presença de V. A. R. com o nosso ultimo Bill de subsidios, no fim de uma laboriosa sessaõ.

Entre os numerosos objectos de grande importancia publica, a que foi chamada a nossa attençaõ, naõ ha nenhum, que mais anxiosamente occupasse a nossa consideraçaõ, do que os relativos ás finanças, e estado interior do paiz.

Em conformidade da recommendaçaõ de V. A. R. no principio da sessaõ, tomamos aquellas medidas, que nos parecêram melhor calculadas, para segurar a plena e séria indagaçaõ dos rendimentos e despezas publicas.— A investigaçaõ continuou por toda a sessaõ. Desta indagaçaõ resultou grande beneficicio, e indubitavelmente muito mais resta a fazer; mas esperamos justificar a nossa convicçaõ, de que, medindo as nossas despezas pelo que possam requerer os interesses reaes do Imperio, naõ devemos ter apprehensaõ alguma sobre a estabilidade de nossos recursos.

Profundamente penetrados do que devemos a V. A. R. por ter ordenado que se nos apresentassem, no principo da sessaõ, os calculos de receita e despeza, com todas as diminuiçoens nos estabelicimentos, que uma solida politica podia permittir, temos tido a satisfacçaõ de achar, que se podem ministrar os subsidios, sem impôr novos encargos ao povo; e temos a orgulhosa satisfacçaõ de pensar, que, naõ obstante os gigantescos e incomparaveis esforços, que este paiz tem sido obrigado a fazer, e as difficuldades e aperto, que devem ser a consequencia necessaria de taes esforços, em nenhum periodo de sua historia esteve o eredito publico mais solido, firme e inconcusso, do que se acha presentemente.

Considerando, Senhor, o estado interno do paiz, nos tem sido penoso contemplar as tentativas, que se tem feito, para tirar partido da penuria de uma porçaõ do povo, convertendo-a para fins perversos e máos: Os fieis Communs de S. M., ao mesmo tempo que se tem empregado anxiosamente naquellas medidas, que podîam arrestar os ulteriores progressos de taes tentativas, naõ tem deixado de pensar em outras medidas, que pódem dar alivio ao aperto daquélla penuria. Com éstas vistas, tem voltado a sua attençaõ ao acoroçoamento das pescarias, aos meios de providenciar emprego para os pobres, e diligentissimamente (posto que os limites da sessaõ naõ permittîram o complemento da medida) cuidar em uma plena e miuda indagaçaõ do estado e effeito das leys sobre os pobres, questaõ ésta, em que a riqueza, industria e moralidade da naçaõ, saõ tam profundamente implicadas. Ao mesmo tempo, que julgamos ser de nosso primeiro dever, deliberar com incançavel solicitude sobre estes objectos de superior importancia, naõ foi a estes somente, que se limitáram as nossas deliberaçoens. Conhecendo que os melhores interesses do paiz estaõ intimamente connexos com os estabelecimentos ecclesiasticos, esperamos que o publico tirará grande vantagem, e será mui conveniente ao clero, a revisaõ das leys, que affectam as pessoas espirituaes.

A nossa attençaõ se dirigio mui seriamente á Irlanda, providenciando uma investigaçaõ mais deliberada dos *appresentamentos* (determinaçaõ de fazer processo a alguem accusado de crime) dos Gram-Jurados: medida ésta da mais geral influecia, sobre o todo daquella porçaõ do Reyno Unido—medida que nós confiadamente esperamos virá a ser tam saudavel na practica, como he inquestionávelmente fundada em solidos principios.

Estes, Senhor, saõ os principaes objectos, que tem accupado os trabalhos dos fieis Commums de S. M.; e, se ésta sessaõ naõ tem sido notavel por aquelle brilhantismo e esplendór, que tem characterizado as sessoens passadas, com tudo temos a satisfacçaõ, em nossa consciencia, de reflectir, que, tendo tido grandes deveres a preencher, temos applicado á execuçaõ desses deveres a mais indefatigavel e fiel attençaõ.

Senhor, o *Bill*, que he de meu dever apresentar humildemente a V. A. R., tem por titulo, "Um Acto para applicar certos dinheiros, nelle mencionados, ao serviço do anno de 1817, e para appropriar outros subsidios concedidos nesta sessaõ do Parlamento; para o qual, com toda a humildade, rogamos o Real assento de S. M.

---

*Falla de S. A. R. o Principe Regente, no encerramento da Sessaõ do Parlamento.*

My Lords e Cavalheiros.

Naõ posso fechar ésta sessaõ do Parlamento, sem renovar as minhas expressoens de profundo sentimento, pela continuaçaõ da lamentavel indisposiçaõ de S. M.

A diligencia com que vos tendes applicado á consideraçaõ dos differentes objectos, que recommendei á vossa attençaõ, no principio da sessaõ, exige os meus mais ardentes agradecimentos; e naõ tenho duvida de que a favoravel mudança, que felizmente vai tendo a nossa situaçaõ interna, se deve principalmente attribuir ás saudaveis medidas, que tendes adoptado, para preservar a tranquillidade publica, e á vossa firme adhesaõ áquelles principios, por que se tem até aqui preservado a Constituiçaõ, Recursos e Credito do Paiz.

Naõ obstante as artes e industria, que em algumas partes do paiz se tem, com demasiado bom successo, posto em practica, para alienar a affeiçaõ dos vassallos de S. M. e para os estimular a actos de violencia e insurreiçaõ, tenho a satisfacçaõ de receber as provas mais decisivas da lealdade e espirito publico do grande corpo do povo; e a paciencia com que elle tem soffrido as mais arduas necessidades temporarias, naõ póde deixar de louvar-se altamente.

Sou plenamente sensivel á confiança, que me tendes manifestado, pelos extraordinarios poderes que puzestes em minhas maõs. A necessidade, que os requereo, he para mim objecto de profundo sentimento; e vós podeis descançar, em que eu farei um moderado, mas efficaz, uso delles; para protecçaõ e segurança dos leaes vassallos de S. M.

Cavalheiros da Casa dos Communs.

Agradeço-vos os subsidios, que me tendes concedido; e a laboriosa investigaçaõ, que, por minha recommendaçaõ, fizestes, sobre o estado do rendimento, e despezas publicas.

Tem-me dado sincero prazer o achar, que haveis podido prover a todos os ramos do serviço publico, sem augmento dos encargos do povo.

O estado do credito publico fornece uma prova decisiva da sabedoria e conveniencia, considerando todas as circumstancias presentes, dos arranjamentos de finanças, que tendes adoptado.

Tenho toda a razaõ para crer, que a diminuiçaõ dos rendimentos se deve attribuir, em grande gráo, ao estado naõ favoravel da estaçaõ passada; e ólho para o futuro com ardentes esperanças de eu gradual melhoramento.

My Lords e Cavalheiros.

As medidas, que estávam em progresso no principo da sessaõ, para se pôr em circulaçaõ a nova moeda de prata, se tem posto em plena execuçaõ de maneira que tem dado universal satisfacçaõ; e, para completar o systema, que foi approvado pelo Parlamento, se tem providenciado para conveniencia do publico, cunho de ouro, de nova denominaçaõ.

Continuo a receber das Potencias Estrangeiras as mais fortes seguranças de suas amigaveis disposiçoens para com este paiz, e de seu desejo de preservar a tranquillidade geral.

O prospecto de uma colheita abundante, em parte consideravel do Continente, ministra o mais alto gráo de satisfacçaõ. Este feliz dom da Providencia naõ póde deixar de mitigar, quando naõ remova de todo, o aperto com que tantas naçoens da Europa tem soffrido no decurso do anno passado; e eu espero que poderemos, em consequencia, olhar para o futuro, contemplando melhoramentos nas relaçoens commerciaes deste e de todos os outros paizes. Naõ posso deixar separar-vos, sem vos recommendar, que, voltando para os vossos respectivos condados, useis os maiores esforços para desfazer todas as tentativas de conromper e desencaminhar as classes inferiores da communidade, e que naõ percais occasiaõ de inculcar entre ellas o espirito de concordia e obediencia ás leys, que naõ he menos essencial á sua felicidade como individuos, do que he indispensavel ao bem geral e prosperidade do Reyno.

---

O Chanceller, entaõ, por ordem do Principe Regente, declarou o Parlamento prorogado até os 21 de Agosto.

### RUSSIA.

*Ukase de S. M. I. regulando as Finanças.*

Nós Alexandre I. pela graça de Deus, Imperador e Autocrata de Todas as Russias, &c. &c.

As medidas annunciadas, pelos ukases de 1810, e 1812, para o pagamento successivo das dividas do Estado, fôram suspendidas pelos acontecimentos da guerra, tam fatal em sua origem, como gloriosa nos seus resultados: os tributos, que fôram decretados sómente para este fim, fôram divertidos delle, pela indispensavel necessidade de os empregar nas despezas, que a defeza do paiz requeria. Era impossivel, no meio do rapido curso dos acontecimentos militares, pensar de levantar o credito do Estado, cujo systema ainda se naõ tinha podido consolidar: tudo quanto se podia fazer éra mantêllo. Com o auxilio do Todo Poderoso se concluio ésta guerra, sem augmento de tributos, e sem deterioramento do credito publico. Agora, que está restabelecida a paz, achando que a extincçaõ gradual das dividas do Imperio he tam necessaria ao bem geral, como indispensavel para fortalecer a confiança nos ajustes do Governo, temos ordenado ao nosso Ministro das Finanças, que apresente ao Conselho de Estado, para seu exame, um plano de medidas addicional, que completará os regulamentos feitos sobre ésta materia; e tendo-o examinado, com o parecer do Conselho de Estado, temos julgado proprio ordenar o seguinte:—

1. Para o pagamento das dividas do Estado, o thesouro Imperial, no decurso do presente anno, porá á disposiçaõ do Committé para o pagamento da divida a somma de quarenta milhoens de rublos.

2. A datar do anno de 1818, se assignaraõ annualmente para o mesmo objecto, sessenta milhoens, tirados das rendas dos bens da corôa, até a extincçaõ das dividas; e até que a massa do papel moeda se tenha reduzido á proporçaõ que se requer para a circulaçaõ.

3. Os principios até aqui adoptados, e ultimamente completados, para lançar os fundamentos á extincçaõ das dividas do Estado, ficam estabelecidos nos regulamentos

geraes do Committé do fundo de amortizaçaõ, que temos confirmado. Este regulamento será posto em seu pleno vigor desde o 1°. de Septembro deste anno.

4. Todas as dividas do Governo saõ concentradas no Committe do fundo de amortizaçaõ, he prohibido daqui em diante a todos os ramos da Administraçaõ, o contrahîrem por si mesmos novas dividas, por qualquer pretexto que séja, e isto com a responsabilidade pessoal daquelles que estaõ á testa das mesmas: porém se occurrerem para o futuro algumas circumstancias imprevistas, que façam necessario abrir um emprestimo, para cubrir exigencias extràordinarias, que excêdam os recursos usuaes do thesouro publico, neste caso se naõ poderá fazer o emprestimo, senaõ na conformidade dos principios estabelecidos no regulamento dos dictos Committés.

Dado em S. Petersburgo, aos 16 de Abril, de 1801.

---

*Resumo dos regulamentos do Committé do fundo de amortizaçaõ.*

Primeira Parte.

---

CAPITULO 1°.

*Das dividas em geral.*

As dividas saõ classificadas, em dividas, que tem juros, e dividas sem juros (bilhetes do Banco). Tanto umas como outras pertencem á jurisdicçaõ do Committe.

---

CAPITULO 2o.

*Das dividas que tem juro.*

Secçaõ 1a.—Da amortizaçaõ das dividas.

Para o pagamento dos juros, e reembolço ou remissaõ

destas dividas, se assigna uma somma annual, fixada pelo presente em 30 milhoens, que o Thesouro porá á disposiçaõ do Committé do fundo de amortizaçaõ, e que será tirado dos rendimentos dos *Domains* da Corôa. No caso em que haja novos emprestimos, que augmentem a massa da divida, se accrescentará, por cada vez, á somma de 30 milhoens, a somma necessaria para o serviço dos novos emprestimos. Estes fundos, destinados ao pagamento das dividas, seraõ, em todos os casos, fornecidos pelo Thesouro, sem fazer nenhuma diminuiçaõ, ou empregállos em outra alguma despeza publica, até a inteira reducçaõ da massa do papel moeda, como se explicará abaixo.

Secçaõ 2ª. Das dividas temporarias.

Estas dividas saõ divididas em, 1º. dividas fóra do paiz; e 2º. dividas no interior.

O pagamento dos juros, e o reembolço do capital destas dividas, será effectuado sem mudar cousa alguma nos termos e condiçoens com que fóram contractadas, excepto os arranjamentos particulares feitos, ou que se houverem de fazer, por mutuos arranjamentos com os credores.

Secçaõ 3ª. Das dividas que tem juros perpetuos.

Seraõ convertidas em dividas de juros perpetuos; 1º. As sommas emprestadas ao thesouro pela Repartiçaõ dos Apanagios da Familia Imperial; 2º. As pertencentes a Instituiçoens de beneficiencia, a fundaçoens pias, a estabelicimentos publicos, que sómente pódem gozar dos juros sem tocar no capital. 3º. Todas as sommas que ficaram devidas por petrechos e outros artigos para as repartiçoens da guerra e da marinha, em differentes periodos, até o anno de 1816, poderaõ igualmente ser convertidas em fundos que tenham juros perpetuos, ficando a escolha aos credores.

A proporçaõ dos juros pagos pelo Committé pelas dividas que tem juro perpetuo, he fixa a 6 por cento por anno. O capital destinado á extincçaõ das dividas remiveis he 2 por cento, sobre a somma total desta divida. Este capital será augmentado, na proporçaõ que tiver lugar a remissaõ, por todo o excedente da somma fixa para o pagamento dos juros.

Os estrangeiros podem possuir fundos nestas rendas, assim como os vassallos Russianos. Os juros seraõ pagos em tempo de guerra, assim como em tempo de paz, sem respeito á pessoa, que for proprietaria da inscripçaõ.

Todo o proprietario de Inscripçoens póde vendêllas ou pinhorállas, em todo ou em parte. Ser-lhe-ha igualmente permittido dar ás suas Inscripçoens todas as quaidades e prerogativas de propriedade de raiz, e até de morgado, se o capital, que ellas representam, naõ for menos de 5.000 rublos. Poderaõ tambem fazêllas inalienaveis, sómente passando a renda a tal estabelicimento, al pessoa, ou tal destino, que julgar conveniente. Se um estrangeiro, que for preprietario de Inscripçoens, morrer sem testamento, ou outras disposiçoens necessarias, as dictas Inscripçoens iraõ para os seus herdeiros, segundo as leys do paiz de que o tal estrangeiro for subdito.

Os juros perpetuos nunca seraõ sugeitos a tributos ou taxas, que se devam pagar ao Governo, ou a pessoas particulares, sem uma sentença dos tribunaes competentes; ou nos casos em que o proprietario os tiver empenhado como segurança ou garantia.

---

## CAPITULO 2º.

### *Do Livro Grande.*

A primeira secçaõ contem todas as particularidades

sobre a maneira porque se ha de escripturar o Livro Grande, para certificar o estado de cada divida, o progresso do seu reembolço ou remissaõ, e o exacto pagamento dos juros ou rendas. Cada credor, além de estar inscripto no Livro Grande, receberá, pela divida que tiver juro perpetuo, um extracto do Livro Grande, por outro nome chamado Inscripçaõ, para certificar a sua renda, e segurar-lhe a livre disposiçaõ della. Quanto ás dividas temporarias, particularmente dos estrangeiros, os credores conservaraõ os presentes titulos, sem que nelles se faça mudança alguma.

A segunda secçaõ declara todas as particularidades para transferir as Inscripçoens de umas pessoas a outras, e a maneira de usar dellas como penhor, ou hypotheca.

Os actos de transferir as Inscripçoens devem ser feitos em S. Peterburgo, perante o Committé, duas vezes por semana; nas outras cidades do Imperio, perante os tribunaes civis das provincias ou districtos; nos paizes estrangeiros perante os Ministros ou Consules Russianos; a menos que os proprietarios escolham de preferencia o fazello por meio de seus procuradores em S. Petersburgo.

Se alguma pessoa perder a sua Inscripçaõ, será sufficiente participar isso immediatamente ao Committé, que o publicará nas gazetas tanto do paiz como do estrangeiro; e se no fim de 18 mezes se naõ tornar a achar a Inscripçaõ será olhada como nulla e invalida, e o Committe lhe dará outra de novo.

---

## CAPITULO 4º.

### *Do pagamento das dividas temporarias.*

O pagamento das dividas temporarias será feito nos

periodos concordados com os credores, a menos que estes consintam em receber metade dos juros desde o 1º. até os 15 de Julho, e a outra metade assim como o reembolço devido por conta do capital, desde o 1º. até os 15 de Janeiro. Os juros seraõ pagos, a primeira métade desde os 15 de Julho até o 1º. de Agosto; e a outra metade desde os 15 de Janeiro até o 1º. de Fevereiro. O Committé he estrictamente obrigado a observar os termos do reembolço, naõ pagará juros aos que naõ tiverem reclamado a sua parte nos periodos fixos. Os juros e somma das rendas seraõ pagos, tanto em S. Petersburgo como nas cidades do interior do Imperio, que haõ de ser previamente designados pelo Committé.

---

## CAPITULO 5º.

### *Do valor do papel moeda.*

Para diminuir successivamente a massa das notas do Banco, até que tenham recobrado o seu valor original, se collocará, todos os annos, á disposiçaõ do Committé do fundo de amortizaçaõ;

1. Trinta milhoens, tirados das rendas dos *domains* da Corôa.

2. Todos os excedentes das sommas destinadas para o serviço das dividas.

3. Todos os excedentes das rendas ordinarias do Thesouro, depois de se terem feito boas as despezas do Estado.

4. As sommas, que se haõ de receber pelos bens vendidos pela Commissaõ instituida em 1810.

O Committé queimará todas as notas do Banco, que resultarem destas quatro fontes; mas para accelerar a extincçaõ dellas ainda mais, se abriraõ emprestimos, cujas condiçoens seraõ de cada vez annunciadas ao publico, e cujo producto será tambem queimado.

As sommas necessarias para o pagamento dos juros, e para extinguir o capital destes emprestimos, será tirada dos 30:000.000, que se acabam de mencionar.

## SEGUNDA PARTE.

### *Da administraçaõ do Committe.*

A administraçaõ do Committe sera confiada a cinco directores, nomeados pelo Governo.

O Committe será dividio na direcçaõ geral;

Secçaõ 1ª. Para o pagamento dos juros e rendas, e para transfesir as inscripçoens.

Secçaõ 2ª. Para pagamento do capital da divida temporaria, remissaõ das rendas, e extincçaõ das notas do Banco.

Secçaõ 3ª. Caixas.

---

### *Ukase do Imperador confirmando o plano do Committe para a amortizaçaõ da divida publica.*

S. Petersburgo 10 de Maio, 1817.

Ao Senado Director.

Tendo confirmado o plano, qùe, conforme as bases e principios estabelecidos nos regulamentos do Committe do fundo de amortizaçaõ, me foi apresentado pelo nosso ministro de Finanças, para abrir uma subscripçaõ voluntaria, cujo unico destino he diminuir a massa das notas do Banco, ordenamos ao Senado Director que de as providencias para sua publicaçaõ.

A subscripçaõ se abrirá no escriptorio do Committe do fundo de amortizaçaõ.

1. O Committe se abrirá desde o 1º. de Julho deste anno, para receber todas as subscripçoens voluntarias de fundos, tanto de Russianos como de estrangeiros. Esta subscripçaõ continuará desde aquelle tempo até os 20 de Dezembro do mesmo anno.

2. Os fundos poderaõ ser adiantados ou em notas do Banco Imperial, ou em notas do Banco de emprestimo; ou em moeda de ouro ou prata da Russia; porém naõ de outra forma senaõ em sommas de centenares, sem decimáes ou unidades, e naõ menos do que 100 rublos, conforme as regras geraes do Committe.

3. Dar-se-ha um premio da quinta parte, pelo capital que se pagar; isto he, por cada 100 rublos em prata ou papel se accrescentará ao capital recebido 20 por cento mais, na mesma moeda: demaneira que, se alguem adiantar 1.000 rublos, se inscreverá em seu nome a somma de 1.200 rublos.

4. Os que quizerem tomar parte nesta subscripçaõ teraõ mais uma concessaõ de 1 por cento, sobre todo o capital pago, que será diminuido immediatamente quando se fizer o pagamento; como indemnizaçaõ das despezas em que possam ter incurrido nas remessas pelo correio, ou por bilhetes de cambio.

5. Estes fundos seraõ inscriptos no Livro Grande, como bilhetes que tem juros perpetuos, com todas as prerogativas e direitos, que o regulamento do Committe assegura ás dividas fundidas desta natureza.

6. Por todos estes fundos inscriptos no Livro Grande, se daraõ inscripçoens na forma prescripta; e o pagamento dos juros, na proporçaõ de 6 por cento, sobre todo o capital inscripto, se fará no mesmo genero de moeda, em que se tem pago, nos dous periodos do anno fixos pelo

regulamento do Committe, tanto aqui como em todas as outras cidades do Imperio, sem que, neste caso, se occasione despeza alguma ao credor.

7. A somma necessaria para o pagamento dos juros, e dos 2 por cento para remissaõ das inscripçoens, que os individuos quizerem vender, será annualmente tirada dos 30:000.000 assignados nas rendas dos *domains* da corôa, para a extincçaõ das notas do Banco.

8. Todos os fundos, que assim se subscreverem no escriptorio do Committe, naõ tem outro objecto senaõ diminuir a massa das notas do Banco em circulaçaõ.

Em consequencia logo que expirar o ultimo termo da subscripçaõ mencionada em N°. 1°. o total dos fundos recebidos se converteraõ em notas do Banco, as quaes seraõ publicamente queimadas.

---

*Ukase para o estabelicimento de um Banco Commercial em S. Petersburgo.*

Nós Alexandre I. , pela graça de Deos Imperador e Authocrata de todas as Russias, &c.

Desejando procurar aos negociantes maiores meios de facilitar e extender as suas operaçoens commerciaes, temos julgado conveniente estabelecer um Banco Imperial commercial, em lugar do novo actual banco de desconto, cuja influencia, pela pequenhes de seu capital, e pelos varios defeitos, que se observam em sua constituiçaõ naõ he de utilidade vizivel. Em consequencia desta resoluçaõ temos dado commissaõ ao Ministro das Finanças para appresentar ao Conselho d' Estado, para sua consideraçaõ, todos os planos, que he necessario preparar, sobre este objecto. Tendo agora ouvido o parecer do nosso Conselho de Estado, decretamos o seguinte. ——

1. Trinta milhoens de rublos, do capital da Corôa seraõ postos á disposiçaõ do Banco Commercial.

(Aqui se seguia a especificaçaõ dos items, de que se devo formar este capital.)

2. O Banco commercial tem permissaõ para levantar dinheiro 1°. a juros para circulaçaõ: 2.° em deposito e traspasse de uma pessoa a outra, das sommas inscriptas por pessoas particulares, conforme o livro do Banco.

3. O Banco Commercial fará emprestimos sobre bens Russianos, segundo os principios da meza do desconto; e aceitará letras, mas neste caso terá a percentagem, segundo o curso das operaçoens commerciaes.

4. A metade dos directores consistirá de officiaes publicos, e metade de negociantes.

5. O Banco Commercial se deverà abrir no 1°. de Janeiro do anno proximo futuro.

6. Ao mesmo tempo, por ésta expedimos os regulamentos do Banco Commercial, confirmados por nós: e o tomamos debaixo de nossa protecçaõ, e garrantimos com a nossa palavra Imperial a integridade dos capitaes, que lhe fôrem confiados por pessoas particulares; assim como tambem que os direitos de todas as pessoas, no mesmo, permaneceraõ inviolaveis. Com a abertura do Banco Commercial nós naõ deixaremos de augmentar os recursos do Banco de imprestimo e regulallo de maneira conveniente ao seu destino; a fim de que, pela unida influencia destes estabelicimentos na solidez do credito particular, se contribua para a extençaõ da agricultura, da industria, e do commercio, e em geral para vantagem da nossa amada patria, em cuja prosperidade fazemos consistir a remuneraçaõ de nossos esforços e de nossa gloria.

S. Petersburgo 7 de Maio, 1817.

ALEXANDRE.

# COMMERCIO E ARTES.

## BRAZIL.

*Exportaçoens e importaçoens da Capitania da Bahia, extracto da Gazeta do Rio-de-Janeiro, de 19 de Abril, de 1817.*

No anno de 1816 entráram neste porto 519 embarcações, a saber:

| | | |
|---|---|---|
| *Portuguezas*— | Dos Portos do *Brazil* - - - | 290 |
| | Dos de *Portugal* - - - - - - | 73 |
| | *Ilhás* - - - - - - - - - - - | 2 |
| | D' *Africa* - - - - - - - - | 21 |
| | D' *Inglaterra* - - - - - - - | 5 |
| | *Gibraltar* - - - - - - - - | 18 |
| | *França* - - - - - - - - - | 1 |
| | *America Ingleza* - - - - - | 1 |
| | Dita *Hespanhola* - - - - - | 7 |
| | Total | 418 |
| *Alemaãs* - - - - - - - - - - - - - - | | 2 |
| *Francezas* - - - - - - - - - - - - - | | 7 |
| *Americanas* - - - - - - - - - - - - | | 17 |
| *Hespanholas* - - - - - - - - - - - - | | 15 |
| *Hollandezas* - - - - - - - - - - - - | | 2 |
| *Inglezas* - - - - - - - - - - - - - | | 57 |
| *Suecas* - - - - - - - - - - - - - - | | 1 |
| | Somma | 519 |

No dito anno saîram as embarcações seguintes

| | | |
|---|---|---|
| *Portuguezas*—Para Portos do *Brazil* | - - - - | 214 |
| | *Portugal* - - - - - - - - - | 56 |
| | *Inglaterra* - - - - - - - - | 3 |
| | *Gibraltar* - - - - - - - - | 16 |
| | Portos d' *Africa* - - - - - - | 37 |
| | *America Hespanhola* - - - - | 17 |
| | Total | 343 |
| *Americanas* - - - - - - - - - - - - - | | 22 |
| *Inglezas* - - - - - - - - - - - - - - | | 52 |
| *Francezas* - - - - - - - - - - - - - - | | 4 |
| *Hespanholas* - - - - - - - - - - - - - | | 6 |
| *Hollandezas* - - - - - - - - - - - - - | | 3 |
| *Sueca* - - - - - - - - - - - - - - - - | | 1 |
| | Somma | 431 |

No referido anno importáram-se para esta Capitania 9:084:961.160 réis, valor de differentes generos distribuidos da maneira seguinte:

| | |
|---|---|
| Mercadorias geraes da Europa - - - - | 5:025:547.080 |
| Dictas de *Portugal* - - - - - - - - | 609:958.860 |
| Dictas de fabricas privilegiadas - - - | 403:717.620 |
| Dictas de *Asia* - - - - - - - - - - | 407:235.640 |
| | 6:446:459.200 |
| Da Costa da *Mina* - - - - - - - - | 873:883.960 |
| *Angola* e *Cabinda* - - - - - - - - | 835:218.000 |
| *Rio Grande do Sul* - - - - - - - - | 929:400.000 |
| | 9:084:961.160 |

*Em* 1815

| | |
|---|---|
| Mercadorias geraes da *Europa* - - - | 3:793:684.705 |
| Dictas de *Portugal* - . - - - - - | 588:113.500 |
| Dictas das fabricas privilegiadas - - | 235:146.900 |
| Dictas de *Asia* - - - - - - - - | 377:226.470 |
| Da Costa da *Mina* - - - - - - - | 1:328:725.580 |
| D'*Angola* e *Cabinda* - - - - - - | 89:890.000 |
| De *Moçambique* - - - - - - - - | 43:350.000 |
| *Rio Grande do Sul* - - - - - - | 902:900.000 |
| | 7:359:037.155 |

*Em* 1814

| | |
|---|---|
| Mercadorias geraes da *Europa* - - - | 3:995:801.800 |
| Dictas de *Portugal* - - - - - - - | 401:542.940 |
| Dictas das fabricas privilegiadas - - | 320:918.900 |
| Dictas de *Asia* - - - - - - - - | 274:564.190 |
| Da Costa da *Mina* - - - - - - - | 1:177:526.400 |
| *Angola* e *Cabinda* - - - - - - - | |
| *Rio Grande do Sul* - - - - - - - | 1:021:800.000 |
| | 7:192:154.230 |

*Em* 1813

| | |
|---|---|
| Mercadorias geraes da *Europa* - - - | 3:985:653.010 |
| Dictas de *Portugal* - - - - - - - | 892:897.860 |
| Dictas das fabricas privilegiadas - - | 201:974,600 |
| Dictas de *Asia* - - - - - - - - | 335:987.450 |
| Da Costa da *Mina* - - - - - - - | 828:137.320 |
| *Angola* e *Cabinda* - - - - - - - | 113:600.000 |
| *Rio Grande do Sul* - - - - - - - | 694:318.600 |
| | 7:052:568.840 |

*N. B* O mais notavel artigo deste mappa he o de chitas, constando de 3;731:947 covados no valor de 597:111.520 em quanto as chitas das fabricas privilegiadas naõ passam de 474:988 covados no valor de 189:995.200. Debaixo do titulo mercadorias geraes da *Europa* se lê 4:184 pipas de vinho no valor de 669:440.000, e nas proprias de *Portugal* 1:394 pipas no valor de 223:040.000.

*Exportaçaõ em* 1816

| | |
|---|---|
| Para *Portugal* e outros portos em navios *Portuguezes* - - - - - - - - | 3:533:248.800 |
| Em navios estrangeiros - - - - - | 1:460:255.200 |
| Para os portos d'*Africa* - - - - - - | 298:804.800 |
| *Rio Grande do Sul* - - - - - - - | 851:480.000 |
| *Goa* (6:559 ar. de tabaco) - - - - | 12:516.470 |
| Total | 6:156:305.270 |

*Em* 1815.

| | |
|---|---|
| Navios *Portuguezes*, etc. - - - - - | 2:806:332.200 |
| Dictos estrangeiros - - - - - - - - | 1:093:643.400 |
| Portos d'*Africa* - - - - - - - - - | 455:951.000 |
| *Rio Grande do Sul* - - - - - - - | 834:720 000 |
| *Goa* - - - - - - - - - - - - - | 35:852.580 |
| Total | 5:226:499.180 |

*Em* 1814.

| | |
|---|---|
| Navios *Portuguezes*, etc. - - - - - - | 2:267:927.800 |
| Navios estrangeiros - - - - - - - | 804:924.300 |
| Portos d'*Africa* - - - - - - - - | 337:984.000 |
| *Rio Grande do Sul* - - - - - - - | 360:050.000 |
| *Goa* - - - - - - - - - - - - - | 23:311.310 |
| Total | 3:794:197.410 |

*Em* 1813.

| | |
|---|---|
| Navios *Portuguezes*, etc - - - - - | 1:908:293.200 |
| Navios estrangeiros - - - - - - - - | 706:549.200 |
| Portos d' *Africa* - - - - - - - - | 279:182.000 |
| *Rio Grande do Sul* - - - - - - - - | 274:650.000 |
| *Goa* - - - - - - - - - - - - - - | 26:436.310 |
| Total | 3:205:110.710 |

*N. B.* O genero de maior exportaçaõ he o assucar, e deste saîram 944:007 arr. das quaes 795:584 em navios *Portuguezes;* de tabaco saîram 546:766 arr. das quaes 415:057 em navios *Portuguezes*; de algodaõ 121:740 arr. das quaes 112:195 em navios estrangeiros; os outros generos saõ aguardente, arroz, café, couros, sebo, madeira, sal sola, etc.

## *Preços Correntes dos principaes Productos do Brazil.*

LONDRES, 26 *de Julho, de* 1817.

| Generos. | Qualidade. | Quantidade. | Preço de | a | Direitos. |
|---|---|---|---|---|---|
| Assucar | Redondo | 112 lib. | 54s. 0p. | 64s. 0p. | Livre de direitos por exportaçaõ. |
| Assucar | Batido | ...... | 45s. 0p. | 45s. 0p. | |
| Assucar | Mascavado | ...... | 40s. 0p. | 43s. 0p. | |
| Arroz | Brazil | ...... | 26s. 0p. | 28s. 0p. | |
| Caffe | Rio | ...... | 80s. 0p. | 85s. 0p. | |
| Cacao | Pará | ...... | 46s. 0p. | 50s. 0p. | |
| Cebo | Rio da Prata | ...... | 56s. 0p. | 58s. 0p. | 3s 2p por 112lb |
| Algodaõ | Pernambuco | libra | 2s. 0½p | 2s. 11½p | 8s. 7p. por lb. 100 em navio Portuguez ou Inglez. |
| Algodaõ | Ceará | ...... | 2s. 0p. | 2s. 1p. | |
| Algodaõ | Bahia | ...... | 1s. 11p. | 1s. 11½p | |
| Algodaõ | Maranhaõ | ...... | 1s. 11p. | 1s. 11½p | |
| Algodaõ | Pará | ...... | 1s. 10p. | 1s. 10½p | |
| Algodaõ | Minas novas | ...... | | | |
| Algodaõ | Capitania | ...... | | | |
| Annil | Rio | ...... | | | 4¾p. por lb. |
| Ipecacuanha | Brazil | ...... | 10s. 0p. | 10s. 6p. | 3.6¾p. |
| Salsa Parrilha | Pará | ...... | 3s. 0p. | 3s. 3p. | 1s. 2¼p. |
| Oleo de cupaiba | | ...... | 3s. 3p. | 3s. 6p. | 1s. 11¾p. |
| Tapioca | Brazil | ...... | 0s. 6p. | 0s. 9p. | 4 p. |
| Ourocu | | ...... | 2s. 0p. | 2s. 6p. | direitos pagos pelo comprador |
| Tabaco | em rolo | ...... | | | Livre de direitos por exportaçaõ. |
| Tabaco | em folha | ...... | | | |
| Couros | Rio da Prata, pilha A | ...... | 8p. | 8¾p | |
| Couros | Rio da Prata, pilha B | ...... | 7p. | 7¾p | 9½p. por couro em navio Portuguez ou Inglez. |
| Couros | Rio da Prata, pilha C | ...... | 6p. | 6¾p | |
| Couros | Rio Grande A | ...... | 7p. | 7¾p | |
| Couros | Rio Grande B | ...... | 6p. | 6¾p | |
| Couros | Rio Grande C | ...... | 5p. | 5¾p | |
| Couros | Pernambuco, salgados | ...... | 3½p | 5½p | |
| Couros | Rio Grande, de cavallo | Couro | 4s. 6p. | 6s. 3p. | |
| Chifres. | Rio Grande | 123 | | | 5s. 6½p. por 100. |
| Páo Brazil | Pernambuco | Tonelada | 140l. | | direitos pagos pelo comprado |
| Páo amarello | Brazil. | ...... | 7l. | 9l. | |

### *Especie.*

| | | | | |
|---|---|---|---|---|
| Ouro em barra | £0 | 0 | 0 | por onça. |
| Peças de 6400 reis | 4 | 0 | 0 | |
| Dobroens Hespanhoes | 0 | 0 | 0 | |
| Pezos . . dictos | 0 | 5 | 2 | |
| Prata em barra | 0 | 5 | 3½ | |

### *Cambios.*

| | | | | |
|---|---|---|---|---|
| Rio de Janeiro | 59 | | Hamburgo | 34 6 |
| Lisboa | 58 | | Cadiz | 35½ |
| Porto | 58 | | Gibraltar | 31¾ |
| Paris | 24 | 50 | Genova | 45½ |
| Amsterdam | 11 | 10 | Malta | 47½ |

### *Premios de Seguros*

| | Hida | | Vinda | |
|---|---|---|---|---|
| Brazil | 2 | Guineos | 2 | Guineos. |
| Lisboa | 1¼ | | 1¼ | |
| Porto | 1½ | | 1½ | |
| Madeira | 2 | | 2 | |
| Açores | 2½ | | 2½ | |
| Rio da Prata | 3½ | | 3½ | |
| Bengalá | 5½ | | 6 | |

# LITERATURA E SCIENCIAS.

## Novas Publicaçoens em Inglaterra.

PARKER's *Important Trifles*, 12mo. preço 5s. Bagatellas Importantes; principalmente destinadas ás senhoras em sua primeira entrada na Sociedade. Por Emma Parker.

---

*Luccock's Moral Culture*; 12mo. preço 5s. 6d. Cultura Moral; em uma série de liçoens, explicadas aos discipulos e mestres das velhas e novas escholas de Birmingham, com varias anecdotas illustrativas. Ao que se ajuncta uma narrativa concisa da origem, progressos, e successos permanentes da Instituiçaõ, e leys e regulamentos porque se governa presentemente. Por Jaimes Luccock.

---

*Beaufort's Karamania*, 8vo. preço 14s. Karamania, ou breve descripçaõ da costa meredional da Asia Menor, e dos restos de antiguidade. Com planos, vistas, &c. tudo colligido durante a mediçaõ daquellas costas, feita debaixo das ordens dos Lords Commissarios do Almirantado, nos annos de 1811, e 1812. Por Francisco Beaufort, F.R.S.

---

*Jorgenson's Travels*, 8vo. preço 10s. 6d. Viagens pela França e Alemanha nos annos de 1815, 1816, e 1817, comprehendendo uma vista moral, politica, e estado social destes paizes. Acompanham as narrativas, numerosas anecdotas historicas e politicas; obtidas de fontes authenticas. Por J. Jorgenson, Esc.

---

*Account of the War in Spanish America*, 8vo. Relaçaõ da origem, progresso e estado actual da guerra entre a Hespanha e Americas Hespanholas, contendo os factos principaes, que tem marcado a contenda no Mexico, Nova Granada, Venezuela, Chili e Provincias do Rio-da-Prata. Por um Americano Meredional.

---

*Wakefield's Traveller in Asia*, 12mo. preço 4s. 6d. O Viajante em Asia; ou vista das mais celebres partes das Indias Orientaes e China; com uma noticia das maneiras dos habitantes, producçoens naturaes, e curiosidades. Para instrucçaõ da gente moça. Com um mappa illuminado. Por Priscilla Wakefield.

---

PORTUGAL.

*Resumo orthographico da Lingua Portugueza:* 5a. Edicçaõ, augmentada com as regras geraes da Grammatica, e uma lista alphabetica das palavras, que temos de maior equivocaçaõ: preço 600 reis. Lisboa 1801 Por Luiz Gonçalves Coutinho.

---

*Epitome da Historia Portugueza:* pelo Abbade de Sedavim; preço 600 reis.

---

*Jaquelina* ou a Baroneza de Veletri, novella moral: preço 120 reis.

*Methodo de executar um desembarque de tropas em, paiz inimigo;* por Isidoro Francisco Grimaraens. Offisial do Real corpo de Marinha.

---

*Novellas* galantes e instructivas: 8vo. 2 vol. comprehendendo sette novellas differentes. Preço 800 reis em brochura.

---

*Arte de formular,* segundo as regras da Chimica Pharmaceutica, ou Diccionario manual portatil, para uso dos medicos, cirurgioens, e boticarios. Traduzido por Pedro Antonio Lopez de Carvalho. Preço 600 reis.

---

*A verdade practicada,* para servir de segunda parta ao livro *Verdade e nada mais ;* por um Sacerdote Portuguez. Preço 240 reis.

---

Saío á lúz o *Nova Método de Ensinár e Aprender a pronunciaçaõ e Leitura da Linguagem Portugueza* para úso das Escólas particuláres do Exercito; e offeredído a *Sua Magestade Fidelissima* por o Directôr da Escóla Gerál o Bacharél Formádo em Matemática *Joaõ Chrysestomo de Couto e Mello*: Vende-se em *Lisboa* nas lojas de T. J. da *Guerra*, e A. X. de *Carvalho*. Esta O'bra (diz sêo Autôr) contem os Princípios fundamentáes do Nôvo Systema de Leitura mandado adoptár nas Escólas de Primeiras Lêtras do Exercito, e Marínha: e constitue a *Ortocpia* ou Parte Primêira da *Gramatica Portugueza;* da qual as dúas Pártes restantes, a sabêr, *Etimologia*, e *Syntáxe* estaõ a saír do prélo: quanto à *Ortografia* e *Prosódia*, que os *Gramaticos* denomínam Pártes da Gramática, êles poderaõ vêr na *Ortoepia* os fundamentos de bem *pronunciar*, e *escrever* (figurar o que se pronuncia). O mesmo Autôr diz, que receberà, como obzéquio mui importante, as Notas, que os *Gramaticos*, e *Filólogos* se dignárem de ffazer á refería O'bra; e, quando mereçaõ comunicár-se aos Alumnos, ôu Professores das Escôlas Militares, seraõ dêsde lógo inserídas em *Segunda Ediçaõ* da O'bra, ou em *Apendice* com declaraçaõ dos nomes de sêos Autôres, Por ésta maneira, sem dúvida a milliór, pretende o Autôr, que a sua O'bra se tórne ménos defeituoza e mais interessante á Instrucçaõ pública; estimando até, que as mêsmas *Nótas* fiquem valendo mais que o próprio *Texto*: por quanto, o fim do Autôr he sêr útil e agradecído á sua Patria, em cújos Estabelecimentos Literários recebêo tôda a Instrucçaõ que possue."

---

*A Academia Real das Sciencias de Lisboa communica ao Publico o seguinte Artigo.*

" Em o dia 24 de Junho celebrou a Academia Real das Sciencias uma Sessaõ publica, á qual, além dos Socios, assistio um numeroso e luzido concurso de Espectadores. O Illustrissimo *Senhor Marquez de Borba*, Vice Presidenle, abrio a Sessaõ com um breve Discurso, a que se seguio outro do Vice-Secretario, dando conta das transacçoes e trabalhos Academicos do anno decorrido. Apoz este o *Senhor Wenceslao Anselmo Soares* fez a Recapitulaçaõ historica dos progressos da *Instituiçaõ Vaccinica*, durando o mesmo periodo. Seguio-se a leitura de duas Memorias, uma sobre o *Theatro Portuguez*, isto he sobre a sua origem, progresso, decadencia, e restauraçaõ, pelo *Senhor Francisco Manoel Trigozo*; e outra que contem as Experiencias Chimicas sobre duas differentes Quinas vindas da *Pará*, feitas pelo *Senhor Alexandre Antonio Vandelli*, e lidas em sua ausencia pelo *Senhor Joze Maria Soares*. Terminou-se a Sessaõ com o *Elogio Historico* do *Senhor Alexandre Rodrigues Ferreira*, recitado pelo *Senhor Manoel Jose Maria da Costa e Sá.*

" As obras que saîram dos Prelos da Academia, em o anno que agora se completou, saõ as seguintes, *Breve Tractado da Geometria esferica*, pelo *Senhor Francisco Villela Barbosa*, 8°; *Memoria para servir de Indice dos Foraes das Terras do Reyno de Portugal e seus Dominios*, pelo *Senhor Francisco Nunes Franklin*, IV. 4°; *Collecçaõ de Livros ineditos de Historia Portugueza.* volume 4°; *Historia e Memorias da Academia Real das Sciencias*, volume 5° Parte 1a.

SEBASTIAÕ FRANCISCO DE MENDA TRIGOZO,

Vice-Secretario da Academia"

---

## ECONOMIA POLITICA DE SIMONDE.

(Continuada de p. 646, Vol. XVIII.)

Do crescimento da sua riqueza. Tam absurdo fôra obrigar uma naçaõ a comprehender similhante commercio, antes de ser sufficientemente rica para se dar a elle, como serîa propor a um negociante embaraçado por falta de capitaes, que, para socorrer as suas precisoens, emprestasse alguns milhares de cruzados aos seos vizinhos, para depois viver do seo rendimento. He preciso que uma naçaõ, da mesma forma que um particular, cuide primeiro que tudo em haver os capitaes de que ella mesma necessita, antes que comece a emprestar às outras.

Já dissemos em outra parte, que ha um so caso, em que se fazem exportaçoens sem torna igual nem de mercadorias nem de creditos; e he quando o Governo manda para fora sommas de dinheiro para a guerra, ou para negociaçoens. Neste caso, mesmo quando a naçaõ naõ tivesse commercio exterior crearia um immediatamente. Mandando o Governo para fora o numerario, a naçaõ farîa logo a diligencia pelo resgatar com as suas mercadorias; ou procuraria ao Governo numerario, no paiz aonde o precisasse, em troco dessas mesmas mercadorias. A naçaõ que assim for convidada a dar mais rapidez à corrente de numerario que a deve atravessar, ou passar por o pé de si, e que attrahir de fora para tambem mandar para fora, para onde o Governo necessitar, naõ pode ser bem succedida sem alterar o seo equilibrio natural, e apromptar à sua propria custa o canal inclinado por onde a corrente deverá ir.

Para melhor se comprehender como ella a consegue, será bom fixar as nossas ideas com um exemplo. O Governo Inglez, durante a guerra continental; tinha ordinariamente precisaõ de ter dinheiro em Francfort; e era ali que queria dispor delle. Em tempos ordinarios daõ-se em Francfort-sobre-o-Mein 135¾ batz, ou 9 florins e 3 creutz, por uma libra esterlina em Londres; mas o Governo Inglez; que talvez tivesse 10 milhoes esterlinos, ou 90:500:000 florins que distribuir em Francfort todos os annos, consentia em soffrer toda a perda necessaria para os fazer lá chegar. Dava pois uma libra esterlina em Londres, por 120 batz, pouco mais ou menos, que lhe punham à sua disposiçaõ em Francfort. Tinham por conseguinte 13 por $\frac{o}{o}$ de lucro os negociantes Inglezes em vender suas fazendas sendo pagaveis em Francfort, o que naõ tinham sendo pagaveis em Londres, ou em parte alguma outra; e por tanto podiam fazer um abatimento de 13 por cento a favor de todos aquelles que as pagassem naquelle logar. E podiam tambem desde logo vender as suas mercadorias, que a naõ ser assim, haveriam de custar mais 13 por $\frac{0}{0}$ que lhes difficultaria mais a venda aos estrangeiros. Deste modo podiam ganhar mais outro tanto doque dantes ganhavam; mas o seo ganho era pago pelo Governo, e naõ pelos consumidores.

Como o dinheiro naõ chegava ainda a Francfort tam depressa como se queria, os agentes do Governo Britannico sacavam desta cidade sobre os banqueiros do Ministerio em Londres, á razaõ de 120 batz, ou 8 florins por libra esterlina, e vendiam as suas letras por dinheiro aos banqueiros de Francfort: estes as tornavam a vender aos banqueiros de todas as outras naçoens que negociavam com Inglaterra, e estes ultimos, a todos os negociantes que lhe compravam. Estes negociantes, depois de terem deixado 2 ou 3 por cento de commissaõ aos banqueiros, por cujas maõs haviam passado as letras que compravam, tinham ainda um lucro de 10 por $\frac{0}{0}$ quando pagavam com estas as mercadorias Inglezas. O gyro das letras sobre Londres era baixo em toda a Europa: 110 libras em Londres naõ valiam mais que 100 libras em qualquer outra parte, e 97 em Francfort. Entretanto o negociante Inglez naõ augmentava o seo preço, porque o Governo lhe pagava indirectamente a differença que elle perdia. Mas o negociante estrangeiro, que queria vender em Inglaterra, e que lá vendia antes da guerra, se naõ augmentasse o seo preço na razaõ da differença do cambio, perderia realmente 10 por cento nas suas fazendas, porque a somma paga em Londres naõ he o que lhe importava; a que elle attendia era à somma que recebia na cidade donde fazia a sua carregaçaõ. D'ahi vem que todos os negociantes da Silesia e do norte da Alemanha, que inviavam pannos de linho para Londres; e todos os que de Riga e dos portos do mar Baltico mandavam para lá madeiras de construcçaõ, linhos, &c. levantavam o preço das suas mercadorias, em razaõ da guerra; ao mesmo tempo que os Inglezes naõ podiam levantar o preço das suas. Naõ obstante, o numerario de Inglaterra naõ experimentava variaçaõ sensivel; porem ao redor de Francfort estabelecia-se uma circulaçaõ rapida, similhante á de um repucho, que se refaz da mesma agua que verte. O sacrificio pecuniario, que fazia o Governo Britannico, fazia jogar a machina, e lhe conservava o movimento.

Tem-se considerado o augmento da exportaçaõ como uma vantagem, que a guerra occasionava à Inglaterra; todavia era impossivel que assim fosse. De uma banda, o capital que era exportado, e que o era sempre, em ultima analyse, na forma de mercadorias, era perdido para o Estado e para sempre; era para prover fora do reyno às despezas dos exercitos, e aos subsidios, que se forneciam a outras potencias; e deste naõ voltará mais cousa alguma. Comtudo, como se presumia que aquelle sacrificio era feito para a defeza ou honra da naçaõ, ao homem de Estado he que cumpria julgar se era ou naõ necessario. Resta a saber da outra parte, se os meios adoptados para procurar o dinheiro compensam, como se suppunha, o inconveniente de o haver gastado; bem longe disso. O capital mercantil sentia d'antes um certo lucro, que, por simplificar, avaliaremos em 10 p. $\frac{o}{o}$; o Governo perdendo 13 p. $\frac{o}{o}$ sobre todas as fazendas pagaveis em Francfort, attrahia para este commercio particular uma porçaõ consideravel do capital mercantil, que era empregado utilmente em outra parte; e toda esta porçaõ de capital naõ tendo feito outro lucro senaõ a perda do Governo, vinha a ser infructuosa para a naçaõ, ainda que o negociante tirasse a mesma vantagem. He pois outra tanta perda que se ajunctava á despeza da guerra. A barateza das mercadorias Inglezas, na verdade, convidava os negociantes do continente a comprar mais doque era necessario para fornecer ao Governo a somma requerida; mas tudo o que elles pagavam com os seos proprios generos, e já reputados por bom preço, contrapezava bem a ganancia, que o augmento do numero de compradores podia dar aos Inglezes. Naõ havia senaõ um caso, em que estes podiam obter um lucro real; e era, quando vendiam a credito, e sobrevinha a paz antes das dividas estarem pagas; porque entaõ o cambio tornava ao par, (quando tornava) e augmentava 10 por % o valor dos seos creditos fora.

---

CAPITULO VIII.

*Da rapidez comparativa da circulaçaõ da riqueza movel*

Acabámos de ver que naõ he a proporçaõ entre as importações e exportações, que constitue o estado prospero ou adverso do commercio de qualquer naçaõ. A proporçaõ que houver entre o trabalho productivo emprehendido, e o trabalho cujos productos se houver consumido, he unicamente quem determina o saldo entre as rendas e as despezas da sociedade. Alî somente he que se devem ir procurar os indicios do augmento ou da diminuiçaõ da prosperidade publica; e todos os outros signaes, que se tem querido notar naõ saõ exactos nem concludentes, senaõ em quanto saõ consequencias mais ou menos rigorosas, e mais ou menos immediatos desta proporçaõ essencial.

O trabalho productivo, como já temos dicto muitas vezes, naõ se emprehende senaõ quando um salario necessario pôem em acçaõ o obreiro productivo. Este salario he composto da parte material circulante e movel da riqueza nacional, que os obreiros applicam immediatamente para o proprio uso, e cuja acquisiçaõ ou consumo lhes he indispensavel para viverem e trabalharem. O alimento, a casa, o vestido, as ferramentas, e naõ o ouro com que se compram todas estas cousas, saõ em que consiste realmente o salario necessario dos artifices.

A quantidade de mobilia circulante, que uma naçaõ possue, depende do seo estado actual de riqueza. A proporçaõ entre a parte desta mobilia que emprega no salario necessario, e a que estraga, depende do seo saber e da sua economia. E em fim, os effeitos que ella pode produzir, e o trabalho que pode animar com uma porçaõ igual de riqueza, e uma igual quantidade de salario necessario dependem da maior ou menor velocidade da circulaçaõ desta riqueza.

Já vimos que a somma da mobilia circulante determina a necessidade do numerario; que esta mesma mobilia comprehende os fructos do capital fixo, e paga os interesses do capital immaterial; de sorte que está necessariamente em relaçaõ com todas as partes da riqueza nacional.

Já mostràmos que de duas nações igualmente ricas, uma economica, activa e industriosa, e a outra dando-se ao luxo, à moleza, e ociosidade, a primeira havia de ir augmentando sempre o seo salario necessario, e por conseguinte o seo trabalho e as suas rendas; em quanto a segunda havia de ver decaîr uma e outra cousa. Portanto, para conhecermos o que pode influir na quantidade do trabalho produzido, naõ he preciso mais doque compararmos os diversos graos de rapidez, da riqueza circulante, e achar os differentes effeitos que produzem sobre a actividade dos artifices.

O caracter distinctivo do trabalho productivo he, como temos visto, deixar signal de si, e este material, he susceptivel de se trocar por outro objecto, ordinariamente de valor superior ao dos generos consumidos para se a obra fazer. Se attendermos ao tempo, quanto mais vezes, dentro de um certo prazo, o capital passar do productor ao consumidor, e deste outra vez ao primeiro, maior porçaõ de obra se expedirá.

Supponhamos um homem, que possa dispor de uma massa de subsistencia sufficiente para manter 30.000 obreiros durante um dia; se a obra em que elle os quizer empregar for tal, que possa ser acabada e trocada por novos mantimentos no espaço de um mez, he evidente que poderá sustentar diariamente 1000 obreiros: porque vendendo cada dia o producto do trabalho destes, renovará constantemente o seo fundo, que deverá bastar-lhe para manter sempre o mesmo numero de homens. Por consequencia, os seus trabalhadores far-lhe-haõ no anno 395.000 dias de trabalho.

Que outro homem possa dispor da mesma quantidade de subsistencia, mas que o genero de obra que elle emprehender seja tal, que leve um anno a fazer o seo gyro, até se achar o seo valor reduzido a novos mantimentos, como acontece, por exemplo, na agricultura; este naõ poderá pagar senaõ 30.300 jornaes de trabalhadores durante um anno; ou uns dias pelos outros, naõ poderá ter senaõ cousa de 82 jornaleiros por dia. Fica portanto claro, que o primeiro fará, em um tempo dado, com o mesmo capital, doze vezes mais obra que o segundo.

Comparàmos ás sementes do labrador o capital circulante empregado em salario necessario. A naçaõ cujo capital gyra com assas velocidade, que muitas vezes no anno volte ás maõs dos primeiros que o poséram em movimento, está no caso do labrador desses climas afortunados, que podem tirar da mesma terra tres ou quatro colheitas no anno.

Naõ he somente a rapidez da volta do salario necessario

que se deve considerar, mas tambem a circulaçaõ total do capital; porque o emprehendedor de uma obra, naõ podendo mudar a proporçaõ corrente entre o salario necessario e o superfluo, tampouco a que ha entre a parte que fornece as materias primas, as ferramentas, &c.; naõ pode tornar a chamar os obreiros ao trabalho senaõ quando tiver recebido a totalidade do seo capital. Como o numerario he o representante commum de todos os capitaes, aquelles que um fabricante destina para certa obra saõ representados com exactidaõ pela relaçaõ que tem com uma somma numerica; posto o que o ouro e a prata naõ sejam necessaraios para a sua circulaçaõ, que estes naõ fazem mais que facilitar. Dir-se-ha, portanto, que uma manufactura demanda um capital de 100.000 cruzados, em vez de dizer-se que demanda 300.000 dias de trabalho; porque nem o trabalho, nem os mantimentos que o sustentam, bastam para por a manufactura em movimento, e saõ precisas muitas outras cousas de que o dinheiro he o representante commum, cousas que elle procura, mas que naõ suppre.

Todavia a circulaçaõ naõ está acabada, logo que o productor tiver vendido a sua mercadoria, e trocado o seo capital por dinheiro, com que possa reemprehender o trabalho. Para elle está completa, mas naõ para a naçaõ, em cujo seio se opéra. Já observamos que uma venda naõ he senaõ a metade de uma troca; portanto a circulaçaõ naõ fica realmente acabada, senaõ quando a troca estiver acabada, e o consumidor tiver applicado para o seo uso a cousa produzida, depois de a haver procurado em troco de outra que elle mesmo houver produzido, ou feito produzir. Em quanto uma cousa naõ for applicada ao seo uso pelo consumidor, o capital que a produzio existe sempre nella: naõ he pois o mesmo capital, mas outro novo, que volta ás maõs do fabricante, e dá actividade ao seo trabalho. A existencia deste novo capital he devida, como logo veremos, á divisaõ dos capitaes nacionaes, uma parte dos quaes, que fica nas maõs dos negociantes he destinada a substituir alternativamente todos os capitaes dos productores.

He preciso notar que eu tomo aqui a palavra circulaçaõ no seo sentido rigoroso. Herrenschwand observou com razaõ, que esta palavra era usada impropriamente todas, as vezes que naõ designa um movimento,que, estando acabado, haja restituido o cousa circulante ao logar d'onde partira quando começára o movimento. Isto he exactamente o que acontece ao capital circulante; descreve sempre um circulo, e volta ás maõs do seo primeiro proprietario, que lhe déra a impulsaõ. E he o que nunca acontece ao numerario, que pode passar de maõs a maos sem nunca voltar as do seo primeiro detensor. Entretanto tenho-me servido da mesma palavra para designar a circulaçaõ incompleta deste ultimo, pelo uso me authorizar a fazello.

A vantagem que o empresario de uma fabrica tira do trabalho que institue, he a que já temos designado pelo nome de lucro mercantil, o qual faz parte do preço da cousa produzida; mas a vantagem que resulta para a a naçaõ de um trabalho fructuoso, he igual á totalidade do preço da cousa produzida: porque este preço divide-se por inteiro, em salario necessario, salario superfluo, lucro, e renda: substitue o capital que deve animar a industria, e paga as suas rendas à todas as classes na sociedade.

A vista do que fica dicto he facil comprehender como dous capitaes, um gyrando lentamente, o outro apressadamente, podem dar o mesmo lucro aos seos proprietarios, mas he impossivel que dem a mesma renda á sociedade. Supponhamos, por exemplo, dous fabricantes de teas, estabelecidos na mesma cidade, e que ambos possuam um capital de 100.000 cruzados, e ambos o empreguem todo no seo commercio. Um delles vendendo os seos pannos para a America com lucro de 25 por cento, mas seja por causa da distancia, ou pela falta de cabedal na America, naõ pode ser pago, sem recomeçar a trabalbar senaõ no fim de dous annos. Elle bem sabe que esta he a consequencia de similhante commercio; e para nunca ter precisaõ de fechar a fabrica á espera das suas remessss, emprega so 50.000 cruzados cada anno no seo tracto, e o seo lucro annual será de 12.500 cruzados.

O outro fabricante, pelo contrario, venderá á porta os pannos que manufacturar, e o seo consumo faça-se todo no interior. Este naõ ganhará com effeito senaõ $2\frac{1}{2}$ p. ct. mas será pago a dinheiro contado, e antes de tres mezes se terá completado a circulaçaõ do seo capital; de sorte que podera recomeçar o trabalho; e n'um anno fabricará 400.000 cruzados de teas e apurará 10.000 cruzados de lucro

Ainda que um destes fabricantes tire do mesmo genero de fazenda um lucro dez vezes maior que o outro, estes dous commercios pareceraõ igualmente vantajosos aos negociantes que a elles se entregam, porque os seos lucros naõ teraõ mais differença que de 5 para 4, e esta differença apenas se olhará como uma justa compensaçaõ dos receios que sempre causa a distancia do mercado. Mas para a naçaõ haverá uma differença mui grande entre estes dous commercios; porque o interior lhe procurará 400.000 cruzados de producçoẽs; e o exterior unicamente 50.000.

Neste caso, todavia, como em todos os outros, quando o commercio he livre, o interesse particular he o mesmo que o interesse geral: naõ conviria á naçaõ, para ter um producto maior, abandonar todos os commercios, em que o capital circula mais lentamente, a mesma agricultura se acharia incluida nesta proscripçaõ, a pezar de ser taõ necessaria como he para a prosperidade publica. Os beneficios que procura cada ramo de industria saõ naturalmente proporcionados á necessidade que o povo tem delles, e para que o capitalista se de aos que saõ de circulaçaõ mais vagarosa he preciso que o consumidor, que tem necessidade delle, lhe queira ceder maiores lucros. Mas daqui deve-se somente concluir, que era politica mui falsa a que alterá este equilibrio natural, concedendo ao commercio exterior, cujos retornos saõ mui vagarosos, favores mais importantes que ao commercio interior, que de todos he o que com o mesmo capital dá ás naçoens maiores rendas.

O capital destinado a animar trabalho productivo pode-se considerar que he sempre o mesmo désde o momento da sua producçaõ, até o do consumo da mercadoria. Supponhamos, por exemplo, que se emprega um capital de 100.000 cruzados em manufacturar pannos ordinarios da Covilhaã, destinados para o consumo do interior do reyno, a troca naõ será completa verdadeiramente senaõ quando o panno vendido pelo fabricante for ter ás mãos do labrador, e este o tiver pago em trigo ou vinho (ou o representante destes) fructos do seo trabalho; de sorte que um igual valor tenha voltado ás maõs do primeiro, para que possa recomeçar o trabalho. A parte dos 100.000 cruzados, que paga o salario necessario porá em movimento a industria do fabricante da Covilhaã e a dos labradores da Beira, &c. em quanto o resto duas vezes reproduzido por um e pelos outros fornecerá duas vezes ás classes productivas o seo salario superfluo, o seo ganho, e a sua renda, e finalmente formará duas vezes a renda da sociedade: porque ha sempre em todo commercio dobrada producçaõ, da qual a segunda he destinada a pagar a primeira. Se houvesse consumo sem reproducçaõ de igual valor, o capital se esgostaria, e o trabalho pararia. Um homem naõ pode comprar, sem que outro venda, he preciso que elle da sua banda produza ou faça produzir, que venda ou faça vender, a fim de obter o dinheiro necessario para as suas compras. As suas rendas procedem, ou do fructo do seo proprio trabalho, ou do lucro do seo cabedal, ou da renda das suas terras, ou da parte que obtem do trabalho dos outros como pertencente á classe improductiva. Portanto em ultima analyse saõ sempre fundados no trabalho. Por isso nenhum consumidor compra senaõ porque um trabalho feito por elle, ou por outrem o habilita para comprar: toda a venda suppõe portanto outra venda para completar a troca entre o producto de dous trabalhos simultaneos; ao mesmo tempo que para o fabricante faz parte da troca entre os productos de dous trabalhos successivos.

Porem, se o mesmo capital devesse, sem substituiçaõ, mover os braços de duas classes de obreiros productivos, passando alternativamente de uma á outra, a circulaçaõ seria muitissimo vagorosa, e seriam necessarios pelo menos dous annos para o fabricante de pannos ser pago, e poder recomeçar a fazer mais. Tem-se portanto dividido o capital pelas maõs de todos aquelles por onde devia passar. Os seos proprietarios, que buscam sempre a sua maior vantagem, obraram por si mesmos, e mui naturalmente, esta divisaõ. Uma parte da riqueza movel pára nas maõs do fabricante da Covilhaã, outra nas do labrador da Beira, e outra nas de um, ou muitos commerciantes, que distribuem os productos de um ou do outro. Tam de pressa o fabricante acaba o seo panno como acha um mercador prompto a tomar-lho, e a dar-lhe o seo capital pelo delle; de sorte que pode immediatamente recomeçar a trabalhar. O labrador assim que tem recolhido o seo trigo logo, algum negociante lho toma, e lhe repôem igualmente o seo capital; e em fim o mesmo negociante distribue o paõ e o panno por consumidores, segundo as suas necessidades, e recebe destes uma porçaõ das suas rendas, que para elle saõ um capital, e serve para substituir o que elle houver adiantado ao fabricante e ao labrador. Cada um delles vé tornar mais vezes os seos fundos á sua maõ, debaixo da forma de numerario. Limitando-se cada um delles a uma so profissaõ, exercita-a com mais intelligencia e lucro; mas a conta das operaçoẽs he a mesma que supposemos feitas por um so homem. a somma dos seos capitaes está na mesma proporçaõ da das suas operaçoẽs; e esta somma mantem sempre dous trabalhos productivos, em quanto cada uma das suas fracçoẽs substitue alternativamente dous capitaes activos.

Para simplificar a demonstraçaõ supposémos, que o fabricante era o consumidor dos fructos do labrador, e o labrador o consumidor das fazendas do fabricante; e neste outro caso o capital do fabricante se troca alternativamente pelo do mercador de pannos, e pelo do mercador de viveres: ao primeiro dá pannos, e ao segundo dinheiro. Os capitaes dos dous mercadores substituem alternativamente os do labrador, e os do fabricante; e o do fabricante substitue alternativamente os dos dous mercadores. Entretanto nunca acontece que duas classes de obreiros se correspondam com esta exactidaõ; do que resulta, que o capital do mercador de viveres he substituido pouco e pouco pelas rendas dos seos consumidores; e debaixo desta denominaçaõ devem-se entender todas as classes da sociedade. Quando estes consumidores saõ obreiros productivos daõ um capital por aquillo que compram; porque he debaixo deste ponto de vista que se deve olhar o seo salario necessario. Os outros consumidores compram em geral os viveres e as mercadorìas com as suas rendas, que entaõ pàssam a substituir um capital; emquanto de outra parte o capital appropriado ao salario necessario do obreiro productivo substituirá a sua renda.

Acontece algumas vezes que o consumidor he um dissipador, que compra aquillo de que tem necessidade com o seo capital que destroe, ou que compra com os capitaes de uma naçaõ dissipadora, que elle contribue pela sua parte a destruir.

Poder-se-hia ainda com muitos authores naõ considerar como substituiçaõ de capital, senaõ aquella que se faz em numerario; o que acontece de duas vezes uma, devendo aquelle que entrega o dinheiro recebello depois para tornar a dallo de outra vez. Serìa portanto mais exacto dizer que todo commercio fornece sempre successivamente a dous consumidores aquillo de que necessitam para seo uso, a um em genero, e a outro em dinheiro, que lhe serve para procurar o que houver de mister. Ora o obreiro productivo, a quem se fornce em genero, fica assim taõ habilitado para poder trabalhar como aquelle aquem se fornecer em dinheiro. Isto sempre saõ portanto duas impulsoens dadas, dous capitaes repostos ou substituidos.

Os pannos da Covilhaã, que tomamos para exemplo, vendem-se pela maior parte na provincia aonde saõ fabricados. O capital, que os faz produzir, anima ao mesmo tempo outra industria nacional para os pagar; o seo effeito he pois dobrado na provincia da Beira, e nas provincias vizinhas; e os mercadores, que os vendem substituem sempre alternativamente dous capitaes portuguezes. Havia antigamente em França uma manufactura desta natureza mui boa, que se fazia em Carcassone, que fabricava antes da revoluçaõ 56.000 peças de panno por anno. Eram os melhores pannos do Sul da França, e attrahia toda a attençaõ do Ministerio; porque estes pannos saîam quasi todos para fora do reyno, e por conseguinte dizia-se que augmentavam a riqueza nacional, contribuindo para a balança do commercio ser favoravel. Debaixo deste aspecto exactamente era a fabrica de Carcassone metade menos importante que a de Chalabre. (*esta está no caso das nossas da Covilhaã.*) O capital empregado nesta ultima anima duas industrias Francezas; uma para produzir o panno, e outra para o compar; mas a outra anima apenas uma nacional, porque a industria que o paga he estrangeira.

E naverdade o negociante de Marsselha que se mettia de permeio entre o fabriçante de Carcassone, e o negociante do Oriente, substituia alternativamente, sempre com um capital Francez, o capital de um e do outro; e se se olhar somente ao dinheiro, umas vezes pagava ao fabricante de Carcassone os seos pannos, e outras vezes ao negociante de Smyrna o seo azeite, o seo arroz, e o seo café; ao mesmo tempo que os consumidores das duas naçoens o reembolçavam do seo cabedal. O lucro do seo commercio podia ser o mesmo, ou podia ser maior que o de um commercio interior; mas a vantagem para a naçaõ era infinitamente menor; porque a somma, que elle haveria empregado em substituir dous capitaes Francezes, teria por cada circulaçaõ feito trabalhar duas vezes mais, e augmentado duas vezes mais a riqueza nacional, doque a mesma somma quando naõ punha senaõ um so trabalho Francez em movimento. Ao que ainda he preciso accrescentar, que os retornos de um commercio para o Nascente, eram infinitamente mais tardîos, e teria feito circular tres ou quatro vezes o seo capital em França, primeiro que fosse reembolçado de uma so remessa para Smyrna.

Se a gente se podesse uma vez persuadir que o dinheiro naõ he a unica riqueza de uma naçaõ; que todas as vezes que ella possuir mercadorias e trabalho accumulado em abundancia, achará facilmente numerario; e que faça ella o que fizer, nunca este ultimo se accumulará ne paiz, e a fazello será para sua ruina; se em a fim podesse uma naçaõ persuadir-se que se enriquecerá toda as vezes que os productos da industria e da agricultura augmentarem; virá no conhecimento de que naõ ha necessidade de estrangeiros para isso, e naõ se admirará de uma cousa mui simples, a saber: que o commercio, dando proveito tanto ao que compra como ao que vende, he duas vezes mais proveitoso para a naçaõ quando uma e outra destas duas pessoas lhe pertencem, do que quando uma das duas he estrangeira.

[Continuar-se-ha.]

# MISCELLANEA.

### REYNO-UNIDO DE PORTUGAL, BRAZIL, E ALGARVES.

*Edictal do Desembargo do Paço, em Lisboa, mandando por em execuçaõ, a prohibiçaõ do Correio Braziliense.*

El Rey Nosso Senhor, por Sua Regia Portaria de dezesete do corrente, mandou excitar a exacta observancia da Sua Real Ordem de dezesete de Septembro de mil outocentos e onze, participada á Meza do Desembargo do Paço em vinte e dous de Março de mil oitocentos e doze, que prohibio nestes Reynos a entrada, e publicaçaõ do Periodico intitulado: *Correio Braziliense*, e de todos os Escriptos do seu furioso e malevolo Author. E porque ainda saõ mais sediciosas; e incendiarias (se he possivel) as terriveis maximas do outro Periodico intitulado: *O Portuguez*, que tambem se dirige a concitar tumultos, e revoluçoens nos Povos para perturbar a harmonia estabelecida em todas as Ordens do Estado, e introduzir a Anarchia, fazendo odiosos os dous Supremos Poderes, que Deos ordenou para governar os homens, com o evidente objecto de destruir os Altares e os Thronos: Determinou o Mesmo Augusto Senhor, que seja igualmente prohibida a entrada, e publicaçaõ nestes Reynos do dictoPeriodico *O Portuguez*, e que todos os Vassallos destes seus Reynos naõ recebam, nem vendam, ou retenham em seu poder, e menos espalhem, por qualquer modo que seja, os referidos dous Periodicos, antes entreguem na Secretaria da Revizaõ da dicta Meza do Desembargo do Paço os que vierem ás suas maõs, debaixo das penas impostas no Alvará de trinta de Julho de mil setecentos noventa e cinco, parafo trinta e dous, que saõ seis mezes de Cadéa, perdimento de todos os Exemplares, e o dobro do seu valor, pela primeira vêz; do tresdobro pela segunda; metade para as despezas da dicta Secretaria, e a outra metade para quem denunciar os Transgressores; e pela terceira véz, as mesmas penas pecuniarias, e a de Degredo por dez annos para o Reyno de *Angola;* além das mais que forem applicavéis na conformidade do parrafo nono da Ley de vinte e cinco de Abril de mil settecentos sessenta e oito, E para que chegue á noticia de todos, se mandou affixar o presente Edital, *Lisboa* 25 de Junho de 1817.

PEDRO NOBERTO de SOUSA PADILHA e SE IXS

---

*Ordem dos Principaes da Patriarchal de Lisboa, para Acçoens de Graças, pela descuberta da Conjuraçaõ.*

*Nos primarii Presbyteri, et Diaconi Sancta Lisbonesis Ecclesiæ Principales Sede Patriarchali Vacante.*

Tendo chegado ao Nosso Conhecimento, com indubitavel certeza, pela portaria do Governo destes Reynos, datada de 31 de Maio do corrente anno, inserta na Gazeta Official desta cidade de 4 de Junho presente: Que houveram insensatos tam temerarios, e atrevidos, que ousáram formar o louco, e detestavel projecto de estabelecer um Governo revolucionario, pertendendo sobre falsos, e affectados pretextos desviar alguns dos Fiéis Vassallos, e sempre Leaes *Portuguezes*, da obediencia, Fidelidade, e Respeito, que por todos os Direitos he devida a Sua Majestade Fidelissima, o Senhor Rey *D.Joaõ* VI. Nosso Senhor, que hoje por nossa felicidade tam sabiamente nos governa; para o fim de fazerem uma sublevaçaõ, que (se chegasse a realizar-se) aos Culpados, e aos Innocentes seria igualmente fatal, pelos innumeraveis males, em que nos teria submergido, o dos quaes pela vigilancia, sabedoria, zelo, e acertadas providencias da Authoridade, que em Nome de S. Majestade nos governa, estamos livres.

Conhecendo que todo o bem nos vem de Deos, sejam quaes forem os meios de que elle para isso se sirva, claro fica que a Elle devemos dirigir as nossas Acçöes de Graças: Sendo certo outro sim que naõ foram os nossos merecimentos, que devem ter movido o Senhor a fazer-nos um tam extraordinario Beneficio, livrando-nos dos horrores, que de perto nos ameaçavam, devemos agradecidos attribuillo á Poderosima Intercessaõ da Especial Protectore destes Reynos, e Conquistas, a Immaculada Virgem Maria Senhora Nossa, que veneramos especialmente, e com Devoçaõ propria, e hereditaria de *Portuguezes* no Augusto Mysterio da sua Conceiçaõ: por sua Efficaz e Poderosa intervençaõ pois he que devemos apresentar ante a Divina Majestade os Nossos Agradecimentos, rendendo-lhe as devidas Acçöes de Graças pelo singular beneficio, que de suas Munificentissimas Maõs acabamos de receber.

He por isso que havemos por bem ordenar, que no dia

Domingo, que se haõ de contar 15 do presente mez, em todas as Parochias deste Patriarcado, e Igrejas dos Conventos Regulares, concluidos os Divinos Officios proprios do dia, se cante, ou reze, aonde se naõ poder cantar, depois da hora de Nõa a Missa Votiva de Nossa Senhora, *pro Gratiarum actione*, ajuntando-lhe no fim o Hymno, *Te Deum Laudamus*, com o Santissimo Sacramento exposto; dizendo-se igualmente neste dia em todas as Missas a Oraçaõ, *pro Gratiarum actione*.

O Excellentissimo Arcebispo de *Lacedemonia*, Nosso Vigario, o tenha assim entendido, e faça executar, ordenando além disso aos Reverendos Parochos hajaõ em o dia 13 do corrente á Estaçaõ da Missa de assim o fazer público, e excitar os Fiéis a concorrerem áquella solemne Acçaõ de Graças, pois tanta parte lhes coube neste incomparavel Beneficio. Lisboa em Collegio, Sede Vacante, 8 de Junho de 1817.—*D. A. Principalis Camera. D. D. Principalis Lancastre. A. Principalis Furtado.*—Lugar X do Sello.

MONSENHOR LUIZ LEONARDO de SEQUEIRA.

---

*Aviso aos Arcebispos e Bispos de Portugal, para que cuidem da educaçaõ Religiosa dos povos.*

" Excellentissimo e Reverendissimo Senhor:—Sendo a Sagrada Religiaõ de Jesu Christo a mais solida columna, em que se firma a estabilidade dos Imperios, e a segurança dos Povos; pois que ella naõ só ensina a obedecer aos Soberanos, a amar a Patria, e a respeitar os direitos de nossos Concidadaõs, mas reforça estes preceitos de Direito Natural com a authoridade positiva da Palavra de um Deos, que vê o coraçaõ do homem, que he testemunha de suas mais escondidas acçoens, e que o ha de julgar na Vida futura, segundo o seu merecimento: Tendo a experiencia demonstrado a verdade destes principios na Historia da revoluçaõ, que por tantos annos perturbou o Mundo, e pôz em risco os Thronos, e os Altares, da qual foram precursores Escriptos impios e sediciosos, que produziram a ignorancia, e desprezo das Verdades Religiosas, e uma escandalosa corrupçaõ de costumes, que lavrando por todas as Nações, chegou a contaminar aquellas mesmas, que mais afferradas haviam sempre sido á Religiaõ de seus Pays: E sendo evidente que esta lamentavel depravaçaõ, posto que na sua origem fosse promovida por espiritos perversos, pôde penetrar até ás ultimas classes da Sociedade pela ignorancia dos Dogmas, e preceitos da Religiaõ, em que vivem muitos de seus Individuos, os quaes naõ acham nas suas familias, como em outro tempo achavam, Pays, que lhes ensinem a Doutrina Christaã, nem exemplos que os edifiquem, nem um culto domestico, que os habitue a consagrar alguns momentos do dia ás obrigações que a Creatura deve ao Creador. Tendo Sua Majestade tomado em mui seria Consideraçaõ este importante objecto; e conhecendo que o meio mais efficaz para obstar a males tam graves, e de tam funestas consequencias, consiste em emendar a relaxaçaõ, em que desgraçadamente tem cahido a educaçaõ Religiosa, quanto á Crença, e quanto á Moral: Manda recommendar a V. Exa, como Negocio, em que muito se interessam o Serviço de Deos, e do mesmo Augusto Senhor, e a felicidade e segurança de seus Subditos, que com o zelo, prudencia, e actividade, de que tem dado taõ distsnctas provas, ponha V. Exc.a em pratica todas as providencias, que poderem contribuir para que seus Diocezanos sejaõ bons Christaõs e bons Vassallos: vigiando mui particularmente sobre o Clero, e ainda com maior desvélo sobre os Parochos, os quaes devem ensinar a seus

Freguezes a Ley de Deos, exortallos á sua observancia e ser modelos de perfeiçaõ, que elles respeitem, e imitem: esforçando-se V. Exc.ª em desviar o seu Rebanho de pastos venenosos, e procurando corrigir aquelles cujo escandaloso procedimento, ou culpaveis excessos merecerem ser emendados, e punidos; na certeza de que, devendo a athoridade civil manter os costumes publicos, sem os quaes de nada serviriam as Leis, achará V. Excª. nella todo o auxilio da Força Temporal, sempre que o requerer com justos motivos. O que de Ordem de Sua Magestade participio a V. Exª. para sua intelligencia, e fiel execuçaõ.

Deos guarde a V. Exc.ª Palacio do Governo em 19 de Junho de 1817,

JOZE ANTONIO SALTER de MENDONÇA.

---

*Aos Prelados das Religiões se expedio o seguinte Aviso.*

"Sendo muito louvavel o Patriotismo, com que as Ordens Religiosas concorrêram para a salvaçaõ deste Reyno em todo o decurso da passada guerra, naõ só pagando, como bons vassallos, tributos ordinarios e extraordinarios, que se empregaram na sua sutentaçaõ, mas offerecendo-se a servir a Sua Majestade, e a auxiliar a causa publica com outros sacrificios voluntarios, que muito contribuiram para o feliz resultado das Armas Portuguezas, naõ era por outra parte possivel que a obsesvancia da disciplina Monastica deixasse de soffrer grande quebra, no meio da geral perturbaçaõ causada pelas repetidas invasões, que obrigáram os Religiosos, residentes nas terras occupadas pelo inimigo, a fugir dos seus Conventos, e a conservar-se por muito tempo fóra delles, pela ruina em que ficáram os edificios, e pela assolaçaõ dos predios de cujo rendimento se sustentavam.

Tendo porem a Paz Geral feito cessar este estado de desordem; e considerando Sua Majestade quanto importa ao bem temporal, e espiritual dos Povos, que os Religiosos, naõ só os edifiquem com o exemplo, mas que, exercitando as funcçoens da Ordem Sacerdotal, a que se acham elevados os instruam nas obrigaçöes de bõns Christaõs, e leaes Vassallos: Manda El Rey Nosso Senhor recommendar a V. P. Reverendissima, que pondo em exercicio o seu conhecido zelo pelo Serviço de Deos, e do mesmo Senhor, se empregue com o mais constante desvélo em fiscalizar a exacta observancia da Disciplina Monastica entre os Religiosos que lhe estaõ sugeitos, que com igual cuidado os occupe assiduamente nos sagrados ministerios de catequizar; prégar, e confessar, de maneira que os Fieis recebam destas respeitaveis Corporaçöes os beneficios que tiveram em vista os Santos Fundadores, que as instituiram, os sumnos Pontifices que as confirmáram, e os Soberanos que as receberam nos seus Estados, e as dotaram com tanta liberalidade. O que de ordem de Sua Majestade participo a V. P. Revendissima para sua intelligencia, e fiel execuçaõ.

Deos guarde a V. P. Reverendissima. Palacio do Governo em 19 de Junho de 1817.

Joaõ ANTONIO SALTER de MENDONÇA."

---

*Deputaçaõ da Camara de Lisboa a El Rey.*

Pelos Assentos da Casa dos Vinte e Quatro de *Lisboa*, tomados em conferencia de vinte e cinco de Outubro e despacho do Senado da Camara da mesma Cidade datado de 5 de Novembro, e Regia Portaria dos Governadores do Reyno de 26 de Novembro tudo do passado anno de 1816, foram nomeados, o actual Juiz do Povo, *Antonio*

*Simões de Carvalho*, e um dos Procuradores dos Mesteres, *Vicente Joze Ribeiro*, para na qualidade de representantes da Casa dos Vinte e Quatro, e em seu nome, e dos gremios Publicos. que a mesma representa, levarem á Augusta presença de Sua Majestade naõ só a saudosa e sempre sentida falta da vital existencia da Muito Alta e Muito poderosa Raynha, a Senhora *D. Maria I.* de mui saudosa memoria, como tambem para expressarem perante Sua Real Majestade, os puros e sinceros sentimentos, o amor filial da mesma casa, e dos gremios publicos, que representa, e de todo o seu leal Povo: e fazerem certo perante sua Majestade (em tempo competente) o seu prazer, e alegria pela gloriosa e feliz exaltaçaõ de sua Majestade ao seu Real Throno, os quaes chegando a esta Corte, foi Sua Magestade servido recebellos em audiencia publica para o que lhes foi destinado o dia 11 de Março, fazendo-lhes a honra de os admittir com as insignias dos seus Cargos, e entaõ o primeiro dos representantes recitou a falla abaixo escripta, à qual sua Majestade se dignou prestar a Sua Real Attençaõ, e patentear com as mais vivas e energicas expressões, quanto fora do Seu Real Agrado, esta deputaçaõ, mandando que os represontantes certificassem á Casa dos Vinte e quatro e ao Povo, que continuará a dar-lhe todas as demonstrações do Seu Paternal Amor.

*Falla.*

Chegamos senhor, e em nós chegam os leaes filhos da Casa dos Vinte e Quatro, e todas as corporações, por elles representadas, a adorar em Vossa Majestade as incomparaveis virtudes, que Deos Nosso Senhor tem feito brilhar na Sua Real Pessoa.

Choramos Senhor com Vossa Majestade como filhos gratos a perda da muita Alta, e Muito Poderosa Raynha a Senhora *D. Maria* I. que está em Gloria, orando por

Vossa Majestade, e pelos mais humildes de seus filhos: *Portugal* cobrio-se de luto ; e se tivesse a incomparavel ventura de ver a Vossa Majestade, teria o allivio, que nós agora temos na sua Real Presença.

Senhor naõ enchugamos as lagrimas, porque se o prazer as tólhe, tambem o prazer as manda: Viva o Muito alto e muito Poderoso Senhor *D. Joaõ* VI. Rey do Reyno Unido de *Portugal*, *Brazil* e *Algarves*: Pay da Patria, amor do seu leal povo, pasmo do mundo, e exemplo de todas as virtudes. Temos, Senhor, a honra de entregar a Vossa Majestade estas msemas expressões, que nós o Juiz do Povo, e um dos procuradores dos Mesteres (como Deputados e representantes da Casa dos Vinte e Quatro) della gostosamente recebemos, e nesta mesma qualidade reproduzimos na Real Presença de Vossa Majestade, em cujas Reaes Maõs temos a honra de entregar os authenticos documentos, que qualificam a nossa deputaçaõ, e humilde-e respeitosamente beijamos a Real Maõ de Vossa Majestade em nome de todos os que nos constituiram seus representantes.

---

*Rio de Janeiro 5 de Março.*

Pelo Assento do Senado da Camara de *Lisboa* tomado em conferencia de dezeseis de Novembro de mil oitocentos e dezeseis, resolveo esta taõ respeitavel Corporaçaõ nomear uma Deputaçaõ, par em seu nome, e do Povo, que representa, naõ só levar á Augusta Presença de S. M. a justa magoa, e viva dôr, de que se acha penetrado de a sempre chorada perda da Muito Alta, e Muito Pederosa Raynha Fidelissima a Senhora *D. Maria I.* de mui Saudosa Memoria ; como tambem para expressar em a occasiaõ propria os seus puros sentimentos de prazer, e alegria relativos á Gloriosa, e Feliz Exaltaçaõ de S. M.

El Rey N. S. ao Throno; cuja commissaõ sendo incumbida ao Procurador da Cidade de *Lisboa*, *Pedro José Caupers*, e ao Escrivaõ da Camara do mesmo Senado, *Marco Antonio de Azevedo Coutinho Montaury*, como Membros da dicta Corporaçaõ, ambos entaõ residentes nesta Corte, que naõ pôde realizar-se senaõ em o primeiro por ter fallecido o segundo; Foi S. M. Servido admittillo a uma Audencia com toda a formalidade, para a qual lhe foi assignado o dia 27 de Fevereiro, e nella recitou a falla abaixo transcripta; á qual S. M. se dignou prestar a Sua Real Attençaõ, e patentear com as mais vivas, e energicas expressões analogas a um taõ Alto, como Serio Assumpto a Sua Real Consideraçaõ para com o Senado da Camara de *Lisboa*, e Seu Leal Povo nelle representado.

---

Senhor—Em virtude do Assento do Senado da Camara de *Lisboa*, que ja tive a honra de appresentar a V. M. eu sou authorizado para fazer patente a V. M. quanto esta Corporaçaõ por si, e em nome do Povo, que representa, se acha penetrada do mais vivo sentimento pela sempre chorada perda da Muito Alta, e Muito Poderosa Raynha Nossa Senhora, Augusta Mãy de V. M. a Senhora *D. Maria I.* que esta em Gloria; eu espero por tanto da Real Clemencia de V. M. queira begninamente acceitar esta commissaõ (para mim taõ honrosa) como um testemunho da pura vassallagem, amor, e respeito, que o Senado da Camara e Povo de *Lisboa* consagra á saudosa memoria de uma Soberana, cujas eminentes virtudes gravadas em seus fieis coraçoens, e reproduzidas na Augusta Pessoa de V. M. nenhum tempo e nenhuma idade apagará jámais. Taes. Senhor, saõ os puros sentimentos de dôr, e de saudade de que sinceramente, e cordialmente se acha penetrado o Senado do Camara de *Lisboa*, e o Povo da mesma Cidade nelle representado, e taes os incessantes votos de sujeiçaõ, amor, e fidelidade, que me ordena ratifique na Augusta Presença de V. M. a quem supplico a Graça de em seu nome beijar a Real Maõ de V. M.

---

*Carta dirigida ao Muito Honrado Juiz do Povo e Casa dos Vinte e Quatro da Cidade de Lisboa.*

" Tendo-nos sido encarregada a honrosa commissaõ de em nome da Casa dos Vinte e Quatro de *Lisboa*, e dos Gremios Publicos, que a mesma representa, beijarmos a Real Maõ de Sua Maesjtade, e transmittirmos á Sua Real Presença os puros, e sinceros sentimentos da dôr de que a mesma Casa e Povo se penetraram pela falta da Muito Alta, e Muito Poderosa Raynha a Senhora *D. Maria I.* de sempre saudosa memoria, e dar depois ao Mesmo Senhor os devidos parabens pela exaltaçaõ ao Seu Augusto Throno, fazendo-lhe saber, quanto as Corporações, e Greminos Publicos, representados pela sempre fiel Casa dos Vinte e Quatro de *Lisboa*, amam, e adoram os seus Soberanos; e chegando a esta Corte no dia 6 do corrente mez de Março, nos apresentámos a El Rey Nosso Senhor, que nos fez a honra de nos receber com a maior satisfaçaõ, e prazer, chegando até a expressiva, e sempre memoravel demonstraçaõ de estima de lançar sobre nossas cabeças Seus Regios Braços; e naõ se satisfazendo Sua Regia, e Paternal Bondade destas honras, que em nós liberalizava á Casa, e Povo, que temos o prazer de reprezentar; quiz receber-nos em Audiencia Publica com aquellas etiquetas com que se costuma receber pessoas da mais alta jerarquia; e sendo-nos communicado pelo Excellentissimo Conde da *Barca*, Secretario d'Estado, que

Sua Majestade tinha destinado o dia 11 deste corrente mez, tivemos a honra de sermos admittidos com as insignias dos Cargos, que occupavamos ao tempo da nossa eleiçaõ, o que nos foi ordenado por Aviso da Secretaria d'Estado.

" Estava El Rey Nosso Senhor debaixo do Docel, tendo a seu lado no Regio Solio o Principe Real do Reyno-Unido de Portugal, Brazil, e Algarves, e o Serenissimo Infante o Senhor D. Miguel, vestidos de uniforme; occupando os lados da Sala, da parte direita o Gentil-Homem effectivo o Excellentissimo Conde de Parati, e da esquerda o Secretario d'Estado e Grandes do Reyno. Entaõ o primeiro dos Representantes, feitas as venias do estilo, dirigio a Sua Majestade as expressões, que mostravam a magoa, e sentimentos da Casa e Povo pela morte da Nossa Augusta Soberana, reservando para depois da Acclamaçaõ, que brevemente se fará (como ja ahi se saberá pelas Ordens, que teraõ chegado) o dar-lhe os devidos parabens. Foi o Mesmo Senhor Servido Prestar Sua Real Attençaõ, e Patentear com as mais vivas, e energicas expressões, quanto fôra do seu Real Agrado esta Deputaçaõ, Ordenando-nos, que enviassemos a dizer á Casa dos Vinte e Quatro, e Povo de Lisboa: Que o Mesmo Senhor sempre a amára, e continuaria a amalla, como o mostraria, naõ só honrando-a, como os Seus Augustos Avós fizeram, mas dando-lhe maiores provas de estima; usando de expressões taõ patheticas, e honradoras, que melhor soubemos entaõ agradecer com lagrimas do que agora referirmos com palavras. O que tudo participamos a Vv. mm. de Ordem do Mesmo Senhor para consolaçaõ da Casa, e do Povo, o que Vv. mm. faraõ saber aos Illustrissimos e Excellentissimos Senhores Governadores do Reyno e ao Senado da Camara, a fim de ser cumprida a Real Vontade d'El Rey Nosso Senhor; e nós continuamos nesta Corte, até que possamos concluir toda a commissaõ, de que viemos encarregados, e que Sua Majestade nos determine.

" Deos guarde a Vv. mm. Rio de Janeiro em dezenove de Março de mil oitocentos e dezesete.—*Antonio Simões de Carvalho*.—*Vicente Joze Ribeiro*.

" Muito Honrado Senhor Juiz do Povo, e Casa dos Vinte e Quatro."

## MELHORAMENTOS NO BRAZIL.

### *Carta Regia ao Governador da Capitania do Espirito Santo.*

*Francisco Alberto Rubim*, Governador da Capitanía do *Espirito Santo.* Eu El Rey vos Envio muito saudar. Constando na Minha Real Presença o feliz resultado dos vossos esforços, e boas dispozições para se conseguir a communicaçaõ dessa Capitanía com a de *Minas Geraes*, achando-se em consequencia delles já aberta uma Estrada com mais de vinte e duas leguas de distancia, desde o ultimo morador do Rio *Santa Maria*, até perto da margem do Rio *Pardo*, e nella estabelecidos com as competentes guarnições os Quarteis de *Bragança*, *Pinhel*, *Serpa*, *Ourem*, *Barcellos*, *Villa Viçosa*, *Monforte*, e *Souzel*, em distancia de tres em tres legoas, para guarda, segurança, e commodidade dos Viajantes, e para facilidade das reciprocas communicações commerciaes, que tanto Desejo promover, e auxiliar. Convindo muito a conclusaõ desta Estrada até se encontrar alguma já aberta, e transitavel em a Capitanía de *Minas Geraes*, e bem assim que se haja de emprehender a abertura de muitas outras differentes Estradas por todo o vasto Sertaõ, que separa as duas Capitanías, a fim de que possa ser reduzido a cultura ; aproveitando-se ao mesmo tempo as riquezas, que nelle consta haverem, e que se acham até o presente fóra do alcance dos Meus Vassallos pelos perigos, a que se exporìam, sendo accommettidos pela feroz, e barbara raça dos Indios Botecudos, uma vez que naõ achassem por toda a parte a Minha Real Protecçaõ, e defeza, como aconteceo aos primeiros, que lavráram as Minas do Castello, e as Cabeceiras do Rio *Itapemerim* pertencentes a essa Capitanîa, e que foram obrigados a abandonar as cinco Povoações, que alli havia, para em proximidade da Costa, e sobre o mesmo Rio *Itapemerim* se estabelecerem com mais segurança. Tendo mostrado a experiencia que um dos melhores meios de se conseguir a pacificaçaõ, e civilisaçaõ desta, e de outras barbaras raças de Indios, que tanto merece o Meu Cuidado, consiste em se fazerem transitaveis por muitas, e differentes Estradas os extensos Bosques, em que se acham abrigados, a fim de que por toda a parte hajam de encontrar os attractivos da civilisaçaõ, sendo convidados com brandura ao reconhecimento, e sujeiçaõ as Minhas Leys, e castigados promptamente os que commetterem hostilidades: Sou Servido Ordenar o seguinte: Que se promova com a maior actividade a communicaçaõ dessa Capitanía com a de *Minas Geraes* por muitas, e differentes Estradas, tantas, quantas se julgarem convenientes, sendo feita a despeza da sua construcçaõ pela Juncta da Minha Real Fazenda de cada uma das Capitanías na parte que ficar dentro dos seus limites, regulados pelo Auto de demarcaçaõ celebrado aos oito de Outubro de mil e oitocentos, em que se tomou por limite a Linha Norte-Sul, tirada pelo ponto mais elevado de um Espigaõ, que se acha entre os Rios *Guandu*, e *Mainassu* na sua entrada em o Rio Doce, ficando por consequencia pertencendo á jurisdicçaõ do Governo da Capitanía de *Minas Geraes* o terreno, que se achar a Oeste desta Linha, e ao Governo da Capitanía do *Espirito Santo* o que ficar a Leste da mesma Linha: Que pelo limite das duas Capitanías se haja de abrir uma Estrada, e bem assim em distancia de tres em tres legoas, ou como se reconhecer mais conveniente se abram outras, que atravessando as que servem de communicaçaõ entre as duas Capitanías, façaõ transitavel todo o Sertaõ, para nelle se estabelecerem com commodidade, e segurança os que obtiverem Sesmarias, ou Datas Mineraes: Que as Estradas sejam continuadas pelas pessoas encarregadas da sua abertura, até se encontrar alguma Povoaçaõ, ou Estrada já aberta, ainda que passem além do limite da Capitanía; devendo porém dar-se parte ao respectivo Governador, logo que se chegar ao dito limite, para sua intelligencia, e para ser por elle competentemente auxiliado, levantando-se Quarteis, e ranchos nos Sitios convenientes, sendo os Quarteis guarnecidos por Tropa da respectiva Capitanía, e correndo por conta da Junta da Fazenda toda a desdeza, que se fizer com a mesma Estrada, na parte que pertence ao districto da sua jurisdicçaõ. Que se hajam de examinar todos os Rios, que possam dar passagem a Canoas, e Barcas, removendo-se com o maior cuidado, e diligencia as difficuldades, que se encontrarem, por ser este o meio mais commodo, e facil para o transporte dos generos de Commercio, e Industria dos Meus Vassallos: Que por tempo de dez annos contados da data desta Minha Carta Regia sejam isentos de quaesquer Direitos os generos, que se transportarem dessa Capitanía para a de *Minas Geraes* pelas Estradas, que se abrirem, ou pelos Rios, que se acharem navegaveis no vasto Sertão, que separa actualmente as duas Capitanías, ficando taes generos unicamente sujeitos ao pagamento dos Direitos, que se arrecadam pela sua entrada nas Alfandegas de beira-mar: Que pelo mesmo tempo sejam isentos do pagamento do Dizimo todos, e quaesquer generos de cultura, que se fizer no Sertaõ dessa Capitanía, sendo como tal considerado o terreno, que actualmente naõ estiver cultivado, ou concedido por Sesmaria devendo ser registadas na Contadoria da Juncta da Fazenda dessa Capitanía, em Livros só para esse fim destinados, todas as concessões de Sesmarias, que fizerdes em conformidade de Minhas Reaes Ordens, para que seus donos possam gozar desta isençaõ, e para que se conheça quaes sejam os terrenos livres do pagamento do Dizimo, e quaes os que o devem satisfazer pela sua cultura: Que se promova a lavra do Ouro das Minas do Castello, e outros terrenos, que o contiverem, sendo distribuidos por Cartas de Datas na fórma do Regimento das Minas de dezenove de Abril de mil setecentos e dous, e das Leys, e Alvarás, que se lhe seguiram; regulando para a grandeza das Datas o que se acha disposto no paragrafo Sexto do Artigo Sexto do Alvará de treze de Maio de mil oitocentos e tres; e fazendo-se a extracçaõ do Ouro com as cautélas ordenadas no paragrafo oitavo do mesmo Artigo, para que os entulhos das terras, que se lavrarem naõ inutilizem as que para o futuro se houverem de lavrar: Que se hajam de nomear os Guarda-Móres que forem necessarios para os differentes districtos Mineraes, competindo a proposta delles ao Ouvidor da Capitanía, que servirá de Superintendente das Terras, e Aguas Mineraes, e sendo o seu Titulo passado pela Juncta da Fazenda dessa Capitanía: Que as Cartas de Datas Mineraes que se houverem de conceder, aos que por informaçaõ do Superintendente se acharem nas circumstancias de as obterem, sejam todas passadas pela Juncta, e registadas na sua Contadoria em Livros a esse fim taõ sómente destinados, sem o que naõ seraõ tidas por legaes, e valiosas; declarando-se nas mesmas Cartas o numero de pessoas empregadas na mineraçaõ, a fim de que em cada um anno se possa fazer alguma idéa do resultado destes trabalhos, e se ha, ou naõ extravio do Ouro em pó, a que se deva occorrer com as providencias, que parecerem convenientes: Que todo o Ouro que se extrahir, seja conduzido á Juncta da Fazenda com Guia passada pelo Commandante do Districto, ou pelo Guarda-Mór, para ser promptamente pago quem o apresentar á razaõ de mil e duzentos réis por Oitava, depois de limpo e livre de impurezas, ou segundo o valor do seu Quilate reconhecido por toque, depois de deduzido o Quinto que me he devido, sem que seja permittido a pessoa alguma o receber em pagamento Ouro em pó, extraviallo, ou vendello; pois que a compra de todo o Ouro em pó, que se extrahir, será privativa da Minha Real Fazenda, incorrendo nas penas que se acham estabelecidas a tal respeito, os que o contrario fizerem: Que no fim de cada anno façaes subir á Minha Real Presença pela Secretaria de Estado dos Negocios do Reyno, e pelo Real Erario uma circumstanciada conta do resultado destas Providencias, declarando nella o numero, e extensaõ de Estradas que se fizeram; a despeza da Minha Real Fazenda em a sua construcçaõ, e dos Quarteis, e Ranchos que se levantáram, o numero de Sesmarias, e Datas Mineraes que se concedêram; a quantidade de Ouro em pó, que se manifestou, e foi pago pela Juncta da Fazenda; o numero das pessoas empregadas na cultura, e mineraçaõ de todo este terreno; quaes foram os Rios que se acharam navegaveis, e as diligencias, que se fizeram para vencer as difficuldades, que alguns delles offerecerem; o numero dos Indios, que se domesticáram; as Povoações, que se formaram, e bem assim tudo o mais, que necessario for, para que com pleno conhecimento Eu Haja de dar as Providencias ulteriores, que Me parecerem convenientes. Cumpri-o assim, sem embargo de quaesquer Leys, ou Disposições em contrario, que todas Hei por derogadas para este effeito sómente. Escripta ne Palacio do *Rio de Janeiro* aos quatro de Dezembro de mil oitocentos e dezeseis.—Rey com Guarda.

Para FRANCISCO ALBERTO RUBIM.

---

*Carta Regia ao Governador, e Capitaõ General da Capitania de Minas Geraes.*

*Dom Manoel de Portugal e Castro,* do Meu Conselho, Governador, e Capitaõ General da Capitania de *Minas Geraes:* Amigo: Eu El Rey vos envio muito saudar. Sendo-me presente o vosso Officio de dous de Março do corrente anno sobre o requerimento, e proposta que fizera *Manoel José Esteves,* de conservar por espaço de dez annos a estrada que fôra aberta pela segunda Divisaõ Militar do Rio Doce, até ao Rio Itapemerim da Capitania do *Espirito Sancto,* preparando commodos para os Viajantes, e sendo-lhe concedidos livres de Direitos todos os generos que fizesse importar pela dicta estrada, no espaço de dez annos: E conformando-Me com o vosso parecer, e da Juncta da Fazenda dessa Capitania, sobre a utilidade, e necessidade de muitas, e diversas estradas pelo Sertaõ que separa a Capitania de *Minas Geraes* da Capitania do *Espirito Sancto,* a fim de se pôrem em cultura estes tam vastos, e ferteis terrenos ; aproveitaando-se ao mesmo tempo as riquezas metallurgicas, que nelles se deve esperar com toda a probabilidade encontrar, ja pela sua sisimilhança com outros terrenos auriferos da Capitania de *Minas Geraes,* já pelos muitos rios, que correndo por um tam vasto Sertaõ, vem a formar o Rio Doce, e de que nas suas cabeceiras, e em alguma extensaõ do seu curso se tem tirado Ouro em grande quantidade desde a descoberta das Minas até ao presente; como saõ entre outros, o *Ribeiraõ do Carmo,* o *Rio Piranga,* os *Guala-*

*chos* do sul, e do Norte o *Bacalháo*, o de *Catas Altas* e do *Caeté* o do *Burmado*, e o *Piracicaba*: Sou Servido Ordenar o seguinte: Que se promova com a maior actividade a communicaçaõ dessa Capitania com a do *Espirito Sancto*, por muitas, e differentes estradas, tantas quantas julgarem convenientes, sendo feita a despeza da sua construcçaõ pela Junta da Minha Real Fazenda, de cada uma das dictas Capitanias, na parte que ficar dentro dos limites das mesmas Capitanias, regulado pelo Auto de demarcaçaõ, celebrado aos oito de Outubro de mil e oitocentos, em que se tomou por limite a Linha Norte Sul, tirada pelo ponto mais elevado de um espigaõ, que se acha entre os *Rios Guandu*, e *Mainassu* na sua entrada em o Rio Doce, ficando por consequencia pertencendo á jurisdicçaõ do Governo da Capitania de *Minas Geraes* o terreno que se achar a Oeste desta Linha, e ao Governo da Capitania do *Espirito Santo*, o que se acha a Leste da mesma Linha: Que além das estradas principaes, que se abrirem para se conseguir uma facil, breve, e segura communicaçaõ dos Póvos, se hajam de abrir outras pelo interior do Sertaõ, naõ sómente pela Linha divisoria, mas paralellamente a esta Linha em distancias convenientes, a fim de que pelo encruzamento destas com as estradas, que se dirigem a beira-mar, fique communicavel todo o Sertaõ como muito convem á segurança dos que nelle se forem estabelecer, e ao progresso da pacificaçaõ, e civilizaçaõ dos Indios, que tanto tenho recommendado, e que vos deve merecer a mais particular attençaõ: Que se hajaõ de examinar com o maior cuidado todos os rios, para se aproveitar os que forem, ou se poderem fazer navegaveis, dissipando-se os obstaculos, que se oppozerem á passagem de Canoas, e Barcas; tendo-se sempre em vista a preferencia que deve merecer um tal meio de communicaçaõ pela facilidade dos transportes: Que as estradas sejam concluidas pelos que forem encarregados da sua abertura, ainda que passem alem do limite das duas Capitanias, devendo continuar até se encontrar alguma Povoaçaõ, ou estrada já aberta que lhes possa servir de supplemento, para que naõ fiquem inuteis as que tiverem sido feitas até ao limite das duas Capitanias; devendo porém o que for encarregado da abertura das estradas dar parte ao respectivo Governador, logo que chegar a este limite, de que vai entrar no districto da sua jurisdicçaõ, para ser por elle auxiliado competentemente, e para serem pagas as despezas pela Juncta da Fazenda respectiva; e levantando-se Quarteis, e Ranchos de tres em tres leguas, ou nos Sitios que parecerem mais apropriados, e sendo os Quarteis guarnecidos por Tropa da Capitania a que pertencer o Sitio, em que forem levantados: Que em conformidade do que se acha disposto na Minha Carta Regia de treze de Maio de mil oitocentos e oito, sejaõ isentos de Direitos de entrada todos e quaesquer generos, que pelas mesmas estradas se transportarem da Capitania da *Espirito Sancto* para essa Capitania de *Minas Geraes* por tempo de dez annos, contados da data desta; e bem assim isentos do pagamento do Dizimo pelo mesmo tempo, todos generos de cultura, que se fizer em todo este Sertaõ, que ora separa as duas Capitanias, e de que muito convem tirar as vantagens que a sua bondade, e fertilidade offerecem, sendo dividido competentemente em Sesmarias de meia legua em quadra pela authoridade a que pertencer, segundo o limite prescripto, e em conformidade de Minhas Reaes Ordens, preferindo-se na concessaõ destas Sesmarias os que se propozerem a ir estabelecer-se neste Sertaõ, e mostrarem ter mais possibilidade, sendo primeiramente ouvido a este respeito o commandante da Divisaõ a que pertencer o terreno, que pela Minha Carta Regia de dous de Dezembro de mil oitocentos e oito fóra concedido aos dictos Commandantes para assignalar, e demarcar terrenos proporcionaes ás Fabricas dos que forem entrando, e devendo estes continuar e dar parte annualmente do numero dos novos Povoadores, e da força, e grandeza das Fabricas de cada um: Que os titulos de concessaõ de taes Sesmarias sejam todos registrados na Contadoria da Juncta da Minha Real Fazenda em Livros a esse fim destinados, sem o que naõ seraõ isentos do pagamento de Dizimo, e mais encargos pelo sobredicto tempo de dez annos; devendo para isso constar na dicta Contadoria o tempo em que foram concedidos os terrenos, em conformidade da Minha Carta Regia de dous de Dezembro de mil oitocentos e oito, e bem assim o tempo em que principiarem as novas consessões, para que umas e outras possam gozar da sobredicta isençaõ por tempo de dez annos contados da data desta Minha Carta Regia:— Que igualmente sejam destribuidas Datas Mineraes, pelos que as requererem em todo este Sertaõ, e se acharem nas circumstancias de as obterem, na conformidade das Minhas Reaes Ordens, sendo as datas de quinze braças em quadra por cada uma pessoa liberta, ou escrava que se empregar na Mineraçaõ, em conformidade do paragrafo sexto do Artigo sexto do Alvará de treze de Maio de mil oitocentos e tres; tendo-se muito em vista o que se acha disposto no paragrafo oitavo do mesmo Artigo, para que os entulhos das terras que se lavrarem, naõ inutilizem as outras que se houverem de lavrar para o futuro: Que as Cartas de Datas Mineraes sejam todas registadas na Contadoria da Juncta da Fazenda em Livros taõ sómente a este fim destinados; declarando-se nas Cartas que de novo se passarem o numero de pessoas que se pertenderem effectivamente empregar na sua lavra, sem o que naõ seraõ tidas por legaes para que se possa no fim de cada um anno ter algum conhecimento do progresso, ou atrazamento da Mineraçaõ, e combinar-se o producto do

Ouro manifestado com as forças empregadas na sua pesquiza; devendo os Guardas-Móres dos differentes Districtos da Capitania dar annualmente conta ao respectivo Mtnistro de todas as Datas Mineraes, que estaõ em actual trabalho, e do numero de pessoas empregadas na sua lavra; e devendo tambem o mesmo Ministro dar conta annualmente á Juncta da Fazenda da Capitania, do estado da mineraçaõ do terreno respectivo á sua jurisdicçaõ, expondo o seu parecer sobre as causas do progresso, ou atrazamento deste tam importante ramo de Industria, sem o que naõ poderá obter a sua Certidaõ de corrente pela Junctada Fazenda respectiva. Finalmente: Que pela Secretaria de Estado dos Negocios do Reyno, e pelo Meu Real Erario façais subir annualmente á Minha Real Presença uma circumstanciada conta do que vos tenho ordenado nesta Minha Carta Regia, que executareis, naõ obstante quaesquer Leys, Ordens, ou Disposições em contrario que todas Hei por derogadas para este effeito sómente. Escripta no Palacio do *Rio de Janeiro* aos quatro de Dezembro de mil oitocentos e dezeseis.—REY com Guarda.

Para D. MANOEL de PORTUGAL E CASTRO.

---

EXTRACTOS DA GAZETA DA BAHIA, SOBRE PERNAMBUCO.

*Proclamaçaõ.*

*Rodrigo José Ferreira Lobo Chefe de Divisaõ da Armada Real, Commandante da Esquadra do Norte.*

Aos Habitantes da Capitania de *Pernambuco.*

Naõ podia deixar de produzir tanto estranheza, como mágoa no Animo de El Rey Nosso Senhor, o ver que uma Provincia do *Brazil*, onde tantos homens valorosos e honrados se illustráram por feitos gloriosos para expulsar um inimigo poderoso, e restaurar os Direitos da Coroa *Portugueza*, seja elle agora o Theatro onde individuos, indignes do nome *Portuguez*, perpetráram uma rebelliaõ atroz, ousando, depois de excitarem a desordem popular, derribar o Poder representativo de Sua Majestade, na expulsaõ do Governador, que os regia, e erigir um Governo faccioso.

Sua Majestade está com tudo persuadido de que a maior parte dos *Pernambucanos* conservam a honra, e lealdade, que herdáram de seus Avós: e de que sempre deram provas ao Mesmo Augusto Senhor: e outrosim naõ duvida, que o inesperado, e facinoroso rompimento de uma revolta podesse momentaneamente supprimir o effeito daquelles mesmos sentimentos.

Penalisa por tanto o Piedoso Coraçaõ de Sua Majestade o ser obrigado a vexar os seus Vassallos, procurando os meios de sugeitar os rebeldes; o que naõ póde evitar-se, mandando o Mesmo Augusto Senhor, como na realidade me Ordenou, que eu bloqueasse com as forças, que poz á minha disposiçaõ, os Portos de *Pernambuco*.

Além disto, he do Decoro, e Dever de Sua Majestade empregar todas as outras Forças, que a Providencia depositou em sua authoridade, para destruir com a maior brevidade possivel o germen de uma guerra civil, cuja idéa por si só consterna o espirito do Nosso Soberano, e ha de tal maneira horrorizado todos as seus fiéis Vassallos, a quem tem chegado a noticia desta manca na fidelidade Nacional, ainda naõ vista na Monarquia *Portugueza*, que todos tem feito, com patriotismo exemplar, offertas, e sacrificios de suas pessoas, e cabedaes para auxiliarem aquellas disposiçoes, que Sua Majestade tiver a bem de Ordenar com aquelle fim: Mas Sua Majestade espera que os seus bons Vassallos da Capitania de *Pernambuco* faraõ da sua parte todos os esforços para evitar tam excessivas calamidades.

A bordo da Fragata *Thetis*.

RODRIGO JOSE FERREIRA LOBO.

*Bahia 29 d'Abril.*

*Resumo de noticias interessantes sobre a Capitania de Rernambuco.*

Todos estes dias tem chegado a este Porto embarcaçoens que pertendiam entrar no de *Pernambuco*, e que o Capitaõ Tenente Commandante do Bloqueio *Rufino Peres Baptista*, tem feito regressar para esta Cidade, e entre estas ha a Galera *Princeza Carlota*, vinda de *Bengalla*, a quem aquelle Commandante encarregou a conducçaõ de gente, e armas que lhe foram requeridas pelo povo de *Serinhaem*, e que com effeito entregou deixando o porto do *Rio Formoso* protegido pela Curveta de Guerra *Mercurio*: e porque aquelles Póvos tem adquirido direito á estimaçaõ, e applauso do Mundo inteiro de Ordem Superior se transcreve aqui por formaes palavras a Carta que aquelle Commandante recebera do Juiz dos Orfaõs da referida Villa; Carta cujo estillo verdadeiramente *Portuguez* attesta a existencia de Nétos dos Heróes *Pernambucanos* e consequentemente a proximidade do castigo dos rebeldes.

*Copia da Carta.*

Illustrissimo Senhor Chefe de Esquadra no Bloqueio de *Pernambuco.*

Nesta occassiaõ pede a V. Ex[a]. o povo da Villa de *Serinhaem* todo o soccorro, armamento e muniçaõ para o mesmo armamento, e igualmente um Official habil e com alguma gente, sendo possivel, isto para defender a Corôa do Nosso Soberano, visto todos estarmos promptos para derramar a ultima pinga de sangue pelo mesmo Soberano. O portador desta póde, sendo da vontade de V. Ex[a]. encaminhar até o lugar aonde este desembarque deve ser feito, que he na Barra do *Rio Formoso*, aonde acharaõ todo o Povo dalli com os braços abertos para os receber, assim como nós igualmente no lugar do *Rio Formoso*, aonde nos achamos promptos para receber as Ordens de V. Exª. dadas em Nome do mesmo Soberano, nós temos escolhido este lugar para aqui nos fazermos fortes, para cortarmos toda a communicaçaõ e correspondencia que possa haver com as Tropas que tem marchado contra as *Alagoas*, que he um número muito pequeno.

Esperamos de V. Exª. nos dê todo o soccorro como pedimos, e a Serviço do mesmo Soberano. Deos Guarde a V. Excª. por muitos annos. *Manuel de Barros Vendelis.*—Juiz de Orfãos da mesma Villa.—*Rio Formoso* 20 de Abril de 1817.

---

Pelas ultimas noticias de *Paraguá*, consta que o Major *Gordilho*, Commandante dos Partidarios, marchàra no dia 21 sobre *Porto das Pedras*, onde se achava o desasizado Tenente Coronel *Victoriano* pertendendo em vaõ o que se naõ consegue de *Portuguezes*, e pelas que acabam de chegar do *Rio de S. Francisco*, sabe-se que a columna do Marechal *Mello* rompéra a sua marcha no mesmo dia dirigindo-se a *Massaió*; o que se faz público de Ordem Superior bem como o.§ seguinte do 1. Officio do referido Marechal de Campo.

"Toda a gente (*da Villa Nova d'El Rey*) nos recebeo muito bem, e promptos todos de muito bom grado a derramar a ultima pinga de sangue a favor d'El Rey, em consequencia do que enviei á Camara da mesma Villa a a Falla N. 2. He incrivel haverem expressões com que possa significar a V. Exª. a alegriá e satisfaçaõ com que os póvos, desde a Barra de *S. Francisco* e suas margens, até a *Villa Nova*, exultavaõ em acclamações a S. M., muitas até de joelhos gritando *Viva El Rey*, e de ambos os lados tremulavam suas Bandeiras."

Eis-aqui os gloriosos ensaios da salvaçaõ daquella Capitania, opprimida por um punhado de facinorosos, os quaes ja estaõ embaçados, e surpresos pelo zelo, rapidez, e vigilencia da *Bahia*.

## GUERRA DO RIO-DA-PRATA.

### *Entrada das tropas Portuguezas em Monte Video.*

(Extracto da Gazeta do Rio-de-Janeiro.)

Pelo lugre Maria-Thereza, que no dia 2 do corrente entrou no porto desta capital, se recebêram officios do Tenente General Carlos Frederico Lecor, commandante da expediçaõ destinada á pacificaçaõ da margem oriental do Rio-da-Prata. Participa o dicto General, que saîra de Maldonado no dia 14 de Janeiro, e que havendo-se posto em marcha para Monte-Video com as forças do seu commando, tendo combinado primeiramente os seus movimentos com a flotilha, de que era chefe o Conde de Vianna, encontrou no dia 19, a duas leguas e meia da dicta praça, uma Deputaçaõ do Cabildo, a qual lhe apresentou um officio desta corporaçaõ. Neste officio mandava o Cabildo offerecer ao General Lecor as chaves da cidade, communicando-lhe que assumira o governo della, tendo fugido precipitadamente para a outra margem do Rio da Patra o chefe Barreiros, delegado de Artigas, com a guarniçaõ do seu commando: înstava pela prompta entrada do seu exercito tanto para cohibir os tumultos e discordias intestinas, que se îam suscitando, como para impedir, que naõ se excutassem as recommendaçoens de Artigas, á cerca da destruiçaõ da praça e dos seus estabelicimentos. Em consequencia desta communicaçaõ, que o cabildo havia ja feito tambem ao conde de Vianna, o qual tinha apparecido á vista do porto no dia 17, entrou o General Lecor em Monte-Video, com as suas tropas, no dia 20 de Janeiro ás 11 horas da manhãa, entre os applausos e vivas dos habitantes; e immediatamente elle mesmo foi em procissaõ accompanhado do Cabildo e de todas as corporaçoens de cidade assistir ao Te Dèum em acçaõ de graças, que o Cabildo havia mandado celebrar.

Naõ chegáram ainda relaçoens circumstanciadas do que se achou nos armazens da praça, mas sabe-se que existîam no porto uma embarcaçaõ com petrechos de guerra, 3 balandras do arsenal da marinha, 3 prezas Portuguezas, da quaes ainda existe alguma carga. Encontráram-se na praça 12 peças montadas; 172 entre desmontadas e arruinadas, alguma polvora, e muniçoens.

Para melhor se poder ajuizar da boa vontade, com que fòram recebidas as nossas tropas, assim como da oppressaõ, em que Artigas tinha aquelles povos, e do estado de inquietaçaõ, em que existîam, se transcreve aqui ultimamente o que dizia o Cabildo, no officio de que acima se fez mençaõ.

" Nesta M. T. reconquistadora e benemerita cidade de S. Felippe e Santiago de Monte-Video; aos 19 dias do mez de Janeiro de 1817 annos, o Excellentissimo Cabildo, Justiça e Governo della, reunido em sua salla capitular, da forma que practica em todas as occasioens, quando chamam á sua attençaõ assumptos de interesse publico, e servindo de presidente o Senhor Alcaide de Segundo Voto D. Joaõ de Medina na ausencia do Primeiro Voto D. Joaõ Jozé Duraõ, e assistindo o cavalheiro Syndico Procurador Geral da Cidade D. Jeronimo Pio Vianqui, este principiou a fallar, e fez proposta sobre a adopçaõ dos meios de que cumpriria lançar maõ, depois da saìda da força armada, que opprimia o districto, representando os desejos de paz e tranquillidade, que o povo tinha manifestado constantemente, e que fòra obrigado a suffocar até agóra, mas que visto estar livre daquella oppressaõ se achava no caso de declarar e demonstrar publicamente se a violencia tinha sido o motivo de tolerarem Artigas, e de lhe obedecerem. Penetrado entaõ S. Exa. da exposiçaõ do Syndico, e feita a discussaõ que exigia a gravidade do assumpto, acordáram unanimemente os Senhores, que compoem actualmente esta corporaçaõ, que havendo desapparecido o tempo, em que a sua representaçaõ estava ultrajada, os seus votos desprezados, e constrangidos a obrar do modo, que determinava a força armada, vexados até pela mesma soldadesca, e obrigados a dar alguns passos, de que se terîam dispensado em outras circumstancias, devîam patentear os seus verdadeiros sentimentos, pedindo e admittindo a protecçaõ das armas de S. M. F., que marchávam em direcçaõ á Praça. Conviéram para esse effeito em encarregar ao Senhor Alguasil maior D. Agostinho Estrada, e ao Senhor Cura e Vigario desta Cidade D. Damaso Antonio Lárranaga de conduzîrem ao Illmo. e Exmo. Senhor General em Chefe D. Carlos Frederico Lecor, um officio do theor seguinte :—

Illmo. e Exmo. Senhor.—O Cabildo desta cidade de Monte-Video acaba de reassumir a authoridade publica e militar, desde que as tropas da sua guarniçaõ a desampáráram, marchando para outros destinos. A municipalidade portanto se acha á tésta de um povo pacifico e absolutamente tranquillo, o qual bem longe de defender-se com o uso da força, deseja unicamente que chegue quanto antes o momento de ver-se amparado e seguro debaixo da protecçaõ das armas Portuguezas. Com este objecto dìrige o Cabildo a V. Exa. a presente deputaçaõ authorizada com plenos poderes, para que, arranjando com V. Exa. a maneira e forma por que deve occupar ésta praça, e ratificadas as condiçoens por ésta municipalidade, passe V. Exa. a occupálla com as forças do seu commando para commum satisfacçaõ. A pezar de naõ haver constado officialmente ao Cabildo a intimaçaõ feita ao Governo sobre o motivo da Guerra, chegou naõ obstante aos seus ouvidos, que o objecto de S. M. F. he restabelecer a ordem publica, para segurança de suas fronteiras, e que pelo demais afiançava a segurança individual de todos os habitantes desta provincia, e a inteira posse dos seus bens e propriedades ruraes e urbanas, dos seus estabelicimentos scientificos, e de todos os seus louvaveis usos e custumes. Se com este beneficio vier tambem o de libertar de contribuiçoens um districto empobrecido e exhausto, ésta cidade reputaria completa a sua ventura, á sombra de tam alto protector: taes poderaõ ser as bases das condiçoens favoraveis, que ésta pacifica cidade espéra, que lhe concêdam. Deus guarde a V. Exª. muitos annos. Monte-Video 19 de Janeiro de 1817.

*(Assignados)* JOAÕ DE MEDINA.
FELIPPE GARCIA.
AGOSTINHO ESTRADA.
LOURENÇO PERES.
JERONIMO PIO VIANQUI.

Illmo. e Exmo. Senhor General em Chefe das Tropas de S. M. F. D. Carlos Frederico Lecor.

O General Lecor, para mortrar, que estava de perfeito acordo com as proposiçoens do Cabildo, lhe fez transmittir o seu manifesto; e continuou a sua marcha, e durante a qual se procedeo na salla do Cabildo ao acto formal da entrega, depois de lido o dicto manifesto, o qual teve lugar na entrada da cidade em o dia seguinte, como ja se disse a cima.

O General Lecor vai tomar as medidas mais fortes e efficazes, para dispersar e destruir alguns bandos de Artigas, que ainda infestam o paiz, e conseguido este objecto brevemente a boa ordem e segurança publica ha de succeder á oppressaõ e anarchia, que tem devastado por tanto tempo aquella fertil provincia.

## COLONIAS HESPANHOLAS.

### *Extracto da Gazeta extraordinaria de Buenos Ayres de Sexta feira,* 17 *de Janeiro* 1817.

Conforme as ordens, que se tem recebido do Soberano Congresso nacional, se publîcam. os seguinte documentos:—

Exmo. Senhor.—Desde o momento, em que uma Potencia forte só em razaõ das convulsoens, que agitávam o Estado se apresentou em attitude de ameaçar a independencia do paiz, e a integridade do territorio, os Representantes, que por si e por seus povos constituintes tem consagrado ao arrimo de tam sagrados objectos sua vida, bens e fama, naõ deixam de tocar alguma mola das que podîam formar um dique poderoso contra a torrente, que ameaçava a ruina daquelles primeiros bens. As repetidas instancias feitas a V. Exa. para pôr a terra em estado de defeza, e organizar forças respeitaveis naquelle ponto: suas ordens ás provincias para uma activa concurrencia a tam lonvavel fim; instrucçoens dadas a V. Exa. para o seu comportamento neste negocio, e outras providencias, dirigidas a estabelecer a ordem e satisfazer a repeitabilidade do paiz, fórmam o corpo luminoso de provas do desvéllo e esmero da Soberania, pela salvaçaõ ameaçada pelos povos da uniaõ; mas essas naõ lhe parecêram sufficientes, se cedendo ao imperio das instancias da justiça, e experiencia de todas as naçoens cultas, colocando-se á immediaçáõ de V. Exa. naõ obrasse na uniaõ das suas forças principaes motrizes e directoras do corpo publico, o meio mais efficaz de organizállo, fortificállo e vivificállo com recursos mais poderosos; prompta combinaçaõ, ligeira, de resoluçoens, e uma vista rapida de todo o quadro da nossa situaçaõ, que se promettia, trasladado a essa heroica capital. Em 23 de Septembro communicou a

V. Exa. e a todas as provincias sua resoluçaõ de verificallo, e se a sancçaõ do regulamento e causas gravissimas, de que V. Exa. está instruido e tem retardado os acontecimentos posteriores, tem convencido a justiça e conveniencia deste procedimento, e elles, obrando imperiosamente em V. Exa. o fizéram representar a 13 e 19 do passado, que observa como um dos maiores riscos á causa publica a ausencia do Conselho desta Capital, e que tam feliz como poderia ser sua presença á liberdade das provincias, lhe será ruinosa a distancia em que reside. Sua vista e consideraçaõ tem occupado o Congresso por tempo de sette sessoens successivas, findas as quaes os Representantes, fazendo o sacrificio na maior parte de abandonar seus lares e interesses, consentindo em encommodos e perigos de uma estaçaõ atrazadora, e expostos a mil contrastes, por obrar a salvaçaõ do paiz, declaráram em sessaõ do primeiro do presente, que no dia 15 se suspenderiam as sessoens, e realizaria a saida do Congresso, a essa Capital, no 1o. de Fevereiro, devendo até a chegada desse dia reunir-se os Senhores Representantes ao despacho dos correios, que devem receber-se até aquella data, e com condiçaõ de que no presente mez se regule novamente o plano de regulaçoens exteriores encarregado á commissaõ, cujos trabalhos se espéram, e o mais concernente á maneira da transladaçaõ, avizandose assim a V. Exa. para que, na intelligencia de sua resoluçaõ, suspenda a mensagem de novas communicaçoens, previnindo-o de que, até a reuniaõ do Congresso nessa, naõ faça declaraçaõ alguma de guerra a Portugal, e regule só sua conducta, pela que aquelle observar com éstas provincias, evitando todo o comprometimento, que naõ dictarem causas mui poderosas, e procurando continuar no empenho de pôr o paiz no melhor pé de defeza, conforme se lhe tem ordenado repetidas vezes. No mesmo dia, e para occurrer instantaneamente em quanto naõ se realiza a trasladaçaõ com o fito de prestar conselho a V. Exa. no meio dos conflictos, que representa, se nomeou uma commissaõ, composta dos Senhores Darragueira, Castro, e Carrasco, que marcharaõ desta, dentro de tres dias. Communica-se a V. Exa. para seu conhecimento.

Congresso em Tucuman, 3 de Janeiro de 1817.

(*Assignado*) MARIANO BOEDO, Presid.

JOZE MARIANO SERRANO, Dep. Sec.

Ao Exmo. Supremo Director do Estado.

## ESTADOS UNIDOS.

Tendo o Ministro de S. M. Fidelissima juncto dos *Estados-Unidos da America* requerido energica e dignamente áquelle Governo providencias decisivas contra os subditos daquelle Estado, que se permittiam de motu proprio preparar embarcaçoes, para, com bandeira dos Insurgentes *Americanos Hespanhoes*, insultarem a Bandeira *Portugueza* de volta com a de S. M Catholica; houve o dicto Ministro plena satisfaçaõ do seu justissimo requerimento, fazendo em virtude delle o Governo dos *Estados-Unidos* promulgar um Bill a 14 de Janeiro do corrente anno, polo qual prohibe a venda de embarcações de gverra, e dá outras providencias, como melhor se verá nas seguintes peças officiaes transcritas da Gazeta da Corte do *Rio de Janeiro*. " Nestas peças officiaes (diz a mesma Gazeta em data de 31 de Maio) acharáõ os nossos leitores um testemunho assim do distincto merecimento e zelo do sobredicto Ministro, como da especial consideraçaõ em que o Governo dos *Estados Unidos* tomou a mencionada reclamaçaõ, da qual resultou a immediata promulgaçaõ do Bill traduzido, que manifesta o espirito de justiça, de que o Corpo Legislativo daquella Naçaõ se acha animado, e faz a maior honra á politica tiluminada do seu Governo."

*Nota do Ministro Plenipotenciario de S. M. F.*

Sir. — Por minha instancia se tirou a copia fiel de um papel entregado ao Honorable *S. George Tucker*, Juiz dos *Estados Unidos* para o districto de *Virginia*, por *Thomas Nelson*, Collector do porto de *York*, em virtude de um mandado judicial do mesmo Juiz. Este papel declara o conteûdo nelle serem instrucçoes dadas por *Thomas Taylor*, de *Baltimore*, debaixo da authoridade, do actual Governo de *Buenos Ayres* ao navio *Romp*, Capitaõ *Fish*, para ir em corso contra os vassallos de *Hespanha*. Como esta respeitavel Moharquia está em directa communicaçaõ com os *Estados-Unidos*, e tem juncto a elles seu proprio e natural representante, naõ haveria motivo para eu interferir officialmente (naõ obstante os antigos e novos enlaces das duas Reaes Familias), se M. *Taylor* de *Baltimore* naõ tivesse nas mesmas instrucções mandado ao Capitaõ *Fish* que fizesse outro tanto com os vassallos do meu Soberano, no caso que Sua Majestade estivesse em guerra com o sobredicto Governo de *Buenos Ayres*.

M. *Taylor* he cidadaõ *Americano*, o navio *Romp* era um navio *Americano*, que sem duvida foi só ficticiamente vendido, pois que o Capitaõ continuou o mesmo, e a tripulaçaõ ficou completa pela maior parte de cidadaõs *Americanos*. He bem verdade que este cossario naõ accommetteo navio algum *Portuguez;* mas elle tinha ordem de assim o fazer condicionalmente, debáixo da assignatura, e por ordem de um cidadaõ *Americano*, que tem o descaramento de lhe designar sette portos dos *Estados-Unidos*, para trazer as suas prezas, e lhes por em cada um delles agentes, que tomaraõ conta dellas.

He certamente da minha obrigaçaõ naõ esperar em

silencio, e tranquillçmente que um tal attentado se commetta, tanto mais que continuam a fazer esforços da mais sinistra natureza, na mesma parte, e pela mesma casta de individuos, como apparece pelos seguintes factos, que saõ o resultado das minhas particulares indagaçöes, e que tenho a honra de apresentar á vossa consideraçaõ.

A 18 do mez passado de Novembro a Fragata Clifton, Capitao Davy, armada com 32 peças de varios calibres, e uma tripulaçaõ de 200 homens, fez-se á véla de Baltimore para Buenos Ayres. Este navio ancorou para baixo do porto, e ahi ficou por 15 dias, ou mais, esperando pelo navio Americano, Independencia do Sul, armado com 16 peças, e pelos navios Romp, Tuckahoe, Montezuma e Spanker, e por outros dous novamente construidos, que se estavam preparando com toda a diligencia. Todos deviaõ ir juntos a corsar nos mares de l'Este e Oeste da America Meridional, debaixo do mando do Capitaõ Americano, Chaytor, com bandeira de Buenos Ayres. Pouca duvida póde haver que as suas instrucções saõ as mesmas do Capitaõ Fish, e que obraraõ hostilmente contra os navios Portuguezes. Além da informaçaõ privada, a que posso dar credito, o simples facto de elles tomarem tal bandeira he no estado actual das cousas igual a uma prova directa.

Ha bom fundamento para crer que quasi o mesmo foi o caso do navio Swift, Capitaõ Huffington, que sahio de Baltimore a 3 de Agosto passado com destino declarado para Havana, armado com 14 peças e 140 homens de tripulaçaõ, e do navio Maria, Capitão Stafford, que largou o mesmo porto a 25 do mesmo méz, e com guarniçaõ numerosa. Crê-se que ambos arvoraraõ no alto mar bandeira de Buenos Ayres, e mui provavelmente com as mesmas instrueçöes do Capitaõ Fish.

Estes armamentos se fazem no porto de Baltimore de um modô descarado; sómente se cobrem com um veo bem fraco, que alguns julgaraõ bastante para livrar os culpados dos effeitos das Leys actuaes, que saõ bem insufficientes. Naõ fallo só por informaçaõ; duas vezes tenho ido a Baltimore eu mesmo para averiguar pessoalmente os progressos e a natureza deste negocio.

Taes factos naõ precisaõ de epithetos para ser propriamente qualificados, e por isso julguei superfluo usar delles. Mostram logo á primeira vista a sua natureza immoral e criminosa, e a sua opposiçaõ ao direito das gentes. Eu conheço perfeitamente os honrados sentimentos deste Governo e desta Naçaõ, para naõ conceber a menor suspeita de que olham para elles em outro ponto de vista. A falta está inteiramente na insufficiencia das Leys actuaes, e nas evasivas, que offerecem aos culpados, particularmente quando saõ ajudados pela trapassa forense. Provavelmente os passados legisladores Americanos providenciaram taõ imperfeitamente para taes occurrencias, porque as julgaram impossiveis.

Mas uma vez que chegam a acontecer, nada póde justificar esta naçaõ aos olhos do mundo civilizado senaõ a promulgaçaõ das leys sufficientes para este caso.

Se os cidadaõs dos Estados Unidos naõ forem impedidos pelas Leys da sua patria, de serem em massas, partes agentes em guerras, que naõ saõ suas, naõ dará isto logo aos olhos de todas as Potencias estrangeiras um caracter e uma côr piratica e odiosa a esta nacaõ, indignos della? A sua paz e tranquilidade seraõ tambem postas em perigo, Porque todo o Governo assim offendido, tem um direito natural de ressentir e vingar com todas as suas forças injurias por este modo recebidas contra os usos do mundo civilizado. Deve pois a honra e a paz do povo Americano, de nove milhões de pessoas, a immensa pluralidade das quaes tem, a meu perfeito conhecimento, um caracter justo, honrado e pacifico, serem postas em perigo imminente, pela culpavel cobiça de uns poucos de homens de um ou outro porto de mar, que para adquirirem riquezas naõ tem duvida de se tornarem piratas? Porque de facto naõ he outra cousa andar em corso em guerras, que naõ sejam as da naçaõ de cada um.

Represento por conseguinte a este Governo na occasiaõ actual, naõ para começar altercações, ou pedir satisfações, que a Constituiçaõ dos Estados Unidos talvez o naõ habilita a dar, porque eu conheço que o Supremo Executivo desta naçaõ, todo poderoso quando estribado em Leys, he constitucionalmente sem acçaõ, quando ellas lhe faltam. O que eu sollicito delle he que proponha ao Congresso que dê taes providencias por Ley, que previnam taes attentados para o futuro.

Eu estou tambem persuadido que o meu Magnanimo Soberano receberá uma satisfaçaõ mais completa, e mais digna do seu Alto Caracter, se os Estados Unidos promulgarem taes Leys, que pondo em segurança a sua bandeira para o futuro, mostrem a attençaõ delles para Sua Majestade, do que no castigo momentaneo de uns poucos obscuros malfeitores, (ainda quando se podesse conseguir). Estes, desnegados, como elles saõ, pelos Estados Unidos, poderáõ sem duvida, no caso que tomem alguma culpavel liberdade com a fazenda dos vassallos de Sua Majestade, encontrar aquelle fim, que todos os homens de bem lhes desejam, e servir de exemplo e de escarmento aos que para o futuro sentirem piráticas disposições. Eu confio inteiramente na sabedoria do Presidente, e no desejo, que elle deve naturalmente sentir, de pôr fim a estas vergonhosas práticas, de que tomará os meios mais proprios, para que a minha justa requisiçaõ seja cumprida.

Como pela poderosa razaõ no principio allegada, eu me concentro estreitamente dentro dos limites dos meus poderes, e dos direitos do meu Soberano, tomo esta occasiaõ de lembrar a este Governo a nobre e amigavel maneira de proceder de Sua Majestade nesta ultima guerra dos Estados Unidos, com a Graã Bretanha Ainda que o adversario dos Estados Unidos era o seu mais constante e effectivo alliado, que tinha vindo ajudallo a repellir uma perfida e aleivosa invasaõ, e que naquelle tempo estavam combatendo junctos o inimigo commum, comtudo prohibio aos seus vassallos tomarem parte na querella; e ordenou que observassem uma estreita neutralidade, a qual nem uma só vez foi quebrantada pelos seus Officiaes, ou vassallos. O Congresso por conseguinte, promulgando taes leys, como eu peço, naõ faz senaõ um acto de reconhecimento, que a justiça pede, para com um Monarca generoso e cheio de equidade, declaradamente em amizade com os Estados Unidos.—Washington 20 de Dezembro de 1816.—J. Corrêa da Serra.—Senhor James Monroe.

---

*Secretaria de Estado* 27 *de Dezembro de* 1816.

Senhor.

Tive a honra de receber a vossa carta de 20 do corrente, representando contra o prepararem-se em Baltimore certos navios armados e contra as instrucções dadas ao Commandante de um destes navios para atacar condicionalmente as embarcações do vosso Soberano, Rey de Portugal e Brazil. Advertis que estes navios foram promptificados sem authoridade alguma deste Governo, e com pretextos bem differentes daquelles motivos, que lhes julgaes. Advertis igualmente que as leys existentes naõ authorizam o Presidente para intrometter-se em similhantes casos, e pertendeis por isso que se lhes façam as ampliações, que se julgarem sufficientes para obstar a este mal.

Communiquei ao Presidente a vossa carta, e tenho agora

a honra de vos transmittir uma copia da mensagem, que elle dirigio ao Congresso sobre o mesmo assumpto, a fim de obter por ley uma extensaõ tal do Poder Executivo, qual seja necessaria para manter a neutralidade rigorosa dos Estados Unidos, na guerra actual entre a Hespanha e as suas Colonias, e para acautelar effectivamente o risco dos navios do vosso Soberano, que vós receaes.

Logo que se promulge a ley sobre este assumpto, eu terei a honra de vo-la communicar; e aproveito esta occasiaõ, que se me offerece, de protestar-vos o grande interesse, que o Presidente toma em conservar as relações de maior amizade com o vosso Soberano:—Tenho a honra de ser vosso mais obediente e humilde criado—James Monroe.—Senhor Corrêa da Serra.

---

*Monsagem do Presidente ao Senado, e Casa dos Representantes dos Estados Unidos.*

Observa-se, que as leys actuaes naõ tem a efficacia necessaria para prevenir infracções das obrigações dos Estados Unidos, como naçaõ em paz com as Potencias belligerantes, assim como outros actos illegitimos, commettidos no mar alto por navios armados, apparelhados nos portos dos Estados Unidos.

Com o objecto de conservar mais vigorosamente o respeito devido ás leys, ao caracter e ás relações neutraes e pacificas dos Estados Unidos, recommendo á consideraçaõ do Congresso, quanto serìa conveniente tomar todas as providencias legislativas, que forem necessarias, quer seja para deter os navios, que estejam actualmente apparelhados com forças de guerra, dentro da jurisdicçaõ dos Estados Unidos, ou que se estejam armando actualmente, quer seja para exigir dos donos e commandantes de taes navios fianças capazes contra os abusos do armamento dos mesmos vasos: fazendo-se nas ditas providencias as excepções convenientes para os casos dos navios mercantes, que em viagens distantes e arriscadas levam o armamento costumado para a sua defensa; e de um commércio particular em munições militares permittido pelas nossas leys, e cuja prohibiçaõ a ley das naçoes naõ exige dos Estados Unidos. —26 de Dezembro de 1816.—James Madison.

---

*Bill, que prohibe a venda de embarcações de guerra, &c.*

SECÇAO I.

Decreta-se, &c., que se algum Cidadaõ dos Estados Unidos, dentro dos seus limites, apparelhar, e armar, ou tentar apparelhar e armar, ou fazer diligencia para que se apparelhe e arme, ou conhecidamente ajudar ou for interessado em fornecer, apparelhar, ou armar algum navio, ou embarcaçaõ de guerra, para vender a dicta embarcaçaõ, ou contractar a venda da dicta embarcaçaõ, para ser entregue nos Estados Unidos, ou fóra delles, ao comprador, com tençaõ ou precedente conhecimento de que o dicto navio será, ou virá a ser empregado em cruzar, ou commetter hostilidades contra vassallos, Cidadãos, ou propriedade de algum Principe, ou Estado, com quem os Estados Unidos estejaõ em paz, as pessoas, que tal crime fizerem, sendo convencidas, seraõ julgadas rés de alta offensa, e punidas por uma multa, que naõ passe de 10 mil dollars, e prisaõ, que naõ exceda a dez annos: e o processo da dicta offensa se fará quer no districto dos Estados Unidos, em que a embarcaçaõ se apparelhar e armar, quer naquelle, em que se fizer o contracto de venda.

Secç. II. Decreta-se mais que os proprietarios de todos

os navios armados, que saîrem dos Estados Unidos, e pertencerem em todo ou em parte a Cidadaõs dos mesmos, prestem fiança ao recebedor, com sufficiente segurança, antes de saîrem, do dobro do valor da embarcaçaõ e carga a bordo, incluindo o armamento, que o dicto navio ou embarcaçaõ naõ será empregado nem pelos proprietarios, nem por pessoa alguma, a quem vendam, ou pertendam vendella, em cruzar, ou commetter hostilidades contra Vassallos, Cidadaõs, ou Propriedade de algum Principe ou Estado, com quem os Estados Unidos estejaõ em paz.

Secç. III. E outro sim se decreta que os Recebedores das Alfandegas sejam, e fiquem por este authorizados a deter quaesquer embarcaçoẽs afretadas dos Estados Unidos, em que a carga se compozer de armas e muniçoẽs de guerra; e quando pelo numero de homens embarcados, ou por alguma outra circumstancia, julgar que ha tençaõ de infringir as obrigaçoẽs neutraes dos Estado Unidos para os Governos estrangeiros, até decisaõ do Presidente em quanto os proprietarios naõ se obrigarem, e derem a fiança, que exige dos proprietarios a segunda secçaõ deste Decreto.

Secç. IV. Decreta-se mais que nenhum navio ou embarcaçaõ estrangeira arme e apparelhe, nem cresça, nem se augmente a força de algum navio ou embarcaçaõ estrangeira armada, nos portos dos Estados Unidos, debaixo de qualquer pretexto.

## *Reflexoens sobre as novidades deste mez.*

### Reyno Unido de Portugal Brazil e Algarves.

### *Correio Braziliense.*

O Edictor deste Periodico publicou no principio deste Nº.

(na repartiçaõ de Politica por um engano) o Aviso, sobre a prohibiçaõ do Correio Braziliense em Portugal. A materia he demasiado insignificante, para que similhante documento, posto que relativo a este Jornal, fosse inserido naquelle lugar; mas como elle principiou o No., tambem por elle começamos as nossas observaçoens, sobre as occurrencias deste mez.

A ordem, a que o tal documento se refere, foi expedida a instancias do celebre Inspector de Moinhos de vento, Conde de Linhares, e renovada agora por seu illustre irmaõ o Principal Souza; em combinaçaõ com o Marechal Lord Beresford; e seu intimo amigo, (pois se acham, mui cordeaes, sobre este assumpto) o Secretario do Governo o Sr. Forjaz: e como nunca foi publica, aquella ordem aqui a inserimos para informaçaõ de nossos Leitores; posto que isto sêja trovoada velha.

*Aviso.*

" Illmo. e Exmo. Senhor.

" O Principe Regente Nosso Senhor tem sido servido determinar immediatamente, que se prohiba neste Reyno e seus Dominios, a entrada e publicaçaõ do Periodico intitulado *Correio Braziliense;* assim como de todos os mais escriptos do seu furioso e malevolo Author. O que V. Exa. fará presente na Meza do Desembargo do Paço, para que haja de expedir ao dicto respeito as ordens necessarias.—Deus guarde a V. Exa. Palacio do Governo, em 2 de Março, de 1812.

*(Assignado)* ALEXANDRE JOZE FERREIRA CASTELLO.

" Senhor Francisco da Cunha e Menezes.

" Cumpra-se e registe-se, e se passem as ordens necessarias. Lisboa 9 de Março de 1812.

" Com tres rabricas dos Ministros da Meza do Dezembargo do Paço.

O Edictal da Meza do Dezembargo do Paço, que manda cumprir a ordem do Governo, sobre ésta prohibiçaõ, deverîa seguir-se á tal Portaria; porém foi mettido na Miscellanea, a p. 64 e por outra troca na Politica se inserio um indulto ou permissaõ do Delegado Apostolico, Machi, para que quem naõ tivesse azeite pudesse adubar a sua consida com gordura de porco; se tivesse a tal gordura de porco; Alem disto, por outro erro typographico, á *Portaria* se lhe chamou *Porcaria.* O Leitor terá a bondade desculpar estas confusoens da gordura de porco, do Correio Braziliense, do Lord Marechal, &c. considerando o susto, que devîa causar ao pobre Edictor, o ver renovada, pelo apoio do Todo Poderoso Marechal do Exercito, a prohibiçaõ de 1812.

---

### *Revoluçaõ em Pernambuco.*

Pelas ultimas noticias chegadas de Lisboa se sabe, que a revoluçaõ de Pernambuco está de todo suppressa; havendo as tropas, que marchâram da Bahia dado batalha aos rebeldes, e derrotado-os inteiramente, nas vizinhanças de Pernambuco; ao mesmo tempo que da esquadra do bloqueio desembarcou alguma gente, que, combinada com os da terra, tomaram posse da cidade aos 20 ou 21 de Maio; havendo durado o Governo Provisorio 74 dias. Os cabeças dos insurgentes, depois de derrotados, fugîram para o interior, com cousa de 200 ou 300 sequazes.

Naõ éra de esperar outro fim a uma insurreiçaõ, que, supposto tivesse elementos antigos, foi obra do momento, parto da inconsideraçaõ, e nunca sustendada por plano combinado: pois tudo mostra naõ só a precipitaçaõ, erros, e injustiça dos cabeças; mas a sua total ignorancia em materias de Governo, administraçaõ, e modo de conduzir os negocios publicos: em uma palavra naõ mostrâram outra qualidade recommendavel, senaõ a energia, que he filha do enthusiasmo, em todos os casos de revoluçoens.

Este acontecimento, desastroso como he em dous sentidos, que áo depois explicaremos, produzirá com tudo um effeito benefico; e he demonstrar ao povo do Brazil, que as reformas nunca se devem procurar por meios injustos, quaes saõ os da opposiçaõ de força ao Governo, e effuzaõ de sangue.

Um rey de Inglaterra (Ricardo II.) achando-se entre os rebeldes, em uma grande commoçaõ popular em Londres, gritou ao povo, vendo a sua vida em grande perigo. "¿ Quereis vós matar o vosso Rey? ¿ Quem entaõ remediará vossos aggravos?" Esta maxima he applicavel a todos os Governos; porque, destruido o Governo ¿ quem ha de remediar os males e abusos da Naçaõ?

Os Demagogos em Pernambuco esperávam, ou talvez intentaram persuadir a seus ignorantes sequazes, que devîam esperar, soccorros de Potencias Estrangeiras.

Este he o outro absurdo de quem suppoem, que as revoluçoens saõ o meio de melhorar a naçaõ. Ja mais se vio que uma Naçaõ se intromettesse nas disputas civis de outra Naçaõ, sem ser para peiorar as cousas, e tirar proveito de ambos os partidos disputantes. Se a historia naõ estivesse cheia de factos, que provam isto, bastava o exemplo do que fizéram os Francezes durante a sua revoluçaõ. Em todos os paizes aonde fôram recebidas as armas de França, com esperanças de introduzirem melhoramentos do Governo, fizéram os Francezes o mais escandaloso abuso da boa fé e ignorancia daquelles, que assim os recebêram. A Italia e a Hollanda, saõ horrososas provas desta verdade historica.

No caso actual de Pernambuco, aconteceo, que a Inglaterra prohibio logo a exportaçaõ de armamentos, e até que se enviassem cartas para Pernambuco. Os Estados Unidos passáram uma ley para o mesmo fim, que deixamos copiada a p. 95 com a representaçaõ do Ministro Portuguez em Washington, que promoveo aquella medida.

Mas supponhamos, que estas duas naçoens, de quem os revolucionarios do Brazil esperavam algum auxilio, naõ obravam como obráram, e permittiam que se mandassem petrechos de guerra aos insurgentes; isso só serîa para continuar a guerra civil, e esses estrangeiros tirarem partido das aguas envoltas, vendendo ali as suas mercadorias, sem se importar com os vencidos nem com os vencedores.

Esta he a politica que vemos seguida quanto ás Colonias Hespanholas ¿ e porque havîam os insurgentes do Brazil esperar outros resultados?

Quanto aos dous sentidos, em que dissemos que ésta revoluçaõ deve ser desastrosa; o primeiro he, que a Naçaõ tem de pagar mais tributos, para resarcir as despezas, necessariamente incurridas, para supprimir a insurreiçaõ; e estas despezas por força haõ de ser mui consideraveis, tanto de presente, como em suas consequencias.

Segundo; isto deve causar um espirito de suspeita da parte do Governo; que temerá toda e qualquer proposta de reforma, como symptoma de revoluçaõ; e uma conrespondente timidez da parte do povo, que reccará pedir reforma alguma, com o temor, que dahi se sîgam revoluçoens, ou suspeitas de haverem vistas atraiçoadas; e portanto os homens bons e cordatos, que realmente desejam ver remediados os abusos de sua patria, antes se sugeitaraõ aos males presentes do que se arriscaraõ ao maximo dos males, que he a dissoluçaõ do Governo.

Assim devemos agradecer aos demagogos de Pernambuco, o necessario retardamento, em muitos pontos, na melhoria politica da patria; porque até o mesmo nome de reforma será por muito tempo odioso.

Se o povo porem, como nos julgamos, deve tirar deste acontecimento uma liçaõ util, para conhecer que as revoluçoens naõ saõ o meio de melhoramento da naçaõ; tambem esperamos, por outra parte, que o Governo se aproveite do que succedeo em Pernambuco, para olhar com differentes vistas, para as causas remótas das revoluçoens.

Naõ basta dizer que o Governo tem forças bastantes, e energia bastante, como sem duvida se mostrou nesta occasiaõ, para submetter e castigar as rebelioens; porque éstas saõ sempre um mal muito consideravel, ainda quando supprimidas: e portanto o remedio proprio, e necessario, he mostrar o Governo sempre um desejo de melhoramentos progressivos, com o que, ainda quando se naõ realizem sempre, se conserva a massa geral do povo, e os *homens bons e espirituosos* da naçaõ, consolados pelas esperanças de futuros mais prosperos.

Quanto ás conspiraçoens (que distinguimos das rebelioens ou insurreiçoens, por constarem estas de uma combinaçaõ de poucos individuos, sem fundamento em desgosto do povo) nunca saõ terriveis ao Governo, porque nestas sempre a opiniaõ da naçaõ vai em apoio da authoridade legitima.

Agóra he preciso dizermos alguma cousa sobre o Investigador No. 73; que achou um pontinho por onde se vingar do que nos lhe attribuimos, de fallar contra a guerra do Rio-da-Patra para a fazer impopular; e pegou-se a uma passagem do nosso No. de Maio, p. 558., aonde dissemos " que os abusos ali mencionados éram causa de se aborrecer o Governo." E daqui conclue, (p. 131) que o nosso artigo he " uma satyra directa do Governo do Brazil, e uma apologia mui clara, naõ só da revoluçaõ de Pernambuco mas de todas as revoluçoens."

Nós naõ nos enfadamos, porque o Investigador faça o seu officio, e se aproveite destas passagens destacadas para nos combater; principalmente, quando o faz com decencia; pois este artigo contra nós, já naõ vem com a regateirisse Funchalense; e com tudo convem responder-lhe aposite.

Que ha abusos do Governo, e principalmente na forma da Administraçaõ publica do Brazil, temos asseverado, e asseveramos ainda; naõ obstante a lista de beneficios que alega o Investigador. Nisto concorda aquelle Jornal tambem; porque a p. 131, em que assim nos ataca, diz elle isto :—

" Naõ duvidamos de que ainda ali se precisam muitas reformas, tanto na parte da legislaçaõ, como na parte administrativa; e que *as leys, que govenaram o Brazil como colonia, e paiz despovoado, naõ o pódem ja governar como reyno*, e paiz que diariamente cresce em povoaçaõ e em riqueza: desta nossa opiniaõ saõ provas os diversos artigos, que a este respeito se acham no Investigador Portuguez."

Estas tem sido e saõ as opinioens do Correio Braziliense; e unico ponto porque combatemos a Administraçaõ : e, se he satyra ao Governo, o nós asseverarmos isto; porque o naõ será tambem no Investigador?

Agóra, pois, que vamos conformes quanto ao mal, a accusaçaõ só póde recahir quanto ao remedio proposto; e perguntamos; ¿Aonde, e em que parte deste Jornal se recommendou ja mais uma revoluçaõ como remedio proprio aos abusos, que desejamos reformados? Nisto estamos tam firmes, que só a cavilaçaõ póde torcer as nossas expressoens; e disso naõ esta livre, nem a Biblia. quando he commentada por pessoas, que a querem applicar a seus sinistros fins.

O Investigador achou. que tinha grande partido em atacar-nos, pegando-se ao que nós dissemos, sobre o descontentamento dos *homens bons e espirituosos* da Naçaõ. He claro, que ésta he a classe de gente, a quem o Governo deve convencer das suas boas intençoens no melhoramento das cousas publicas; porque a classe ignorante vai com a torrente; e a outra classe dos empregados, e parasitas do Governo, ou egoitas, naõ fazem caso nenhum da utilidade ou bem geral: com tanto que recebam seus ordenados, e comam e bebam descançados, tudo o mais he indifferente; e os que estaõ em poder ou authoridade, logo que se lhes falla em reforma, temem que se lhes tirem as commodidades, em que sévam a sua priguiça, e por isso chamam a toda a reforma *revoluçaõ*, e a toda a demonstraçaõ de abusos *jacobinismo*: e os que, por espirito de patriotismo, apontam esses males, saõ denunciados como perturbadores do socego publico; porque perturbam a fruiçaõ dos mal ganhados prazeres desses egoistas.

Assim recommendamos ao Investigador, que mude de rumo, quando escrever contra nós, naõ produzindo accusaçoens de que naõ tem prova; e que talvez fossem sugeridas por algum sequaz de Napoleaõ, que sabemos assiste ao contovêlo de pessoas, cuja graduaçaõ devia servir de escudo, contra a intrusaõ de taes conselheiros; que para mostrar o pé de cabra, como os rapazes dizem do demo, acabou o artigo, a p. 132, com a fraze Bonapartista " Tudo a favor do povo nada pelo povo." Esta maxima posto que verdadeira, e que he a nossa, assim como de todos os homens cordatos, serîa exprimida por outros termos, e naõ nas palavras de Bonaparte, se naõ fosse dictada pelo conselheiro a que alludimos.

## *Contribuiçaõ dos Negociantes de Portugal, para o armamento contra Pernambuco.*

Além da portaria dos Governadores do Reyno; que publicamos a p. 5; recebemos tambem uma copia da circular expedida aos negociantes de Lisboa, pela Juncta do Commercio; pedindo-lhe uma contribuiçaõ, para aprestar o armamento destinado a obrar contra os Insurgentes de Pernambuco. A presteza dos Governadores, em dar algumas providencias, a este respeito, como foi fazer sair a fragata Perola para bloquear Pernambuco, e dar ao commandante uma proclamaçaõ, que copiamos a p. 7; para a dirigir aos paizes revoltados, he mui digna de louvor; assim como o he tambem a promptidaõ, com que muitos particulares se offerecêram a prestar o auxilio que podiam.

E com tudo, alguma cousa se nos offerece a dizer a este assumpto, que naõ póde ter lugar neste N°. por nos chegarem estes documentos demasiado tarde, mas tomaremos occasiaõ de o fazermos no N°. seguinte. He verdade que com as agoas passadas naõ móe o moinho; porém dos factos passados aprende o prudente a tirar experiencia para o futuro.

---

## *Conjuraçaõ em Portugal.*

A p 4 copiamos um artigo, publicado pelos Governadores de Portugal, na Gazeta de Lisboa, sobre a conspiraçaõ, que se diz ter sido ali descuberta. O Governo assevera naquelle artigo, que está procedendo com toda a legalidade na investigaçaõ do crime; e no entanto começa por prejudicar a causa dos prezos, declarando d' ante maõ que a existencia da conjuraçaõ está provada; e nomeando uma commissaõ de Juizes seus, que haõ de ser premiados se condenarem os réos.

Se tal modo de proceder he conforme aos procedimentos legaes desejavamos ver citadas a leys, por que he permittido ao Governo declarar culpado a réo algum, antes de se lhe fazer o processo. Que nos digam qual he a ley do codigo Portuguez, ou de qualquer outra naçaõ civilizada, aonde se permitta declarar, por authoridade do

Governo, que os denunciados por qualquer crime, saõ com effeito culpados, antes de serem ouvidos em sua defeza.

A razaõ natural mostra, que uma asseveraçaõ da existencia do crime, pela authoridade do Governo, deve prejudicar a mente dos juizes, ainda imparciaes, que houverem depois de julgar a causa de taes reos. Mas quanto á imparcialidade de juizes, que saõ nomeados pela parte offendida, que he o Governo, e o qual tem o poder de os premiar, se a sentença for dada conforme as suas vistas; he fóra de toda a experiencia humana esperar imparcialidade, em taes circumstancias.

Se a vóz publica, em Lisboa, merece algum credito, os presos, nesta occasiaõ, saõ pessoas desaffectas ao Marechal General, o qual tambem se diz fôra o que descubrîra a conjuraçaõ.

Nos dissemos ja em outra occasiaõ que, naõ obstante os grandes serviços que Lord Beresford tinha feito a Portugal, na organizaçaõ de seu exercito, o grande poder e influencia, que elle obteve, quando foi ao Rio-de-Janeiro, éra bastante causa para produzir desgosto, até aos mesmos Governadores do Reyno, cujo partido tomamos nessa occasiaõ, contra o Marechal.

He possivel pois em taes circumstancias, que alguns officiaes Portuguezes se mostrassem ciosos, contra ésta demasiada authoridade, concedida a um official estrangeiro, e da qual nunca gozou, nem mesmo o Duque de Alafoens, quando foi Marechal General juncto á Real Pessoa, a pezar de ser o Duque parente d' El Rey. He tambem possivel, que esses officiaes prezos nesta occasiaõ elevassem o seu ciume daquelle official estrangeiro até algum ponto imprudente, e talvez altamente criminoso; porém quando dessa indisposiçaõ contra o Marechal se argumenta para deslealdade contra El Rey, achamos que he um passo de tal distancia, que julgamos a differença infinita; e parece-nos que para acreditar que a conjuraçaõ existisse em toda a extençaõ, que o Gaverno Portuguez indica, convem esperar por provas ulteriores.

No entanto, para se radicar no publico este prejuizo contra os prezos, valeram-se tambem da capa da Religiaõ, e o Principal Sousa, que he um dos Governadores, juncto com os mais Principaes da Patriarchal, imprimiram o papel, que copiamos a p. 65; mandando celebrar Te Deum em acçaõ de graças, pela descuberta de tam horrorosa conjuraçaõ; sem que os taes Principaes digam, porque authoridade sabem, que a conjuraçaõ tinha essa horrorosa extençaõ de vistas malignas que se lhe attribuem. A decencia pedia, que esperassem, ao menos, que se lhe communicasse o facto depois das sentenças; porém elles julgáram essencial naõ perder a occasiaõ deste episodio.

Nós tambem nos naõ teriamos alargado tanto em expôr as nossas observaçoens, antes de ver o desfecho do enredo, se naõ fosse o considerarmos, que, como o nosso Periodico ja naõ póde ser lido em Portugal, em consequencia da recente prohibiçaõ, naõ póde tambem o que nós dizemos embaraçar de forma alguma, naquelle paiz, os procedimentos do Governo, nem prejudicar a opiniaõ do publico; ao mesmo tempo que as nossas conjecturas pódem divertir os nossos Leytores em Inglaterra, que pela distancia em que se acham do lugar da scena, sem duvida gostaraõ de ouvir a nossa opiniaõ nesta materia.

---

## *Escudo d' Armas do Brazil.*

A p. 11 copiamos a ley, pela qual S. M. concede ao Reyno do Brazil um Escudo d' Armus, e as manda encorporar nas do Reyno Unido. Isto he consequencia necessaria, de se ter mudado a denominaçaõ do Brazil, de Estado, como d' antes se chamava, para Reyno, como agóra se denomina.

A escolha de uma esphera para armas do Brazil, julgamos ser feita em allusaõ a El Rey D. Manuel, em cujo reynado foi descuberto o Brazil, e se espalháram, por distantes partes do globo as armas Portuguezas.

---

## *Melhoramentos no Brazil.*

A p. 76 achará o Leytor algumas importantes providencias sobre estradas no Brazil. O que diz respeito á communicaçaõ da capitania das Minas, pelas campinas do Rio-Doce, com a Capitania de Espirito Sancto, he materia de grande importancia; e que nos dá grande prazer, pela coincidencia que isso tem com as nossas ideas. Sempre temos julgado que a capital do Brazil, em vez de ser uma cidade maritima devia ser no interior; e em outros Nos. temos dado as nossas razoeus; porque julgamos, que as cabeceiras do Rio-Doce, ou immediaçoeus ás do Rio-de-S. Francisco he o lugar mais conveniente para este fim. A abertura pois daquellas estradas, e consequente introducçaõ de populaçaõ, mostrará cada dia mais a utilidade deste plano, e facilitará a sua execuçaõ.

## ALEMANHA.

A p. 17 achará o Leytor o Memorial das cidades Hanseaticas á Dieta, sobre as piratarîas das Potencias Barbarescas, que modernamente se tem atrevido a andar a corso em mares, que naõ êra usual frequentarem.

A Dieta naõ possue forças navaes; por consequencia tudo quanto pode fazer a este respeito he, procurar negociaçoens com as Potencias Maritimas; para obter este desejado fim.

Se o tractado Christaõ tem algum uso benefico aos povos, nenhum outro poderá ser mais louvavel do que a applicaçaõ de suas estipulaçoens, a fazer parár os roubos de naçoens, que naõ querem attender aoutros principios de direito, senaõ os que lhes dicta a avareza, nem apoiam as suas pretençoens com outro argumento mais do que a força.

## AUSTRIA.

Affirma-se que ha um tractado, em virtude do qual os Estados de Parma, Placencia e Guastalla viraõ a pertencer á Ex-Raynha de Etruria, Infanta de Hespanha, e seus successores, depois da morte da Archiduqueza Maria Luzia de Austria. Mas um tractado cuja execucaçaõ só ha de ter lugar daqui a 40 ou 50 annos, he um ajuste cujo complemento se faz mui problematico; porque no meio tempo os interesses da Italia pódem mudar de face mais de uma vez; e a Austria tem, pelo decurso de seculos, trabalhado sempre por obter a superioridade nos negocios da Italia.

## ESTADOS UNIDOS.

Os Commissarios, nomeados, em consequencia do tractado de Gante, para determinar a linha de limites, entre as colonias Inglezas e os Estados Unidos, tem achado algumas difficuldades, sobre o que uma gazeta de Boston faz as seguintes observaçoens.

" O dever dos Commissarios, na conformidade do 5°. artigo do ultimo tractado de paz, he fixar a linha de limites, desde o monumento ja estabelecido nas vertentes de St. Croix, até as montanhas, entre as aguas de S. Lonrenço, e as que cáem directamento no Atlantico: daqui ao longo dos outeiros até as vertentes do rio Connecticut, e depois descendo pelo dicto rio até o 45 gráo de latitude, seguindo aquelle parallelo de latitude ao S. Lourenço. Cremos que, até mui pouco tempo a ésta parte, naõ tinha havido senaõ uma interpretaçaõ da linguagem do tractado de 1783; na descripçaõ que faz desta parte da linha de limites dos Estados Unidos. Tudo quanto parecia necessario éra, que se medisse o paiz, e se designasse a linha por meio de marcos. Porém agora entendemos, que a gente em algumas das provincias Britannicas quer reclamar uma grande porçaõ de terras, que até aqui se suppunha pertencer ao districto de Maine. Naõ sabemos se os agentes do Governo Britannico insistem nestas pretençoens. Elles pretendem que às montanhas mencionadas no tractado, como formando o limite Septentrional do Maine, saõ aquellas que fîcam ao Sul do rio St. John, e naõ a cordilheira entre St. John, e S. Lourenço."

## França.

A negociaçaõ para uma concordata entre a França e a Sancta Sé está concluida. O numero de bispos na França se augmenta quasi em dobro; pois em vez de 52, haverá 92. He porém outra questaõ, se este augmento de bispos restabelccera em seu pleno poder a Igreja Catholica de França.

## HESPANHA.

A amnestia geral, em que tantas vezes se tem fallado, parece estar agora ao ponto de estabelecer-se, mandando-se recolher todas as familias, cujas opinioens politicas, e circumstancias adversas tinham privado de sua liberdade, ou de sua patria: o certo he que ésta medida naõ póde ser frustrada por aquelles aquem se attribue o decreto de 30 de Maio 1814. Depois daquella epocha se tem o ministerio mudado mais de uma vez; e se ésta medida for adoptada ao tempo em que o Ministro das Finanças trabalha por estabelecer o credito publico, talvez El Rey de Hespanha consiga reconciliar o espirito de seus subditos.

O novo plano de finanças se pode resumir no seguinte extracto:

Despezas.

| | | | |
|---|---|---|---|
| Casa Real | . . . . . | Pezos fortes | 2:848.580 |
| Secretaria | d' Estado | . . . . . . . . | 750.000 |
| ——— | do Interior | . . . . . . . | 600.000 |
| ——— | da Guerra | . . . . . . . | 17:500.000 |
| ——— | da Marinha | . . . . . . . | 5:000.000 |
| ——— | da Fazenda | . . . . . . . | 5:500.000 |
| | | | 22:198.680 |

| | |
|---|---|
| Promoçaõ da agricultura, industria, &c. . . | 500.000 |
| Guerra, e outros incidentes . . . . . | 1:500:000 |
| Atrazados da divida publica . . . . . | 1:500.000 |
| Total da despeza annual | 35:698.000 |
| Rendimento liquido . . | 29:850.000 |
| Deficit . . | 5:843.680 |

Meios para cubrir o deficit.

| | |
|---|---|
| Contribuiçaõ geral . . . . . . . | 3:500.000 |
| Contribuiçaõ do Clero . . . . . . | 1:500.000 |
| Reducçaõ de salarios, pensoens, &c. | 848.680 |
| | 5:848.680 |

A contribuçaõ annual do Clero, de 1:500.000 pezos fortes, deve durar sómente seis annos.

---

O General Lacy dizem que foi condemnado á morte, por um conselho de guerra, em Barcelona; porém a sentença naõ se executou ainda, e elle foi embarcado, por ordem d' El Rey, dizem que para uma prizaõ na ilha de Minorca.

---

## Colonias Hespanholas.

O plano que o Governo Hespanhol tem seguido de usar sómente da força, para restituir a seu dominio as colonias revoltadas, continua a ser absolutamente infructifero, e a Côrte de Madrid naõ aprende com tam fatal, e decidida experiencia.

No estado actual da Hespanha, o Governo naõ póde mandar para ali senaõ pequenas forças, que saõ justamente quanto basta para conservar acezo o fogo do guerra civil, cujos horrores exaspéram todos os dias mais e mais ambos os partidos; sem que a causa d' El Rey pareça ganhar cousa alguma, como vemos de uma carta, escripta por um intelligente Inglez, residente em Trinidad. A carta he datada de 26 do Maio, e della tiramos os seguintes extractos:—

" Em Guiana o General Piar obteve aos 11 de Abril uma assignadada victoria. Estava elle citiando a fortaleza de Guianna Velha, quando o General Cedeno bloqueava Angustura, e a este tempo chegáram as tropas, que Morillo trouxe com sigo de Nova Granada, commandadas pelo Brigadeiro Latorre, para soccorrer a praça. Como vieram de S. Fernando de Apure, pelo rio Orinoco, e Paez naõ tinha flotilha para commandar o rio, naõ pôde impedir, que ellas entrassem na fortaleza; porém inventou um estratagema para as fazer saîr. Levantou o seu campo precipitadamente, dizendo aos seus soldados, que, como o inimigo tinha tido um reforço consideravel, achára necessario mudar a sua posiçaõ, para outra melhor. Nisto desertaram para os Hespanhoes um sargento e tres soldados, que disséram ao General Latorre, e Governador Cerruti, que Piar îa fugindo, e que, se o perseguissem logo, destruirîam o seu exercito. Este plano foi immediatamente adoptado; porém, como elles naõ tinham cavallaria, Piar continuou a sua marcha até que veio a uma posiçaõ chamada El Banco de San Feliz, aonde a sua cavallaria podia obrar com vantagem, e ali fez halto, esperando pelo inimigo, que estava tam anxioso por colher a sua preza, que naõ calculou com os riscos. A breve relaçaõ desta batalha, que escreveo Piar, he esta;——"como as tropas do inimigo consistîam somente em infanteria, formáram-se em uma columna massissa; constando as nossas de infanteria e cavallaria esperàram por ellas em ordem de batalha: começou a acçaõ ás 8 horas da manhaã, e findou, depois de algumas horas, pela completa derrota do inimigo, que foi cercado de todos os lados. Desta circumstancia se seguio o fazermos 590 prisioneiros, 200 dos quaes saõ Hespanhoes, e entre elles o Governador de Guianna, Cerruti, e 17 officiaes. O resto do inimigo ficou no campo de batalha, excepto o Brigadeiro Latorre, que escapou, com 30 ou 40 carabineiros bem montados. Tomamos tambem 900 espingardas, 25.000 cartuchos de espingarda, 1 peça de campanha, 2 bandeiras, 12 tambores, e pifanos, 8 trombetas, e bagagem. A nossa perca consiste em pouco mais de 100 homens, porém tenho de lamentar particularmente entre elles o coronel Chipia, e o tenente-coronel Landacta"——A força do inimigo diz Piar, que éra de 1.500 infantes. Paez, como tereis visto, derrotou toda a cavallaria de Morillo, em uma acçaõ, antes de entrar em S. Fernando. O General Paez avançou de Apure e tomou posse de Calabozo, de maneira que todos os Llanos, ou planicies, nas provincias de Guayana, Barinas, Cumana Barcelona e Caracas estaõ nas maõs dos patriotas. Paez, pelas ultimas noticias, tinha mais de 4.000 de cavallo, e o seu numero augmentava todos os dias, á proporçaõ que elle se adiantava——Bolivar cruzou o Orinoco, e se unio a Cedeno com 1.500 de infanteria, demaneira que se espera que as cidades e Villas da Velha, e Nova Guianna, em breve tempo se rendam por causa da fome. Marinho com 1.500 homens occupa Cariaco e Cumanacoa; e corta todos os suprimentos de Cumana. Os portos dos patriotos nestas vizinhanças saõ Carupano, Rio-Caribes, Guiria e Maturin; assim como Esmeralda, que he o porto de Cariaco.

Os Hespanhoes tomáram a cidade de Barcelona. Bolivar tinha ali deixado uma guarnicaõ de 200 homens sómente, que se defendêram valorosamente mas perecêram quasi todos. Porém os Hespanhoes tem as suas communicaçoens cortadas, para os supprimentos do interior da provincia, com a sua cavalaria.——Em uma palavra, ja com os corpos regulares, ja com partidas fortes de guerrilhas, o todo do interior ertá cuberto com estes Tartaros de cavallo; e, o que he mais infeliz para os Hespanhoes, todos os Sambos a quem elles ensináram a assassinar os habitanses brancos de Caracas, se tem agora alistado debaixo das bandeiras dos Independentes. O comportamento de Morillo os tem desgostado tanto que um de seus chefes, chamado Lopez, e 20 de seus officiaes, se passâram para o bando de Paez. Por outra parte as crueldades de Morillo em Nova-Granada, que sómente pódem ser comparadas ás de Bovez e Morales, em Venezuela, tem feito impossivel que se pense em reconciliaçaõ com a Hespanha. Tenho conversado com algumas pessoas respeitaveis de Sancta Fé, as quaes declaráram, que, quando elle havia derramado o melhor e mais distincto sangue de Nova Granada, e se procuravam novas victimas entre as classes plebeas, se fazia a escolha perguntando-lhe se sabîam escrever, se a reposta éra pela affirmativa, mandávam lhe escrever os seus nomes, o que éra de certa preferencia para ser arcabuzeado ou enforcado; pelo que parece ser a sua idea, e a do Governo Hespanhol, que todos os conhecimeutos além do méro instincto de brutos, se devem erradicar da America. Porém elles acharaõ ainda, que as sciencias naõ saõ essenciaes a estas hordes de Tartaros, os quaes com habeis officiaes os expulsaraõ do paiz."

Noticias publicadas na lista de Lloyds dizem, que alguns corsarios de Insurgentes andavam a corso pelas ilhas dos Açores, nos fins de Junho, e tinham tomado quarto navios de valor, tres dos quaes leváram com sigo, e o quarto mettéram a pique: O Gram Para, de Bengalla: Nova Carolina, da China para Lisboa: Flor de Mayo, de La Guyra para Cadiz: Los Dolores de Porto Rico para Barcelona.

Do Mexico temos unicamente noticias indirectas por via dos Estados Unidos; mas segundo éstas, a Republica, que ali tinham formado os Insurgentes, tinha uma força militar de 18.000 homens, bem organizados e disciplinados, e debaixo da direcçaõ de habeis capitaens. Estas tropas occupam, o interior do Mexico, cubrindo uma extençaõ de territorio, que abraça uma populaçaõ de um milhaõ de almas. Esta secçaõ do paiz está debaixo do governo de um Congresso geral, regularmente eleito pelos habitantes; as suas emprezas militares saõ mais bem succedidas do que o éram até aqui; e o conveniente auxilio de armamentos completará o seu successo.

## INGLATERRA.

Publicamos a p. 24 a falla do Orador da Casa dos Communs, ao Principe Regente; e a falla de S. A. R. no encerramento da sessaõ do Parlamento.

A sessaõ começou cheia de difficuldades para os Ministros, que dellas se desembaraçaram com assas dexteridade; porém restou ainda a suspensaõ do Habeas Corpus, que devendo durar até Março seguinte dá a entender, que o Ministerio tem aïnda cousas de que se receie.

Quanto á prosperidade de Naçaõ; he incrivel, a quem se naõ acha na Inglaterra, os recursos, que este paiz tem mostrado, na conclusaõ da guerra, quando a demissaõ de tantos soldados e marinheiros augmentou prodigiosamente o numero das pessoas sem emprego, e quando a distribuiçaõ do commercio, que só a Inglaterra fazia durante a guerra, e se acha agora repartido por todas as mais naçoens, tem causado uma notavel estagnaçaõ nas suas fabricas que trabalhávam para exportaçaõ.

Naõ obstante, as classes fabricantes começam a equilibar-se com o emprego, que ha para lhes dar, e o credito nacional, nunca esteve em maior auge, como se conhece pelos altos preços dos fundos publicos, e Banco.

Julgamos, que esta prosperidade nacional he devida ás differentes Commissoens, que se nomeáram pelo Parlamento, para inquirir nos abusos, e propor-lhes remedios, de que o Leitor achará um succinto mas claro resumo, na falla do Orador da Casa dos Commums a p 24.

## SUECIA.

A missaõ de um capitaõ de marinha Turco, e do agente Europeo do Bacha do Egypto, Ismael Gibraltar, em Stockholmo, excitam a attençaõ geral. Pensa-se que tem duplicado objecto: 1°. notificar ás differentes Potencias, que a Porta deseja estabelecer um tributo de passagem, sobre todos os navios que entrarem no estreito das Dardanellas, o que produzira grande rendimento ao Governo Turco, pois saõ mui numerosos os vasos, particularmente Suecos e Dinamarquezes, que se dirigem a Odessa. 2o. fazer proposiçoens á côrte de Suecia, relativamente á alguns pontos em discussaõ entre a Russia e a Porta. O projecto do tributo de passagem tem segundo se diz, occasionado queixas e fortes representaçoens da parte do Gabinete de S. Petersburgo.

Todas as costas de Suecia, desde o Golpho de Bothnia até a Norwega, estaõ cubertas de corsarios por mar, e tropas por terra, para impedir o contrabando. Esta medida produz descontamento; porque as despezas que occasiona naõ convem ao systema de economia, que o Governo tinha promettido, e de que os Suecos tinham tanta necessidade. Depois da publicaçaõ dos decretos prohibitivos contra a importaçaõ, se tem feito encommendas mais entensas para vinhos, tanto de Stockholmo como de Gothemburgo, ás praças de Bordeaux, Londres, e Copenhagen; porque os especuladores, depois que os preços tem levantado, calculam com os lucros, que pódem ter no que escapar por contrabando, que seraõ mais consideraveis do que as percas das tomadias. A severidade das leys prohibitivas pôem o commercio em consternaçaõ, e naõ ha duvids que excitaraõ grandes debates na proxima sessaõ da Dieta. Estas medidas tem ja causado grande sensaçaõ nos paizes estrangeiros particularmente na Inglaterra, aonde as gazetas cada dia se fazem mais asperas neste assumpto. As estrictas ordens, dadas aos commandantes, nas costas, para visitarem todos os vasos, que se lhes aproxîmam, e metterem-lhe guardas a bordo, se a equipagem for a desembarcar, tem desagradado a varias Potencias, e dado causa a varias notas officiaes.

O Principe Oscar foi nomeado Vice-Rey da Norwega: ardua empreza para seus annos, considerando a repugnancia com que os Norwegas obedecem a seus novos Amos.

## TURQUIA.

As noticias de Constantinopla, referindo o estado de discussaõ entre a Porta e o Governo Russiano, dizem o seguinte:—

"As representaçoens do Ministro Russiano, Conde Von Strogonoff, que éram fundadas nas mais justas pretençoens da Russia, parece que naõ tem ainda conduzido a cousa nenhuma decisiva no Divan. A influencia do Gram Vizir sobre o Reis Effendi, e o Jeflender, he quem o tem estorvado. O Sultaõ, que, por outra parte, desejava ardentemente conservar boa intelligencia com a Russia, dirigio ao Gram-Vizir, em 3 de Março, o seguinte energico e notavel rescripto, ou Halti-xerif:—

"Tem ja havido muitas e longas deliberaçoens sobre a nota, que entregou o Embaixador Russiano, e comtudo ainda se nos naõ apresentou nenhum jornal de vossas sessoens. Ha ja 40 dias depois que este negocio se vos apresentou para discussaõ. ¿Porque naõ tendes tomado sobre isso alguma resoluçaõ? Por ésta demora devemos crer, que vos empregais em vossas sessoens, somente em cousas que naõ saõ de importancia ¿ Quereis vós esperar até que o Embaixador Russiano se enfade, e proceda a fazer ameaças? Se credes que a guerra he inevitavel, pensai nos meios de defensa. Mostrai-nos miudamente as necessarias causas da guerra, e a extençaõ dos recursos, que quereis empregar. Por outra parte, se o tempo e as circumstancias nos naõ permittem emprehender uma guerra, preveni o descontamento do Embaixador Russiano, o mais depressa que for possivel, dandolhe uma resposta conveniente."

"A impressaõ, que este rescripto fez no Divan, éra facil de prever. Deo pois accasiaõ a outro, que foi concebido nos seguintes termos:—

"Como os meus Ministros, depois da madura consideraçaõ de todas as circumstancias, tem julgado necessario *abandonar toda a idea de guerra,* e abraçar o prudente partido da reconciliaçaõ, he absolutamente necessario, que se ábram immediatamente as conferencias, e que a Nota, de que se tracta, sêja entregue sem demora pelo Reis Effendi ao Embaixador Russiano. Porém deve ter-se o maior cuidado, que ésta nota sêja escripta em termos claros, e naõ como a primeira, que naõ tinha sentido algum, em ordem a dar a entender á Russia, que he da nossa intençaõ arranjar as cousas amigavelmente.

" A inclinaçaõ do Gram Senhor á paz, e ésta linguagem decisiva, parecem sufficientes para derribar o partido opposto. O Gram Vizir recebeo uma austera reprehensaõ; porém o seu instrumento, o Reis Effendi, foi demittido em desgraça, e o seu lugar dado ao Djanil Effendi, homem, que por varias vezes tem ja occupado a mesma situaçaõ.

## RUSSIA.

Pelo ultimo censo se averiguou, que a populaçaõ de S. Petersburgo he de 285,500 habitantes, incluindo o militar. Deste numero 249.813 saõ naturaes do paiz, e o resto estrangeiros de diversas naçoens. Em 1766 o numero de habitantes daquella capital éra 114.000 Russianos, e 16.000 estrangeiros. Em 1792, S. Petersburgo continha 193.000 naturaes, e 32.000 estrangeiros Assim tem a capital de Russia, em meio seculo, augmentado mais do dobro em populaçaõ.

O valor das mercadorias importadas em S. Petersburgo, no anno passado passou de 30.000.000 de rublos, e o valor das fazendas exportadas foi de 77 milhoens e meio.

A p. 28, e seguintes publicamos varios regulamentos, pelos quaes o Governo Russo intenta melhorar o credito publico, e pagar a divida nacional. O resumo, que demos destes regulamentos servirá, para fazer entender os principios, em que se fundam; e a anxiedade do Imperador, em establecer a confiança na sua administraçaõ.

# CONRESPONDENCIA.

*Carta ao Redactor sobre a Revoluçaõ de Pernambuco.*

Senhor Redactor do Correio Braziliense

Li o denominado Investigador do mez passado; e quando neste N° elle se propôem a dar uma grande reprimanda a V. Mce. a respeito das suas expressoens á cerca da goláda revoluçaõ de Pernambuco, vêjo que elle cáe em peior. Em quanto ás expressoens do seu Jornal, pelo que se vê em todo o Brazil; e pelos factos de Pernambuco, a mudança de systema e de administraçaõ, que he precisa, he para rigor; e que se mantenha a disciplina entre a tropa, e se tenham governadores nas capitanias dignos de o serem, e que sêjam capazes de fazer executar as leys á risca. Isto he o que naõ tem havido; e que foi causa dos cuidados, desarranjos e despezas, que produzio o brinco de Pernambuco. Por tanto, com o devido respeito, direi ao Senhor Edictor, que tam longe estaõ os Governos do Brazil de parecerem da ordem dos governos militares, que, pelo contrario, nada disto tem. Como se vio pelo que succedeo em Março passado em Pernambuco, pelo contrario, quando em outro tempo haviam algumas sombras de disciplina militar, nunca se vio tal. A muita relaxaçaõ he que deo causa ao que se vio e que póde um dia ser causa de consequencias mais sérias.

Em quanto a descontentes, sempre lá os haverá, em quanto naõ houver ordem, nem quem a faça manter; pois saõ e seraõ sempre os turbulentos e malfeitores, os primeiros que se denomînam taes: e isto porque naõ saõ tam ricos, como o homem industrioso, e o favorecido da fortuna, mas que o pódem ser roubando, e matando; porque o governador e o governo nunca se oppoz a isto, e sempre assim o quiz. Eisaqui os descontentes; exaqui a classe a que pertence o Martins, e Companhia.

Porêm deixando isto, passamos ao Investigador, Este, suppondo metter uma lança em Africa, e fazer um grande serviço ao Estado, o atraiçoa, e o compromette mais. Porque naõ havia contentar-se o Investigador a provar; que naõ havîam descontentes no Brazil; mas havia de passar a diante (sem ninguem lho pedir) a querer mostrar, que os havia em Portugal? Para que demo havia o Investigador agóra apregoar isto? e querêllo arrumar á queima roupa; muito mais em uma epecha como a presente.— Supponde mesmo, que no Brazil ha descontentes d'outra classe da do Martins, nunca o resultado de tal descontentamento havia de ser a vigessima parte a temer que na Europa, uma vez que os houvesse, por muitas razoens: a primeira, pela impossibilidade de se coadjuvarem as differentes capitanias, tam remotas, e até tam differentes em interesses e principios; portanto a fraze do Correio Braziliense he muito menos incendiaria e menos de temer do que a fraze do Investigador. Porém tudo isto concorda em genero, numero, e caso: e he custume velho, pois, nos primeiros Nos. do Investigador, se vêm, entre as muitas ipsius furfuris, a parte, que tomáram os Redactores a favor dos arrenegados de S. Domingos. Ora como o Investigador falla em tudo, e investiga tudo; ja se sabe, com a leveza que lhe he propria, notarei algumas de suas sentenças de cabo d'esquadra. Depois de uma grande tirada, que he o que se chama, e que veio cá fazer a cópa do tal chapeo." tira com o maior despejo e philaucia, o que elle chama consequencia: *Per conseguinte a revoluçaõ de Pernambuco, he a mais fora de proposito de quantas tem havido no Mundo.* Isto he que he *multum in parvo,* e he o se que chama ser sabio e historiador. Eu desejára que o Reverendo Investigador me dissesse, de que mundo he que elle fálla, ou quer fallar. Isto he similhante aquelle, que vivendo muito tempo na clausura, e passando della para uma ilha, cuida ter visto todo o Mundo. Continúa o Investigador que a revoluçaõ em Portugal póde ter um principio mais desculpavel, porque Portugal tem consideravelmente perdido em sua consideraçaõ e estado politico; e passou instantaneamente de chefe de familia ao estado de provincia

Gasta muito tempo e muito papel o Investigador com a diatribe para mostrar, que ha descontentamento em Portugal, e que, portanto mais razaõ e mais desculpa ha para que haja rebeldes ali, do que existe no Brazil: e tras isto em ar de mal arranjado sermaõ. Depois da bixa de sette cabeças, e da miscellanea que faz para a matar, e naõ matar, diz, com o tom de Senatus Consultum—"*naõ se persuadam os que governam, que basta ter um bom exercito, para suffocar todas as revoluçoens; isto he um engano fatal Luiz XVI tambem tinha exercito e....*"

O Investigador foge-lhe a boca para a verdade: como elle está no habito de ver que os que se devîam castigar se emprégam em ser escribas; graças a S. Exa. Funchalense; e graças aos que cuidam que com duas hysopadas e lendas adulatorias se fazem esquecer as faltas; por isso quer arrumar a todos, que naõ he por meio a força e dos castigos, que se devem suffocar as revoluçoens; e que naõ basta ter um exercito, &c. &c. As revoluçoens e os levantamos pódem-se evitar do modo que acima fica dicto; mas, uma vez desenvolvidas, he pela força, e só por ella, que se pòdem e devem suffocar. O Investigador naõ pode negar que se naõ fosse a força armada, e a grande força militar, que o Governo Inglez emprega sempre em qualquer motim popular, ordenando até atirar ao povo, uma vez que se naõ retire; como se fez no tempo do *Corn Bill,* e ultimamente com o ajunctamento de *Spa-fields,* se naõ desembaraçaria como se desembaraçou, dos revolucianarios. Além disso, o Investigador sabe muito bem das austeras medidas, que o Governo Inglez tem tomado, para cortar pela raiz tudo que he turbulento e sedidicioso.

Em quanto a Luiz XVI, vejo que o investigador conhece pouco a historia do seu tempo e da revoluçaõ Franceza. Luiz XVI tinha exercito; porêm éra o mesmo que se o naõ tivesse: a disciplina militar e a subordinaçaõ estavam em 1789 na mesma situaçaõ em que se achava a de Pernambuco, e por isso se fez em Paris, n'aquelle tempo, parte do que se practicou em Pernambuco; que foi, ao momento em que se intimava a reprehençaõ ou sentença a um official, na parada, ser morto e assassinado por este, o que executava as ordens e a ley: isto pela *qualidade,* que escreve em letras Italicas. O que eu desejáva era saber; porque no Investigador se escreve *Bom,* fallando d'El Rey, em letras Italicas? He natural que mófem da bondade e fraqueza, que se custuma ter com os criminosos, consentindo que se empregem naquillo, que muitos outros de principios e comportamento conhecido podiam talvez melhor desempenhar: porém assim o entendeo S. Exa. Funchalense, na idea de ter, *more Bonapartis,* senaõ um *Moniteur* um *Investigateur*: assim o sanccionou o Marquez de Aguiar, em consideraçaõ á hysopada, e ao êlogio forçado da traducçaõ do Poeta Inglez! Em fim, assim o quer mais alguem, por mais de uma razaõ. Creio que por ésta qualidade, que escrevem em letras Italicas, he que espéram d'El *R*ey até o que se vê no Investigador entre virgulas, depois do *jocoso*" (ora pois Cinna, sejamos em fim amigos) "

A jocosa sentença, ou borrachaeira, "*Portuguezes, naõ roubeis ao vosso Rey a gloria de fazer a nossa felicidade anticipando imprudentemente medidas, que elle de certo mais sabiamente ja esta preparando Sim; &c.*

Assim pensava o *Microscopio*: e assim fallava o grande Ignacio da rua de Quebra-Costas, em Coimbra!! Risum teneatis amici!

He aonde chega a vaidade, e loucura de taes escribas. Considéram El Rey tam bom ou Bonamxaõ, que já o reputam estar preparando uma Constituiçaõ, para agradar á relé, e metter á testa dos constituidos os exfrades, os exinspectores, e todos os que o atraiçoáram e á naçaõ! Ora basta, que ja cheira mal. Ja tem visto V. Mce. e os Leytores dos dous Jornaes, que apontando o Investigador para o argueiro do olho do Correio Braziliense, naõ reflecte, que tinha duas trancas nos seus olhos.

Crea-me com todas as veras

Seu &c.

* * *

---

*Carta de A. J. da Rocha ao Redactor.*

Snr' Redactor do Correio Brasiliense!

O acontecimento de 6 de Março, de 1817, no Recife de Pernambuco, me obrigou a largar aquella praça aonde entaõ me achava, com uma questaõ bem singular, relativa ás obrigaçoens do officio, que S. M. F., meu Augusto Soberano, se dignou conceder-me; como vera pelos documentos de No. 1 a 5. E porque eu até aquelle tempo naõ tivesse exercido o mesmo officio (se bem que tomado ja a competente posse em 21 de outubro de 1816) em consequencia da injusta opposiçaõ que se me pretendia fazer, e naõ quizesse ser comprehendido no No. daquelles empregados publicos, que juráram obediencia ao Governo Revolucionario daquella Capitanía; portanto vogo a V. M. queira ter o encommodo de inserir no seu Periodiro ésta pequena nota, a fim de quê conste a todo o tempo isto mesmo para minha sefeza.

Tenho a honra de ser

De V. Mce.

Londres — de Julho, 1817. Muito attento renerador.

A. J. da ROCHA.

---

*Resumo dos Documentos.*

No. 1.

He um Decreto, de S. M., datado do Rio-de Janeiro, aos 29 de Agosto 1816, pelo qual se nomea Antonio Jozé da Rocha, para um officio, da alfandega de Pernambuco, creado por este mesmo Decreto com a denominaçaõ de " Medidor, que verefique a medida das fazendas, que vem a despacho; na forma do foral da Alfandega de Lisboa. Este Decreto tem o Cumpra-se do Marquez de Aguiar, datado de 4 de Septembro de 1816.

A este documento acompanha um officio do Marquez de Aguiar como Presidente do Erario, dirigido á Juncta da Fazenda de Pernambuco, mandando executar o Decreto e que o provido ficasse igualmente servindo o officio de Interpetre de linguas estrangeiras, que ja exercia na praça de Pernambuco.

No. 2.

He uma petiçaõ do provido ao Juiz da Alfandega do Rio-de-Janeiro, requerendo uma certidaõ do Medidor, sobre as obrigaçoens daquelle officio.

Segue-se a certidaõ do Medidor em que se descrevem as funçoens que lhe saõ incumbidas.

No. 3.

He. uma petiçaõ, e despacho da Juncta da Fazenda de Pernambuco, mandando registrar a certidaõ, acima mencionada.

No. 4.

Petiçaõ do provido á Juncta da Fazenda de Pernambuco, do theor seguinte. —" Senhor!— Diz Antonio Jozé da Rocha, Medidor da Alfandega desta capitania, que, havendo sido nomeado por V. M. para este officio considerando, que, sendo uma creaçaõ nesta alfandega, devia munir-se de regra por onde se dirigisse, e evitasse as duvidas, que se poderîam offerecer, no exercicio do seu emprego, pedîra logo por certidaõ as obrigaçoens competentes ao Medidor da Alfandega do Rio-de-Janeiro, da qual se vê que a elle supplicante incumbe o fazer a reducçaõ das medidas de todas as fazendas estrangeiras ás medidas nacionaes, para por ellas se fazer a conta dos direitos, e conferir depois ésta conta, para que a fazenda possa saîr da alfandega.—Indo porém o Supplicante a ella, no dia, 5 de Novembro corrente, nada disto se fez, e apenas se cumprio a ultima e mais insignificante parte do que por tal certidaõ lhe compete, que foi dar-se-lhe meza, e assento; porém nenhum exercicio, salvo o de expectador; o que visto pelo Supplicante, immediatamente requereo do Juiz que o fizesse entrar nas suas funcçoens: cousa que o mesmo Juiz naõ fez, e porque da inexecuçaõ, do que em tal certidaõ se contem, resulta o perturbar-se o systema da arrecadaçaõ dos direitos Reaes, em que V. M. quer que intervenham diversos empregados, uns examinando as quantidades das fazendas, que se intentam despachar, outros as suas differentes qualidades, para que outros possam por estes principios calcular o direito que devem pagar: alguns pondo nas mesmas fazendas um signal distinctivo de haverem passado por éstas operaçoens, e alguns finalmente encarregados de vigiar sobre todos os diversos empregados, a fim de que cumpram exactamente as suas obrigaçoens; pois que de um so naõ confia V. M. tudo isto, ou porque tantos conhecimentos naõ caibam em um só; ou porque queira evitar o damno, que a sua Real Fazenda póde resultar do engano ou malicia de um só, o preencher tantas funcçoens. He logo evidente, que ao Supplicante, em razaõ do seu officio muito particular e privativamente compete o determinar a quantidade das fazendas geralmente que tem medidas notadas, tanto estrangeiras como nacionaes, e que sem este primeiro preliminar assim como sem a classificaçaõ de suas qualidades, o que pertence a outras, naõ se deve e nem mesmo se póde fazer a conta dos direitos, e finalmente que, sem a conferencia desta conta feita pelo Supplicante, para examinar se houve algum engano no numero das medidas, as fazendas naõ devem saîr da Alfandega. Para evitar pois as contestaçoens, que quasi sempre custumam suscitar-se entre os empregados publicos, quando mutuamente querem confundir as suas funcçoens, por isso he que o Supplicaute—P ede a V. M. sêja servido determinar ao Juiz da Alfandega, que faça entrar o Supplicante no seu competente exercicio, do mesmo modo em que he exposto na certidaõ do Medidor da Alfandega do Rio-de-Janeiro. E. R. M.

---

*Despachos da Juncta.*

1°. Informe Juiz o da Alfandega. 6 de Nov. 1816

2°. Responda o Administrador, e torne a informar o Juiz. 9 de Nov, 1816.

3°. Responda o Procuracor da Fazenda. 18 de Janeiro 1817.

4°. Sobre o objecto do presente requirimento, vai-se expedir ordem ao Juiz da Alfandega, com as devidas declaraçoens. 22 de Fevereiro 1817.

No. 5.

Portaria ao Juiz da Alfandega. — O Juiz da Alfandega desta praça vendo a resposta do Procurador da Fazenda, inclusa por copia, dada sobre o requirimento, que a ésta Juncta fez o Medidor da mesma Alfandega, Antonio Jozé da Rocha, relativa ás incumbencias do seu officio, faca executar o que nella se acha declarado, por ser conforme ao Decreto de creaçaõ do mesmo officio, e o disposto no capitulo 56 do Foral da Alfandega de Lisboa. 26 de Fevereiro, 1817.

*Resposta do Procurador da Fazenda.*

Requer o Medidor desta Alfandega, que se practique com elle, tudo quanto se acha declarado pelo attestado do Medidor da Alfandega do

Rio-de-Janeiro, como se manifesta miudamente pelo seu requirimento. A informaçaõ do Juiz da Alfandega, a do Administrador da mesma, e os quatro attestados dos provectos commerciantes e despachantes da Alfandega de Lisboa, estaõ conformes com levissimas alteraçoens entre si; e em opposiçaõ ás pertençoens do Supplicante, fundadas no attestado do Medidor da Alfandega do Rio-de-Janeiro, que quer persuadir deve observar-se nesta Alfandega, como o regimento de seu officio; e manda-me V M. responder sobre esta complicada questaõ, para poder decidir. Passo a cumprir o meu dever, e trabalharei quanto me for possivel para reduzir o exercicio e funcçoens do Supplicante Medidor aos termos mais claros e simples. No decreto porque V. M. creou este officio e nomeou o Supplicante Antonio Jozé da Rocha, para o exercer, servio-se da seguinte linguagem, porque expressou sua Real vontade. "Havendo determinado por decreto de 29 de Junho, 1810, que na Alfandega desta cidade houvesse um Medidor, que verificasse a medida das fazendas, que vem a despacho, na forma do Foral da Alfandega de Lisboa e tendo-se por este motivo ja creado este officio na capitania da Bahia, hei por bem crear o mencionado officio na de Pernambuco, e nomear para o exercer a Antonio Joze da Rocha &c."— Desta ley segue-se, que o regimento dado a este officio, e aos officiaes, que o servem, he o Foral da Alfandega de Lisboa, e naõ a attestaçaõ do Medidor da Alfandega do Rio-de-Janeiro, que naõ tem fé nem authoridade por naõ ser nem ainda exrtidaõ extrahida de livros authenticos, que comprovassem a practica que inculca: logo he pelo Foral, que se devem decidir todas as questoens controvertidas. Examinando o Foral de Lisboa, que serve de regimento ao officio do Supplicante, he unitamente no capitulo 56, que faz mençaõ deste official, e toda a authoridade e jurisdicçaõ, que lhe concede, he juncto à meza da abertura e despacho, medir as peças de fazenda quando assim lhe determinarem o Provedor da Alfandega; pertencendo aos Feitores, e Escrivaens das marcas, e outros officiaes mencionados no Foral fazerem as demais operaçoens e diligencias, para exacto conhecimento da sua quantidade, avaliaçaõ, e conta dos direitos, e debaixo das vistas e ordens do Provedor, desde a abertura dos volumes, fardos, e fazendas, até os despachos de sua saîda; como he evidente dos capitulos 37; 39; 40; e 44, nos quaes se naõ faz mais mençaõ do Medidor. Fazendo-se o despacho das fazendas por peças, que regularmente tem medida certa, segundo o uso, practica e estylo do Commercio; ou por vara e covado, quando as fazendas saõ de medida incerta, e somente sobre estas he que pode ter exercicio o officio de Medidor, ou quando os Feitores, au as partes, julgando haver prejuizo, requerem que se meçam, do que temos exemplo e legal deliberaçaõ no citado capitulo 56 do Foral. Este capitulo determina, que, quando a peças de seda, ou qualquer outra qualidade, que se despacharem por vara ou covado, viérem a despacho, se faça a conta dos covados pelos berbetes; para ver se saõ certos, e a conta que por elles fizer o Provedor da Alfandega e officiaes encarregados, e depois de vereficar se está certa, escolha o Provedor uma ou duas peças, das que se vem despachar, sendo todas da mesma sorte, as quaes se mediraõ pelo Medidor da Alfandega, e juncto á meza della, para saber-se se he verdadeira a medida, que declara o berbete, e achando-se certa a medida e conta se dará credito a toda a partida de sedas, &c. que estaõ a despacho; e sendo as fazendas differentes em sorte, se fará a mesma diligencia e exame, para poderem ter lugar as penas declaradas no mesmo capitulo; no caso de falsificaçaõ. E exaqui todo o emprego e exercicio do Medidor da Alfandega de Lisboa, e consequentemente do súpplicante; medir as peças de fazenda, que se despácham por vara ou covado, que o Juiz da Alfandega lhe determinar, para se tirar qualquer duvida, que a este respeito possa haver, executar a sua mediçaõ na forma do estylo, e dar o bilhete das varas ou covados que achar, para os Feitores e mais officiaes mencionados, fazerem a conta dos direitos, e bilhetes do despacho de saída, sem outra dependencia do Medidor; o que tudo he conforme com as predictas informaçoens, e attestados da practica da Alfandega de Lisboa. A' vista da legislaçaõ expendida do Foral seguem-se as conclusoens seguintes; pelas quaes se vê, que o supplicante está empossado do seu lugar; que o deve execer na conformidade do Foral, sem lhe ficar nada mais a requerer.

Conclusaõ primeira. Devendo o Supplicante medir as peças de fazenda, que o Juiz da Alfandega lhe determinar, por bem da Fazenda Real, e das partes, de que deve dar bilhete; he sem duvida; que deve ter meza e assento para o fazer; e como o Juiz da Alfandega informa que lhe mandou pôr meza, para de lá vir juncto á meza-grande medir o que se lhe mandar; está nesta parte empossado do que lhe compete, tendo cessado a sua queixa.

Segunda. Que está bem determinada a meza e assento, que lhe deo o Juiz da Alfandega, fóra da Meza-Grande; porque naõ havendo ley, que lhe dê assento nesta Meza, ao contrario está determinado, pelo citado capitulo 56 que quando lhe for mandado medir algumas peças de fazendas, as venha medir juncto á Meza; d'onde se segue que o seu assento, e meza para fazer o bilhete da medida, he fóra da Meza-Grande. Como o certificam as dictas informaçoens e attestados se observa em Lisboa.

Terceira: Que naõ lhe competindo outro direito e acçaõ, mais que medir as peças de fazenda, que lhe fôrem determinadas, na forma expendida, e dar o bilhete do numero das varas ou covados, que achar, fica evidente que saõ imprudentes as demais pretençoens, que tem o supplicante, bem como querer ver as contas dos direitos, que fizerem os officiaes das mezas, a este fim determinados; classificar a qualidade das fazendas; e que sem a sua conterencia, e approvaçaõ, naõ se possa despachar alguma, dando os competentes bilhetes de saída.

Quarta: Finalmente, que tendo ja destinada o Juiz da Alfandega a sua meza, e assento para fazer os bilhetes da mediçaõ das peças que se lhe mandar medir, nada mais lhe resta que ir para o seu lugar destinado, cumprir a sua obrigaçaõ, medindo as peças que lhe forem determinadas, dando bilhete na forma dicta, e servindo de interpetre e lingoa nesta Praça, nas occasioens, em que for necessario.

Isto he o que entendo se deve practicar á vista do Decreto da creaçaõ do officio do Supplicante, Foral e informaçoens. V. M. porém á vista de tudo mandará o que for servido. Alegrete. 18 de Fevereiro, 1817.

FRANCISCO de BRITTO BEZERRA CAVALCANTE,

Procurador da Corôa e Fazenda.

### *Avizo a Conrespondentes.*

*Testemunha Occular.* A sua carta contra o Investigador, contem materia interessante, mas naõ póde inserir-se neste No. nem na forma actual.

# CORREIO BRAZILIENSE,

## DE AGOSTO, 1817.

Na quarta parte nova os campos ára
E se mais mundo houvéra la chegára.
CAMOENS, C. VII. e. 14.

# POLITICA.

## REYNO UNIDO DE PORTUGAL BRAZIL E ALGARVES.

*Alvará para que a Universidade de Coimbra possa mandar Representantes, que assistam ao acto da acclamaçaõ d' El Rey.*

EU El Rey Faço saber aos que o presente Alvará virem, que havendo os Senhores Reys Meus Augustos Predecessores liberalmente concedido à Universidade de Coimbra muitas Honras, Graças, e Mercês, com o fim de que esta Corporaçaõ Scientifica animada, e movida de tam nobres estimulos continuasse com desvélo, e assiduidade em cultivar e promover os estudos das Sciencias a bem da prosperidade do Estado: e merecendo ella cada vez mais a Real Protecçaõ, e Favor, pelo desempenho, com que os Membros, que a constituem, satisfazem ao seu Ministerio, e pelas decisivas provas, que déram na invasaõ do Reyno de Portugal, de patriotismo e fidelidade a Minha Coroa:

Desejando Eu honralla por tam justos motivos, continuando a fazer-lhe Mercês, pelo muito que merece a Minha Real Comtemplaçaõ um Estabelecimento, em que se habilitam os Meus Fieis Vassalos, para servirem depois com proveito do Estado, e da Causa Publica os Empregos, e Lugares mais importantes; Sou Servido outorgar-lhe a Mercê de poderem os seus Representantes assistir ao Acto da Minha Real Acclamaçaõ, a que se ha de proceder proximamente nesta Côrte, tendo lugar no mesmo degráo em que estiverem os Tribunaes. E Hei outro sim por bem, que da mesma Graça, e Mercê gozem para o futuro nas Acclamações dos Senhores Reys deste Reyno Unido, que Me houverem de succeder, as Pessoas, que em taes occasioens a Universidade enviar á Côrte, para a representarem.

Pelo que Mando a todas as Pessoas, a quem o conhecimento deste Alvará pertencer, o cumpram, e guardem, como nelle se contém, sem embargo de quaesquer Leys, ou Disposições em contrario; que todas Hei por derogadas para este effeito sómente, como se de cada uma fizesse especial mençaõ. E valerá como Carta passada pela Chancellaria, posto que por ella naõ ha de passar, e que o seu effeito haja de durar mais de um anno, naõ obstante a Ordenaçaõ em contrario. Dado noPalaciodo Rio-de-Janeiro em dezesettede Março de mil oitocentos e dezesette.

REY,

CONDE DA BARCA.

---

*Edictal, pela Juncta do Commercio de Lisboa, declarando hostilidades contra os corsarios de Buenos-Ayres.*

Com Avizo da Secretarîa d' Estado dos Negocios Estrangeiros da Guerra, e da Marinha, datado de 9 do corrente mez de Julho foi remettida á Real Juncta do Commercio Agricultura Fabricas, e Navegaçaõ, uma copia assignada por Lourenço Antonio d' Araujo, official Maior graduado daquella Secretaria, do Avizo expedido na mesma data ao Conselho do Almirantado, ordenando S. M., que se fizesse constar à praça desta capital o seu conteudo; cuja copia he do téor seguinte:—

" Para Pedro de Mendonça e Moura.

" Illmo e Exmo Snr.—Constando a El Rey nosso Senhor, que muitas embarcaçoens de díversos lotes, munidas de cartas de marca do actual Governo de Buenos-Ayres, se estávam armando a toda a pressa para saîrem a corso contra os navios Hespanhoes e Portuguezes, indo commandadas por officiaes estrangeiros, e tripuladas com marinheiros de varias naçoens; foi S. M. servido ordenar por sua immediata determinaçaõ, que as embarcaçoens de de guerra da sua Real Corôa, que saîrem a cruzar, corram sobre todos os corsarios, que encontrarem, devendo aprisionar os que tiverem as indicadas confrontaçoens.—O que participo a V. Exa. a fim de fazêllo assim presente no Conselho do Almirantado, para sua intelligencia, e execuçaõ desta Real ordem. Deus guarde a V. Exa.—Palacio do Governo em 9 de Julho de 1801—Lourenço Antonio de Araujo. E para assim constar se mandáram affixar Edictaes. Lisboa, 15 de Julho de 1817.

(*Assignado.*) JOZE ACCURSIO DAS NEVES.

---

*Portaria dos Governadores de Portugal, abrindo novo emprestimo.*

Tendo os funestos estragos da passada Guerra assolado os predios, absorvido grande parte dos capitaes, paralisado a Industria e o Commercio, diminuido por consequencia a riqueza dos Particulares; era forçoso que nas Rendas do Estado se experimentasse uma diminuicaõ proporcionada a tam consideraveis perdas, a qual naõ podia deixar de se fazer mais sensivel nas presentes circumstancias, em que o Real Erario, além das despezas ordinarias do seu expediente, se acha gravado com a divida, que contrahio por causa da mesma Guerra, para cujo pagamento apenas lhe tem sido possivel applicar pequenas consignações. E ainda que a continuaçaõ da Paz, que he de esperar se naõ perturbe por muitos annos, deva reparar pouco a pouco os males que este Reyno sentío em commum com todas as outras Nações belligerantes; he com tudo manifesto que este melhoramento só póde conseguir-se pelo decurso do tempo, sendo entre tanto indispensavel estabelecer providencias, que chamem ao Erario os fundos de que precisa para satisfazer as despezas que tem a seu cargo. E parecendo a Sua Majestade, depois de uma seria e mui circumspecta consideraçaõ, que o meio mais suave e efficaz, para conseguir os mencionados fins, era o de abrir um Emprestimo, que possa supprír o alcance existente, sem que a sua soluçaõ fique gravando as Rendas ordinarias do Estado; consignando-se para o pagamento regular dos juros, e progressiva amortisaçaõ do Capital, fundos que sáiam da suspensaõ interina de algumas isenções, que se haviam concedido em tempos de menos estreiteza, e que ao mesmo tempo offereçam aos mutuantes, pelo methodo de sua arrecadaçaõ e applicaçaõ, aquella segurança que a Fé publica lhes deve manter sempre inviolavel: He El Rey Nosso Senhor Servido mandar abrir no Erario Regio o recebimento de um Emprestimo de quatro milhões de cruzados, para o qual saõ convidadas todas as pessoas que nelle quizerem entrar, debaixo das seguintes Condições:

1ª. Será o Emprestimo composto de tres mil e duzentas Acçoens de quinhentos mil réis cada uma, que deveráõ entrar no Real Erario em iguaes porções de metal e papel moeda, e de nenhuma fórma por encontros: 2ª. Receberáõ os Capitalistas tantos Titulos, quantas forem as suas Acçoens e dellas ficaráõ vencendo o juro de seis por cento desde o dia em que effectuarem as suas entradas: 3ª. Este juro lhes será punctu lmente pago aos semestres na Juncta respectiva, assim pelo producto dos. Impostos, que ao diante se declaram, e lhes ficam servindo de hypotheca especial, como pelas sobras das outras Caixas estabelecidas para os precedentes Emprestimos: 4ª. Os generos de fóra do Reyno, constantes da relaçaõ juncta, assignada por *Joaõ Antonio Salter de Mendoça*, Secretario do Governo, Encarregado das Repartiçoes dos Negocios do Reyno, e da Fazenda, que se despacharem nas Alfandegas de *Lisboa* desde a publicaçaõ desta Portaria em diante, pagaráõ quinze por cento; entendendo-se comprehendido neste pagamento qualquer direito a que nas mesmas Alfandegas já estiverem sujeitos, e sendo esta arrecadaçaõ gratuita: 5ª. Será o valor dos dietos generos regulado pelas Facturas originaes, que as Partes deveráõ apresentar no acto do Despacho com as devidas formalidades: 6ª. Para a arrecadaçaõ, escripturaçaõ e remessa do que produzirem os mencionados Impostos, serviráõ de governo as Instrucçoens, que accompanháram o Alvará de sette de Março de mil oitocentos e um, em tudo o que lhes he applicavel: 7ª. Deduzindo do seu producto a parte que até agora entrava, e deve continuar a entrar no Real Erario, e mais Repartiçoens a que competir; as sommas restantes, que na conformidade das dictas Instrucçoens deveraõ ser remettidas em direitura á Juncta dos Fundos e Juros dos Reaes Emprestimos com a separaçaõ necessaria e nas épocas que se acham determinada , seraõ recolhidas em Cofre distincto com escripturaçaõ tambem separada: 8ª. Por este Cofre, além das despezas proprias da sua arrecadaçaõ e administraçaõ, se pagaráõ os juros do referido Emprestimo por meio deFolhas annuaes, processadas com a precisa antecipaçaõ, e assignadas pelo Marquez Administrador Geral do Real Erario: 9ª Os Titulos que no Erario Regio se derem aos Accionistas, seraõ assignados pelo Thesoureiro Mór, e Escrivaõ da Meza, e authorizados com a Rubríca do mesmo Marquez Administrador Geral; e delles se fará assentamento da maneira praticada nos antecedentes Emprestimos: 10ª. Os dictos Titulos, depois de terem a verba do assentamento, constituiraõ Divida da Real Fazenda, e ficaráõ gozando dos mesmos privilegios e isençoens de que gozam as Apolices do Emprestimo de mil oitocentos e um: 11ª. Os sobejos que restarem destes novos fundos, depois de pagos os juros e despezas, se applicaráõ impreterivelmente á amortizaçaõ do Capital por um rateio, que se fará no fim de cada anno; annunciando-se ao Publico o valor em que fica cada uma das Acçoens depois da dicta soluçaõ: 12ª. Seraõ os dictos pagamentos suppridos, se assim fôr necessario, pelas sobras dos outros Cofres, que ficam tambem hypothecadas ao presente Emprestimo: 13ª. O primeiro pagamento dos juros, e da porçaõ do Capital para que chegarem os sobejos do Cofre, se fará por todo o mez de Janeiro de mil oitocentos e dezoito, continuando os seguintes a fazer-se regularmente; os dos juros no fim dos semestres; e os do Capital no fim de cada anno. O marquez de *Borba*, um dos Governadores do Reyno, Administrador Geral do Real Erario o tenha assim entendido, e faça executar pela parte que lhe toca. Palacio do Governo em oito de Julho de mil oitocentos e dezesete.

*Com as Rubricas dos Governadores do Reyno.*

*Relaçaõ dos Generos Estrangeiros, que nas Alfandegas desta Cidade devem pagar quinze por cento do seu valor, regulado pelas Facturas do custo e despezas.*

Arenques. Bolacha. Carne salgada. Manteiga do Vacca. Presunto. Queijos. Toucinho.

Palacio do Governo em oito de Julho de mil oitocentos e dezesete.

JOAÕ ANTONIO SALTER DE MENDOÇA.

---

*Portaria dos Governadores de Portugal, sobre os Ajudantes de varias praças militares.*

Manda El Rey Nosso Senhor, Conformando-se com o o parecer do Márechal General Marquez de *Campo Maior*, que o disposto na Resoluçaõ de 29 de Fevereiro de 1816, tomada em Consulta do Conselho de Guerra de 20 de Outubro de 1815 á cerca dos Majores das Praças de *Abrantes*, *Marvaõ*, *Juromenha*, *Peniche*, e Forte de *la Lippe*, se entenda tambem a respeito dos Ajudantes das mesmas Praças, isto he, que elles devem ser abonados dos soldos das suas Patentes quaesquer que ellas sejam, e junctamente da Gratificaçaõ deEstado Maior, entendendo-se sempre que estas duas addiçoens sommadas naõ dem um Soldo maior do que aquelle que compete a um Ajudante effectivo do Exercito. Palacio do Governo em 31 de Maio de 1817.

*Com tres Rubricas dos Senhores Governadores do Reyno.*

---

*Nota de Lord Strangford ao Marquez de Aguiar, sobre a vinda d' El Rey para Lisboa.*

O muito interesse, que tem a Côrte de Londres, pela prosperidade do Reyno de Portugal, cuja energia e heroismo tem grandemente contribuido para o triumplio da causa dos Alliados; e a vondade efficaz, que tem, de fazer tudo quanto possa concorrer para cumprir com os desejos de S. A. R. o Principe Regente de Portugal, de quem conhece mui bem os sentimentos paternaes para com os seus fieis vassallos da Europa; tem feito crer ao abaixo-assignado, que he da sua obrigaçaõ tornar ainda a tractar do objecto importante da volta de S. A. R. para Portugal.

Havendo o abaixo-assignado constantamente representado á sua Côrte a persuaçaõ, em que estava, de que existia no coraçaõ de S. A. R. um desejo mui vivo de se aproveitar da primeira occasiaõ favoravel, para recompensar seus valorosos vassallos Portuguezes, por tudo quanto tinham soffrido na sua auzencia, com o maior beneficio, que lhes podia fazer, isto he, com a presença do seu adorado Soberano; e julgando o Governo Britannico estar ja chegado este momento; procurou immediatamente contribuir com quanto lhe éra possivel, para pôr em execuçaõ os sentimentos do seu Alliado. Fez por consequencia partir o Contra-Almirante, o Cavalheiro Beresford, e ésta expediçaõ, antes que chegasse a Inglaterra a resposta que a Côrte do Brazil deo á Nota, que o abaixo-assignado teve a honra de dirigir a S. Exa. com data de 1 de Outubro passado.

Foi tambem na persuasaõ da força destes sentimentos de S. A. R., e do desejo ardente, que tem, de se aproveitar das circumstancias, que a pacificaçaõ geral lhe apresenta, para tornar a ver o reyno de seus Augustos Antepassados, que S. A. R. o Principe Regente da Gram Bretanha dirigio a S. A. R. a carta inclusa, que o abaixo-assignado roga a S. Exa. queira ter a bondade de entregar a S. A. R. assim como de receber para si a copia della, que ao mesmo tempo tem a honra de remetter-lhe.

O objecto da expediçaõ do Cavalheiro Beresford naõ tem outro fim, senaõ o de facilitar a S. A. R. os meios de accelerar a sua partida deste paiz, no caso que julgue conveniente servir-se della. Nem em caso algum ella se deve considerar como uma escolta para proteger a Pessoa sagrada de S. A. R.; porque seus proprios navios poderiam amplamente exercer este honroso emprego.

O abaixo-assignado naõ póde ocultar a S. Ex[a]. quam agradavel serìa para a sua Côrte, que S. A. R., guiado pelo seu amor para com a Naçaõ Portugueza, que tem feito tantos sacrificios, e tantas provas tem dado de uma lealdade mais do que heroica, para defender a sua causa, julgasse agora conveniente aproveitar-se dos meios que a Côrte de Londres acaba de pôr á sua disposiçaõ, para com elles completar a felicidade da Naçaõ Portugueza, accrescentando a seus triumphos este de ver dentro della o objecto augusto e querido de todos os seus trabalhos. Com effeito, que prazer naõ serìa o de Portugal, e o do seu fiel e generoso Alliado, se visse o reestabelicimento do esplendor da antiga séde da Monarchia Pertugueza! E que satisfacçaõ naõ haverìa em ver, que naõ faltava membro algum da grande familia da Europa, para celebrar a volta da paz, e a renovaçaõ da ordem social!

Que vantagem em fim naõ serìa para os interesses de S. A. R., como Soberano Europeo, o entrar na Metropoli de seus Estados, antes da conclusaõ das negociaçoens importantes, que se estaõ tractando; e deste modo obviar todos os inconvenientes, que a distancia immensa, que agóra separa S. A. R. do theatro destas negociaçoens, deve necessariamente causar, naõ obtante o muito zelo e fidelidade de seus alliados!

O abaixo-assignado roga a S. Exa. queira ter a bondade de apresentar ésta Nota a S. A. R.; e aproveita ésta occasiaõ para renovar a S. Exa. a segurança da sua mais alta e respeituosa consideraçaõ.

Rio-de-Janeiro, aos 2 de Janeiro de 1815.

*(Assignado)* STRANGFORD.

---

*Resposta do Marquez de Aguiar.*

O abaixo-assignado, Conselheiro d' Estado, Ministro assistente ao Despacho, e encarregado interinamente da Repartiçaõ dos Negocios Estrangeiros e da Guerra, depois de ter levado á augusta presença de S. A. R. o Principe Regente, seu Amo, a Nota de S. Exa. Lord Strangford, Enviado Extraordinario, e Ministro Plenipotenciario de S. M. Britannica, com data de 2 do corrente mez, tem a honra de transmittir-lhe a seguinte resposta, em conformidade das ordens, que recebeo do mesmo Senhor.

Contendo a referida Nota de S. Exa. as mais sinceras e evidentes demonstraçoens do vivo affecto, que S. A. R. deve a S. A. R. o Principe Regente do Reyno Unido, continuando nos seus desejos de cooperar para a sua volta á Europa, naõ póde o mesmo Senhor deixar de expressar a sua gratidaõ, e tomar como prova daquella affeiçaõ o ter-se accelerado a partida do Contra Almirante, Sir Joaõ Beresford, para o acompanhar a Lisboa. Entra tambem em consideraçaõ para os agradecimentos de S. A. R. a delicadeza da escolha deste distincto official, tanto em razaõ de seu proprio merecimento, como por ser irmaõ do bravo e illustre chefe do exercito em Portugal, que o soube conduzir á gloria, e vencer um inimigo guerreiro, tendo igualado em disciplina as melhores tropas da Europa.

Entre as disposiçoens, que occupam a mente de S. A. R. em beneficio de seus Estados, nenhuma he tam importante como a restituiçaõ da sua Real Pessoa á antiga séde da Monarchia; voltar ao seu paiz natal, aonde reynáram tantos heroes seus ascendentes, e d' onde saîram para as outras partes do mundo tantos homens, que se fizéram celebres, contribuindo consideravelmente para a civilizaçaõ em geral, e para o augmento das riquezas da Europa, por meio de suas navegaçoens, descubertas, conquistas, e estabelicimentos de relaçoens commerciaes; e, chegando á sua patria, achar-se no meio de um povo leal ao seu Soberano, e zeloso da honra nacional; e verse ao mesmo tempo á frente de um exercito triumphante, composto de vassallos briosos, que tanto na sua submissaõ á mais vigorosa disciplina militar, como na sua bravura, se mostráram dignos descendentes dos antigos Portuguezes. Similhante espectaculo he sem duvida o mais plausivel e glorioso, que póde gozar um imperante. A' medida que as forças combinadas das outras Potencias da Europa contribuîam com as de S. A. R., para debelar as do inimigo, se lisongeava o mesmo Senhor progressivamente de se aproximar daquella feliz epocha, em que satisfizesse os seus verdadeiros desejos, de patentear com a sua Real presença o seu affecto paternal, e a justa gratidaõ, de que o seu animo está occupado, para com tam benemeritos vassallos.

Apezar destes constantes sentimentos, tam naturaes ao coraçaõ de S. A. R. tem elle resolvido deferir por algum tempo a sua retirada para Portugal, persuadido de que ésta determinaçaõ he naõ sómente util e indispensavel para o bem geral da Monarchia, de que a Providencia lhe confiou a direcçaõ, mas muito particularmente o he para os interesses dos seus vossallos em Portugal, o que certamente elles haõ de reconhecer, em consequencia das providencias, que S. A. R. houver de dar, sêja para a segurança, sêja para a ligaçaõ de interesses entre os Estados, que constituem a mesma Monarchia. Entretanto espéra o mesmo Senhor a tranquillidade do mundo, extinguindo-se o resto das dissençoens produzidas por uma revoluçaõ, cujos horrorosos effeitos naõ tem parallelo na historia humana. Fundado em tam graves consideraçoens, respondeo S. A. R. ás cartas que S. A. R. o Principe Regente do Reyno Unido lhe escreveo, em 21 de Novembro de 1813, e 27 de Julho de 1814; e igualmente mandou responder ás Notas de S. Exa. que trouxéram as datas de 24 de Março; e 1 de Outubro passado. As respestas a ésta ultima amigavel solicitaçaõ, que tinha por objecto o saber a determinaçaõ de S. A. R. sobre a sua regressaõ a Portugal, fôram conduzidas pelo bergantim Inglez, Argelino, que o Ministerio Britannico havia aqui mandado, com esse mesmo destino. Ellas naõ tinham nem podîam ter chegado á Inglaterra, quando S. A. R. vio com admiraçaõ um officio do seu Embaixador, em Londres, datado de 3 de Septembro, em que participa simplesmente, que, em consequencia do avizo, que desta Côrte rebêra o Governo Inglez, este se determinava a mandar uma esquadra commandada pelo Contra-Almirante Sir Joaõ Beresford, para acompanhar S. A. R. Uma noticia tam inesperáda motivou a nota do abaixo-assignado a S. Exa. Lord Strangford, em data de 15 de Dezembro, requerendo a respeito della alguma ellucidaçaõ: S. Exa. respondeo em summa, que naõ tinha avizado cousa alguma positiva a este respeito, mas unicamente participára por varias vezes os desejos, que S. A. R. manifestara de voltar a Portugal. E ainda que, em data de 3 de Novembro, communicou a esta Côrte o Conde de Funchal, que em conversaçaõ com Mr. Canning este lhe disséra, que tinha lido o despacho formal, em que S. Exa. Lord Strangford pedia a immediata partida da Esquadra Ingleza, S. A. R. a pezar desta contradicçaõ, e de haver grande differença entre a expressaõ de seus desejos, e a declaraçaõ da epocha, em que lhe convém cumprillos, se persuade que houvéra algum malentendido, donde resultou ésta accelerada determinaçaõ.

O mesmo Senhor, tendo ja reconhecido a generosidade do seu antigo e bom alliado pelas precedentes offertas, francamente lhe participou, que as aceitaria com gratidaõ, logo que fixasse a epocha do seu regresso a Portugal, e espera que S. Exa. o Principe Regente do Reyno Unido fique convencido de que S. A. R. naõ a retarda senaõ por motivos ponderosos, que lhe devem inspirar ésta prudente e necessaria disposiçaõ.

O abaixo-assignado aproveita ésta occasiaõ para reiterar a S. Exa. Lord Strangford os protestos da sua particular estima, e alta consideraçaõ.

Palacio do Rio-de-Janeiro, em 15 de Janeiro, de 1815.

*(Assignado)* MARQUEZ DE AGUIAR.

## CONGRESSO DE VIENNA.

*Protesto da Imperatriz Maria Luiza, dirigido ao Congresso de Vienna, contra a occupaçaõ do throno de França pela dynastia de Bourbon.*

Maria Luiza, Imperatriz, Archiduqueza d' Austria, Duqueza de Parma, em nosso nome, durante a minoridade de nosso amado filho, e Soberano, e em nome de nosso filho, Carlos Françisco Napoleaõ, como legitimo possuidor do Throno Imperial de França.

A distancia, em que somos conservados dos nossos Estados hereditarios, e a auzencia dos membros do nosso Governo, nos impedem de requerer a admissaõ de um Ministro, que nos represente, no Congresso, que se acha convocado em Vienna; e o desejo de dar plena authenticidade á nossa reclamaçaõ, a bem de nosso amado Soberano e filho, nos tem induzido, á imitaçaõ de nossa immortal avó, do gloriosa memoria, Maria Thereza, a tomar a resoluçaõ de apresentar ao dicto Congresso, uma declaraçaõ dos direitos de nosso amado filho á corôa de França, e uma desenvoluçaõ dos principios, em que elles saõ fundados, a fim de que sêja conhecido e sabido pela Europa e pela naçaõ Franceza; que nunca foi de nossa intençaõ renunciar voluntariamente ao Throno Imperial da França, sobre que a Divina Providencia foi servida collocar-nos.

Naõ lembraremos aqui os desastres, que priváram a Casa de Bourbon do Throno Francez. Lancaremos antes um véo sobre os erros de Principes, e culpas das naçoens. Naõ defenderemos as obras de procedimentos facciosos, e revolucionarios; porém declararemos, que existe um direito publico, de natureza immutavel, que liga as naçoens aos Principes—um direito de politica, que contém os principios, segundo os quaes os Soberanos devem conciliar os seus direitos e interesses, com certos direitos e liberdades, que saõ propriedade de seus subditos.

Uma série de acontecimentos fataes pôz termo á Realeza em França. Toda a Europa pegou em armas, para sustentar ou restabelecer um throno, que seu possuidor naõ podia manter: um throno, que se havia annihilado, pela fugida dos principes e da nobreza, que eram seus naturaes apoios; e talvez pela violenta causa da vontade popular, naõ restricta em suas manifestaçoens.

O infeliz Luiz XVI. e seu filho, perecêram successivamente. Os seus herdeiros legitimos incorrêram na perda de suas pretençoens á Corôa, pela sua voluntaria saîda para fóra do Reyno, e sua retirada para um paiz inimigo. A naçaõ, ja desligada de seus Principes legitimos, foi restituida a seu direito natural de eleiçaõ. As outras naçoens da Europa considerâram estes desastres como obra do fanatismo politico, e do espirito de rebeliaõ. Em consequencia pegáram em armas, e penetráram no interior da França. O seu bom successo, porém, foi de breve duraçaõ. A França os expulsou, em breve tempo, de seu territorio invadido, e manteve a sua independencia. As Potencias da Europa devîam entaõ ter observado, que, fosse o que fosse, que tivesse originalmente conduzido a este resultado, o Governo de França tinha mudado *de facto e de jure ;* e que pertencia ao povo Francez instituir tal forma de Governo, para si, qual fosse mais conveniente ás circumstancias do tempo.

Neste estado das cousas, estavam dissolvidas todas as ligaçoens entre a França e os Bourbons; e entre os Bourbons e os outros Soberanos da Europa. O Compacto de Familia; o tractado de garantia pessoal, foi abrogado pela influencia das circumstancias: em um sentido politico ja naõ existîam Bourbons.

A independencia da França, debaixo do novo Governo de sua escolha, foi entaõ reconhecida por todas as Potencias, que presentemente compôem este Congresso. Aos 5 de Abril de 1795, se assignou em Basilea o tractado entre França e Prussia; aos 22 de Julho, no mesmo anno, se assignou em Basilea outro tractado, entre a Republica Franceza e a Hespanha. Esta ultima Potencia, aos 7 de Junho do anno seguinte, concluio um tractado de alliança com o Directorio Executivo. As Côrtes de Sardenha e Napoles assignáram, no decurso daquelle mesmo anno, a primeira aos 15 de Maio, e a segunda aos 10 de Outubro, tractados com aquelle mesmo Governo Republicano. O Papa e os Estados menores da Alemanha e da Italia, reconhecêram solemnemente o novo Governo da França. A Austria assignou o tractado de Campo Formio com o Directorio, e o de Luneville com o Primeiro Consul. A Inglaterra, pelo tractado de Amiens, 1 de Outubro 1801; Hespanha, pelo de 27 de Março, 1802; Russia, pelo de 8 de Outubro, 1808, reconhecêram successivamente o Governo Consular, que proclamou uma paz geral, aos 18 Brumaire, 10mo. anno da Republica.

O acto que tornou a erigir os altares, e deo paz á Igreja Galliana, que tornou a trazer a moralidade, arrestou as falsas doutrinas e substituio a verdadeira crença em seu lugar, a Concordata, em uma palavra, cujos effeitos beneficos a religiaõ reconhecerá por longo tempo, pôz o sêllo, para assim dizer áquellas transacçoens de politica do Estado, pelas quaes um Governo differente do da antiga monarchia foi solemnemente reconhecido por toda a Europa. ¿ Quem naquelle tempo suspeitava, que os Principes da casa de Bourbon entretinham direitos de Soberania na França? ¿ Póde aquillo que uma vez perece tornar a levantar-se? Se estes Principes naõ tinham entaõ direitos legaes ¿ que direitos pódem elles agora ter? O povo Francez inquestionavelmente gozava da plenitude de seus direitos, sob o Governo Consular; naquelle periodo, o Povo Fráncez outorgou, ao Primeiro Consul, Buonaparte, o poder consular, por toda a vida, para dar maior solidez ás instituiçoens, que tinham posto termo aos males da revoluçaõ; e para dar á Europa um penhor daquella estabilidade. A nova organizaçaõ do Estado, em harmonia com o genio do primeiro magistrado se îa diariamente consolidando, e terîa completado os mais ardentes desejos do povo Francez, se a vida do homem naõ fosse limitada a pequeno numero de annos. Para imprimir nestas novas instituiçoens outro character de permanencia, para fazer que ellas conrespondessem com os Governos dos outros Estados da Europa, a naçaõ substituio ao Poder Consular o Poder Imperial, que fez hereditario na familia de Napoleaõ Buonaparte. Os Cidadaõs das cidades, os Communs, e os pequenos districtos, cubrîram com seus nomes os registros, em que se lhes submetteo a questaõ da erecçaõ do Impeiro, e da elevaçaõ de Napoleaõ Buonaparte. Elle foi eleito e proclamado com acclamaçoens. Elle recebeo o juramento de fidelidade de seus subditos. Os templos resoáram com acçoens de graças do povo á Divindade. O Clero, no sancto sacrificio da missa, orou pela sua pessoa e familia; e em breve tempo o veneravel cabeça da Christandade veio em pessoa consagrar, na Igreja Metropolitana, um Poder, que o Imperador Napoleaõ tinha até entaõ recebido somente das maõs do povo.

¿ Que faltava entaõ para a legitimidade de sua corôa? ¿ Naõ a recebeo elle de Deus e da sua patria? Em outros termos ¿ do direito divino, e do direito nacional?

A Europa adoptou estes principios, e Napoleaõ assumio a graduaçaõ, que lhe éra assignada entre os Soberanos, pela extençaõ e poder de seu Imperio. A Austria reconheceo o Imperador Napoleaõ, aos 26 de Dezembro, 1805, pelo tractado de Presburgo — os Soberanos de Baviera e Wurtemberg fôram os seus alliados, o mesmo tractado os elevou á dignidade Real. Aos 11 de Dezembro 1801 recebeo o Eleitor de Saxonia, em virtude do tractado de Posen, concluido com Napoleaõ, o titulo de Rey. ¿ Disputou por ventura a Europa a legitimidade destes titulos, emanados do Poder Imperial, e da França?

A Prussia reconheceo o Imperio Francez, e o Imperador Napoleaõ, pelo tractado de Tilsit, aos 9 de Julho, 1807. O Imperador de Russia preservou o seu exercito, que chegava a perto de 200.000 homens, em virtude deste mesmo tractado, que reconheceo naõ somente o Imperio Francez, e o Imperador Napoleaõ, mas tambem a existencia, como reys, dos principes da Familia Imperial. Finalmente os tractados de 14 de Outubro 1809, e 6 de Janeiro, 1810, entre a Suecia e a França completáram os actos de politica externa, que consolidáram a dynastia assim assentada sobre o throno de França. Toda a Europa continental, na verdade, éra alliada do Imperador Napoleaõ.

As allianças de familia do Imperador Napoleaõ com as casas dos mais Augustos Soberanos, tendêram a consolidar o compacto social, que se havia estabelecido em França. As suas instituiçoens, solidamente fundamentadas, segurâram a estabilidade da forma de governo monarchico, que elle tinha restabelecido; e ellas oppuzéram uma barreira invencivel á invasaõ do systema democratico. A revoluçaõ da França ensinou as naçoens a olhar de perto para o que se passa nos gabinetes dos principes.

Foi debaixo da garantia do Imperio Francez, e da dos tractados e allianças com os Principes Estrangeiros, que eu vim a ser a consorte de Napoleaõ. Foi debaixo destas mesmas garantias, que o Principe Carlos Francisco Napoleaõ, nascido de nossa uniaõ, fundamentou as suas pretençoens ao Throno Francez, cujas pretençoens os Principes convocados neste Congresso tem tantas vezes reconhecido por legitimas.

Arrebentou uma guerra fatal. O Imperador Napoleaõ foi vencido. Vos Soberanos, junctos neste Congresso, chegastes á sua Capital em um momento, em que, favorecendo a discordia, se manifestou uma conspiraçaõ a favor dos principes da casa de Bourbon. Vós poderieis ter dictado a Napoleaõ na sua capital aquelles termos, que fossem proprios para restabelecer a devida balança entre as Potencias; assim terieis vós consolidado as instituiçoens, de que resultaria a fortaleza commum, e a segurança commum. Este tractado terìa sido fielmente executado; nisto temos plena confiança.

Influido por uma generosa esperança de pôr fim mais prompto aos males da guerra, e de poupar a effusaõ de sangue, vós puzestes de parte os direitos do Imperador Nápoleaõ; tractastes com aquelles Principes, a quem a conspiraçaõ tinha dado a corôa ¿ que lustre podîam taes principes reflectir sobre a Realeza? O Imperador Napoleaõ, á frente de um exercito, naõ numeroso, porém valente e fiel, podìa defender a sua coròa; porém para poupar a seus subditos uma guerra civil tinha ja resolvido abdicar *a favor de seu filho*. Tal éra a sua determinaçaõ, manifestada ás Potencias Alliadas pelos Duques de Tarentum e Vicenza, e Principe de la Moskowa; determinaçaõ ésta para que aquellas Potencias olháram ao principio no verdadeiro ponto de vista; isto he, como propria a segurar a tranquillidade da Europa. Acontecimentos, que nos naõ pertence characterizar, fizéram com que se revogassem aquellas justas resoluçoens. O Imperador foi obrigado a assignar uma obdicaçaõ sem condiçoens, aos 11 de Abril, 1814: no mesmo dia súbscreveo o tractado de sua *segurança pessoal*, que, mantendo o seu titulo de Imperador, lhe assignava a Ilha de Elba, como lugar de sua residencia, e lhe confirmava a soberania de seu territorio.

O 5°. artigo do mesmo tractado me assignou a soberania dos Estados de Parma, transmissiveis a meu filho e seus descendentes.

Eu naõ discutirei o merecimento destes tractados, em

respeito ao Imperador Napoleaõ. Elles saõ mais ou menos obrigatorios de sua parte, á proporçaõ que elle exercitava mais ou menos a sua livre vontade quando os assignou. Nós diremos simplesmente, que elle naõ tinha poder para dispôr, depois de sua morte, da corôa que seu filho recebeo, com o direito de nascimento, da naçaõ Franceza, e suas leys constitucionaes.

Se os Soberanos de França, naõ mais do que os outros principaes Soberanos da Europa, nunca pudéram quebrantar as regras estabelecidas de successaõ nas suas familias, de maneria que transmittissem a sua corôa a seu segundo ou terceiro filho, em prejuizo de seu primogenito ¿ como succede que o Imperador Napoleaõ possa privar o Principe Carlos Francisco Napoleaõ de seu direito de herança, em ordem a transferilla para maõs estrangeiras? Póde uma conspiraçaõ ter destruido por seus actos irregulares a força e virtude das leys do Imperio Francez? ¿ Pode ter destruido a Realeza, que o Principe meu filho tem de direito divino, assim como de direito nacional? Os principes, a quem ésta conspiraçaõ pôz sobre o throno de meu filho, admittîram elles mesmos estes principios, quando recusáram reconhecer os actos do Governo chamado Provisional. Dez annos de governo livre, reconhecido por todas as Potencias da Europa, a tempo em que o nome de Buonaparte naõ estava ainda inscripto nos annaes da guerra—quinze annos da existencia de um imperio; cujas convençoens sociaes estabelecêram os direitos do Imperador Napoleaõ, e os da sua dynastia, tornáram indisputavel a legitimidade de sua corôa.

Quando, durante a minha residencia em Blois, exercitei a authoridade de Regente, eu appellei para a affeiçaõ dos Francezes, e recebi os mais fortes testemunhos de seu amor e zêlo pela causa de seu legitimo Principe. A presença de vossos exercitos, e a tendencia de vossa politica me impedio conresponder aos desejos daquella fiel naçaõ.

Estando a sorte das naçoens submettida á vossa decisaõ, o vosso objecto será sem duvida conciliar os seus direitos e desejos, com os direitos e interesses dos Soberanos. As circumstancias tem privado meu filho de sua Soberania sobre a naçaõ Franceza, e tanto elle como o seu povo estaõ igualmente lesados em seus direitos, por este fatal resultado das ultimas occurrencias. Neste estado das cousas, nós, na nossa qualidade de Imperatriz e de Mãy, e antes que o Congresso adopte alguma resoluçaõ authentica, protestamos, pela presente escriptura, contra todos os actos do existente Governo da França, que tem sido estabelecido em prejuizo do legitimo herdeiro do throno. Protestamos, igualmente, em nosso proprio nome, assim como no do Principe Carlos Francisco Napoleaõ, herdeiro presumptivo, e possuidor por direito da Corôa Franceza, contra todas as resoluçõens das Altas Potencias convocadas em Congresso, quer tomadas collectivamente, quer individualmente, e tendentes a damnificar os direitos do Principe meu filho á dicta corôa Franceza.

O throno do Principe Carlos Francisco Napoleaõ, he aquelle que foi erigido pela naçaõ Franceza, e tal qual existio ao tempo em que a sua escolha e eleiçaõ chamou o Imperador Napoleaõ para a frente de seu Governo. Porém se, na ardua contenda em que elle se tem empenhado, o Imperador Francez foi obrigado pela força d' armas a assignar o tractado de Paris, pensamos que he justo, em tanto quanto respeita os territorios, que naõ fórmam parte da presente França, que as suas condiçoens sêjam fielmente e para sempre observadas. Para este fim declaramos aqui, que o presente protesto sómente se applica á illegal occupaçaõ daquelle territorio da França, que constitue a presente monarchia.

Tendo assim desenvolvido as suas pretençoens, a Imperatriz Maria Luiza, Archiduqueza d' Austria, Duqueza de Parma, &c. representando o Principe Carlos Francisco Napoleaõ, seu filho, um menor, requer da justiça e magnanimidade das Potencias Alliadas, que a materia de suas pretençoens sêja submettida á deliberaçaõ do Congresso; e que se lhe entregue um reconhecimento do presente protesto; a fim de que ella possa produzîllo, sempre que sêja do agrado da Divina Providencia prestarlhe tempo e lugar para assim o fazer.

Em fé do que, e para dar toda a devida authenticidade ao presente protesto, ella lhe affixou o seu sêllo, e escreveo de seu proprio punho, no Palacio de Schoenbrun, aos 19 de Fevereiro de 1815.

(L. S.) MARIA LUIZA, Imperatriz.

---

As Altas Potencias convocadas em Congresso, depois de haverem deliberado, na sua sessaõ de 24de Fevereiro, sobre a presente reclamaçaõ de sua Majestade Imperial Maria Luiza, conforme a opiniaõ de Sua Majestade Imperial o Imperador de Todas as Russias, e de Sua Majestade Imperial e Real o Imperador de Austria, pay de Sua Majestade Imperial e Real a Imperatriz Maria Luiza, e pelo respeito devido ao character pessoal de Sua Majestade a Imperatriz, tem resolvido que o acto emanado della aos 19 de Fevereiro, começando pelas palavras " Maria Luiza," e acabando pelas " escripto de seu proprio punho," sêja inscripto no Protocolo dos actos do Congresso.

Os Ministros Francezes, tendo protestado contra ésta decisaõ, se abstivéram de a assignar.

FRANÇA.

*Ordenança d' El Rey, sobre o emprego dos officiaes a meio soldo.*

Luiz, pela Graça de Deus, &c.

Art. 1. Aggregar-se-ha ás nossas tropas um numero de officiaes naõ empregados, nas seguintes proporçoens ;—

A cada legiaõ de infanteria, que ainda naõ tem formado terceiro batalhaõ, se aggregará um batalhaõ, composto de um chefe de batalhaõ, oito capitaens, oito tenentes, e oito subtenentes.

A cada regimento de cavalharia se aggregará um esquadraõ, composto de um chefe de esquadraõ, um capitaõ commandante, um capitaõ em segundo, dous tenentes, e quatro subtenentes.

Aos regimentos de artilheria de pé se aggregaraõ 44 companhias, cada uma composta de um capitaõ commandante, um capitaõ em segundo, um primeiro e um segundo tenente.

2. Os officiaes assim nomeados, e que tem até aqui recebido meio soldo, de suas respectivas patentes, continuaraõ a receber nos seus domicilios, e daqui em diante teraõ direito a metade dos soldos das patentes de serviço activo, que vagarem nos corpos a que forem aggregados.

3. As vacancias, que occurrerem nestes batalhoens aggregados, &c. em consequencia das nomeaçoens feitas como se diz acima, seraõ preenchidas por officiaes da mesma graduaçaõ, que naõ forem incluidos na primeira formaçaõ dos batalhoens, &c. aggregados.

4. Os uniformes dos officiaes dos batalhoens, &c. aggregados, seraõ os dos corpos aque elles respectivamente pertencerem.

(O resto dos regulamentos prescrevem os uniformes dos officiaes naõ incluidos nos batalhoens, &c. aggregados,) 5 de Agosto 1817.

*(Assignado)* LUIZ.

---

*Ordenança d'El Rey, concedendo uma amnestia.*

Luiz, &c.

ART. 1. Concede-se plena amnestia áquelles de nossos vassallos, que tiverem sido processados correccionalmente, ou condemnados tambem correccionalmente por crimes, que tenham commettido, induzidos pelas consequencias do alto preço dos artigos de subsistencia entre o 1°. de Septembro 1816, e o presente dia.

Aquelles, que se acham detidos em prizaõ, em consequencia de mandados ou sentenças, ou que tiverem sido prezos em execuçaõ de ordens relativas a estes crimes, seraõ postos immediatamente em liberdade, em virtude da presente amnestia, a menos que naõ haja contra elles ordens de retençaõ ou embargo por outras causas. Os que estaõ debaixo de *surveillance*, continuaraõ como se tiver ordenado pelas suas sentenças.

Todos os processos cessaraõ, a respeito daquelles que estiverem nas maõs da justiça, sem outra causa senaõ por haverem sido accusados por taes crimes.

2. Exceptuam-se as pessoas condemnadas por outros crimes ou culpas.

Agosto, 13, 1817 *(Assignado.)* LUIZ.

## HESPANHA.

### *Madrid 7 de Julho.*

*Artigo communicado pela primeira Secretaria d' Estado.*

No Supplemento á Gazeta de 25 de Janeiro, nas Gazetas de 20 de Fevereiro e 15 de Maio, e no Supplemento á de 14 de Junho todas deste anno, se tem feito por ordem de S. M. quantas advertencias se tem julgado conducentes para a opportuna direcçaõ e governo dos interessados nas reclamações dos creditos fundamentados dos Hespanhoes contra a França, na conformidade dos tractados.

E se bem as medidas indicadas nas mesmas para a unidade de plano e direçcaõ, entre a Commissaõ Real de Paris e a Central nesta Corte, tem tido e tem por principal objecto escusar aos interessados inuteis despezas, procurar a mais possivel actividade, e assegurar a ordem e justificaçaõ convenientes, fez presente a S. M. a dicta Commissaõ Real em Paris, que apezar de tam beneficas intenções, e tam solemnemente annunciadas, continuam muitos em contar com procuradores naquella Cidade, para apresentarem á mesma Commissaõ os seus requerimentos, com faltas essenciaes, já de documentos, já de legalidade, já de outros requisitos, sem os quaes se lhes naõ pode dar expediente; e resulta por consequencia a necessidade de os remetter á Commissaõ Central para sua devida rectificaçaõ e cumprimento.

A repetiçaõ de exemplares desta classe; os prejuizos que resultam aos interessados do atrazamento a que elles mesmos daõ lugar; a inutilidade do gasto com os procuradores, que em geral carecem dos conhecimentos precisos para os instruirem dos requisitos que devem satisfazer, e a conveniencia e necessidade de conservar o plano de unidade e direcçaõ para a acertada e util instrucçaõ e curso destes negocios, tem determinado S. M., por proposta da commissaõ Real em Paris, e ouvido o parecer da Central, a mandar que a Commissaõ Real de Paris naõ admitta reclamaçaõ alguma, que naõ vá para a central de Madrid, e que aquella remetta a esta as que se lhe hajam apresentado, a fim de por ella serem examinadas, processadas, e dirigidas como cumpre; devendo os interessados dirigir-se á Secretaria da mesma para conhecerem o seu respectivo estado e progresso, segundo repetidas vezes se tem avisado.

---

### *Circular da Direcçaõ Geral de Rendas.*

Pela Secretaria da Fazenda, com data de 17 do corrente, se nos communicou a Real ordem seguinte:

" Ao Senhor Secretario do despacho d'Estado digo com esta data o seguinte:—" Inteirado El Rey do que expoz a Direcçaõ Geral de Rendas em consequencia do Officio de V. E. de 19 de Março ultimo sobre as providencias adoptadas na Russia para a franquia do Corpo Diplomatico; foi S. M. servido resolver que se guarde e cumpra o prevenido neste ponto pela Ordem de 30 de Janeiro de 1787, renovada em 27 de Outubro de 1814; a saber, entre outras cousas: 1°. que os seis mezes de franquia corram desde o primeiro dia em que entrarem pelas Alfandegas da fronteira ou portos as equipagens ou bagagens dos Embaixadores e Ministros Estrangeiros, que o Administrador mencionará na guia: 2°. que as taes equipagens, se sellem nas Alfandegas de primeira entrada, e naõ se reconheçam na Corte, sem que primeiro o Embaixador ou Ministro a quem vierem, entregue uma Nota assignada, ou rubricada, do que contém: 3°. que esta Nota se remetta á Secretaria da Fazenda do meu Cargo para se lhe pôr o Passe, ou Entre, depois de haver dado conta a S. M., com as modificações que tiver a resolver: 4°. que os effetios que vierem com a equipagem se confiram com a Nota na presença da pessoa que nomear o Embaixador ou Ministro, em apartamento (ou quarto) separado e decente dentro da Alfandega, e nunca fóra della: 5°. que se confisquem e declarem por perdidos os generos, que se acharem com excesso ás referidas Notas, sem que valha a disculpa do esquecimento ou omissaõ. E se alguns dos generos, pelas modificações que fizer a Secretaria de meu Cargo, se naõ deixarem entrar, conservem-se na Alfandega á disposiçaõ do Embaixador ou Ministro até que nomêe pessoa que faça obrigaçaõ de os tirar para fóra do Reyno dentro de certo prazo, justificando o na devida forma: 6°. que passado o termo dos seis mezes por nenhum motivo ou causa que sobrevenha se prorogue; e os generos que se introduzirem, seja pagando os direitos depois do seu reconhecimento nas Alfandegas de primeira entrada; os quaes deveraõ vir com Guia até Madrid, em cuja Alfandega se examinem, naõ tanto para confiscar o excesso que houver no que constar das Guias, como para pagar os arbitrios ou direitos internos; e 7°. que ainda que nas bagagens ou equipagens que chegarem durante a franquia se permittirá a moderada introducçaõ de effeitos de consumo do Embaixador e Ministro além dos seus moveis, roupa, e trastes de seu uso, espera, e deseja S. M. naõ se abuse desta graça para introduzir generos ou mercancias em grande quantidade, e muito menos das prohibidas."—O que por ordem de S. M. communico a V. E. para sua noticia, e para que se sirva dispor o conducente ao seu cumprimento; na intelligencia de que se traslada a Direcçaõ Real de Rendas, previnindo-a de mais a mais que ao tempo de despachar as equipagens nas Alfandegas se formalizem as competentes Contas com a formula dos direitos Reaes e particulares, para que a todo o tempo constem os effeitos despachados livres, a fim de que, se convier, para o futuro se façam as modificações que as circumstancias exigirem, &c."

---

### WURTEMBERG.

*Voto de Christiano, Baraõ de Massenbach; pronunciado na Assemblea dos Estados de Wurtemberg, aos* 20 *de Junho, de* 1817.

Tenho de dar o meu voto, sobre os seguintes pontos.—A forma de representaçaõ do povo. A continuaçaõ da mesma sem interrupçaõ. A segurança pessoal dos Representantes do Povo. A administraçaõ das Finanças. Os termos do Real esboço de uma Constituiçaõ. Tenho de responder á pergunta, se adoptarei ou naõ, como Contracto Constitucional, o Real esboço de uma Constituiçaõ, com as alteraçoens communicadas por S. M. ao Committé, em 24 de Maio, sem ulterior investigaçaõ, e como materia de crença.

Naõ póde deixar de ser mui desejavel para mim, naõ somente aqui, perante ésta distincta assemblea, em presença dos Funccionarios do Poder Soberano; naõ somente perante o Povo de Wurtemberg, mas tambem perante todo o povo da Alemanha, o ter em meu poder expressar a minha ardente convicçaõ, da verdade dos principios, de que depende a liberdade de qualquer naçaõ, quer tenham, quer naõ, a felicidade de poder appellar para contractos antigos, e consequentemente para direitos inalienaveis, e ao menos desta maneira defender os direitos de meus concidadaõs. O reconhecimento destes direitos he o pasto de minha vida moral, e a defeza delles será o meu constante esforço, até o meu ultimo suspiro.

Tenho tido a honra e a boa fortuna de ser um dos membros do Committé de quinze, e de subscrever aos principios, que aquelle Committé estabeleceo; porém darei áquelles principios ainda maior extençaõ; porque creio que he somente por tal extençaõ, que se pódem segurar os nossos direitos e liberdades.

A maneira de pensar, segundo a qual se pôem em opposiçaõ os direitos do Governante e os direitos do Povo; e se procura pôr o engrandecimento dos direitos do Povo na limitaçaõ dos direitos do Governante, me he odioza e estranha. E esta declaraçaõ naõ he em mim méra phrase ou maneira de fallar, nem formula vacua. Ainda que haja muitos Principes, aquem naõ posso amar, com tudo creio que elles saõ um elemento necessario do Estado. Reverenceio por tanto o throno; mas tanto o throno como eu somos sugeitos as leys.

### 1°. *Da responsabilidade dos servos do Estado.*

A responsabilidade dos servos do Estado naõ se acha estabelecida no Real esboço, nem nas proposiçoens Reaes, de maneira cabal para a liberdade. Em nenhum lugar se estabelece firmemente, que os conselheiros do throno se naõ póssam abrigar com o antemural das ordens Reaes. Ou elles saõ a causa destas ordens, ou ellas lhes saõ actualmente communicadas. No primeiro caso saõ elles Oligarchas, que governam: no segundo, saõ os ministros de um Rey illimitado e consequentemente naõ-constitucional.

Em nenhuma parte se estabelece firmemente, que os Conselheiros Privados naõ posam ao mesmo tempo ser chefes dos corpos administrativos. O Collegio do Conselho Privado, consequentemente, une em si um poder, que póde ser pernicioso tanto ao Rey como ao Povo. Ao Rey; porque os Conselheiros Privados lhe pódem mostrar, em proxima perspectiva; e *in terrorem*, a vontade e a indignaçaõ popular, quando elles desejarem instigállo a acçoens favoraveis aos seus interesses: e perigoso ao Povo; porque elles pódem induzir a ElRey a demonstraçoens sevéras e edictos irrevocaveis, quando elles desejarem roubar o Povo de seus direitos. O Collegio do Conselho Privado he, consequentemente, organizado por tal maneira, que póde ou formar uma Oligarchia, ou vir a ser o instrumento do despotismo.

A tal constituiçaõ naõ póde dar o seu consentimento, o homem que deseja ajudar o povo da Alemanha a elevarse á verdadeira liberdade.

### 2°. *Forma da Representaçaõ.*

Como o Estado consiste somente de dous elementos; a saber, o Governante e o Povo, e consequentemente a Nobreza pertence ao Povo, estou firmemente convencido de que os Representantes do Povo se devem limitar a uma Camara; e que a modificaçaõ, contida na ultima proposiçaõ Real, he meia-medida, que, por isso mesmo que hé meia-medida, naõ presta para cousa alguma. Haja, pois, Nobres, mas naõ Camara de Nobres, na Assemblea dos Representantes do Povo de Wurtemberg e da Alemanha: com tudo pode haver uma uniaõ de toda a Nobreza da Alemanha na Dieta Federativa, e uma Corporaçaõ de Nobreza de todos os Estados da Alemanha.

### 3°. *Permanencia dos Representantes.*

A permanencia dos Representantes somente póde assegurar-se pelas seguintes leys.

1. O regulamento do rendimento do Estado.

2. Que se naõ imponham tributos sem o livre consentimento dos Estados, e sem uma maioridade de tres quartas partes dos votos de toda a Casa.

3. Convocaçaõ dos Estados no 1º. de Máio, ley inviolavel do Estado, que ElRey deve jurar observar, quando subir ao throno. As citaçoens, ou cartas de convocaçaõ para o 1º. de Maio, se deveraõ expedir uma vez para sempre. Comtudo ElRey poderá tambem convocar os Estados, nos primeiros tres mezes do anno.

4. Extraordinariamente se poderaõ convocar os Estados, na morte d' ElRey, e naõ se separaraõ até que o novo Rey ou Governante tenha jurado observar a Constituiçaõ: em outros acontecimentos extraordinarios, naõ esperaraõ os Estados ser convocados.

5. Nenhuma Assemblea dos Estados poderá ser demittida ou prorogada senaõ depois de ter tido seis sessoens consecutivas.

6. Que o Committé receba em addiçaõ dous Prelados Evangelicos e um Catholico. A sua construcçaõ, em outros respeitos, fica como está esbelecida nas Reaes proposiçoens de 26 de Maio. Estas quinze pessoas residiraõ em Stuttgard, e como ellas saõ os guardas ou tutores da Constituiçaõ, naõ poderaõ occupar outros empregos do Estado. O Committé será escolhido de novo todos os annos, assim como os quinze Representantes.

### 4º. *Da Segurança pessoal dos Estados na execuçaõ do seus deveres.*

Nenhum representante de Povo, quer dentro dos precintos, quer fora da Casa da Assemblea dos Estados, será responsavel a mais ninguem senaõ aos mesmos Estados, por aquillo que tiver dicto, escripto ou commettido á imprensa. O lapso de 15 dias, depois da prorogaçaõ, dever ter lugar, antes que elle possa ser prezo ou conduzido perante algum Juiz, se os mesmos Estados naõ requerem isto previamente.

5º *Administraçaõ das Finanças.*

* * * * * *

6º *Termos do Real esboço da Constituiçaõ.*

O exame cuidadoso, e em consciencia, dos cinco pontos principaes, de que dependem os direitos e liberdades de todas as naçoens, tem demonstrado sufficientemente os defeitos do esboço de Constituiçaõ do Conselho Privado: isto he a sua apparente liberalidade, e obliquidade real; tirando com uma maõ o que dà com a outra. He impossivel corrigir todos os defeitos inconstitucionaes deste esboço sem o refundir inteiramente.

Exigir dos mandatarios do Povo, que passem pelo Contracto Constitucional, com referencia a seus termos e a sua linguagem, em tal maneira, que quando naõ possam concordar, quanto as mudanças, adoptem o texto: he exigir uma cousa de natureza tam entraordinaria, que apenas he possivel conceber, que isto se tivesse feito sériamente.

A eleiçaõ dos Representantes do Povo, debaixo da guia dos Prefeitos, que saõ funccionarios pela mercê Real, he tam perigosa á liberdade do Povo, que o consentir em tal modo de eleiçaõ serìa destruir a liberdade.

Taes eleiçoens saõ perigosas à liberdade, e a base vacilante, em que se póem a liberdade da imprensa, naõ o he menos.

¿ Consentiremos nos nestas leys Constitucionaes? ¿ Presumem elles que nós podemos jamais consentir em tal cousa, como ésta que de nós se exige; nós que somos responsaveis ás idades futuras?

Uma Assemblea dos Estados, dependente de taes eleiçoens: um collegio do Conselho Privado, de tal maneira organizado: uma Camara de Nobres, preenchendo as suas proprias vacancias, e consistindo de elementos indissoluveis: uma incerta permanencia da Representaçaõ: uma segurança pessoal da representaçaõ do Povo, que bem como Egmont e Sydney, pode ser tirada do pé do altar da liberdade para uma masmorra, para que o sangue, que move seu nobre coraçaõ, possa correr depois sobre o cadafalso, pelo cutelo do algoz: uma administraçaõ de finanças, que contém todos os requisitos para eludir a responsabilidade genuina—— he ésta uma Constituiçaõ, em que naõ póde haver segurança para nossos direitos ou nossas liberdades, uma Constituiçaõ, que nem agóra nem para o futuro, terá o meu consentimento ; e naõ o darei, porque tenho verdadeiro respeito ao throno.

O que entreguei, he o *ultimatum*, além do qual o povo naõ póde passar ; porque, sem éstas condiçoens, ésta para sempre acabada a liberdade.

O sol procede irresistivelmente em sua carreira pelos céos. O espirito humano adianta-se irresistivelmente na sua carreira. Nós estamos sobre uma eminencia, daqual temos uma extensa vista. Ao pé, aonde dantes havia florentes campos, sómente ha dessoladoras ondas de uma torrente, que arrebenta em suas margens. Até o palacio dos reys está ameaçado, pela espumante onda. Até onde alcança a vista, naõ vemos senaõ destruiçaõ. Os nossos coraçoens estaõ afflictos, porque a anchora de nossa esperança, e confiança, se lhes arrancou. Sem confiança naõ pode haver contracto.

### ROMA

### *Bulla de S. S. concedendo a El Rey de Hespanha faculdade de cobrar um imposto do Clero.*

Pio Bispo, servo dos servos de Deus.

Os Pontifices Romanos, incitados pelo seu paternal amor pelo rebanho Catholico, nunca soffréram que a benignidade apostolica fosse accusada de negar-se em occasioens de necessidade, a ministrar auxilio ás exigencias do Estado, ainda mesmo tirando-o do patrimonio da Igreja.

O nosso amado filho em Jezus-Christo, Fernando, o Catholico Rey de Hespanha, intimamente ligado pelos laços de amor e veneraçaõ, tanto a nós como á Sancta Sé, Apostolica, se tem dirigido a nós, nas suas presentes dolorosas circumstancias. Consequentemente, estando bem persuadido que Deus tem commettido somente ao Clero o cuidado da administraçaõ da propriedade da Igreja, como se tem clara e unanimemente definido na declaraçaõ dos Padres congregados no Concilio Romano, sob o Pontifico Symmaco, este Principe solicitou os poderes necessarios, a fim de occurrer ás necessidades de seu thesouro, occasionadas pela agitaçaõ geral dos negocios. E como os meios e bens dos Leigos estaõ ja mui opprimidos com encargos, de maneira que por isso o dicto Rey Fernando se naõ aventura a impôr novos tributos; julgou proprio requerer a somma annual de trinta milhoens de reales, dinheiro daquelle paiz, sobre a propriedade Ecclesiastica, por seis annos somente, no qual tempo se diminuirá o numero das pensoens, e se augmentará o valor das rendas publicas.

Em consequencia, nós pela boa vontade com que nos achamos animados a favor do dicto Rey Fernando, temos recebido as supplicas, que nos dirigio, e que nos foram apresentadas pelo nosso amado filho o Cavalleiro Antonio de Vargas y . Laguna, seu Ministro Plenipotenciario; annuindo a éstas supplicas, e considerando as enormes despezas, a cujo custo teve a satisfacçaõ de ver alcançada uma tam gloriosa victoria, tanto para a Religiaõ como para a Monarchia, e tendo respeito ás calamidades dos tempos, temos resolvido, por causas ponderosas, agora enumeradas, modificar as disposiçoens dos sagrados canones.

Portanto, de nossa certa sciencia, e depois de madura

consideraçaõ, usando da plenitude do poder Apostolico, de que somos revestidos, concedemos pelas presentes ao dicto Rey Fernando um indulto, para que valida, livre, e legitimamente, possa cobrar, durante o espaço de seis annos, e somente para o fim de ajudar o Real Thesouro, o subsidio extraordinario de trinta milhoens de reales, de toda a propriedade, fructos, rendás e productos do Clero, tanto secular como regular.

Pelas presentes authorizamos e damos commissaõ aos nossos amados filhos, os Prelados, &c. &c.

Ninguem se attreva o oppór-se á execuçaõ de nosso presente acto de concessaõ, poder, indulto, commissaõ mandado, estabelicimento, declaraçaõ, derogaçaõ e vontade. E se alguem tiver a temeridade de commetter similhante attentado, sáiba que incorre na indignaçaõ de Deus Todo Poderoso, e dos bemaventurados Apostolos S. Pedro e S. Paulo.

Dado em Roma, em S. Pedro aos 16 de Abril no anno da Incarnaçaõ de nosso Salvador 1817, do nosso Pontificado 18.

---

Tres outras bullas de 15, 17, e 18 do mesmo mez, tem por objecto authorizar o recebimento das rendas dos Arcebispados e Bispados, desde o tempo de sua vacancia até a nomeaçaõ de successor ; para obrigar os Eccleciasticos ao pagamento da nova contribuiçaõ de settenta milhoens e para dispôr dos beneficios simplices, seus fructos, &c,

# COMMERCIO E ARTES.

## VENEZUELA.

*Decreto a favor das manufacturas Britannicas, e dos Estados Unidos.*

O SUPREMO Poder Executivo dos Estados de Venezula, desejando provar a sua gratidaõ á Gram Bretanha, e aos Estados Unidos da America Septentrional, pela generosa hospitalidade, que tem prestado aos emigrantes da Republica, durante a passada epocha calamitosa, e pela estricta neutralidade, observada por éstas Potencias, admittindo os nossos vasos nos seus portos, e respeitando a nossa bandeira no alto mar, sem dar preferencia á do nosso inimigo; tem decretado, e por este decreta, o seguinte.

1. Todas as producçoens da Inglaterra e da America Septentrional, seus bens e mercadorias de qualquer genero que sêjam, debaixo de suas respectivas bandeiras, seraõ recebidos nos portos da Republica, pagando os direito de 8 por cento, em lugar dos 17½ por cento, que pagam as outras naçoens.

2. Todas as producçoens e mercadorias exportadas, debaixo daquellas bandeiras, naõ pagaraõ mais do que se exige dos cidadaõs da Republica.

3. A importaçaõ de armas, muniçoens navaes e militares, incluindo petrechos de guerra, e mantimentos de primeira necessidade, he declarada livre de todo o direito, tanto na importaçaõ como no valor dos retornos. Este artigo se extende a todas as naçoens durante a continuaçaõ da presente guerra.

4. Os vasos das duas naçoens tem faculdade para fazer a navegaçaõ costeira, livres de direitos, e no caso em que os mercados naõ sêjam favoraveis teraõ liberdade de saîr da Republica, sem pagar direito algum sobre a carga.

5. Os subditos da Gram Bretanha, e os cidadaõs dos Estados Unidos, que se acham agora, ou para o futuro entrarem no territorio da Republica, seraõ especialmente favorecidos pelo Governo, concedendo-se-lhe a mais ampla liberdade civil e religiosa, e prestando-se toda a protecçaõ e favor aos mechanicos, agricultores, marujos, e geralmente a todas as classes de pessoas industriosas.

6. De nenhuma maneira se entenderá que o Governo de Venezuela se limita ás precedentes demonstraçoens de affeiçaõ individual, mas se obriga solemnemente a dar uma prova assignalada de seu affecto e gratidaõ a qualquer outra naçaõ, que for a primeira a decidir-se abertamente, a favor da nossa causa—causa, que une a industria da Europa com o terreno e minas da America, e com as relaçoens cemmerciaes do mundo. Porquanto, se a mesma Hespanha, olhando para seus proprios interesses, abandonar o seu projecto visionario de dominio, até ella ficará com direito a colher os fructos de sua melhor politica.

7. Este será publicado, e circulado para informaçaõ das pessoas a quem importa.

Na sede do Governo, em Pampatar, Nova Sparta (Ilha de Margarita) aos 27 de Maio, de 1807.

R. Garcia de Sena; Secr. de Guerra.

## *Preços Correntes dos principaes Productos do Brazil.*

LONDRES, 23 *de Agosto, de* 1817.

| Generos. | Qualidade. | Quantidade. | Preço de | a | Direitos. |
|---|---|---|---|---|---|
| Assucar | Redondo | 112 lib. | 54s. 0p | 64s. 0p. | Livre de direitos por exportaçaõ. |
| Assucar | Batido | . . . . . . | 45s. 0p. | 56s. 0p. | |
| Assucar | Mascavado | . . . . . | 40s. 0p. | 13s. 0p. | |
| Arroz | Brazil | . . . . . . | 26s. 0p. | 28s. 0p. | |
| Caffe | Rio | . . . . . . | 86s. 0p. | 88s. 0p. | |
| Cacao | Pará | . . . . . . | 50s. 0p. | 55s. 0p. | |
| Cebo | Rio da Prata | . . . . . . | 56s. 0p. | 58s. 0p. | 3s 2p por 112lb |
| Algodaõ | Pernambuco | libra | 2s. 0½p | 2s. 2p. | |
| Algodaõ | Ceará | . . . . . . | 2s. 0½p | 2s. 1p. | 8s. 7p. por lb. 100 em navio Portuguez ou Inglez. |
| Algodaõ | Bahia | . . . . . . | 2s. 0p. | 2s. 0½p | |
| Algodaõ | Maranhaõ | . . . . . . | 2s. 0p. | 2s. 0½p | |
| Algodaõ | Pará | . . . . . . | 1s. 11p. | 2s. 0p. | |
| Algodaõ | Minas novas | . . . . . . | | | |
| Algodaõ | Capitania | . . . . . . | | | |
| Annil | Rio | . . . . . . | 3s. 0p. | 3s. 6p. | 4¾p. por lb. |
| Ipecacuanha | Brazil | . . . . . . | 7s. 0p. | 7s. 6p. | 3.6¾p. |
| Salsa Parrilha | Pará | . . . . . . | 3s. 0p. | 3s. 8p. | 1s. 2¼p. |
| Oleo de cupaiba | | . . . . . . | 3s. 2p. | 3s. 4p. | 1s. 11¾p. |
| Tapioca | Brazil | . . . . . . | 0s. 4p. | 0s. 6p. | 4 p. |
| Ourocu | | . . . . . . | 3s. 3p. | 3s. 6p. | direitos pagos pelo comprador |
| Tabaco | em rolo | . . . . . . | | | Livre de direitos por exportaçaõ. |
| Tabaco | em folha | . . . . . . | | | |
| Couros | Rio da Prata, pilha A | . . . . . . | 8p. | 8½p | |
| Couros | Rio da Prata, pilha B | . . . . . . | 7p. | 7½p | 9½p. por couro em navio Portuguez ou Inglez. |
| Couros | Rio da Prata, pilha C | . . . . . . | 6p. | 6½p | |
| Couros | Rio Grande A | . . . . . . | 7p. | 7½p | |
| Couros | Rio Grande B | . . . . . . | 6p. | 6½p | |
| Couros | Rio Grande C | . . . . . . | 5p. | 5½p | |
| Couros | Pernambuco, salgados | . . . . . . | 3¼p | 5p | |
| Couros | Rio Grande, de cavallo | Couro | 4s 0p. | 6s. 0p. | |
| Chifres | Rio Grande | 123 | | | 5s. 6½p. por 100. |
| Páo Brazil | Pernambuco | Tonelada | 140l. | | direitos pagos pelo comprado |
| Páo amarello | Brazil | . . . . . . | 7l. | 9l. | |

### *Especie.*

| | | | | |
|---|---|---|---|---|
| Ouro em barra | £4 | 0 | 6 | por onça. |
| Peças de 6400 reis | 4 | 0 | 6 | |
| Dobroens Hespanhoes | 0 | 0 | 0 | |
| Pezos . . dictos | 0 | 5 | 2 | |
| Prata em barra | 0 | 0 | 0 | |

### *Cambios.*

| | | | | |
|---|---|---|---|---|
| Rio de Janeiro | 60 | | Hamburgo | 35 |
| Lisboa | 58 | | Cadiz | 36 |
| Porto | 58 | | Gibraltar | 32 |
| Paris | 24 | 60 | Genova | 46¼ |
| Amsterdam | 11 | 13 | Malta | 47 |

### *Premios de Seguros*

| | Hida | | | Vinda | | |
|---|---|---|---|---|---|---|
| Brazil | 40 | a | 0 Guineos | 35 | a | 40s. |
| Lisboa | 1½ | a | 0 | 35 | a | 40s. |
| Porto | 1½Gs. | a | 40s. | 25 | a | 30s. |
| Madeira | 2 | a | 2½Gs. | 40 | a | 2Gs. |
| Açores | 3 | a | 0 | 40 | a | 2Gs. |
| Rio da Prata | 4 | a | 5Gs. | 3Gs. | a | 70s. |
| Bengalá | £6 | a | 6Gs. | £6 | a | 6Gs. |

# LITERATURA E SCIENCIAS.

## Novas Publicaçoens em Inglatrrra.

---

*BINGLAND's Historical Display,* 8vo preço 14s. Representaçaõ Historica dos effeitos das causas phisicas e moraes, sobre o character e circumstancias das naçoens; incluindo a comparaçaõ dos Antigos e Modernos a respeito de seu estado intellectual e social. Por Joaõ Bigland, Esc.

---

*Wade's, Walks in Oxford,* 2 vol. 8vo. preço 16s.—Passeios em Oxford; comprehendendo uma noticia original, historica e descriptiva dos collegios, sallas, edificios publicos da Universidade; com um esboço introductorio da Historia Academica de Oxford. Ao que se ajuncta uma historia concisa e descripçaõ da cidade; e delineamentos dos orredores de Oxford. Com 13 estampas, e um grande mappa. Por W. M. Wade.

---

*Chappel's Voyage* 8vo. preço 12s. *Narrativa* de uma viagem á Bahia de Hudson, no navio de S. M. Rosamond; contendo alguma noticia da costa oriental da America, e das tribus, que habîtam aquella remota Regiaõ Pelo Ten. Duarte Chappell: da Armada Real.

*Phillips' Lectures on Astronomy:* 12$^{mo}$ preço 6$^{s}$ 6$^{d}$. Oito Liçoens Familiares sobre a Astronomia, destinadas a servir de introducçaõ á Sciencia; para uso das pessoas moças e outras que naõ sábem Astronomia. Acompanhada de estampas, díagramas, e um copioso index. Por Guilherme Phillips.

---

*Gompertz on Imaginary Quantities.* Liv. 1$^{o}$ 4$^{to}$. preço 5$^{s}$ 6$^{d}$. Os principios e applicaçaõ das quantidades imaginarias. Ao que se ajunctam algumas observaçoens sobre porismas; sendo a Primeira a de uma serie de Tractados originaes em varias partes das Mathematicas. Por Benjamin Gompertz. Esc.

---

*Whitakers Universal History*, 2 vol. 4$^{to}$ preço 8$^{l}$ 8$^{s}$. Resumo da Historia Universal, começando com a creaçaõ; e continuada até a paz de Paris, em 1763; em que se traçam os descendentes de todas as naçoens de seu commum antepassado, e se marca o decurso da colonizaçaõ, o progresso das artes e sciencias, e se revê toda a historia do genero humano, em sua connexaõ com o governo moral do Mundo, e da Revelaçaõ. Pelo Reverendo E. W. Whitaker, Reitor de S. Mildred, em Canterbury.

---

*Wilhins' Vitruvius.* Part 2 preço 3$^{l}$ 3$^{s}$. Com 27 estampas. Architectura civil de Vitruvio, comprehendo aquelles livros do Author, que se referem aos edificios, publicos e particulares, dos antigos. Traduzidos por Guilherme Wilkins, Jun.

---

*Pitt's Siaffordshire* 8$^{vo}$ preço 1$^{l}$. 5$^{s}$. Historia Topographica de Staffordshire incluindo a sua agricultura, minas e fabricas, memorias de pessoas eminentes naturaes dali, taboadas estatisticas, e toda a especie de informaçaõ connexa com a historia local do Condado. Com uma conta succinta da origem e progresso das olarias de Staffordshire. Compilada das fontes mais authenticas, por Guilherme Pitt, author das mediçoens para agricultura nos Condados de Stafford, Worcester, &c.

---

*Purton's British Plants,* 2 vol. 8 preço 1l. Descripçaõ Botanica das plantas Britannicas nos condados medios, particularmente na vizinhanças de Alcester, com algumas notas e observaçoens: e a que precede uma breve introducçaõ ao estado da Botanica, e ao conhecimento das principaes ordens naturaes. Por T. Purton, Cirurgiaõ em Alcester.

---

*Vievards Reply to Pillett*: 8vo. preço 12s. A verdade, relativamente á Inglaterra, ou exame imparcial da obra de M. Pillet, e de varios outros escriptores sobre a mesma materia. Publicada e dedicada á Naçaõ Ingleza, por J. A. Vievard, Proprietario e Edictor.

---

*Kirton's Church of Scotland,* 4to. preço 1l. 16s. Historia secreta da Igreja de Escocia, desde a restauraçaõ até o anno de 1678. Pelo Reverendo Jaimes Kirton. Ao que se ajuncta uma conta do assassinato do Arcebispo Sharpe; por Jaimes Russell. Dada a luz de um manuscripto, por Carlos Kirkpatrick Sharpe Esc.

---

*Cross' Phisiognomy* 8vo. preço 8s. Tentativa para estabelecer a Phisiognomia, sobre principios scientificos.— Explicada originalmente em uma série de liçoens, por Joaõ Cross, M. D.

---

*Williamson on the West-Indies*, 2 vol 8vo. preço 1l. 5s. Observaçoens, medicas, politicas e miscellaneas, sobre as ilhas das Indias Ocidentaes. Por Joaõ Williamson, M. D.

---

PORTUGAL.

Saío á luz: *Novos principios de Cirurgia*, por Legonas, 2 vol. preço 1.440 reis.

---

*Os Sybaritas:* ou os Subteranos de Piombino: 2 vol. preço 720 reis.

---

*Liçoens da Natureza:* tom 2. preço 600 reis.

---

*Instrucçaõ Pastoral* das obrigaçoens do vassallo para com o seu Rey, publicada pelo bispo de Badajoz, para instrucçaõ dos seus diocesanos; e agora traduzida em Portuguez.

---

*Breve tractado da actual disciplina da Igreja Luzitana* sobre a alternativa dos Beneficios Ecclesiasticos.

---

*Nova Academia de Pintura*: dedicada ás senhoras, que amam esta Arte; preço 180 reis.

O 3. tomo das *Poezias de Elpino Duriense.*

---

Historia certa da Seita dos Franc—massoens, sua origem, doutrina, e maximas; com a descripçaõ de algumas lojas, e o que se passa nellas, quando se recebe algum para Franc-masson: comparando as maximas destes com as dos Templarios, e com outras varias notas, dedicada aos amantes do altar e do throno. Lisboa, 1817, preço 240 reis

---

Dissertaçaõ Theologica Moral, contra a 1a Dissertaçaõ da 2a parte das Dissertaçoens Moraes, que no anno de 1815 se publicáram em Lisboa, sobre o sagrado Viatico: preço 140 reis.

---

*Fasciculo de Dissertaçoens Juridico Praticas,* por Manuel de Almeida e Souza, de Lobaõ.

## Economia Politica de Mr. Simonde.

(Continuada de p. 64.)

### CAPITULO VIIII.

### *Da Direcçaõ natural dos Capitaes.*

Temos visto que o capital accumulado he necessario para pôr em acçaõ o trabalho productivo, e que he igualmente neccessario aos proprietarios deste capital dar-lhe emprego para que lhes possa render.

Tambem vimos que podendo os capitalistas, quando o commercio he livre, manter a classe de obreiros, que mais lucrativa lhes parece, reduzem todos os generos de industria ao mesmo nivel de vantagens. Agora so nos resta examinar como uma naçaõ pobre, com um capital dado, que cresce progressivamente por meio da economia e da liberdade do commercio, chega a fazer vegetar successivamente todos os ramos da industria nacional.

Naõ he que um paiz deva, ou possa asspirar a reunir todos os generos de producções, ha umas para que o clima, a posiçaõ, e o genio dos habitantes saõ mais proprios. Os Estados, que naõ poderem competir com estes sem desvantagem, devem obandonar-lhes uma industria, que lhes naõ convem. E he isto o que acontece uma vez que o Governo naõ se inrrometta a mudar a ordem natural das cousas.— O negociante applica-se ás manufacturas, que melhor lhe podem fazer render o seo capital.

Já mais emprehende alguma que lhe naõ dé o lucro justo e razoavel que poderia esperar de qualquer outra. Ora, este lucro naõ pode elle esperar se a producçaõ das suas fabricas for inferior em qualidade, ou mais subida em preço á dos povos, cuja posiçaõ os convida a fazer o mesmo commercio com mais vantagem.

Em quanto uma naçaõ naõ tiver capitaes mui consideraveis, (e este deve ser o caso da França, depois de uma guerra ruinosa, uma revoluçaõ desastrada, e um systema de finanças tam destruidor como o dos assignados) naõ pode produzir tudo. O consumo de um paiz vasto e povoado requer uma producçaõ prodigiosa. Mas he dos objectos da primeira necessidade que ella sente a maior precisaõ de trabalho, assim a industria que nelles se emprega offerece lucros mais consideraveis, attrahe os capitaes, e apouca todos os outros ramos de industria menos fecundos.

As mercadorias mais volumosas saõ aquellas cuja producçaõ dá mais ganancia nos logares aonde se devem consumir, porque saõ as que os transportes tornam mais caras. Se precisassemos de trazer o nosso trigo e o nosso gado das terras donde trazemos as especiarias, por que preço nos naõ sahiriam? O interesse da naçaõ, o do consumidor, e o do capitalista exigem, portanto, que os primeiros capitaes disponiveis sejam empregados no adiantamento da agricultura.

Quanto mais capitaes se consagram á cultura da terra, mais se podem augmentar os seos productos; quando se considera tudo o que o hortelaõ tira do seo seio, crer-se-hiam as suas faculdades a este respeito infinitas. Todos os capitaes, que hoje tem a França, naõ bastariam para levar a sua agricultura ao maior gráo de prosperidade a que ella pode chegar. Mas esta naõ he a occasiaõ, em que similhante somma de capitaes se pode empregar, no serviço da industria rural. Quando esta tiver absorvido a parte absolutamente necessaria para o sustento da populaçaõ actualmente existente, já se naõ obteraõ mais lucros tam consideraveis, consagrando-se novos cabedaes á cultivaçaõ da terra; e os outros ramos de industria attrahiraõ os restantes, offerecendo lucros proporcionados á importancia de cada um. Quando a povoaçaõ e as riquezas augmentam chega outra vez o momento de fazer novos sacrificios para tirar mais fructos da terra; e o augmento do seo producto bruto traz a par de si o aperfeiçoamento das outras artes uteis.

Os capitaes, que, na epoca em que se principia a desenvolver a industria, naõ saõ absolutamente necessarios á agricultura, saõ attrahidos por aquellas manufacturas da primeira necessidade, cujos productos naõ podem com as despezas de transportaçaõ; como saõ os pannos, e outras fazendas para vestuario de gente pobre; os moveis, e quasi todos os instrumentos da agricultura.

Se o paiz naõ tem senaõ os capitaes, que lhe saõ exactamente necessarios para manter no trabalho, os seos labradores, artifices, e fabricantes de fazendas volumosas, ser-lhe-ha preciso, antes que emprehenda outras cousas, esperar que os seos capitaes se multipliquem pelo seo trabalho, e pela economia que cada classe da sociedade puder fazer das suas rendas. Porque naõ padece duvida que se áquella epoca emprehender algum outro genero de industria, será forçoso para fazer trabalhar estes novos artifices, que tire aos antigos e aos mais necessarios uma parte da sua subsistencia, e que feche as suas officinas.— Este transtorno da ordem nunca terá logar por si mesmo, porque os obreiros mais necessarios saõ aquelles a quem o consumidor faz mais sacrificios, e a quem dá maiores lucros; mas poderá resultar da impericia do Governo, se, querendo este favorecer uma manufactura, fizer com as rendas publicas a favor della maiores sacrificios doque fazia o consumidor. Nos livros seguintes teremos logar de ver os males que resultam de um favor taõ impolitico: todavia pelo que temos dicto, podemos provar désde já os seguintes:—1º. Fechar-se-haõ muitas das officinas mais precisas á naçaõ, por falta de capitaes; e muitos dos artifices que naõ forem proprios para o novo genero de industria perderaõ o seo modo de vida. 2º. Os consumidores, que, a pezar dos sacrificios que estavam promptos a fazer, naõ acham no paiz os objectos de primeira necessidade, que lhes convinha fazer fabricar dentro delle, seraõ obrigados a fazer um sacrificio ainda maior para os mandar vir de fora. 3º. A perda que o Governo soffrer, para estabelecer esta manufactura nova, será supprida pelas rendas nacionaes, e esta despeza será ainda augmentada pelas mais que o Governo fizer, já para cobrar o imposto, já para applicar o seo producto. Diminuirá portanto a renda nacional em razaõ do que lhe haveriam de contribuir as officinas paradas; os sacrificios dos consumidores para se proverem; e de tudo quanto cessa de se contribuir acima doque se dá aos novos artifices. Ex aqui as menores perdas que podem resultar de um monopolio; e para diante veremos que ainda causam muitas mais.

Se o Governo naõ se metter a mudar a marcha natural dos capitaes, sempre estes daraõ o lucro mais consideravel que puderem dar; e os consumidores faraõ os menos sacrificios que puderem, para haverem o que necessitam, attendendo ao estado do paiz que habitam.— Seraõ peis as rendas de uma banda as maiores possiveis, e da outra, aquelles a quem pertencem poderaõ empregallas com a maior vantagem possivel; desorte que todos os cidadaõs se acharaõ na posiçaõ mais favoravel para fazerem economias, e augumentarem os seos fundos com uma parte das suas rendas, assim tambem a sociedade estará livra de todos os empecilhos que o Governo pode pôr ao commercio, e os seos capitaes cresceraõ com mais rapidez. A' proporçaõ que estes multiplicarem ver-se-ha os fabricantes nacionaes emprehenderem successivamente os diversos objectos de primeira e segunda necessidade; depois aquelles que so pertencem ao luxo; porque os consumidores achando em maior abundancia os objectos da primeira necessidade, já se naõ acham com disposiçaõ para fazer tantos sacrificios para os procurar, nem já offerecem aos que os produzem lucros superiores a todos os outros. Entaõ os estrangeiros que forneciam á naçaõ se acharaõ pouco a pouco excluidos dos seos mercados, e naõ por leys, mas pela força das cousas.

Uma manufactura que uma naçaõ naõ podia trabalhar torna-se-lhe facil por varias causas, logo que enriquece:— 1º. O augmento dos capitaes faz abater a somma dos juros, o lucro do commercio, e por conseguinte o preço das mercadorias. ¿ Como, por exemplo, venderiam os Francezes os seos pannos de algodaõ pelo mesmo preço que os Inglezes? Os primeiros querem que o seo capital lhes renda 20 p. c. por anno, porque o poderiam empregar em qualquer outro commercio, e porque pagam muitas vezes atê 10 p. c. de juros, pelo deposito que tem nas maõs; e os Inglezes contentam-se com ganhar 8 p. c. porque tem chegado a tal ponto de riqueza, que he esse o termo medio dos lucros do commercio. Portanto serîa preciso para o negociante Francez poder vender pelo mesmo preço que o Inglez, que a sua mercadoria lhe sahisse 12 p. c. mais barata que a este. Mas logo que as riquezas da França augmentarem, bastará que as suas manufacturas lhe cheguem ao mesmo preço para que o Francez esteja certo de que as suas, que naõ lhe estaõ encarecidas pelas despezas de fretes de transporte, &c. excluam as dos Inglezes de todos os mercados do seo paiz 2°. A taxa subida dos juros e do lucro mercantil naõ affecta menos o preço da materia prima, doque o da obra acabada. Este lucro he da natureza do famoso imposto de Heshanha chamado *alcavala*, que se repete a cada venda successiva; multiplica-se pelo numero dos mercadores por cujas maõs tiver de passar a mercadoria antes de ser acabada.

Uma pessa de algodaõ, por exemplo, deve ter pago lucro dobrado ao negociante de Marselha, que importou a materia prima; outro tanto ao Fabricante da fiaçaõ; ao Tecelaõ; e ao mercador de retalho. Ora todos estes lucros saõ incluidos no preço final. Quando o salario dos obreiros levanta, o preço dos seos productos naõ levanta senaõ em razaõ do numero de dias de trabalho que esses productos custaram; a augmentaçaõ dos lucros levanta o preço das manufacturas em uma proporçaõ geometrica; e a dos salarios, somente n'uma proporçaõ arithmetica.— 3°. Quando os capitaes commeçam a multiplicar-se acham os capitalistas menos facilidade em os empregar; saõ obrigados a procurar vias novas para os fazer valer; apanhar os segredos dos fabricantes estrangeiros, ou descobrillos superiores aos delles. Estabelece-se portanto uma emulaçaõ de industria a bem do consumidor, que sempre tende a produzir tudo mais barato, e a aperfeiçoar todas as machinas. Em 4º. logar, em fim, a rapidez da execuçaõ, e por conseguinte a sua barateza dependem em grande parte da divisaõ do trabalho, de sorte que cada artifice, ou cada classe de artifices, naõ se incumba senaõ de uma so operaçaõ a mais simplez possivel.

Nas cidades aonde ha um capital pouco consideravel destinado á relojoaria, um mesmo artifice faz todas as partes de um relogio. Em Genebra aonde este capital chega a seis milhoẽs, devidem-se entre varios fabricantes, cada um dos quaes se limita a uma só operaçaõ. Seria impossivel estabelecer em outra parte uma fabrica de relojoaria que trabalha-se tam barato como a de Genebra, se lhe naõ destinassem ao mesme tempo um capital assas consideravel, para que dividido entre 50 officinas de diversos trabalhos, fosse sufficiente para sustentar cada uma dellas todo o anno.

Este augmento dos capitaes, que he quasi sempre a causa prima do estabelecimento de uma nova manufactura, e da barateza das suas producçoẽs; tem sobre algumas, toda via, effeito contrario, e he de as fazer parar; o que acontece áquellas, em cujo preço o salario entra mais doque o lucro; porque quanto mais os capitaes abundam, mais luctam uns com os outros para attrahirem os artifices o que faz com que augmentem os salarios. Naõ se pode desejar nada melhor para uma naçaõ que uma lucta similhante, pois o seo resultado he a abundancia geral; principalmente entre as classes que vivem do trabalho de suas maõs.

Ha certas manufacturas que um pequeno capital basta para fazer trabalhar, porque as materias primas saõ de pouco valor; e com o trabalho de um so artifice vem a teilo mui grande. As rendas de Flandres, e de Mirecourt saõ exemplos desta especie de manufacturas. As mulheres, que as fabricavam, naõ ganhavam senaõ de 25 a 40 centesimos por dia, segundo a sua habilidade. So o salario destas mulheres viesse a dobrar, provavelmente a manufactura naõ poderia suster-se; pela diminuiçaõ do lucro de um so fabricante naõ ser sufficiente para cobrir o dobro do salario, que faz sette oitavas do preço desta manufactura. Observemos, finalmente, que se o dobro do preço do trabalho provier dos impostos, ou de qualquer outra causa terem dobrado o preço dos objectos da primeira necessidade; naõ he senaõ o valor nominal do salario necessario que augmenta, em quanto o valor real fica sempre o mesmo; de sorte que a ganancia dos fazedores de rendas naõ augmentou; e as rendas da classe trabalhadora da sociedade naõ saõ maiores que dantes.— Mas se os objectos da primeira necessidade ficam nos mesmos preços e os salarios augmentam o dobro, este augmento he o signal de haver maior azafama por quem trabalhe. He neste caso que a queda da manufactura de rendas seria uma prova da prosperidade nacional; pois mostraria que os artifices ganhavam duas vezes mais por outro trabalho, e que o salario superfluo, ou as rendas da classe trabalhadora, haviam augmentado o dobro.

O preço baixo da maõ-d'obra faz portanto que os paizes pobres possam vender certas producçoēs mais baratas que os paizes ricos. Assim a Inglaterra, a naçaõ mais rica da Europa tem sempre precisaõ dos que tem menos capitaes que ella, naõ somente para as producçoēs, que naõ saõ proprias do seo clima, mas ainda para aquellas, cujo preço he principalmente composto da maõ-d'obra; em quanto ella pode vender mais barato que toda outra naçaõ aquellas, cujo preço heprincipalmente composto do lucro, importa rendas e cassas de França e de Alemanha, e palha para chapeos de Escocia; e distribue pannos, canquilheria, e mercadorìas importadas das Indias, e naõ fabricadas por ella mesmo; a todo o Occidente.

(Continuar-se-ha.)

# MISCELLANEA.

### COLONIAS HESPANHOLAS.

*Noticias publìcadas em Madrid, aos 7 de Julho, sobre as colonias Hespanholas revoltadas.*

Entre tanto que os facciosos que tem atiçado o fogo da discordia no Continente Americano continuam semeando suas detestaveis maximas, e reduzindo parte daquellas formosas provincias ao mais lastimoso estádo de anarchia, indigencia, e assolaçaõ, as gloriosas armas de S. M. destinadas a reprimir uma rebeliaõ tam escandalosa, e a proteger os vassallos leaes daquelles paizes, conseguem cada dia novos e honorificos triunfos, reservados á constancia e fidelidade, contrapondo á desordem do systema revolucionario as beneficas providencias, com que um Governo paternal e legitimo se differença de uma quadrilha de Chefes tumultuarios, fallazes, e cobiçosos. Elles allucináram sempre os povos com chimericos planos de felicidade e independencia, e crendo sem duvida que a materna patria, depois de haver sustentado na Europa uma guerra tam sanguinolenta e devastadora, ficaria assaz exhausta de recursos para enviar expedições á America, figuráram-se já estabelecida a sua injusta e cruel dominaçaõ, e conseguido o detestavel objecto de seus ambiciosos desejos. Para confusaõ sua, e satisfaçaõ dos bons Hespanhoes tem succedido inteiramente o contrario; pois ElRey nosso Senhor, apezar das gravissimas urgencias que nesta Peninsula tem occupado a sua Real attençaõ, tem sabido estender a irresistivel influencia do seu poder, benignidade, e justiça aos seus mais remotos dominios, como o prova, entre outras, a expediçaõ commandada pelo General Morilho, que em tam curto espaço de tempo pacificou um immenso territorio, restabelecendo a boa administraçaõ de justiça, assim como a Agricultura, o Commercio, e a industria, que jazîam no mais deploravel desamparo; o que tudo se patentêa pelo seguinte resumo das suas principaes operações.

Chegou a Expediçaõ a Margarita, perdoou-se a todos os seus habitantes, juráram fidelidade ao Rey os Chefes de familia sobre os Sanctos Evangelos, e o mesmo fizeram mais de 100 Chefes da Costa-firme, aos quaes se deo licença para voltarem a suas casas. Marcharam depois as tropas Reaes para Caracas, e continuando as alterações dos Campos, prohibio-se castigar sem previo juizo, assignou-se prazo para que se apresentassem todos os ausentes; no fim de dous mezes sahio a expediçaõ de Porto Cabello para Carthagena, sem que se houvesse castigado mais que um Hespanhol que servia os insurgentes.

Carthagena depois de um penoso sitio se entregou á discripçaõ; e ainda que haviam sido alli assassinados os prisioneiros da expediçaõ do General Ore, os habitantes, em vez de castigo, recebêram por espaço de um mez uma sopa economica, paga á custa do Exercito, devendo tam assignalado beneficio á clemencia do vencedor. Durante o referido sitio foram apanhados successivamente varios espias; perdoou-se aos primeiros, e os outros foram devidamente castigados pelo Conselho de guerra.

Conseguido um dos objectos da Expediçaõ, faltava occupar o Vice-reynado, desembaraçar o Perú dos cuidados que tinha pelo lado de Quito, e deixar expedito aquelle territorio para que o seu exercito marchasse a Buenos-Ayres, e fosse soccorrido quando precisasse. Precedêram a isto varias proclamações; escreveo-se a Villavicencio e Mondujar, e depois a Valencia e Cabal; mas nada disto surtio effeito, notando-se sómente que a gente do paiz, vendo que a naõ molestavam, permanencia socegada, e se retirava para suas casas. A maior disciplina nas tropas, continuos castigos nas de Venezuela, e a prohibiçaõ de tirar cousa alguma por outra maõ, que naõ fosse a da Justiça, asseguráram a ordem e tranquillidade.

Poz-se em movimento com o seu Exercito o General Morilho; a columna de Venezuela, marchando desde Varinas, e passando com assombro de todos a Cordilheira por Casanares, entrou em Giron, e se lhe unio a columna de Caçadores de Carthagena, ganhando a acçaõ de Cachili, com a qual, e com a occupaçaõ de Medellin, pela columna da direita, ficou aberto todo o Reyno ás tropas de S. M. Naõ restava aos rebeldes outro meio de fugirem senaõ pelo mar do Sul, onde se tinha apresentado Brown, o Almirante de Buenos-Ayres, pois o rio Atrato estava occupado por outra columna Européa; e parecendo que era a occasiaõ mais opportuna para cederem os facciosos, lavrou-se um indulto, e espalharam-se proclamações; mas nenhum dos Chefes se apresentou. Fez alto o Exercito 15 dias no Soccorro, para dar lugar ao arrependimento; mas vendo que isto era infructuoso, mandou-se avançar sobre Santa-Fé, e Tunja.

Declaráram entretanto os revoltosos guerra de morte na Provincia de Antioquia; penetra nella o Coronel Varleta;

derrota o inimigo; este se refaz; torna a ser derrotado, e fogem os Venezulanos. Apresentam-se os habitantes; esquece-se o passado; comporta-se bem o povo, e naõ corre uma gota de sangue. Em Simiti surprendem os rebeldes a guarniçaõ; assassinaõ 24 soldados; voltam sobre elles as armas d'ElRey, e tambem se lhes perdoa.

O Tenente Coronel D. Juliaõ Bayer entra com a sua expediçaõ no rio Atrato; encontra um batalhaõ de Venezulanos fugidos de Carthagena, os quaes quasi morriam á necessidade; e apezar de levar poucos viveres para a sua commissaõ, e de ver que repartindo-os naõ podia conseguilla, encarrega-se com tudo de responder por isso, e a humanidade o obriga a repartir o que tinha com aquelles desgraçados. Officia logo ao Dictador do Cochó, e faz que ao mesmo tempo escreva Miguel Carabanho, Chefe de conceito entre aquelles rebeldes; propôem-lhes a paz e o esquecimento de todo o passado, pedindo-lhes tambem viveres para aquelles moribundos. O que sonseguio foi a mais insolente resposta, o desprezo de todas as leys da natureza, e a guerra de morte; tendo feito o Dictador arcabuzar os que levaram as Cartas de Bayer e Carabanho.

Envia Varleta mensageiros ao Valle de Cauca. Entra o Exercito em Santa Fe, e perdoa-se igualmente a todos; fogem os de Venezuela para os Campos; encaminham-se ao Cauca os revoltosos, e reunindo-se com os que alli encontraram formam uma Junta democratica: depôem o Presidente; nomeiam outro mais moço; desprezam todas as offertas, e marcham a atacar o brioso Militar Samano. Tendo sido derrotados, tractam de salvar-se, dirigindo-se ás possessoens Portuguezas; encontram-se com forças novas pela frente; soffrem outra derrota, e um terremoto os deixa sem caminho, resultando disto serem aprisionados os seus Commandantes, julgados e condemnados uns, e absolvidos os outros. Além destes apanharam as tropas d'ElRey outros dos principaes revoltosos, que foram conduzidos para serem julgados uns a Santa-Fé, e outros a Popayan.

Longe de terem sido castigados todos os Chefes da insurreiçaõ, foram perdoados, ainda que se lhes naõ concedeo indulto, D. Antonio Arboleda, Governador de Casy; D. José Morgueito, Commandante das armas de Carthago, e D. José Fernandez Madrid, penultimo Presidente do Congresso; os quaes imploráram a clemencia do vencedor, naõ obstante que o ultimo delles se expressava de um modo, e obrava de outro, como se pode ver nas Gazetas de Santa-Fé, onde se publicou a correspondencia.

Assegurada deste modo a tranquillidade naõ tornou a alterar-se com partidas, nem ladrões. O commercio principiou logo a reanimar-se; e para distrahir e dar occupaçaõ a uma gente que soffrêra seis annos de revoltas, determinou-se abrir caminhos em todas as direcções, fazendo os já projectados e ordenados por S. M., e rompendo outros novos mui necessarios e nunca intentados; recolheram-se os mendigos; fizeram-se mais de 50 pontes grandes, afora outras pequenas; propagou-se a Vaccina desde Quito até Carthagena: recolhêram-se todos os meninos orfaõs repartindo-os pelas officinas do Governo para se dedicarem a algum officio, e fardou-se a tropa.

Ao mesmo tempo principiaram a regular-se as rendas publicas, e restabelecêram-se os direitos e alfandegas, ainda que naõ a renda do tabaco e aguardente, porque exigindo estanque, fundos, e tempo, deixou-se isso ao cuidado do Vice rey.

A Salina de Sipaguira foi sempre a renda mais pingue; mas nunca tinha passado de 54 pezos cada anno; variou-se o methodo de fazer o sal, e desde antaõ rendeo cada mez 16 pezos. Ignorava-se a arte de fazer chapas de chumbo; e tendo-se feito ensaios, conseguio-se de tal modo fazellas, que já agora estaráõ estabelecidas as caldeiras como na Europa, e o producto será talvez mais que duplicado.

## VENEZUELA.

*Noticia das operaçoens do exercito Venezuela, publicadas pelos Insurgentes.*

Guayana 30 de Maio, 1817.

Ao amanhecer de 24 do corrente, as nossas barcas canhoneiras, commandadas pelo coronel Armario, suprendêram o posto Hespanhol na ilha de Faxardo, e tomáram tudo quanto o inimigo tinha naquella posiçaõ. A nossa pêrda, na tomada dos vasos Hespanhoes, foi de um morto e tres feridos; a do inimigo de 40 mortos e prisioneiros.

O commandante em chefe do baixo Apure annuncia, em data de 23 de Abril, que toda a provincia de Cassacare em Nova Granada tinha sido occupada pelas tropas da Republica, depois de destruirem as guarniçoens de Guasdualito e Columera, consistindo em 400 homens, com as quaes forças o General Hespanhol intentava soccorrer Varina. Cento e oitenta Hespanhoes foram mortos, e as cabeças de Gongora, o Governador, e do Tn. Coronel Ballen: fôram affixadas no mesmo lugar, aonde pouco antes La Torre tinha espetado as do patriota Olmedilla e seus companheiros. A nossa divisaõ tomou 200 espingardas, 25,000 cartuchos, 51.000 patacas em prata; 200 cargas de mantimento, e dous armazens de fardamentos e outros artigos. Em consequencia deste bom successo, o coronel Perez estabeleceo o seu quartel-general em Betanes, depois de haver occupado as salinas de Chita, na provincia de Tunja, com um forte destacamento, e facilitado á provincia de Cassanare a organizaçaõ de um Governo Provincial, que foi estabelecido.

Pela conrespondencia interceptada em Pore, e que passava entre Semano o Governador de Sancta Fé e o General Morillo, sabemos que a maior parte das cidades daquelle reyno estaõ em completa commoçaõ contra os Hespanhoes. Os habitantes de Soccorro, passáram á espada a guarniçaõ que ali se achava, e consistia em 200 Hespanhoes.

O General Paez atacou a cidade de San Antonio, defendida pelo chefe Remigio Ramos, tomou-a depois de haver derrotado o inimigo, tomando-lhe toda a gente e armamentos.

O coronel Rangel, que obra nas vizinhanças de San Jaime, derrotou completamente uma columna Hespanhola, commandada por Gorrin, que foi morto na acçaõ.

O commandante Villasana entrou em S. Carlos (na estrada de Caracas) passou a guarniçaõ á espada, e depois se retirou para as suas posiçoens.

O coronel Guerrero estava apertando a linha de S. Fernando, naõ tendo a guarniçaõ daquella praça recebido soccorros até aquelle tempo, e agora se terá ja rendido, como julga o General Paez. Com as armas e petrechos, que este tem tomado ao inimigo, intenta o General marchar para as planicies na retaguarda de Caracas, que naõ offerece obstaculo algum á sua chegada. De facto, o inimigo tem pertido toda a sua força disponivel.

Em oito dias será a nossa força maritima formidavel. Temos agora 50 vasos entre grandes e pequenos no Orinoko, os quaes se estaõ armando com toda a pressa, com artilheira tomada ao inimigo. Assim teremos bem depressa completado a reducçaõ do resto da Guayana, e ao mesmo tempo teremos tomado os restos da esquadra, e fortalezas dos Hespanhoes. Temos ja obtido, no rio, consideraveis vantagens. O commandante Hespanhol de um dos postos está ao ponto de desertar para nós, para cujo fim se lhe mandou salvo conducto, para elle e para todos os seus. Elle mesmo foi quem fez o offericimento; demaneira que he além de toda a duvida, que dentro em 15 dias nem um só inimigo se achará em todo o Orinoko, e e particularmente se o nosso valoroso Almirante chegar com as suas forças navaes.

As noticias, que temos do General Monagas saõ as mais favoraveis. O coronel Barroso derotou uma partida do inimigo de 200, e uma pequena guarniçaõ de Barcelona.

(*Assignado*) BOLIVAR.

---

*Re-estabelicimento do Governo Federal.*

Aos 8 de Maio todos os chefes da Republica, os membros existentes do antigo Governo, e os novos membros das respectivas provincias se ajunctáram em Cariaco, na Terra-Firme, aonde o General Marino, na ausencia de Bolivar, abrio o Congresso, com uma elegante falla, em que expressou a grande satisfacçaõ, que experimentava, n' uma assemblea de seus distinctos companheiros, todos dedicados á mesma causa, e junctos para deliberar, sobre as melhores medidas, que se podem adoptar, para a organizaçaõ do Governo: e concluio com as seguintes palavras:—

" Todos sabem que, em todos os revézes da fortuna, a Republica naõ tem tido apoio mais forte, nem melhor amigo do que o nosso digno compatriota, o General Bolivar, e que todas as suas vistas se tem dirigido ao reestabelimento do Governo Representativo, que o povo adoptou ao principio, como sua constituiçaõ fundamental, ainda que o nosso objecto sêja agora dar-lhe mais energia, força e unidade. Este tem sido o seu mais ardente desejo, e a razaõ porque tem, por duas vezes, convocado o Congresso, cujo ajunctamento se retardou inevitavelmente pelas agitaçoens politicas, e movimentos militares. Porém circumstancias extraordinarias, de que em breve sereis informados, fizéram com que eu julgasse expediente o obrar assim, em nome e a bem do Chefe Supremo, como elle faria se estivesse presente; isto he; installar o Governo Provisional, conforme a Constituiçaõ decretada pelo Congresso Venezuelano, para que os Deputados junctos para o novo Congresso possam proceder, no entanto, ás reformas e modificaçoens, que se julgárem necessarias ás nossas instituiçoens politicas."

Os membros do Congresso procedêram entaõ a deliberar sobre a conveniencia de estabelecer uma forma regular de Governo, a fim de dar efficacia á causa, e promover o objecto principal, que se tem em vista; e estando estabelecidas as bazes, o General Marino resignou o seu commando e retirou-se. Os membros prestáram entaõ o juramento, prescripto pela Constituiçaõ Federal, segundo a formula que ella indica. Lavrou-se depois um acto, dizendo, que desde aquelle dia estava restabelecido o Governo Federal, em todos os seus ramos, e nomeado um poder executivo, para o que se elegêram como cabeças o General Bolivar e D. Fernando Toro. Escolhêram-se tambem os Juizes e outros funccionarios; e se reestabelecêram no commando do exercito os Generaes Bolivar e Marino. A cidade da Assumpcion, capital da ilha de Margarita, foi designada para ser a residencia futura do Governo-Federal, por em quanto, e o acto conclue com éstas palavras:—

"Finalmente invocamos a graça do Altissimo, esperando, que elle protegerá os nossos desejos; e declaramos solemnemente, na presença do Céo, e de todas as naçoens da terra, que os nossos constantes esforçes nunca tenderaõ a algum outro objecto, que naõ sêja o de preservar em paz e liberdade, os honrados e virtuosos restos da familia Venezuelana, salvada por um rasgo de sua bondade da furia e devastaçaõ do despotismo: protestando, ao mesmo tempo, antes enterrar-nos debaixo das ruinas da Republica, do que voltar á escravidaõ e ás cadêas, que temos supportado por tres seculos, e que, pelo unanime consentimento e desejo dos filhos de Columbia, nossos irmaõs, temos quebrado para sempre. Sáibam todos quantos este virem, que nós, os abaixo assignados, Representantes, estamos resolvidos, e nos empenhamos, por tudo quanto ha de sagrado aos olhos do homem moral e politico, sellar com nosso sangue ésta nossa patriotica determinaçaõ.

O General Marino publicou depois a seguinte proclamaçaõ.

"Povo de Venezuela!—Levantai-vos, para saudar o dia da independencia e da liberdade. Saudai o glorioso e feliz dia, por que suspirávam os amigos da humanidade, e porque os heróes de vossa patria se apressáram a derramar o seu sangue no campo da batallia, e os mais virtuosos cidadaõs arrostáram a maõ do algoz.

"Tantos actos de proeza, e tam grandes sacrificios, naõ seraõ agóra perdidos para a vossa liberdade. As nossas oraçoens tem chegado ao Céo, e obtido delle o reestabelicimento do Governo Representativo, com o qual está felizmente connexa a nossa existencia politica. Circumstancias extraordinarias, em que se descobre o dedo do Todo-Poderoso, tem accelerado ésta desejavel medida, para a qual fôram dirigidos todos os esforços do magnanimo Bolivar, assim como os trabalhos de seus dignos companheiros em armas.

"Talvez a nossa Constituiçaõ séja alguma cousa defeituosa, como saõ todas as que saõ formadas durante a effervescencia de uma liberdade repentina. Comtudo o seu reestabelicimento foi um passo necessario, em ordem a melhorar as nossas instituiçoens, e recuperar a nossa existencia social. Que esperanças podemos nos conceber, ou que confiança podemos inspirar no mundo politico, sem unidade e concerto nas nossas operaçoens, sem um centro commum, sem um principio de organizaçaõ e de vida, sem um Governo, n' uma palavra, que dê vigor e acçaõ ao corpo inanimado da Republica?

" Felizmente tem mudado a scena, e bem depressa vereis os prodigiosos effeitos de uma sabia Administraçaõ, e a religiosa observancia dos principios de justiça e philantropia universal, que nos conciliaraõ a amizade das naçoens, e a boa vontade do genero humano.

" Venezuelanos de todas as classes, partidos e opinioens! Esquecei por uma vez os vossos mutuos odios, e ajunctai-vos em torno do Governo, que acaba de se reestabelecer, para salvaçaõ de vossa patria. O espirito de independencia he inextinguivel em Venezuela, e a obstinaçaõ e ferocidade dos Hespanhoes nos priva de toda a esperança de reconciliaçaõ e de paz. Escolhei pois entre expulsállos, por uma vez, de nosso paiz, que elles tem inundado com sangue e com lagrimas, ou favorecei, com vossas loucas divisoens, os seus atrozes projectos de devastaçaõ e horror, até que o nosso bélo paiz sêja convertido em um vasto e lugubre deserto.

" E vós tambem, filhos espurios de vossa patria, que, formando com os nossos assassinos aquella impia connexaõ, que escandaliza o coraçaõ humano, tendes levantado a vossa maõ parricida, voltai para nós, correi para os nossos braços, e fazei com que possamos tornar-vos a chamar irmaõs.

Unamo-nos com o Governo Representante, que se

acaba de reestabelecer; prestemos-lhe o firme apoio de nossos coraçoens; cooperemos energicamente com suas beneficas vistas, e bem depressa recobrará Venezuela os beneficios de sua independencia, e grandeza natural, e apparecerá outra vez no mundo com toda a dignidade do heroismo e da virtude.

Quartel-General, Cariaco, 10 de Maio 1817.

(*Assignado*) SANTIAGO MARINO.

Publicou-se um decreto, confirmando Brion como Almirante em Chefe da Esquadra Venezuelana; e outro mudando o nome da ilha Margarita para o de Nova Esparta; terceiro, declarando que a bandeira nacional fosse para o futuro de campo amarélo, com sette estrêlas azues, representando as sette provincias confederadas.

---

*Proclamaçaõ de D. José Cortes de Madriaga, aos seus concidadaõs da Terra-Firme.*

Venezuelanos!—Os artificios do Governo Hespanhol, e a vossa sinceridade, em 1812, vos preparáram um periodo de acontecimentos infelizes. Naquelle tempo, os nossos inimigos, aproveitando-se de um tremendo terremoto, com que a Divina Providencia nos visitou, aos 26 de Março; fizéram com que prevalecessem os effeitos daquelle fanatismo, que tinham previamente empregado sem proveito; e, em consequencia do estado geral de terror e susto, com que o povo se vio abatido, alcançáram um tractado, que deixou o paiz sugeito ao Governo das Côrtes, debaixo da nova Constituiçaõ, que ellas mesmas tinham formado. Este tractado foi solemnemente assignado e trocado aos 26 de Abril, pelo Chefe Hespanhol Monteverde, o qual immediatamente depois o violou em todas as suas partes, e da maneira mais atroz. Horriveis prizoens, que soffrêram muitos habitantes; confiscaçoens, desterros, assassinios, e toda a especie de crueldade, fôram a paga, que tivestes, por vossa boa fé e grande confiança. Daqui procedêram aquellas desgraças, que deploramos agóra; porém ellas saõ taes, que a posteridade justamente appreciará, quando a fiel historia de nossa emancipaça as apresentar ao mundo.

Alguns dos patriotas resolutos, que pudéram escapar-se á vigilancia de nosso oppressor, Monteverde, e entre elles o nosso presente Chefe, Bolivar, fôram entaõ ter ao Congresso de Nova-Granada, a fim de solicitar auxilios para os nossos livres e afflictos irmaõs. Tendo-os obtido, no seguinte anno de 1813 elles entráram rapidamente no territorio de Venezuela, triumphando por toda a parte de nossos inimigos, e ajudados naõ menos pelo valor do que pelos esforços de nosso distincto general, Marino, que, com as forças junctas em Guiria e Maturin, tinha derrotado completamente a Monteverde em Cumana, conseguîram o restabelicimento de nossa Republica; e o inimigo foi fechado no unico porto que tinha, Puerto Cavello.

Infelizmente, porém, nos annos seguintes, 1814 e 1815, quiz o destino que experimentassemos outra vez novos desastres, pelos raros e inesperados acontecimentos da paz e da volta de Fernando para o throno de Hespanha. As capciosas proclamaçoens deste monarcha, juncto com as suas falsas promessas, contidas nos respectivos decretos de Valencia e Madrid, por meio de ardilosos e maliciosos emissarios, bem depressa inundáram o nosso paiz, quando as tropas Realistas prevalecêram contra as armas da Republica, que foi outra vez destruida, e de novo re-estabelecido em Venezuela o imperio do despotismo.

Nesta triste situaçaõ se naõ passou muito tempo, antes que a Divina Providencia fornecesse aos Independentes novos meios de recuperar sua perdida liberdade. A ilha de Margarita foi o lugar d'onde tinha de saïr ésta gloriosa empreza. Ali arrebentou de repente, no fim do anno de 1817, o grito contra a oppressaõ. Todos os seus habitantes, com o invencivel Arismendi á sua frente, ainda que previamente desarmados se levantáram contra o inimigo, derrotáram-o, e o obrigáram a encerrar-se na fortaleza de Pampatar, d'onde por fim se achou na necessidade de embarcar-se com os restos de suas forças.

Ao mesmo tempo o emprehendedor Bolivar, com seus illustres companheiros, e entre elles o general Marino e Sir Gregorio Mac Gregory ajunctou as tropas esparzidas da Republica, que tinham escapado dos horrores de Venezuela e Carthagena, conduzio-as para as nossas costas, pelos fins de Março 1816, cuberto por uma bem esquipada esquadra, commandada por Brion, Almirante das forças navaes da Republica. Um accidente imprevisto frustrou parte do grande projecto do General Bolivar, quando, pelos principios de Julho, desembarcou em Ocumare; mas isto naõ fez parar a marcha da divisaõ principal do exercito, commandada por Sir Gregorio Mac Gregor. Este intrepido General, ajudado pelos valorosos coroneis Sublet e Pinango, constantemente triumphante, penetrou de Choroni até o coraçaõ de Venezuela, e superando obstaculos invenciveis derrotou o inimigo commandado por Quero e Morales; desalojou os Hespanhoes das planicies de Barcelona, e obteve uma victoria na batalha de 10 de Septembro, que foi seguida por uma sanguinolenta aos 27, quando os nossos exercitos fôram completamente victoriosos.

Desde aquelle periodo se tem uniformemente desenvolvido o valor republicano, em todas as partes da Confederaçaõ, e o Céo tem sido propicio á nossa causa. Desde entaõ tem as nossas divisoens, commandadas pelo valoroso

Paez, Urdaneta e Santander, obtido victorias assignaladas, nos vales de Casanare, Cucuta, e Sagamosa, contra os execraveis chefes Hespanhoes, Calzada, e Morillo, authores das inauditas crueldades e horrores, commettidos em Carthagena, Sancta Fé, Popayan, Socorro e S. Gil. Subsequentemente o invencivel Bolivar e Freitas se cubrîram de gloria em Barcelona, na celebre acçaõ de 8 de Fevereiro, aonde tambem ganhâram uma victoria memoravel. As provincias de Guayana e Cumana, á excepçaõ somente de suas respectivas capitaes, estaõ ja livres do jugo Hespanhol. Ultimamente as provincias de Varinas, Merida e Truxillo se unîram á nossa Republica, e naõ tem cousa alguma a temer das partidas inimigas, cuja attençaõ se absorve inteiramente em guardar os pontos de Carthagena, Sancta Martha, e Rio-de-la-Hacha.

Venezuelanos! Tenho assim apresentado á vossa vista um breve resumo de nossas desgraças e de nossa gloria, desde o anno de 1812 até o tempo presente. Em consequencia da vantajosa posiçaõ em que estamos agora postos, e livres tambem dos antigos prejuizos, que infelizmente reynavam demasiado entre nós, devemos conhecer, que, depois de tantos e tam grandes sacrificios, que ésta mesma independencia, que juramos defender, nos tem custado, e ainda custa, nada resta senaõ seguralla para sempre, por meio da uniaõ e constancia. Com éstas brevemente poremos fim a ésta terrivel contenda entre a liberdade e a escravidaõ. Naõ pensemos, portanto, nunca em depôr as armas, até que o dia sêja completamente nosso. Ao mesmo tempo tenhamos paz, amizade e commercio com todo o resto do genero humano. Exista tambem em todas as partes de Venezuela perfeita liberdade civil e religiosa: estabeleça-se isto em favor da humanidade, e da nossa felicidade commum.

A minha situaçaõ de prezo, está mudada para a de homem livre, pela interposiçaõ do Governo Britannico, e isso me habilita a cooperar activamente, como fiz em outro tempo, em apoio de nossa gloriosa causa. A ella e a vossos principios tenho sido fiel na adversidade. Vós ja posuís provas sufficientes da pureza de minhas intençoens e vistas, para que possaes duvidar de alguma dellas. A liberdade e a independencia tem sido, e ainda saõ, os desejos geraes da grande familia Columbiana, a que todos nós pertencemos por um direito natural. Façamos pois sem cessar o maiores esforços, para obter e gozar, com segurança, tam inestimaveis beneficios. Pela minha parte eu considero-me obrigado a naõ omittir sacrificio algum que possa promover tam desejavel fim. Das ilhas do Golpho Mexico volto agora outravez para o meio de vós, a fim de continuar, com o maior prazer, os meus serviços, a favor de nossa justa emancipaçaõ, conservando, ao mesmo tempo, gravado profundamente no meu coraçaõ, o mais sincero e respeituoso reconhecimento a S. A. R. o Principe Regente da Gram Bretanha, a seu sabio Parlamento, e a seus generosos Almirantes, pelos inestimaveis beneficios, que me tem concedido, habilitando-me a voltar outravez para a minha patria, para que me possa dedicar inteiramente á felicidade e gloria da Republica. Estejamos sempre vigilantes, em evitar tudo quanto possa oppôr o menor obstaculo ao feliz exito de nossa empreza.

Naõ existam mais entre nós zelos, pîques particulares, e odios. Obremos todos com a maior uniaõ, actividade e constancia, a fim de que nossos illustres guerreiros, que tem executado tantos e tam grandes feitos, possam brevemente completar a expulsaõ de nossos inimigos, e segurar para sempre o estabelicimento de nossa Republica.

Pampatar, na ilha de Margarita aos 23 de Maio, de 1817, e 7m da nossa independencia

(*Assignado.*) JOZE CORTES DE MADRIAGA.

## REVOLUÇAÕ EM PERNAMBUCO.

*Noticia official da derrota do Exercito Insurgente. (Traduzida em Inglez do Jornal da Bahia intitulado* Idade de Ouro, *de 24 de Maio, e dali outra vez trasladado em Portuguez.)*

Mil parabehs, mil glorias á Bahia, e a todos os fieis vassallos de S. M. Fidellisima, El Rey Nosso Senhor. Mil parabens e mil glorias ¿ E porque ? Porque os soldados da Bahia tem sido verdadeiros Scipoens, naõ só no nome mas de facto.

Antes de hontem á noite chegáram aqui officios do Major General Mello, que completamente derrotou a celebre divisaõ do Sul, se na verdade merecem tal nome aquelles cegos e obstinados rebeldes, que saîram de Pernambuco para atacar as nossas tropas que sabîam estar em Serinhaem.

Chegáram tambem duas bandeiras, uma das quaes, que está em melhor estado, foi immediatamente mandada para o Rio-de-Janeiro, pelo Tenente-Coronel Cosme Damiaõ da Cunha Fidie, para ser posta aos pés do throno.

Encheria muitas paginas o descrever o leal enthusiasmo desta cidade, na noite da chegada destas felizes novidades, que nos cubrîram de tanta gloria. Illuminou-se a Cidade e ninguem dormio por toda a noite com o ruido das bombas e foguetes, e com os alegres sons dos cantores e musicos.

O indefatigavel zelo do Juiz-de-Fóra o Dr. Jordaõ, e dos respectivos membros da Camara, prepararam, como se foss por encantamento, durante a noite, uma grande festa no Collegio, que serve de Cathedral. Hontem pelo meio-dia appareceo a Igreja plenamente decorada, resoou a musica, e assistio a maior assemblea que se pôde ajunctar, coroada pela benefica presença de S. Exa. o Conde dos Arcos.—De repente o Pregador Regio, e Professor de Philosophia,

Ignacio Jozé de Macedo, subio ao pulpito, e começou um sermaõ de graças, com as seguintes palavras do Psalmo 43: *In nomine tuo contemnemus insurgentes in nobis.*— Disse, que o objecto de seu discurso éra acender outra vez a chama geral da gratidaõ e alegria, que se diffundia em toda a assemblea, e misturar os preceitos da philosophla moral e politica com os dogmas da Religiaõ, e mostrou quam perigosos éram os principios da liberdade, mal entendida: e que no systema moral, assim como no phisico, devia haver um legitimo centro commum de attracçaõ e subordinaçaõ, pelo qual somente podiam as naçoens ser felizes e tranquillas. Elle comparou, em todos os pontos possiveis de similhança, a insurreiçaõ de Pernambuco com a insurreiçaõ dos ingratos Israelitas contra David, o melhor dos reys de Judá. Comparou as providencias e zêlo deste Governo, com a prudencia e zêlo do General Abner e Joab, os amados amigos d' El Rey David; e adornou a materia com todas as belezas da erudiçaõ, que os estreitos limites do tempo lhe permittiram. Acabado o sermaõ, cantou-se o *Te Deum*, ao que se seguio uma grande descarga, e salvas dos navios no porto. O Illmo. e Revmo. Vigario Capitular, cantou hoje o *Te Deum* com o Cabido.

Naõ temos tempo para referir por extenso todas as circumstancias da victoria, e sómente podemos dar o seguinte extracto, que ordenamos da melhor forma que nos he possivel.

Aos 12 chegou a Serinhaem a noticia de que os Insurgentes intentavam atacar a guarda avançada do nosso exercito, postada juncto ao engenho de Ciriro Cavalcante.— Em consequencia, áos 13, marchou o exercito, e tomou as suas posiçoens juncto ao engenho de Pindoba Grande e Pequena.

Aos 14 se arranjou o plano de ataque, e aos 15, pelas 11 horas da manhaã, marchou o Major Salvador, com uma força destinada a occupar a Pejuca, que de facto occupou, porém ficou ao depois exposto a todo o fogo do inimigo.

A's 5 e meia da tarde chegou o corpo principal do exercito, e entrou em acçaõ, juncto ao lugar chamado Guerra, tendo á frente o Major Gordilho, e o Capitaõ Paula, que commandava a artilherìa, e começou o fogo.— A accaõ durou toda a noite, o os dous majores Salvador e Gordilho se distinguîram muito. No decurso da noite se dispersáram os insurgentes, e fòram perseguidos por destacamentos, commandados pelo Major de Brigada D. Luiz, e pelos Capitaens Hermogenes, Manuel Duarte Argollo, e Jozé Felix; e tendo sido abandonadas todas as suas posiçoens em appressada fuga, se acharam pela manhaã, no campo de batalha, 5 peças d'artilheria de differente calibre, uma caronada, e grande quantidade de muniçoens e mantimentos, e a caixa militar, com perto de 1:000.000 de reis. Tomaram-se muitos prisioneiros, e houvéram muitos mortos e feridos; grande parte dos quaes éram officiaes, e alguns delles cabeças dos insurgentes.

Depois desta acçaõ se recebeo noticia de que o insurgente Martins ia marchando á frente de uma columna, sobre Serinhaem, se despachou contra elle um corpo de 300 homens, commandados pelo capitaõ de Milicias da Villa do Penedo Antonio Jozé dos Sanctos, que derrotou completamente a súa força, tomou muitos prisioneiros, e entre outros o celebre chefe da revoluçaõ o mesmo Martins.

*Reflexoens sobre as novidades deste mez.*

## Reyno Unido de Portugal Brazil e Algarves.

### *Vinda d'ElRey para a Europa.*

A p. 139 copiamos um officio de Lord Strangford ao Marquez de Aguiar, e a resposta deste, sobre a vinda d'ElRey, e

Familia Real, para a Europa. Saõ estes documentos de data antiga, porem de grande importancia, para elucidar um ponto historico, que até aqui se naõ tinha posto em assas clareza.

Destes dous documentos se coliige que a idea de fazer voltar a S. M. Fidelissima para a Europa, se originou em Lord Strangford; e que elle se naõ póde por forma nenhuma justificar, em ter sido a causa de que o Governo Inglez mandasse uma esquadra para acompanhar a ElRey, sem que ninguem lho tivesse pedido; porque tudo quanto se passou, foi o dizer ElRey a Lord Strangford, que desejava voltar a Lisboa, sempre que as circumstancias lho permittissem; mas daqui se naõ seguia por forma alguma, que Lord Strangford ou outra qualquer pessoa se arrogasse o direito de decidir, quaes éram essas circumstancias. Esta decisaõ somente competia a ElRey; e mesmo ElRey, pelo dever de seu alto cargo, he obrigado a submetter sua vontade ás consideraçoens politicas, de que possam resultar maiores beneficios a seus povos.

Quando se appresentáram no Parlamento os officios de Lord Strangford ao Secretario d'Estado Inglez; e que nós entaõ publicamos na nossa collecçaõ, suspeitamos logo, pela comparaçaõ de outras asserçoens similhantemente incorrectas de officios de Lord Strangford, que se naõ devìa acoreditar o que elle dizia, sem alguma modificaçaõ: agóra vemos as nossas suspeitas confirmadas; e contradicto Lord Strangford por seus mesmos officios.

Lord Strangford tem o cuidado de explicar-se mui claramente em um ponto; e he, "que a esquadra Ingleza se naõ devia considerar, em caso algum, como escolta para proteger a Pessoa sagrada de S. A. R,; porque seus proprios navios poderîam amplamente exercer este honroso emprego." Lord Strangford tinha com effeito necessidade de dar ésta explicaçaõ, visto as expressoens de protecçaõ tantas vezes, e com tanta indecencia repetidas na Inglaterra: mas nem por isso se satisfaz cabalmente a questaõ de ir lá uma esquadra Ingleza, para acompanhar o Soberano, sem que para isso fosse de forma alguma requerida.

Lord Strangford, na sua nota ao Marquez d' Aguiar diz, que

tinha representado para a sua Côrte os desejos, que tinha S. A. R. de voltar a Lisboa, quando se offerecesse occasiaõ favoravel; e depois, que a sua côrte julgou que éra chegado esse momento, e por tanto mandara a esquadra; como se pertencesse á sua côrte o julgar desse momento. Porém tam longe estava Lord Strangford de ter authoridade para fazer taes communicaçoens á sua Côrte, que, chegando ao Brazil a noticia de que estava a partir da Inglaterra a esquadra do commando do Contra-Almirante Beresford, o Marquez d' Aguiar escreveo a Lord Strangford uma nota, em data de 15 de Dezembro 1814, pedindo-lhe uma explicaçaõ daquella inesperada resoluçaõ; e Lord Strangford respondeo, que *nunca tinha avizado para a sua Corte cousa nenhuma de positivo, mas unicamente participara por varias vezes os desejos, que S. A. R. manifestara de voltar a Portugal.* Compare-se ésta explicaçaõ, com o que Lord Strangford escreveo ao Secretario d' Estado Inglez, em que requer a immediata partida da esquadra; e se verá a figura que faz Lord Strangford no mundo diplomatico.

Lord Strangford, no officio, que escreveo a Lord Castlereagh, diz, "que S. A. R. o Principe Regente de Portugal tinha expressado a Lord Strangford a sua anxiosa esperança de voltar a Portugal, debaixo da mesma *protecçaõ* sob que o tinha deixa do." (Veja-se o Corr. Braz. Vol. XVIII. p. 497; e o que nos dissemos sobre isso a p. 453 do mesmo Vol.)

Temos pois, que Lord Strangford escreve a Lord Castlereagh, dizendo, que o Soberano de Portugal pedîra a Esquadra Ingleza para *protecçaõ;* e escreve este mesmo Lord Strangford ao Marquez de Aguiar, dizendo, que a Esquadra Ingleza naõ éra para *protecçaõ!*

Vamos, agóra, ao tempo em que devia ir a esquadra; mesmo supppondo que S. M. Fidelissima a tinha pedido.

O Conde Bathurst, que servîa entaõ de Secretario de Estado dos Negocios Estrangeiros, escreve a Lord Strangford, dizendo (Corr. Braz. Vol. XVIII. p. 497) " que como S. A. R. o Principe Regente de Portugal, tinha expressado o seu dejeso devoltar á Europa, *sem demora,* e debaixo *da protecçaõ* de uma esquadra Ingleza, ésta se apromptára logo, &c." As palavras *sem demora* naõ saõ expressas no officio de Lord Strangford ainda que a *protecçaõ* he mui claramente explicada; mas da intimaçaõ feita *tanto em publico como em particular, quatro ou cinco vezes n'uma semana;* sem duvida se deve concluir o que Lord Bathurst entende.

Era para desejar, que, quando o Ministerio Inglez apresentou ao Parlamento os officios de Lord Strangford, a este respeito, em que menciona a nota do Marquez d' Aguiar, apresentasse tambem ésta nota por extenso; porque por ella faría a Casa dos Communs uma idea bem differente, se naõ opposta, á impressaõ que os officios de Lord Strangford intentávam fazer.

Depois disto naõ deve admirar a ninguem, que Lord Strangford pedisse os seus passaportes para saîr do Rio-de-Janeiro, aonde o seu modo de proceder em diplomacîa, devia estar por taes factos demasiamente bem conhecido.

---

## *Conspiraçaõ em Lisboa.*

Achamos em uma das gazetas Inglezas, que seguem o partido ministerial, um artigo mui curioso, sobre a pretendida conspiraçaõ em Lisboa; e que nos fez tanto maior impressaõ; porque o comparamos com outros, que apparecêram nas mesmas gazetas, todos do mesmo jaez, muito antes, que se patenteasse, em Lisboa, a existencia da tal conjuraçaõ. He o seguinte.

" Cartas de Lisboa, de 26 do passado, dizem, que os processos dos conjurados estavam concluidos, e que se tinha mandado para o Rio-de-Janeiro a ElRey, uma conta de todos os procedimentos. A deserçaõ das tropas, destinadas para o Brazil, continûa em grande extençaõ. Mais de 100 homens desertáram de um dos batalhoens, que recentemente marchou para as vizinhanças de Lisboa. Cerca de 180 desertores passáram por Leiria, armados e dizendo que îam escoltando prisioneiros. Exigîram raçoens, que lhes naõ fôram dadas, e se lhes intimou que se rendessem; seguio-se uma escaramuça, em que se perdôram algumas vidas.

Elles effectuaram a retirada com as suas armas, posto que alguns fossem prezos. Bandos de desertores infestam varios districtos, impondo contribuiçoens." (Morning Post de 13 de Agosto.)

Parece-nos, que tudo isto saõ preparativos para se tornar a representar a ElRey, que deve voltar para Portugal, quer isso lhe faça conta quer naõ. Naõ nos admirará, depois disto, se virmos outra conrespondencia diplomatica, sobre a volta da Familia Real Portugueza para Lisboa.

---

## *Novo emprestimo em Portugal.*

Promettemos no nosso N°. passado dizer alguma cousa, sobre a contribuiçaõ que o Governo de Portugal pedio aos negociantes, a fim de preparar uma expediçaõ contra Pernambuco. Agóra accresce a isto o ter o mesmo Governo aberto um emprestimo de quatro milhoens de cruzados, para supprir o alcance do Erario. Tractaremos destes dous objectos junctamente, pela ligaçaõ que tem um com o outro.

Depois da portaria, que mencionamos no nosso No. passado, pedindo uma contribuiçaõ para aparelhar a expediçaõ contra Pernambuco, se expedio a varios negociantes a seguinte.

### *Circular.*

A Real Juncta do Commercio, Agricultura, Fabricas, e Navegaçaõ, participa a V. —— a Portaria do Governo, constante da cópia inclusa, para que tendo em vista o seu conteúdo e o importante fim a que se dirige, haja de dar nesta occasiaõ mais um testemunho do seu zêlo e patriotismo, auxiliando o Estado na expediçaõ dos meios indispensaveis para a execuçaõ de uma empreza, de que devem resultar a este Reyno as maiores vantagens.

Deus guarde a V. —— Secretaria da Real Juncta, em 31 de Maio de 1817.

*(Assignado)* JOZE ACCURSIO DAS NEVES.

Se em Governos livres, aonde cada individuo pode, sem perigo, expressar as suas opinioens, he util o discutir pela imprensa as questoens de publico interesse; esta medida vem a ser de summa necessidade, em paizes aonde os particulares tem difficuldade para expressar seus sentimentos, manifestar suas necessidades, ou declarar os vexames que lhes fazem. A naõ ser este methodo, naõ ha meio porque as resoluçoens Soberanas obtenham a devida previa consideraçaõ; porque, geralmente fallando, os thronos se acham sempre rodeados pela lisonja, e o interesse particular desfigura todos os objectos, antes que elles sêjam apresentados á decisaõ Soberana. Astutos cortezaõs representam a ignorancia como solida baze dos governos; e quando o mal chega ao ponto da dissoluçaõ dos vinculos sociaes, cada um desses aduladores interessados foge com as riquezas mal adquiridas, que obteve, por meios sinistros, e o Soberano se vê entaõ, sem remedio, sacrificado como primeira victima. Sêja prova disto um exemplo tirado do mesmo Portugal.

Quando ElRey D. Affonso VI. perdeo o throno, tinham as cousas chegado a tal estado, que elle ja naõ achava, quem lhe obedecesse, os cortezaõs, e até os Secretarios de Estado, fugîram, escondêramse e pretenderam todos tirar de si a culpas dos males passados desamparando a ElRey na hora do aperto.

Os homens bons de todas as naçoens, posto que descontentes sêjam do Governo, saõ os que primeiro se arrostram com os perigos, em defeza do Poder Legitimo. Isto aconteceo em Lisboa, quando a portaria e circular, de que tractamos, se fez publica. Appareceo logo a melhor disposiçaõ para auxiliar as boas intençoens do Governo, principalmente nos Negociantes, que tinham commercios com Pernambuco; e portanto muito se devia esperar, se aquella classe de vassallos estivesse mais satisfeita da integridado de seus Governantes.

Naõ basta, em materias de politica, que se appelle para os principios honrados dos particulares: porque he necessario tomar a natureza humana tal qual ella he: convem que se olhe para os interesses dos individuos, e neste sentido se dirigio o Governo de Portugal aos Negociantes do Reyno, lembrando-lhes, o que perderîam em seu commercio, com a revolta de Pernambuco.

Porém quando vemos o descuido, que tem havido em conservar as relaçoens commerciaes de Portugal com o Brazil, parecenos alguma cousa descarado, o lembrarem os Governadores do Reyno este ponto do commercio de Pernambuco, como incitamento para as contribuiçoens.

A admissaõ indistincta dos vinhos e outros artigos estrangeiros no Brazil, tendem mui directamente a cortar os laços que unîam o commercio de Portugal com o Brazil: e, pelo que respeita a Pernambuco, póde dizer-se que o commercio de Portugal para aquella praça éra ainda continuado, naõ por causa do lucro, mas por méra necessidade, ara ajustar restos de contas, liquidar dividas antigas, ou conservar relaçoens entre parentes ou amigos.

He evidente, que as connexoens politicas, entre Portugal e o Brazil, devem ter por fundamento a reciprocidade de interesses, e sem ésta a connexaõ politica deve necessariamente acabar mais dia menos dia. A reciprocidade de interesses deve buscar-se no laço commum dos ganhos do commercio de uma e outra parte; o que se acha facilmente no consummo das producçoens de um no outro paiz. Mas se os vinhos de Portugal se naõ podem vender no Brazil; porque ali se admittem todos os vinhos estrangeiros; e se o arroz do Brazil se naõ póde vender em Lisboa; porque ali se admitte o dos Estados Unidos, he claro que naõ póde haver interesse mutuo nas relaçoens politicas de ambos os paizes, e uma separaçaõ vem a ser effeito necessario dessa falta de previdencia. Diraõ que se conservará a uniaõ pela força. Misero recurso! ¿ Que pódem os exercitos, contra os interesses permanentes das naçoens?

O Brazil naõ poderá, por muito tempo, vista a pequenhez de sua populaçaõ, comparada com seu territorio, ser um paiz fabricante; logo a preferencia, dada ás manufacturas de Portugal, servirîa de laço e meio de uniaõ entre os interesses dos dous paizes.

Porém ¿ que acontece? Admittem-se as chitas e mais fazendas

estampadas, que os estrangeiros levam ao Brazil, e perecem as fabricas de Portugal, por naõ acharem consumidores a seus artigos.

Mais ainda: naõ só se admittem as chitas estrangeiras no Brazil, mas carregam-se as de Portugal, com o direito de 8 por cento de consulado na exportaçaõ, como se de proposito naõ quizessem, que ellas entrem em competencia com as estrangeiras no Brazil. ¿ Quantas vezes temos exposto ésta materia? E no entanto nada de remedio; e com tudo, appella o Governo de Portugal para o interesse, que o Negociante de Lisboa tem, em supprimir a revoluçaõ de Pernambuco, pela perda que isso lhe tras a seu commercio.

Naõ repetiremos aqui, o que temos por muitas vezes observado, sobre os vexames, que causa á navegaçaõ, o sugeitar os navios a jurisdicçoens desnecessarias do Capelaõ Mor e Phisico Mor, &c. do que só resultam as propinas que recebem aquelles empregados publicos, em directa ruina do commercio: basta dizer que em Lisboa naõ só pagam os donos dos navios aquellas despezas de soldadas, que as outras naçoens naõ tem, mas aînda em cima saõ obrigados a pagar peitas para se livrarem das demoras das visitas, &c.

Entre outros encommodos, tem os navios de levar os degradados, sustentallos á sua custa, responder por elles, e até pagar aos botes ou muletas, que tragam para terra os guardas, que lhe mettem a bordo, em quanto estaõ no porto.

O navio que despacha para o Rio preciza de quatro dias de diligencias effectivas do Capitaõ, pagando alugueres de seges, &c; e muitas vezes depois de tudo isto, vem ordem do Governo para que naõ sáia o navio, até estarem promptas as cartas e officios, que se estaõ escrevendo.

Dada ésta situaçaõ das cousas, precisa ter um pouco cara forrada de cobre para dizer aos negociantes, que paguem contribuiçoens, para que naõ percam os seus interesses mercantis, com a revoluçaõ de Pernambuco

He verdade, que depois de tantos requirimentos dos negociantes de Lisboa, a Juncta do Commercio fez o apparato de querer ouvir as opinioens dos particulares, para informar sobre as reformas necessarias; porém o manhoso Secretario Jozé Acursio das Neves, apoiado pelo Principal Souza, a quem deo as necessarias encensadellas na Historia da Invasaõ de Portugal, e o atilado Conservador, que tem as costas quentes com outro Governador seu tio, tudo annihilam, tudo demóram, e em nada se mostra actividade senaõ em perseguir com odio mortal, aquelles que lhes apontam as suas faltas; o que se chama crime de lesa majestade imperdoavel.

Vamos agóra ao novo emprestimo: e sobre isto temos tanta mais difficuldade em fallar; porque nos informam que a portarîa foi minutada pelo Senhor Ricardo Raymundo Nogueira, a quem o respeito de discipulo pede licença para dirigir algumas observaçoens do jornalista.

O descaramento do Principal Souza, a ignorancia do Marquez de Borba, e a indifferença do Marquez de Olhaõ, fazem com que nos naõ admiremos da lhaneza com que aquelles senhores querem ser accreditados, em suas asserçoens, só porque o Secretario Forjaz, diz que tal ou tal cousa deve ser assim; e assentam que o mundo está mui satisfeito, porque ainda naõ chegou o momento de se verem obrigados a sentir as verdades em casa.

O fundamento, que dam os Governadores do Reyno, na portaria que copiamos a p. 135, para abrir um novo emprestimo, he o occurrer ao alcance do Erario: ora, ¿ como póde um emprestimo obviar o alcance? Se o Erario devia a Pedro, e agora pede emprestado a Paulo para pagar a Pedro ¿ como remedêa o alcance? Esta medida, pois, de pedir emprestado para pagar dividas, só serve de augmentar as difficuldades, augmentando a divida com os juros que tem de pagar, o que até aqui naõ pagava; porque as dividas estavam nas maõs dos credores originaes, que se darîam por mui contentes se recebecem o principal, sem jamais cuidar em pedir juros.

Porém, olhemos a questaõ por outro lado. O Governo pedindo este emprestimo, para occurrer ao alcance do Erario, embaraça-se mais com o pagamento dos juros: e naõ cuida em dizer; porque ha de ninguem ter confiança nelle, para lhe emprestar cousa alguma.

O Governo treme da opiniaõ publica, como se prova pela recente prohibiçaõ dos periodicos impressos em Inglaterra; e atemorizado, como assim se mostra, da opiniaõ publica, attereve-se a pedir um emprestimo, que naõ póde ter outra segurança de pagamento, senaõ a boa fé desse atemorizado e vacilante Governo; que julga fazer-se solido e firme prohibindo os periodicos de Londres e confiando o seu apoio no Expectador!!

Mas vejamos como ésta Portaria tende a consolidar o credito desse mesmo desacreditado Governo. ¿ Admittem os Governadores que se entre no Erario, por conta do emprestimo, com o encontro de dividas assivas do mesmo Erario? Naõ.

¿ Pois que he isto, de naõ admittir encontros, senaõ declarar o Governo que elle mesmo naõ crê que as suas dividas valham cousa alguma? Se o Governo assenta, que naõ vale a pena de receber os creditos do que deve ¿ quem he que póde dar um ceitil por taes dividas de tal Governo?

No paragrapho décimo da Portaria dizem os Governadores do Reyno, que as acçoens deste novo emprestimo gozaraõ dos mesmos privilegios e izençoens de que gozam as apolices do emprestimo de 1801; isto he, se houver novo emprestimo para o anno que vem, éstas apolices naõ teraõ credito, nem mesmo no Erario, que pelo que se practica agóra, naõ seraõ recebidas em encontro, como se conclue do paragrapho 1º.

Pelo que respeita o palanfrorio, que serve de proemio á Portaria, só nos parce bom para entreter rapazes de eschola; e naõ exposiçaõ de principios de economia politica, que possam ser examinados por nenhuma pessoa de senso commum.

Diz a Portaria, que produzindo a guerra a diminuiçaõ de capitaes, e paralizando a industria e commercio, diminuîram por consequencia as rendas publicas. ¿ E como se propoem remediar isto? Impondo novos tributos, com o que se diminue ainda mais os capitaes, e se paralyza mais a industria.

Deve observar-se que os novos tributos, assim exigidos para o pagamento dos juros e amortizaçaõ do principal deste novo emprestimo, saõ impostos sobre generos da primeira necessidade, o que necessariamente tende a diminuir directamente a industria, e por consequencia, segundo os principios desses mesmos Governadores, a sua medida tende a agravar mais o mal.

Se em vez de impôr novos tributos, se attrahissem para o Reyno novas fontes de riqueza, isso sim augmentaria as rendas do Erario; e diminuindo despezas inuteis; e propinas de vexame aos particulares o commercio prosperaria.

Tem existido por muitos annos em Londres uma chamada Administraçaõ, para a venda dos diamantes e outros contractos Reaes. Se esta Administraçaõ deve estar na Europa e naõ no Brazil ¿ porque naõ está antes em Lisboa?

A consequencia de se fazerem estas vendas em Londres he, que o seu producto opera no commercio, como se fosse uma riqueza Ingleza; visto que as letras saõ sacadas sobre Inglaterra para se fazerem estes pagamentos, e assim ajuda o Governo a augmentar o cambio em desfavor de sua naçaõ. Se ésta Administraçaõ estivesse em Lisboa, em vez de estar em Londres, os lucros que dali resultam ficarîam em Portugal, e naõ na Inglaterra; e assim em tanto quanto isso monta, se ajudarîa a favorecer o cambio nacional.

Mas o Banco do Rio-de-Janeiro tem interesse em que este gyro se faça pela maneira actual, e quer a naçaõ soffra quer naõ, he preciso acudir ao interesse de individuos; e julga-se que se remedêa o mal, augmentando-o com a imposiçaõ de nossos tributos, sobre artigos de primeira necessidade, e de que depende a existencia do homem.

Em uma palavra, dizem os Governadores do Reyno, que as rendas do Erario se acham desfalcadas, pela diminuiçaõ da industria; e propoem como remedio um tributo em generos da primeira necessidade, que por força ha de diminuir mais a industria, e por consequencia causar maior desfalque nas rendas do Erario.

Bellos medicos; he pena que naõ consultassem nisto o seu

amigo e advogado Jozé Agostinho, digno cooperador de tal Administraçaõ.

---

## *Ministerio do Rio-de-Janeiro.*

Copiamos das gazetas Inglezas a seguinte noticia.

"O paqueta Sandwich chegou a Falmouth do Rio-de-Janeiro, trazendo noticias até a data de 21 de Junho. Segundo éstas noticias, tinha falecido, naquella cidade, o Conde da Barca, e o Cavalleiro Bezerra foi nomeado para Secretario de Estado interinamente O rumor dizia, que o actual Governador da Bahia, ja condecorado com o titulo de Marquez de Cascaes, e o conde de Palmella, agora Ministro de S. M. F. em Londres, tinham sido nomeados Secretarios de Estado; o primeiro da repartiçaõ de marinha e colonias, o segundo dos negocios estrangeiros e da guerra: o Desembargador Thomaz Antonio Villanova; he o Secretario de Estado da repartiçaõ do Interior."

Este paragrapho appareceo no *Times;* ue he a gazeta, aonde o *Brazileiro estabelecido em Londres* publica os seus escriptos; e como aquelle escriptor se tem mostrado tam bem informado sobre as medidas do Gabinete do Rio-de-Janeiro, talvez sáiba se este paragrapho contém informaçaõ verdadeira, ou se foi fabricado aqui em Londres. Nós o que podemos dizer sobre a materia he, que as cartas, que recebemos do Rio-de-Janeiro, da mesma data naõ dizem cousa nenhuma a respeito de nova formaçaõ de Ministerio, depois da morte do Conde da Barca.

---

## *Investigador Portuguez.*

Este bello Jornal official da Embaixada Portugueza em Londres, depois de nos ter atacado como favorecedores de revoluçoens; porque nós tinhamos dicto, que havia abusos da Administraçaõ no Brazil, que provocavam os homens bons e espirituosos daquelle paiz; saîo-se agorá no seu No. 74 a p. 275 com esta expressaõ; falando de Pernambuco:—

"Que na parte administrativa tambem havîam abusos enormes, parece ser uma verdade incontestavel."

Os Redactores continûam a provar com exemplos ésta sua assersaõ; e porque nós dissemos isto mesmo attrevem-se a accusarnos de favorecermos as rebelioens! Forte consistencia de principios!

Estes mesmos Redactores, que enumeráram entre os beneficios que o Brazil tinha recebido, o ser nomeado Reyno, em vez de Estado do Brazil, disséram que em Portugal havia mais causa de revoluçoens do que no Brazil; porém nós agóra lhe apresentamos um facto, no documento, que copiamos a p. 133, o qual lhes póde servir, com o mesmo argumento, para principiar o cathalogo dos beneficios, que Portugal tem recebido. He isto nada menos he do que a faculdade, que se permitte á Universidade de Coimbra, de mandar dous deputados, que se achem presentes á Coroaçaõ d' ElRey.

¿ E naõ he isto uma prova evidente do cuidado que tem os Ministros na Corte do Rio-de-Janeiro pelos interesses de Portugal? A sua logica naõ póde deixar de concordar nisto com o Correio Braziliense, quaesquer que sêjam as differenças em outros pontos.

---

### *Revoluçaõ em Pernambuco.*

A Narrativa official, que publicamos a p. 199, descreve o fim da tragedia em Pernambuco. Como ainda naõ tinhamos a gazeta da Bahia, traduzimos aquelle papel de uma traducçaõ Ingleza, mas chegando-nos depois o original, o comparamos, e achamos, que naõ tem variedade senaõ nas expressoens, o que sempre deve acontecer, quando se fazem traducçoens de traducçoens.

Assim findou aquella criminosa e imprudente empreza, que na nossa opiniaõ, como ja dissemos, tenderá a demorar muito os melhoramentos necessarios no Brazil, nas cousas politicas.

---

### *Princeza Real de Portugal e Brazil.*

S. A. R. a Princeza Real de Portugal, Archiduqueza d' Austria, chegou a Liorne aos 9, e embarcou aos 13 a bordo da esquadra Portugueza; e deo á vela para o Rio-de Janeiro.

## Estados Unidos.

O Presidente dos Estados Unidos, acompanhado por alguns dos primeiros officiaes de engenharia, militares, e da marinha, se acha actualmente visitando as fronteiras Orientaes da Republica, em ordem a concertar medidas para fortificar os pontos mais accessiveis, e para a construcçaõ de estaleiros, arsenaes, &c. O povo Americano parece determinado a preparar-se para a guerra, quando esta haja de ter lugar; e nisto sem duvida óbram elles prudentemente; e com tudo observam os jornalistas Inglezes, que ao presente nada occorre, que pareça ameaçar a tranquillidade entre os dous paizes, Estados Unidos e Inglaterra.

## França.

Por uma ordenança de'El Rey de 23 de Agosto, se mandou convocar aos 20 de Septembro os Collegios Electoraes, á fim de proceder á eleiçaõ da quinta parte dos membros da Cámara dos Deputados, que se deve renovar por esta mudança gradual de um quinto.

As gazetas Francezas annuncìam a conclusaõ das negociaçoens com a Sé de Roma, relativamente á situaçaõ da Igreja Galicana; em consequencia do que fôram creados tres Cardeaes Francezes: Taillerand Perigord, Gram Aumonier de França, e agora Arcebispo de Paris, tendo d'antes sido Bispo de Rheims, e Confessor d'El Rey: M. de la Luzerne, que éra Bispo de Langrei: e M de Beausset, Bispo de Alais. Daremos o tractado no nosso No. seguinte; elle he datado de 11 de Junho.

El Rey mandou o Marechal Duque de Reggio a cumprimentar El Rey de Prussia na sua chegada ás fronteiras de França, aonde S. M. Prussiana tinha vindo a passar revista ás suas tropas, antes da reduçaõ do exercito Alliado de observaçaõ, que vai a ter lugar

Esta medida de diminuir ainda mais o Exercito Alliado em França, prova que as Potencias da Liga Sancta suppoem em França bastante poder no Governo, para poder sem o auxilio estrangeiro abater os descontentes; e ésta confiança se prova ainda mais, pela medida de introduzir no exercito Francez os officiaes que se achavam a meio soldo, como se vê da ordenança, que publicamos a p.155. Estes officiaes constam pela maior parte, das tropas, que foram desbandadas, por tomarem partido contra El Rey em 1815; portanto, se o Ministerio Francez e os Alliados se naõ enganam, o que naõ he de suppor, o poder d' El Rey, começa a consolidar-se e estabelecer-se mais do que certamente nunca esperamos.

El Rey de Prussia chegou a Paris aos 17 de Agosto, debaixo do nome de Conde Ruppin, accompanhado de dous ajudantes de Ordens, e do Embaixador Prussiano. Foi introduzido no Gabinete d' El Rey pelo Duque d' Aumont, e se demoráram em conferencia por meia hora. Depois disto o Conde Ruppin visitou a Suas Altezas Reaes, Monsieur, Madame, e Duque d' Angouleme. As duas horas e meia o Conde visitou o Duque e Duqueza de Berry.—Foi decorado com a ordem do Espirito Sancto. O Conde jantou depois com El Rey.

## HESPANHA.

No nosso No. do mez passado annunciamos, que o Governo Hespanhol havia tomado a resoluçaõ de conceder uma amnestia geral, por todos os crimes, ou suppostos crimes, politicos; e dissemos mais, que, em consequencia desta determinaçaõ, se naõ tinha executado a sentença do General Lacy, e que aquelle official havia sido transferido para a ilha de Majorca.

Quanto a ésta ultima parte, he certo, que o General Lacy foi mudado para Majorca; mas foi para ser alí arcabuzeado; o que teve lugar aos 5 de Julho, pelas 4 horas da manhaã; naõ se atrevendo o Governo Hespanhol a matallo, em Barcelona, nem ainda mesmo em Majorca á luz do dia; e por isso lhe tirou a vida, inesperadamente e de madrugada; antes que se pudesse ajunctar concurso de povo.

Como os castigos, e imposiçaõ de penas, tem em vista o exemplo, e naõ a vigança do individuo, saõ as execuçoens de justiça sempre feitas, em todas as naçoens civilizadas, com a maior publicidade possivel, e no lugar mais proximo, que as circumstancias permittem, áquelle em que o delicto foi commettido. Mas na Hespanha, na Turquia, e outros governos similhantes, que por sua tyrannia se acham em guerra aberta com seus subditos, as pessoas, a quem os governantes temem, saõ esganadas ou garroteadas de noite, em prisoens solitarias, ou se lhes tira a vida em algum lugar remoto, como Sua Majestade Catholica acaba de executar com o General Lacy.

Pelo que respeita a amnestia: que tantas vezes se tem dicto estar ao ponto de conceder-se, deixamos ao Leitor o julgar o credito que taes rumores merecem, havendo nós repetido a noticia em tantos numeros, e naõ podendo nunca dizer, que se verificára. Desta vez accrescentam os partiditas do Governo Hespanhol, que D. Martin Garay, (o actual Ministro da Fazenda, e que organizou o plano de Finanças, que se deseja pôr em execuçaõ na Hespanha) exige ésta amnestia, como ingrediente necessario para manter o credito publico; que o Conselho de Hespanha, e o da Inquisiçaõ concordam na conveniencia de tal medida; e que os ecclesiasticos, que éram os que mais clamávam por execuçoens sanguinarias, estaõ convencidos da necessidade de tal amnestia.

## Colonias Hespanholas.

As gazetas Francezas publicáram, como vindos de Hespanha os seguintes artigos.

"Madrid 10 de Julho. Naõ esta mui distante o momento, em que uma politica mais illuminada reconhecerá, que a causa da Realeza na America naõ he sómente a da Hespanha, mas a de toda a Europa, cuja antiga supremaica, a respeito de outras partes do Globo, bem depressa será destruida, se a Independencia alcançar o fazer suas bandeiras, respeitadas em paizes tam favorecidos pela natureza como os da America Meredional. A industria e as artes se apressaraõ a abandonar a Europa para ir ter a climas mais favorecidos, e a superioridade daquella parte do Globo, que até aqui se olhava, com razaõ, como centro da civilizaçaõ humana, terminará em uma servil dependencia.

" Julho, 20. O novo systema de impostos, introduzido por M. de Garay, excita a maior admiraçaõ. Mesmo aquelles, sobre quem mais carrega, naõ pódem negar-lhe o devido louvor. Sem apertar a Naçaõ, e sem augmentar as despezas da cobrança, dobra, pelo menos, as rendas do Erario. Espéra-se uma opposiçaõ, porém ella naõ fará cousa alguma; porque o Ministro tem a boa ventura de começar as suas operaçoens em tempo, que o povo começa a ter a maior confiança na justiça d' ElRey; em que diariamente se recebem as mais lisongeiras noticias do Mexico e do Peru; em que a pezar das mais infames piraterias, diariamente entram em nossos portos navios carregados com os productos de Lima, Vera-Cruz, Porto-Bello Carthagena, Havana e Manilla; em que a mais abundante colheita amadurece em nossas provincias; em que o commercio e manufacturas vam tornando a tomar a sua maior actividade; em que existem os mais amigaveis arranjamentos com o Brazil, Estados Unidos, Inglaterra, Austria e Russia; e em que a maior parte destas Côrtes offerecem os seus auxilios para submetter as nossas colonias; e ultimamente em que aquelles, que se attrevessem a oppôr-se abertamente ás sabias medidas do Governo, attrahiriam contra si a publica execraçaõ. Se a nossa divida he grande, grandes tambem saõ os nossos recursos. As nossas colonias naõ saõ incluidas nos calculos destes recursos; porém se tornarmos a entrar outra vez no gozo das riquezas do Mexico, somente aquelle paiz, com a ilha de Cuba, pagaria a nossa divida em breve tempo. O nosso exercito, a nossa marinha, e todos os nossos empregados civis saõ pagos punctualmente, assim como os juros, que se devem aos credores publicos."

Vemos nestes paragraphos annunciada, mui formalmente, a cooperaçaõ das Potencias Estrangeiras, para tornar a submetter ao Governo de Hespanha as suas colonias revoltadas. Ha muito, que os rumores indicávam as negociaçoens de Hespanha, para interessar as demais Potencias, na disputa das colonias revoltadas; mas agóra ja naõ póde haver duvida, de que tal medida se emprendera sériamente.

He mui possivel, e parece até provavel, por muitas circumstancias, que as Potencias mencionadas, nas noticias de Hespanha, que copiamos acima, concordem em dar o seu auxilio, para a subjugaçaõ da America Hespanhola, mas julgamos que a Inglaterra fará excepçaõ desta regra.

He evidente que o commercio Inglez naõ póde ter a mesma extençaõ, que tem agóra nas Colonias Hespanholas, se éstas tornarem ao dominio de Hespanha, a qual reestabelecerá os monopolios em seu antigo pé. Alem disto, he mui questionavel, se as vantagens, que a Hespanha propuzer ás naçoens, que lhe derem auxilio, seraõ ou naõ conformes com os interesses politicos da

Inglaterra. No caso em que o naõ sêjam, he natural que se agite a questaõ até que ponto a Inglaterra, asseverando que deve ficar neutral, por naõ ter direito de se intrometter na questaõ, admitta que as outras naçoens sêjam justificadas em sua ingerencia.

Por outra parte, as razoens, que a Hespanha alega, para que as demais Potencias Europeas se introméttam nesta questaõ de suas colonias, saõ mui inconcludentes, se ellas se explicam nos citados paragraphos. Diz a Côrte de Hespanha, que, se prosperar a independencia da America, os Europeos de talento e artistas deixaraõ suas patrias para se estabelecerem naquelles climas mais favorecidos pela natureza. Nestes termos parece que as naçoens Europeas, devem considerar como crime dos Americanos Hespanhoes, o ser o seu paiz favorecido pela natureza; e concluir daqui, que devem formar uma conspiraçaõ, para que aquelles povos naõ escolham o Governo, que melhor lhes convier.

No entanto, quer haja justiça quer naõ, nestes procedimentos, parece que ésta inutil cruzada está ao ponto de verificar-se. As gazetas Francezas prégam abertamente a doutrina de uma liga de todos os Soberanos, contra a independencia da America; e ultimamente appareceo na gazeta de Paris, chamada *Quotidienne* um longo paragrapho, destinado a provar a politica de tal liga, e mui especialmente a conveniencia que tem a Inglaterra em entrar nella; para supprimir os principios desorganizadores, que vam grassando na America; e que, diz a *Quotidienne*, pódem passar dali á India, e destruir as possessoens Inglezas na Asia.

Cartas de Vienna dizem, que o tractado entre Russia e a Hespanha fôra assignado aos 7 de Maio; e em consequencia delle a Russia fornecerá á Hespanha uma esquadra de 5 navios de linha, 4 fragatas, e 16 homens, o que tudo será empregado em subjugar as Colonias Hespanholas revoltadas; de sua parte, a Hespanha cederá á Russia a ilha de Minorca e as duas Californias.

As negociaçoens em Carlsbad começaraõ immediatamente. Este congresso será composto das seguintes pessoas. Por Inglaterra, Mr. Lamb; pela Russia, o Conde de Capo d' Istria; pela Austria, o Principe de Metternich; pela Prussia, o Principe Hardenberg e pela França o Conde de Caraman. Os principaes objectos, que occuparaõ este Congresso, dizem que seraõ os negocios das Colonias Hespanholas revoltadas, e as disputas entre Portugal e Hespanha; assim como a diminuiçaõ do Exercito de Occupaçaõ em França.

No entanto a causa da Independencia naõ deixa de ter apoios, e de continuar a fazer progressos; a pezar dos horrores da guerra civil, que dessola aquelles paizes.

O navio *Two Friends* saîo de Portsmouth, com mais de 100 officiaes voluntarios, que se vam unir á causa dos Independentes na America Meridional. Muitos daquelles officiaes saõ naturaes de Portsmouth, Portsea, e Gosport. O General Menzies, agente da Republica de Venezuela, que tinha chegado a Portsmouth, foi quem facilitou os meios a muitos officiaes moços, que desejavam servir na causa dos Independentes. Os que fôram saõ pessoas que tem servido em todas as classes; exercito, marinha, soldados marinheiros, &c. O navio tem abordo 10.000 armamentos completos, 10.000 espingardas, e 10.000 espadas. Despachou para S. Thomaz.

A situaçaõ dos exercito das provincias de Venezuela e Guayaéra, no mez de Julho éra a seguinte: —

O General Bolivar, á frente do exercitou principal, tinha o seu quartel-general em Mixa, diante de Angustura, sitiando a Nova e Velha Guayana, com as divisoens commandadas pelos generaes Piar, Arismendi, Cerdeno, Bermudez, Valdez, com a força de 7.000 homens, infanteria e cavallaria.

O General Paez, com os exercitos do Baixo Apure, perto de 6.000 homens, pela maior parte cavallaria.

O General Serasa, em Chapana, na provincia de Barcelona, pela retaguarda de Caracas, com 1500 de cavallaria, e cerca de 600 de infanteria.

O General Monagas, na retaguarda de Barcelona, com 700 de cavallo, e 300 infantes.

O General Marino, na provincia de Cumana, com 2.500 infantes e 300 cavallos.

O General Rezas, em Maturin, com 700 cavallos e 200 infantes

A esquadra de vasos, consistindo em chalupas de guerra, 7 brigues 1 hermaphrodita, 12 escunas, 1 chalupa, e 12 barcas canhoneiras, com 3500 homens abordo, tudo debaixo do Almirante Brion, e destinado ao Orinoko, deo á véla de Carapano aos 6 de Junho.

A ultimas noticias do Rio-da-Prata chegam até 27 de Maio, vindo por via do Rio-de-Janeiro. Segundo isto parece que o Chefe Realista o Colonel Sanchez, se conservava com 800 homens em Talcaguana, juncto ao rio Biobio, na provincia da Conceiçaõ, em Chili, tinha tambem ali as corvetas Venganza e Sebastiam, e o brigue Potrillo, mal esquipados. O General O'Higgins tinha marchado contra elle com 2.500 homens, e deixou os Senhores Hiliario e Quintana a frente do Governo. O General S. Martin, em sua marcha de Buenos-Ayres, tinha cruzado os Andes aos 4 de Maio. O exercito Realista, que obra no Alto Peru, tinha feito um movimento para Salla, lugar que fôra tomado, mas pouco depois os Insurgentes se encontráram com os Realistas, e Serra se retirou por Tariga, aonde foi atacado, e perdeo 400 homens, com grande parte de sua bagagem. O Portuguezes estavam em posse da Colonia, mas tanto ali como emMontevideo tinham escacez de mantimentos; porque as guerrilhas dos Insurgentes lhes interceptam os suprimentos,

A proclamaçaõ, que publicamos a p. 194 he interessante, em quanto nos offerece um resumo das vicissitudes da guerra em Venezuela. O seu author éra um dos prezos em Ceuta, que foi solto pela intervençaõ do Governo Britannico; porque havendo fugido da prizaõ, em que o tinha ElRey de Hespanha, e chegado a Gibraltar, o Governador Inglez daquella praça indevidamente o entregou aos Hespanhoes. Acha-se agóra empregado, em organizar a forma de Governo em Margarita.

O artigo de Madrid, que publicamos pa 183, sobre a guerra das colonias, falla bastante de perdoens promettidos, e mesmo concedidos aos Insurgentes. He justo publicarmos estes papeis da parte opposta, para que os nossos Leitores os comparem, com as queixas, que a este respeito fazem os Insurgentes. A falta de execuçaõ das capitulaçoens, como aconteceo por exemplo na de Caracas, em quebrantamento da qual foi preso, e morreo n'uma prizaõ o General Miranda, saõ causas mais que bastantes, para que os Insurgentes naõ creiam nas promessas dos Hespanhoes; a boa fé nestas materias, he sempre a melhor politica.

## INGLATERRA.

Formou-se em Londres uma associaçaõ para promover os interesses das fabricas de algudaõ Inglezas, por todo o Mundo, julgando-se, que ésta medida era necessaria para contrabalançar a opposiçaõ, que em varios paizes se fáz ás vendas das manufacturas d' algudaõ. Uma das medidas prjectadas deverá ser o vender, ainda que sêja com perda, mais barato do que o pódem fazer as fabricas rivaes.

Por um arranjamento, consecutivo á uniaõ do thesouro de Irlanda com de Inglaterra, o Banco Inglez pagará como suas as notas do Banco Irlandez: este arranjamento facilitará muito as operaçoens mercantis entre os dous paizes, e fará augumentar o Capital Irlandez 10 por cento; visto que tal éra a differença do cambio.

Dizem que o Banco da Inglaterra, tem em contemplaçaõ descontar letras a quatro por cento. Depois que o valor dos fundos publicos tem lavantado, e o dinheiro he tam abundante no mercado, quasi todas as letras saõ descontadas por negociantes particulares, e ha pouco quem vá ter ao Banco para este fim. O que se póde chamar o seu capital commercial, para descontos, tem por isso ficado fóra da circulaçaõ, e o emprego activo daquelle capital he mui proveitoso, para que sêja desprezado. Na verdade, em consequencia da abundancia do dinheiro, se espera que o Governo faça circular bilhetes do Exchequer a 2½ peniques, e talvez a 2 peniques o que conresponde ao juro de 3 por cento. Os bilhetes, que andam agora em circulaçaõ alcançam um premio de 30 shillings. Tal he o estado do dinheiro em Inglaterra, ao mesmo tempo que nos fundos do Governo da França se obtem 7 ou 8 por cento, e quasi outro tanto nos Estados Unidos! Tal he a opiniaõ que o Mundo tem da inviolabilidade da Fé do Governo Inglez, da solidez de seus recursos, e da sua estabilidade.

O Governo Inglez tomou a resoluçaõ de aparelhar varios navios armados, para a protecçaõ do Commercio Inglez, contra os actos de pirataria, que possam commetter os corsarios dos Insurgentes da America Hespanhola, como ja tem feito a respeito de outras naçoens: os navios destinados a este serviço estaõ promptos a dar á véIIa; e se suppoem que o seu primeiro destino será o Rio-da-Prata.

Os segnradores de Lloyds fizéram uma representaçaõ ao Governo Inglez, sobre as tomadias dos navios Hespanhoes e Portuguezes, aprezados pelos corsarios dos Insurgentes da America, Hespanhola, e que estando seguros em Inglaterra, saõ aquelles seguradores obrigados a pagar, na somma de mais de dous milhoens esterlinos. O Governo Inglez respondeo, que estes seguros em navios estrangeiros éram méras transacçoens de particulares, que se naõ podîam considerar por forma alguma como questaõ nacîonal. Esta reposta he conforme como as instrucçoens dadas aos Commandantes Navaes no Golpho Mexico, os quaes, segundo as ultimas noticias vindas da Jamaica, declaráram ter ordens, para guardar a mais estricta neutralidade, na contenda da Hespanha com suas colonias.

## PAIZES BAIXOS.

Dizem que as Côrtes de Bruxellas e Copenhagen fizéram uma convençaõ, para estipular certos regulamentos maritimos e commerciaes, calculados a promover os interesses de seus respectivos subditos. O instrumento, que ainda se naõ publicou, dizem que foi assignado em Copenhagen aos 10 de Julho.

## POTENCIAS ALIADAS.

Publicamos a p. 145. um documento, que mostra ser o protesto da Imperatriz que foi de França, Maria Luiza, apresentado no Congresso de Vienna, contra o reestabelicimento dos Bourbons no throno Francez.

A authenticidade deste papel tem sido mui disputada: nós naõ vemos nelle signaes intrisecos, que lhe tirem o credito de ser genuino; e as asserçoens dos jornaes, neste caso, naõ pódem ter mais pezo do que tivéram, quando negáram a genuidade das cartas do Duque de Otranto, o qual publicou depois que éram authenticas, e suas.

Quanto á matoria do protesto, diga o que disser S. M. Ex-Imperial, os seus argumentos saõ da fabrica de Bonaparte; e totalmente indignos de admissaõ. Bonaparte fez-se Imperador da França, por meio da força e da fraude. A fraude e a força o privou de ser Imperador. Quanto aos registros dos votos do povo a favor da dynastia de Napoleaõ, todo o mundo sabe como se representou essa farça. A outra alegaçaõ da consagraçaõ pelo Papa, tem a resposta immediata, em haver o mesmo Papa reconhecido Luiz XVIII.; e na persuaçaõ emque todos estaõ de que se amanhaã outro rey governar França o Papa o sagrará tambem, se isso lhe fizer conta. Com que argumentar para a legitimidade do Governo de Bonaparte com a sagraçaõ do Papa dever ter hoje em dia na Europa o mesmo effeito, que se a Ex-Imperatriz allegasse com a approvaçaõ do Gram Mufti.

POTENCIAS DA BARBARIA.

Uma gazeta de Marselha dá a seguinte noticia, que, se for verdadeira, he de grande importancia.

" Cartas authenticas da Costa de Barbaria annunciam um verdadeiro triumpho para a civilizaçaõ. Ha annos que o Bey de Tunis tem sugeitado a quarantena os navios que vem do Egypto ou de outros paizes empestados. Ultimamente foi queimado um navio que vinha carregado de Peregrinos. Estes peregrinos fôram os que, tenho quebrado a quarentena, e fugido para terra espalháram o contagio na Africa. Ao mesmo tempo, seguindo o exemplo do Bey de Tunis, o Dey de Argel, cedendo ás representaçoens do Consul Francez, ordenou que se conservassem em vigorosa quarantina todos os navios suspeitos de infecçaõ. Sería para desejar, por amor da humanidade, que este exemplo se seguisse nos demais estados da Turquia. E porque se naõ uniraõ os Principes Christaõs para pedir, como um grande beneficio á Europa, o estabelicimento de uma ley de quarantena em todos os paizes aonde reyna o contagio? Se realmente existe no direito das gentes, um direito, pelo qual os Estados possam exigir uns dos outros a remoçaõ de um inimigo perigoso, naõ ha razaõ para que esta authoridade se naõ exerça para remover um flagélo, que se renova perpetuamente, para dessolar os paizes em que se origina, e ameaça a todos os instantes o resto do mundo com iguaes calamidades."

A. p. 165 dannos a bulla do Papa, por que S. S. concede a El Rey de Hespanha a faculdade de impôr um tributo ao clero, em seus dominios. A corte de Roma explica-se nesta bulla, pelos mesmos termos, que fallaria em tempo de Leaõ X. ou de Gregorio. He este mais um exemplo de que a Sancta Sé, sem renunciar nunca ás suas pretençoens ainda as mais injustas, aproveita todos os momentos de as pôr em practica. Em Portugal, naõ obstante que o Governo se submêtta ao Papa desnecessariamente em muitos pontos, neste de impôr tributos ao clero naõ julgou que devia passar por tal cerimonta; nem haverá theologo ou canonista, que mantenha publicamente tal doutrina em Portugal, nem talvez em outro algum Estado da Europa.

Mui sabio he o Governo de Fernando VII!! que faz excepçaõ desta regra.

## RUSSIA.

O Imperador Alexandre mandou ao Ministro de Hespanha. Garay, a Ordem de S. Alexandre Newsky: e a Imperatriz Mãy mandou á Raynha de Hespanha a ordem de S. Catharina: estes presentes fôram acompanhados de cartas tam cheias de civilidade, que daqui se tem argumentado para provar a intimidade que existe entre os dous gabinetes de Petersburgo e Madrid.

No mesmo paquete que trouxe a Inglaterra a noticia da morte do Conde da Barca chegou o Conde de Black, que éra o Ministro Russiano, juncto á Corte do Rio-de-Janeiro. Este Minisiroteve ali disputas tam sérias com o Governo, que se resolveo a pedir os seus passaportes, e retirar-se sem se despedir. Qual fosse a causa dessas disputas he materia de mèra conjectura; mas suppoem-se que o fundamento da querella foi o naõ querer a Corte do Rio-de-Janeiro attender ás representaçoons da de Russia a favor da Hespanha sobre a invasaõ do territorio de Monte video.

O Consul Russiano em Londres fez annunciar officialmente, as vantagens do emprestimo, que abrio o Governo em S. Petersburg; pelo decreto e plano, que publicamos no nosso No passado a p. 28. mas até agora naõs abemos, que os homens endinheirados, e accustumados a este genero de especulaçoens, tenham feito comprar nestes fundos Russianos; porque tem em Londres e em Paris um jogo mais proximo e mais seguro na mudança continuada que estaõ fazendo de fundos Francezes para os Inglezes, e vice versa conforme uns ou outros sóbem ou descem.

# CORREIO BRAZILIENSE,

## DE SEPTEMBRO, 1817.

---

Na quarta parte nova os campos ára
E se mais mundo houvéra la chegára.

CAMOENS, C. VII. e. 14.

---

# POLITICA.

### REYNO UNIDO DE PORTUGAL, BRAZIL, E ALGARVES.

*Decreto, sobre as graduaçoens militares de certos officiaes de Fazenda.*

CONVINDO regular as graduaçoens militares, que competem aos officiaes de Fazenda, que em algumas capitanias deste Reyno do Brazil, ainda servem de Vedores de Gente de Guerra, e, nesta qualidade, exercîtam as funcçoens de Thesoureiros das Tropas das mesmas Capitanîas, e ao mesmo tempo determinar, os uniformes militares de que devem usar como empregados civis do exercito: hey por bem determinar; que os sobredictos Officiaes de Fazenda, que servirem de Vedores da Gente de Guerra, gozem, durante o tempo que assim fôrem empregados, da simples graduaçaõ de Tenentes-Coroneis, sem que por isso vençam ou tenham direito a perceber soldo algum militar, e poderaõ usar, durante o mesmo tempo, do uniforme de que usam os officiaes da Thesouraria-Geral das Tropas desta Côrte. O Conselho Supremo Militar assim o tenha entendido e faça executar, expedindo os depachos necessarios.

Palacio do Rio-de-Janeiro, 3 de Março de 1817.

Com a Rubrica de Sua Majestade.

---

*Decreto sobre as graduaçoens militares dos Secretarios dos Governos.*

Havendo Eu concedido a alguns Secretarios dos Governos das diversas Capitanias-Geraes deste Reyno do Brazil graduaçoens e patentes militares em milicias ; e convindo determinar em regra geral a graduaçaõ e uniforme militar, que devem ter e usar estes empregados, durante o tempo que servîrem taes empregos ; hey por bem que os Secretarios dos Governos das Capitanîas-Geraes, isto daquellas, cujos Governadores fôrem Capitaens Generaes, gozem da simples graduaçaõ de coroneis de Milicias, e os das outras capitanias da graduaçaõ de Sargentos-Mores, durante o tempo que exercerem os referidos lugares de Secretarios, e usem entaõ do mesmo uniforme determinado para os officiaes do Estado-Maior do Exercito, no plano que acompanhou o decreto de 19 Maio de 1806, com a differença porém de que as bordaduras, galoens, botoens, dragonas e floretes seraõ de metal branco, como está ordenado para as milicias em geral. O Conselho Supremo Militar o tenha assim entendido, e o faça executar com os despachos necessarios.

Palacio do Rio-de-Janeiro, em 3 de Março de 1817.

Com a Rubrica de Sua Majestade.

*Nota de S. Exc^a. o Ministro Portuguez em Londres a S. Exc^a. My Lord Castelreagh.*

Londres 14 de Julho, 1817.

O abaixo-assígnado acaba de ler com admiraçaõ, entre os papeis de Pernambuco, que correm impressos, um decreto do denominado Governo, dirigido a Mr. John Lampriere, para effeito de o confirmar nas funcçoens de Consul Britannico, que elle exercia antes da revoluçaõ. Este decreto, com data de 11 de Março, do qual o abaixo-assignado remette copia, parece dar a entender que este Consul, em contradicçaõ manifesta com as seguranças, que elle deo ao Governo, naõ teve escrupulo de apresentar os seus titulos ás authoridades illegitimas do paiz, e de lhes pedir a sua confirmaçaõ, naõ lhe sendo por forma alguma necessario dar este passo, para poder proteger os vassallos e propriedades Britannicas, que existîam em Pernambuco.

Toda a conrespondencia official, entre o dicto Consul e o Governo dos Insurgentes, he contraria ás seguranças que os baixo-assignado tem recebido de S. Excellencia My Lord Castlereagh, e de nenhuma sorte se conforma com o que practîcam em taes occasioens os Governos amigos e alliados,

O abaixo-assignado tem por dever communicar este facto a S. Ex^a. a fim de rogar-lhe o faça desapprovar, para assim destruir (no caso de ser verdadeiro) todos os máos effeitos, que poderia produzir no Brazil.

O abaixo-assignado aproveita ésta occasiaõ, &c. &c.

(*Assignado*) Conde de PALMELLA.

A. S. Exa. My Lord Castlereagh.

*Resposta á nota antecedente.*

O abaixo-assignado, Principal Secretario de Estado de S. M. na Repartiçaõ dos Negocios Estrangeiros, tem a honra do communicar ao Conde de Pamella, que recebeo a sua Nota, com data de 14 do passado, na qual representou ao Governo de S. A. R. que, durante a ultima rebeliaõ em Pernambuco, o Consul de S. M. tinha ali excedido os deveres de seu cargo, fazendo varios actos, pelos quaes parece ter reconhecido a legalidado das authoridades insurgentes. O abaixo-assignado recebeo ordem do Principe Regente, para declarar ao Conde de Palmella, a fim de que o participe a S. M. Fidelissima, que elle fortemente desapprovou o comportamento daquelle empregado publico, e que, em consequencia disto, ao mesmo empregado publico se fez saber, que elle obrára de um modo directamente contrario ao theor da sua commissaõ; e que naõ devia ter-se apresentado tam cedo perante aquellas authoridades irregulares, ou fazer, sem positiva compulsaõ, qualquer acto que fosse, pelo qual desse a entender a um governo usurpado, que elle éra reconhecido por um funccionario Britannico.

O abaixo-assignado roga com tudo ao Conde de Palmella haja de certificar ao seu Governo, que o Governo de S. A. R. está convencido, de que tudo o que o Consul de S. M. obrou naquelle caso, foi méro effeito de um zêlo mal entendido, para proteger a legitima propriedade e commercio dos Vassallos de S. M. e que, por nenhuma forma fôra em razaõ de ser affeiçoado aos insurgentes, ou de ter má vontade ao Governo de S. M, Fidelissima, o que amplamente se prova pela sua conrespondencia official.

O abaixo-assignado se aproveita desta occasiaõ, para

removar ao Conde de Palmella a segurança da sua perfeita consideraçaõ.

Secretaria dos Negocios Estrangeiros, Downing Street em 13 de Agosto, de 1817.

*(Assignado.)* CASTLEREAGH.

---

*Portaria dos Governadores de Portugal, sobre as cavalgaduras dos officiaes militares empregados em diligencia.*

Sendo necessario regular a maneira, pela qual os Officiaes do Exercito, que marcham em diligencia, devem ser abonados de cavalgaduras para conducçaõ das suas bagagens: manda El Rey nosso Senhor, que a este respeito se observe o seguinte.

1. Que a todo o official, que for mandado marchar em diligencia, e em distancia de mais de tres leguas do districto, em que residir, se abone pêlo departamento do Commissariato o numero de cavalgaduras de bagagem, que lhe conresponderem pela sua graduaçaõ, segundo as tarifas do Regulamento de 21 de Novembro de 1811.

2. Que a concessaõ de uma besta de bagagem, que pelas mesmas tarifas só pertencem aos capitaens e subalternos de cavallaria com Regimentos, e aos que tem empregos no Estado-Maior do Exercito, fique ampliada a favor de todos os capitaens e sabalternos em diligencia fóra de seus corpos.

3. Que cada uma das dictas cavalgaduras sêja paga a seis centos reis por dia, conforme se estabeleceo no dicto Regulamento, para o pagamento do aluguer das bestas, empregadas no serviço do Exercito, e á vista de uma guia ou ordem, que será passada ao Official pela authori-

dade, que o mandar marchar, e em que se delcare o seu itinerario, a fim de que por este documento se liquide o que tiver direito a receber, somente pelos dias, que estiver em marcha.

4. Que nas diligencias de inspecçoens, em que os officiaes, por deverem demorar-se pouco tempo, nos diversos pontos das suas commissoens, naõ puderem despedir as cavalgaduras alugadas para tal serviço, se abónem tambem pelos dias de demóra, naõ excedendo ésta a tres dias em cada ponto, D. Miguel Pereira Forjaz, do Conselho de S. M. Secretario dos Negocios Estrangeiros, Guerra, e Marinha o tenha assim entendido e faça exeexecutar. Palacio do Governo, em 11 de Julho de 1817.

Com tres Rubricas dos Governadores do Reyno.

---

*Portarias dos Governadores de Portugal, explicando a de 8 de Julho passado.*

1ª. El Rey Nosso Senhor Manda declarar, que o disposto no § 4º, e seguintes da Portaria de oito de Julho deste anno, relativamente aos Direitos, que devem cobrar-se nas Alfandegas desta Cidade, dos Generos Estrangeiros mencionados na Relaçaõ que faz parte da mesma Portaria, deve tambem entender-se a respeito dos que se despacharem na Alfandega de Setubal; e que no Artigo Manteiga se comprehende naõ só a de Vacca, mas tambem a de Porco. O Conselho da Fazenda o tenha assim entendido, e faça executar com as Ordens necessarias Palacio do Governo em cinco de Agosto de mil oitocentos e dezesete.—Com as Rubruicas dos Governadores do Reyno.

E para o sobredito chegar á noticia de todos, se mandou fazer publico por este modo. Lisboa, sette de Agosto de mil oitocentos e dezesette—Luiz de Sousa Brandaõ de Menezes.

2ª. Sendo presente a El Rey Nosso Senhor a Representaçaõ do Conselho da Fazenda, em Consulta de sette do corrente, sobre os dolos, que podem praticar-se transportando-se ás mais Alfandegas destes Reynos, onde saõ obrigados a pagar maiores Direitos, os Generos, que em conformidade das Portarias de oito do passado, e cinco do corrente, só devem pagar o Direito de quinze por cento nas desta Cidade, e da Villa de Setubal; Manda o Mesmo Senhor declarar, que em todas as sobreditas Alfandegas ficam obrigados a pagar o excesso dos mesmos Direitos. Palacio do Governo em doze de Agosto de mil oitocentos e dezesette.—Com as Rubricas dos Governadores do Reyno.

E para que assim haja de constar, se manda fazer público por este modo. Lisboa 13 de Agosto de 1817.

D. Miguel Antonio de Mello.
Joaquim Joze de Sousa.

---

## *Edital da Juncta da Saude de Lisboa.*

A Juncta da Saude Pública acaba de receber, em Officio do Consul Portuguez em Trieste, com data de 21 de Junho proximo passado, a noticia de se ter novamente manifestado a Peste de Levante nas vizinhanças de Macarsea e mui principalmente em Narent, ou Narenzo, por cujo motivo se impunha uma quarentena rigorosa naquella Cidade a todas as proveniencias da Dalmacia, e da Albania Austriaca; e junctamente, a de se haver communicado á Provincia do Friúl o Tipho Petechial, que taõ rapidos, e mortiferos estragos causa actualmente em quasi toda a

Italia, tendo já sido victimas de taõ terrivel mal diversas pessoas em Trieste, e em algumas Aldêas vizinhas: recebeo tambem, em Officio do Consul Portuguez em Alicante com data de 12 de Julho corrente, a noticia, que foi communicada á Junta Suprema de Saude do Reyno de Valencia pelo Consul de Hespanha em Veneza, de se começarem a experimentar naquella Cidade os crueis effeitos do mesmo Tipho Potechial: e finalmente recebeo, em Officio do Consul Portuguez junto á Regencia de Argel, datado de 7 do corrente mez, a noticia de que a Peste começava a desenvolver-se na Cidade, communicada do Arsenal aonde a introduzíra uma Embarcaçaõ chegada de Bónna. Por tanto a Juncta da Saude Pública, em desempenho dos seus deveres, que se tornam tanto mais dignos de cuidado nas presentes circumstancias, quantos saõ os diversos, e multiplicados Contagios, que devastam tantos Paizes, accrescendo os bem fundados receios, de que em vez de se desvanecerem, vaõ progressivamente crescendo, ajudados pela influencia da Estaçaõ calmosa; faz saber as Providencias, que vai adoptar para impedir a introducçaõ neste Reyno de taõ terrivel flagello, naõ só para que tenhaõ a sua devida execuçaõ por parte dos Empregados na sua Repartiçaõ; mas para que todos os Habitantes destes Reynos, sendo informados dos inculcaveis prejuizos, e irremediaveis desgraças, que experimentam tantos Póvos, hajam de concorrer para a prompta, e exacta observancia das cautelas recommendadas nos Artigos deste Edictal, antes que o mal se introduza, de cuja cooperaçaõ naõ lhes póde resultar senaõ utilidade, quando pelo contrario seraõ sempre baldados todos os esforços da Juncta da Saude, e de seus Subalternos, para impedir a introducçaõ do mal, que uma vez propagado he difficil atalhar, e extinguir.

I. Saõ Paizes actualmente contagiados da Peste de

Levante os Portos da Dalmacia da Albania, e da Regencia de Argel; e as Embarcações delles directamente provenientes naõ se admittem em nenhum dos Portos do Reyno, e quando succeda, que cheguem a entrar em algum delles, ficaraõ sujeitas ás Providencias, e cautelas determinadas ao Artigo II do Edital de 11 de Setembro de 1816.

II. Saõ Paizes actualmente muito suspeitosos da Peste de Levante or Portos da Croacia, e da Grecia no Mar Adriatico; da Ilha de Corfu; das Ilhas Jonicas; da Morêa; e das Regencias Barbarescas no Mediterraneo; e as Embarcaçoes delles provenientes, admittidas só, e exclusivamente no Porto de Lisboa debaixo de uma Quarentena rigorosa.

III. Saõ Paizes menos suspeitosos da Peste de Levante todos os outros Portos do Mar Adriatico naõ indicados nos dous Artigos antecedentes, e as Embarcações delles provenientes admittidas só, e exclusivamente no Porto de Lisboa debaixo de uma Quarentena de 20 dias, na qual fica comprehendida a que se devia impôr ás Embarcações provenientes dos Portos dos Estados Venezianos, e da Istria em consequencia do Tipho Petechial se ter manifestado nos seus Territorios; por cujo motivo fica sem effeito o Artigo II. do Edictal de 31 de Maio do corrente anno, na parte sómente relativa aos Portos da Italia no Mar Adriatico, continuando aliás em seu vigor os mais Artigos do referido Edictal, assim como os do outro Edictal de 11 de Setembro de 1816, que se naõ acham expressamente derrogados.

E para que chegue á noticia de todos, e se naõ possa allegar ignorancia, se mandou affixar o presente Edictal em todas as Praças, e Lugares Publicos dos Portos do Reyno, ficando em sua inteira observancia em quanto naõ fôr modificado, ou revogado por outro posterior. Lisboa 26 de Julho de 1817. MANUEL CYPRIÁNO DA COSTA.

## HESPANHA.

### *Circular do Ministro da Guerra.*

Ao tempo da tomada de Carthegena, em 1816, pelas tropas Reaes, commandadas pelos Tenentes Generaes D. Pablo Morillo, e D. Francisco Montalvo, Vice-Rey de Nova-Granada fôram prezos varios individuos culpados de haverem provocado a desobediencia ao Governo legitimo, e de terem fomentado a rebelliaõ e resistencia aberta, que retardou a ocoupaçaõ daquella cidade. Foi entaõ necessario processar nove dos individuos, que éram os principaes chefes e motores da rebelliaõ para impôr-lhes o castigo, que tinham merecido, mas levantáram-se algumas duvidas, sobre o tribunal, aonde éra proprio que fossem processados. O Vice-Rey decidio que se escolhece um Conselho da Guerra, composto de officiaes de graduaçaõ superior á dos accusados. Ao mesmo tempo mandou elle a S. M. uma conta dos motivos de seu arranjamento relativamente ao processo, sentença e execuçaõ dos criminosos, pedindo a approvaçaõ de S. M. e instrucçoens para a direcçaõ de sua conducta, no futuro, a respeito de pessoas culpadas de similhantes crimes.

El Rey approvou o comportamento do Vice Rey a respeito dos accusados, e depois de ter consultado o Supremo Conselho de Guerra, sobre as medidas, que seria conveniente adoptar, para punir ésta sorte de criminosos, S. M. resolveo arranjar em oito classes, os fautores, cabeças, provocadores,e auxiliadores da revoluçaõ e insurreiçaõ da America, em ordem a serem julgados como se ordena.

*Classe* 1. Comprehende todos os militares empenhados na causa dos Insurgentes, e que fôrem tomados com as armas na maõ.

2. Os espias, que tentarem entrar nas fortalezas Reaes.

3. Todos os que tentarem excitar á rebelliaõ as pessoas pacatas e bem dispostas.

4. Os officiaes ou soldados, que tendo pertencido ao Exercito Real, o abandonaram, e prestáram juramento de servir o Governo Revolucionario.

5. Aquelles, que, renunciando empregos, que tivessem debaixo do Governo Legitimo, aceitárem dos Insurgentes algum lugar.

6. Aquelles, que por seus escriptos, suas proclamaçoens ou opinioens politicas, tiverem acendido o fogo da rebelliaõ.

7. Aquelles que abusando da anarchia do Governo Revolucionario, tiverem assassinado, roubabo, ou perseguido os fieis vassallos de S. M.

8. Aquelles, que, sendo empregados pelo Legitimo Governo, continuarem a reter algum emprego debaixo do Governo Insurreccionario, ou tiverem reconhecido a sua authoridade.

Os individuos, comprehendidos nas quatro primeiras a na oitava classe, se forem militares, seraõ processados por um conselho de guerra ordinario, conforme a sua graduaçaõ reconhecida pelo Governo Legitimo. As pessoas comprehendidas nas quatro ultimas classes, seraõ processadas pelas authoridades civis (á excepçaõ dos militares comprehendidos na oitava). As suas sentenças seraõ executadas como as de um conselho de guerra; porque os distinctos insurgentes da America saõ considerados em estado de guerra, e he necessario que o castigo da rebelliaõ sêja prompto, para reter os habitantes dentro dos limites da obediencia.

Madrid 28 de Julho, 1817.

## FRANÇA.

*Convençaõ entre o Summo Pontifice Pio VII, e S. M. Christiamissima Luiz XVIII, Rey de França e de Navarra.*

Em nome da Sanctissima Individua Trindade.

Sua Sanctidade o Summo Pontifice Pio VII e Sua Majestade Christianissima, animados pelos mais ardentes desejos de que cessem inteiramente, em França, os males que por tantos annos tem afflicto a Igreja, e que a Religiaõ torne a assumir naquelle Reyno o seu antigo esplendor, visto que assim o permitte, em fim, a feliz volta do descendente de S. Luìz para o throno de seus antepassados; e em ordem a que a dissiplina ecclesiastica se regule mais convenientemente, tem resolvido, com estas vistas, entrar em uma convençaõ solemne, reservando para si o poder de providenciar ao depois mais amplamente, sobre os interesses da Religiaõ Catholica.

Em consequencia S. S. o Summo Pontifice Pio VII nomeou para seu Plenipotenciario a S. Eminencia Monsegnieur Hercules Gonsalvi, Cardeal da Sancta Igreja Romana, Decano de S. Agatha, ad Suburram, seu Secretario de Estado.

E. S. M. El Rey de França e de Navarra, S. Excellencia, M. Pedro Luiz Joaõ Casimiro Conde de Blacas, Marquez d'Aulps, e de Rolands, Par de França, Gram-Mestre da Guarda Roupa, seu Embaixador Extraordinario e Plenipotenciario juncto á Sancta Sé: os quaes, havendo devidamente trocado os seus plenos poderes, e achando-os em boa e devida forma, concordáram nos seguintes artigos:—

1°. A Concordata, convencionada entre o Summo Pontifice Leaõ X, e Francisco I Rey de França, he reestabelecida.

2o Em consequencia do artigo precedente, cessa de ter algum effeito a Concordata de 15 de Julho de 1801.

3o. Os artigos chamados organicos, que fôram feitos sem o conhecimento de S. Sanctidade, e publicados sem o seu consentimento, aos 8 de Abril de 1802, ao mesmo tempo com a sobredicta Concordata de 15 de Julho de 1801, saõ abrogados, em tanto quanto saõ contrarios á doutrina e leys da Igreja.

4o. As Sées, que fôram supprimidas no Reyno de França, pela bulla de S. S. de 29 de Novembro, 1801, seraõ reestabelecidas quanto ao numero, da maneira que mutuamente se concordar, e que for de maior vantagem para os interesses da Religiaõ.

5o. Todas as Igrejas Archiepiscopaes e Episcopaes do Reyno de França, erigidas pela dicta bulla de 29 de Novembro 1801, saõ conservadas, assim como os seus actuaes titulares.

6o. A disposiçaõ á conservaçaõ dos actuaes titulares nos Arcebispados e Bispados, que existem agora em França, naõ impedirá excepçoens particulares, fundadas em causas graves e legitimas, nem será impedimento para que os actuaes titulares sêjam transferidos á outras sées.

7o. As dioceses, tanto as que actualmente existem, como as que se vam a crêar, com o consentimento dos actuaes titulares, e dos Cabidos das Sées vagas, seraõ circumscriptas da mameira mais bem adaptada á sua melhor administraçaõ.

8o. Asegurar-se-ha a todas as Sées existentes, bem assim como ás de novo creadas, uma mantença conveniente, em propriedade de raiz, em rendas do Estado, em tanto quanto as circumstancias permittirem, e por em quanto se dará aos pastores uma renda sufficiente para melhorar a sua condiçaõ. Ao mesmo tempo se providenciaraõ congruas para os Cabidos, beneficios e e seminarios, tanto os existentes, como os que se vam a crear.

9°. Sua Sanctidade e Sua Majestade Christianissima estaõ scientes de todos os males que affiigem a Igreja de França. Elles sabem tambem quanto um prompto augmento das Sées existentes beneficiaria a causa da Religiaõ. Em ordem, portanto, a naõ demorar uma medida tam vantajosa, Sua Sanetidade expedirá uma bulla, para se proceder, sem demóra á erecçaõ e nova circumscripçaõ de dioceses.

10°. S. M. Christianissima, desejando manifestar novas provas de seu zêlo pela Religiaõ, empregará todos os meios em seu poder, para terminar o mais breve possivel as desordens e impedimentos, que obstam á prosperidade da Religiaõ, e á execuçaõ das leys da Igreja.

11°. Os territorios das antigas Abbadias *nullius diocesis*, seraõ unidos ás dioceses dentro de cujos limites se acharem incluidas, na nova circumscripçaõ.

12°. O reestabelimento da Consordata, a que se accommodava a França até o anno de 1789, (como se estipula no 1°. artigo da presente Convençaõ) naõ trará com sigo o das Abbadias, Priorados e outros Beneficos, que entaõ existiam. Os que para o diante se estabelecerem, seraõ em todos os casos sugeitos aos regulamentos paescriptos na dicta Concordata.

13°. As ratificaçoens da presente Convençaõ seraõ trocadas dentro de um mez, ou antes se fôr possivel.

14°. Ao momento em que a dicta troca tiver lugar S. Sanctidade confirmará a presente Convençaõ por uma bulla, e publicará segunda bulla, para determinar a circumscripçaõ das dioceses.

Em fé do que, os respectivos Plenipotenciarios assignáram a presente Convençaõ e lhe affixáram os seus respectivos sellos.

Dada em Roma aos 11 de Junho ne 1817.

BLACAS D' AULPS.

---

*Declaraçaõ feita pelo Embaixador Entraordinario de de S. M. Christianissima.*

Havendo S. M. Christianissima sabido, com extrema dôr, que certos artigos da Charta Constitucional, que elle outorgou a seu povo, tem parecido a S. Sanctidade contrarios ás leys da Igreja, e ás opinioens religiosas, que S. M. nunca tem cessado de professar, penetrado de sentimento com tal interpretaçaõ de suas vistas, e desejando dissipar todas as duvidas a este respeito; tem encarregado ao abaixo-assignado o explicar as suas intençoens a S. Sanctidade; e declarar, em seu nome, com aquelles sentimentos que saõ proprios do filho mais velho da Igreja, que, depois de ter declarado, que a Religiaõ Catholica Apostolica Romana he a Religiaõ do Estado, tem confirmado a todos os seus vasssallos, que professam outras persuasoens, que achou estabelecidas em França, o livre exercio de sua religiaõ; e lhes tem, consequentemente, garantido isto, pela Charta, e pelo juramento, que S. Majestade prestou. Mas este juramento naõ pode de forma alguma impugnar nem os dogmas nem as leys da Igreja, estando o abaixo-assignado authorizado a deelarar que isto somente se refere á ordem civil. Tal he a obrigaçaõ em que El Rey tem entrado, e que he obrigado a manter. Tal he a que seus subditos contrahîram, jurando obediencia á Charta, e ás leys do Reyno, sem que sêjam obrigados por este acto a cousa alguma contraria ás levs de Deus ou da Igreja.

O abaixo-assignado, dirigindo a presente declaraçaõ a S. Eminencia o Cardeal Secretario de Estado, na conformidade das ordens, que recebeo d' El Rey seu Amo, tem a honra de rogar a S. Eminencia, que tenha a bondade de a submetter á inspecçaõ de S. Sanctidade o Sancto Padre. Elle presume esperar, que ésta declaraçaõ terá o effeito de obliterar toda a impressaõ em contrario, e que, por este meio, promoverá as saudaveis vistas de S. Sanctidade em confirmar o socego da Igreja Franceza.

O abaixo-assignado tem a honra de renovar a S. Eminencia, o Cardeal Secretario de Estado, as seguranças do sua alta consideraçaõ.

Roma 15 de Julho, 1817.

BLACAS d' AULPS.

---

*Abstracto da Ratificaçaõ.*

Quando, por singular favor de Deus Todo Poderoso, fomos restabelecidos á nossa Cadeira, donde uma poderosa tempestade nos tinha levado para o profundo de um mar de desgraças, voltamos o nesso espirito para aquella complicaçaõ de males, com que a sancta Esposa de Christo se achava miseravelmente afflicta; e sentimos a alegria, inspirada pela nossa volta, perturbada pela triste consideraçaõ delles: porém sendo collocados naquella situaçaõ, em que naõ bastava lamentar, mas éra necessario, por todos os esforços possiveis, remediar essas cousas; applicamos assiduamente o nosso cuidado, em ordem a prevenir tam grande dessolaçaõ no rebanho do Senhor; e, como requer o nosso dever, depois de uma revoluçaõ dos nogocios, fortificar o templo, e consolar os restos de Israel.

Porém, ainda que com grande anxiedade de espirito, trabalhamos desta atalaya do Grande Apostolado, para effectuar isto por toda a parte da Igreja Catholica, em que podemos obrar ; com tudo julgamos, que os nossos cuidados e particular attençaõ éram principalmente devidos ao Reyno de França; e que a solicitude apostolica podia ser mais abundantemente empregada, aonde estes males se tinham aggravado mais pela aspereza dos tempos. Porque, naõ sómente as numerosas calamidades, com que havîam contendido as igrejas de França, porém tambem uma agradecida boa vontade para com toda a naçaõ, que tanto tinha merecido de nós, exigîam de nós isto, como por um direito de peculiar justiça. Com agradavel lembrança nos recordamos da distincçaõ, numeroso sequito, e devoçaõ de espirito, com que fomos ali recebidos, ainda que n'um periodo o mais desfavoravel; de maneira que, pelo conselho de Deus Poderoso, a honra, que he devida a Pedro, nem foi impedida nem obscurecida, pela falta de merito de seu successor, nem pela agitaçaõ do perigo.

Porém, para completar ésta grande obra nos ajudou a religiaõ e piedade de nosso amado filho em Christo, Luiz Rey dos Francezes. Porque, quando lhe patenteamos os nossos designios, para curar com um remedio efficaz as feridas causadas á Igreja Catholica, naquelle Reyno, declarou que um de seus mais ardentes desejos era, que assim como Leaõ o Grande tinha dado os parabens a Pulcheria Augusta, debaixo da favoravel disposiçaõ da Divina protecçaõ, que nunca desampara a Igreja, o Espirito Divino animaria a sua mesicordia, e o desejo de nosso coraçaõ, para que, na mesma obra e com o mesmo espirito, pudessemos ambos concordar nos remedios, que se podîam obter.

Porém apenas nos tinhamos começado a applicar a este

importantissimo negocio, quando outra vez tornou a resoar "o ruido das rodas, o bufar dos cavallos, e tinir das espadas," e portanto fomos outra vez obrigados a retirarnos da cidadela do Pontificado, com os nossos veneraveis irmaõs os Cardeaes da Sancta Igreja Romana, para que nos pudessemos remover dos iminentes perigos e impedimentos á nossa administraçaõ da Igreja; e lamentámos, que todos os nossos melhores conselhos se frustráram logo no principio, pelo novo tumulto da guerra, que involveo em perigo todos os negocios da França e da Italia. Porém fazendo Deos a paz no Ceo, immediatamente resurgio aquelle tam desejado dia, em que, com o auxilio do Rey Christianissimo, podemos consultar opportunamente o bem da Igreja, nas vastas regioens da França. O nosso amado filho em Christo, o Rey Luiz, bem sciente de que as cousas de Deus devem ser curadas por elle com distincto e peculiar cuidado, se dirigio a nós por cartas, cheias de obediencia, devoçaõ e piedade, pedindo que nos dessemos pressa em ajustar os negocios da Igreja, nos seus dominios, por uma concessaõ Apostolica.

Portanto, consentimos voluntariamente nos desejos do Piedosissimo Rey, que éram tambem os nossos mais ardentes e diarios desejos; e cuidamos em que todas aquellas cousas, que tendiam para o fim proposto, fossem immediatamente postas em deliberaçaõ, e maduramente ponderadas em uma Congregaçaõ de nossos veneraveis irmaõs os Cardedes da Sancta Igreja Romana. Tal, porém, éra a extençaõ e importancia das materias, que havia para arranjar, que, naõ sem longas e laboriosas consultaçoens, temos por fim, com o auxilio d' Aquelle, que he o Pay da Luz, folizmente completado o negocio, por uma Convençaõ, que naõ duvidamos será de grande beneficio ás almas, e opportuno remedio a tantos males.

(Seguia aqui a integra da Convençaõ copiada acima; depois as clausas formaes da ratificaçaõ, e admoestaçaõ aos Arcebispos e Bispos, para manterem a Convençaõ; protesto contra nullidade; credito que se deve dar ás copias de Notarios; e prohibiçaõ geral contra seu quebrantamento.)

Esta carta de ratificaçaõ he datada de Roma aos 14 das Kalendas de Agosto, do anno da Encarnaçaõ do Senhor 1817, e 18 do Pontificado.

---

(A bulla da nova circumscripçaõ das dioceses da Igreja Gallicana, contém as particularidades daquella divisaõ de dioceses; e nella se acha a seguinte importante passagem.)

" Como porém as Igrejas de França foram privadas de seus patrimonios pela revoluçaõ passada; e aquellas cousas, que, pelo desejo de paz, decretamos a respeito da alienaçaõ dos bens ecclesiasticos, no artigo 13°. da Convençaõ do anno de 1801, se tem posto em execuçaõ e devem continuar em pleno vigor, daqui se segue a necessidade de novas doaçoens de terras, e tenças de juros nos Fundos Nacionaes, como se estipula no 8°. artigo da Concordata."

Esta bulla he datada aos 6 das Kalendas de Agosto, 1817,

# COMMERCIO E ARTES.

*Edictal da Juncta do Commercio em Lisboa, annunciando, os regulamentos sobre quarentenas nos portos Russianos do Baltico,*

" Com Aviso da Secretaria d' Estado dos Negocios da Guerra, e Marinha, datado de 16 do corrente, baixou á Real Juncta do Commercio, Agricultura, Fabricas, e Navegaçaõ a copia de uma Nota, que em 5 de Junho ultimo dirigio o Conde de Nesselrode ao Enviado Extraordinario, e Ministerio Plenipotenciario d' El Rey Nosso Senhor na Corte de S. Petersburgo, Antonio Saldanha da Gama, sobre as precauções, que S. Magestade o Imperador de todas as Russias houve por bem odoptar para preservar os seus Estados das molestias epidemicas; cuja nota traduzida em Portuguez, he do theor seguinte: " As molestias contagiosas que se tem manifestado nos ultimos annos sobre differentes pontos da Europa meridional fizeram igualmente percisas algumas medidas de precauçaõ nos portos do Baltico ; e na escolha das que entaõ se adoptáram ; teve o Imperador principalmente em vista incommodar o menos que fosse possivel a navegaçaõ, e o Commercio, limitando-se em consequencia a obrigar os navios destinados para os portos da Russia a prover-se por unica formalidade de Certificados das quarentenas estabelecidas na Suecia, ou na Dinarmarca. A confiança que merecem por taõ justos titulos aquelles estabelecimentos fizeram persuadir, que esta medida sería perfeitamente sufficiente para chegar ao fim que se propunha; mas tem muitas vezes acontecido que os Commandantes dos portos encontram difficuldade no reconhecimento de Certificados expedidos em um idioma que lhes he desconhecido, ou cuja forma tem tido alterações, naõ prevenidas na Russia assaz a tempo, para precaver que os Navios munidos desses mesmos Certificados de um novo theor, deixem de experimentar embaraços e retardamentos.—Para obviar a estes inconvenientes teve Ordem o Ministerio dos NegociosEstrangeiros de pedir aos Governos Dinamarquez e Sueco, quizessem admittir nas quarentenas de Elseneur, Nibourg, Toningen e Christiansand, agentes, que, legalisando aquelles documentos com uma formula caracteristica de approvaçaõ em lingua Russa, verificassem tanto melhor a sua authenticidade, segurando por este meio aos navios uma prompta administraçaõ, livre de obstaculos nos portos do Imperio. Esta proposiçaõ admittida com muita satisfacçaõ e acolhimento pelas Cortes de Copenhaguen, e de Stockolmo, vai agora a pôr-se em vigor; e se naõ estende ao porto de Fredericia em razaõ dos poucos navios que passam pelo pequeno Belt, e que bastará que se ligitimem por um CertificadoDinamarquez. Além disso, e sempre com a mira de facilitar a Navegacaõ, tem determinado S. Majestade Imperial que ficará sem effeito, o plano que lhe fóra submettido de estabelecer entre as quarentas Suecas e Dinamarquezas uma Estaçaõ principal, intermediaria, onde os navios mercantes fossem obrigados a verificar os seus Certificados; bastando sómente que os apresentem ás embarcações de vigia eehocadas á entrada do porto do seu destino: e os sobredictos Agentes encarregados da qualificaçaõ e approvaçaõ dos mesmos Certificados estaõ authorizados a receber por cada approvaçaõ que fizerem na fórma prescripta um rixdaler de prata para occorrer aos gastos de Chancellaria. — Quanto aos navios que vierem ao Baltico, e se naõ apresentarem nas quarentenas Dinamarquezas, se estabeleceo em particular a este respeito, e deveráõ continuar para a sua admissaõ debaixo dos mesmos regulamentos adoptados até ao presente nos portos da Russia. Taes saõ as disposiçoens geraes que o Imperador julgou necessarias para preservar os seus Estados da introducçaõ das molestias contagiosas. O abaixo assignado communicando-as ao Commendador de Saldanha da Gama, Enviado Extraordinario, e Ministro Plenipotenciario do Reyno-Unido de Portugal, e do Brazil, e Algarves, tem a honra de recommendar-lhe queira levallas sem perda de tempo ao conhecimento da sua Corte, para que os Capitães dos Navios Portuguezes, que frequentam os portos Russos do Baltico e do Mar Branco, tenham dellas noticia, e se hajam de conformar ao seu contheudo.—O ábaixo assignado tem a honra de renovar ao Senhor Ministro de S. Majestade Fidelissima, a certeza da sua muito distincta consideraçaõ S. Petersburgo em 4 de Junho de 1817.

*(Assignado.)* NESSELRODE."

"E para chegue á noticia de todos, se mandou affixar o presente Edital em comprimento das Reaes Ordens Lisboa 21 de Agosto de 1817.

JOSE ACCURSIO DAS NEVES."

---

## REGULAMENTOS COMMERCIAES EM HAVANNAH.

*Ordem Real intimada pelo Governador.*

Sendo necessario que os regulamentos, para prevenir as fraudes e contrabandos, pelo que respeita o commercio estrangeiro permittido nesta Ilha, sêjam claros e uniformes; e que se observe nisto um principio de reciprocidade, em tanto quanto as circumstancias o admittem; e que os estrangeiros nisto interessados naõ possam alegar ignorancia de taes regulamentos; he por este ordenado, que se ponham em vigor os seguintes regulamentos, desde o mez de Julho proximo futuro, tendo os mesmos sido approvados pelo Real Conselho de Fazenda, até a determinaçaõ ulterior de S. Majestade.

1°. Os Capitaens, ou sobrecargas dos navios, entregaraõ um manifesto de sua carga, jurado e assignado, contendo o numero de fardos ou pacotes, ao primeiro bote de visita, immediatamente á sua chegada. O commandante ou official da alfandega certificará nas costas do dicto manifesto, pondo a sua rubrica no principio de cada fôlha, o dia e hora do recebimento, e o entregará na alfandega.

2. Se algum capitaõ ou sobrecarga naõ entregar o dicto manifesto, ou o der incorrecto ou falso, pagará a multa de 500 dollars, além de ficar sugeito a outros processos, segundo a natureza do caso: e se o commandante ou official da visita deixar de exigir, certificar e entregar na alfandega o dicto manifesto, ficará sugeito a pagar uma igual somma de 500 dollars.

3. O capitaõ ou sobrecarga apparecerá, dentro em 24 horas depois de sua chegada, na alfandega, e apresentará outro manifesto, contendo a sua carga especificada particularmente: assignado por elle, e na presença do Juiz da alfandega, escrivaõ, e interprete, jurará solemnemente, que naõ ha a bordo mais carga do que a declarada no dicto manifesto. A forma deste juramento será guardada em tres ou mais linguas, que, depois de serem legalmente authorizadas, será addido ao mesmo manifesto.

4. O capitaõ ou sobrecarga ficará sugeito á multa de

1.000 dollars, se omittir o apresentar um manifesto circumstanciado, e prestar o juramento, dentro do tempo acima mencionado; e se houver alguma differença consideravel entre os dous manifestos, o excedente será confiscado, e se exigirá do capitaõ ou sobrecarga uma multa equivalente ás dictas mercadorîas, a menos que a dîfferença se tenha originado em engano naõ premeditado.

5. Se o capitaõ naõ puder jurar o manifesto particular por incapacidade e naõ tiver a bordo sobrecarga, em tal caso este dever recairá sobre o consignatario, que sempre dentro do tempo ja especificado apresentará a carregaçaõ original authorizada pelos respectivos consules ou viceconsules de Hespanha, como até aqui se requerîa; e o Interprete da Real Fazenda traduzirá as taes carregaçoens dentro do espaço dos dous dias seguintes, o qual regulamento se observará respectivamente, quando a carga pertencer a diversas pessoas.

6. Naõ se desembarcará cousa alguma sem o devido bilhete da alfandega, sêja antes, sêja depois da apresentaçaõ dos manifestos e carregaçoens. O simples acto de tentar desembarcar quaesquer fazendas, por mais insignificante que sêja o seu valor, sem o dicto bilhete, sugeitará o capitaõ á multa de 100 dollars, além da confiscaçaõ dos artigos desembarcados ou intentados desembarcar.

7. Se se passarem alguns artigos, levárem, ou trasladarem de bordo de algum navio para outro, que esteja no porto, sem bilhete da alfandega, o capitaõ do navio que os receber, e qualquer pessoa, que auxilie ou ajude ao dicto acto, pagará o tresdobro do seu valor, e os effeitos seraõ confiscados, assim como tambem o vaso ou vasos que os receberem, junctamente com os botes, lanchas, &c. empregados no transporte.

8. Todas as fazendas ou effeitos, que forem aprehendidos pelos officiaes da alfandega, por serem desembarcados fraudulentamente, além de sua confiscaçaõ, e da multa imposta ao capitaõ, expressa no artigo 6º. seraõ immediatamente avaluados, pelos officiaes da avaluaçaõ na alfandega, e se pelo valor mais subido do mercado chegarem a 400 dollars, o navio com seu aparelho, e tudo quanto lhe pertence, será comprehendido na pena de apprehensaõ e confiscaçaõ.

9. Quando se obtiver o bilhete da alfandega, o desembarque será feito de dia, e no caes ou outro lugar destinado para cada navio. Os artigos, que tem de ser examinados, pezados ou medidos, naõ seraõ removidos para outro caes ou lugar, sem bilhete da alfandega, sob pena de confiscaçaõ.

10. Se algumas fazendas ou mercadorias, declaradas na alfandega para exportaçaõ, forem desembarcadas, ou se intentar desembarcallas fraudulentamente, neste ou em qualquer outro porto da Ilha, taes fazendas, junctamente com o navio de que saîram, e os botes e lanchas empregados no desembarque, seraõ confiscados.

11. Se algum navio tentar desembarcar fazendas, por menor que seja o seu valor, em qualquer porto que naõ sêja porto de entrada, tal navio e seus pertences, com toda a sua carga, sera confiscado.

12. Manifestar-se-haõ todos os mantimentos abordo dos navios, e se a quantidade parecer excessiva se exigiraõ direitos de tal excesso.

13. A bagagem dos passageiros e outros effeitos livres de direitos, tambem seraõ dados ao manifesto, e, se se descubir alguma fraude, seraõ confiseados, e se imporá uma multa do tresdobro do seu valor.

14. Poder-se-haõ levar mercadorias de um porto de entrada a outro, nesta Ilha, no mesmo vaso em que foram

importados ou manifestados, dando segurança ou pagando os direitos, devidos pelos mesmos.

15. Geralmente, no carregar e descarregar dos navios, todos os artigos, que se descubrirem sem bilhete, seraõ confiscádos, quando se intente exportallos ou importallos fraudulentamente; e as pessoas nisso culpadas ficaraõ sugeitas a uma multa do tresdobro do valor da mercadoria, com tanto que as fazendas naõ sêjam sugeitas ás maiores penas, expressas no artigo 8º.

16. No despacho dos navios estrangeiros, os officiaes da alfandega lhe faraõ uma visita, logo que o navio estiver carregado, e se acharem que fraudulentamente se metteo a bordo mais carga do que a despachada, sem o conhecimento da alfandega, taes fazendas seraõ confiscadas, e o capitaõ ficará sugeito á pena do tresdobro do seu valor. E se os artigos consistirem em ouro, prata, tabaco em rama ou sigarros, no valor de 400 dollars, será confiscada a carga, navio e suas pertenças.

17. Nenhum consignatario disporá do navio, que lho for consignado, antes de estar satisfeito, por um documento, assignado pelo commandante ou official de visita, de que o navio tem sido visitado e examinado, sob pena de mil dollars, no primeiro caso; e no segundo da mesma pena, e além disso processo criminal. Ficando entendido que ficará sempre a bordo um official, até que o vaso torne a saîr.

18. Nas penas e multas, aqui mencionadas, conforme ao que practîcam as outras naçoens, o denunciante e official, que fizer a apprehensaõ, teraõ, direito á mesma parte, que nos casos de confiscaçaõ de fazendas; e a distribuiçaõ será feita da mesma forma, e com toda a brevidade possivel.

19. No caso em que o capitaõ, sobrecarga, ou outras pessoas, que fôrem multadas na conformidade destes

regulamentos, naõ tiverem meios de pagar as dictas multas; a somma dellas e custas seraõ tiradas de qualquer parte da carga, ou outra propriedade, que estiver a seu cargo, reservando porém aos proprietarios o seu direito, para se indemnizarem contra os infractores, no seu paiz.

20. Ainda que se exercitará a maior severidade contra os infractores destes regulamentos, ésta tendencia terá sempre a devida consideraçaõ, quando as culpas fôrem involuntarias, ou por engano, aonde for manifesta a boa fé.

21. Os sobredictos regulamentos seraõ traduzidos em Inglez e Francez, e impressos em tres columnas, entregando o official da visita uma copia a cada capitaõ de navio estrangeiro, para que naõ allegue ignorancia. Ficará tambem uma copia affixada na alfandega, e se remetteraõ copias a todos os consules, e outras pessoas, aquem importe. Tudo o que será communicado a Sua Majestade, na primeira occasiaõ; ficando ao mesmo tempo entendido, que estes regulamentos naõ alteraraõ de forma alguma os que presentemente se obsérvam, na conformidade das Ordens Reaes, pelo que respeita o commercio nacional.

Havannah, 27 de Junho 1817.

ALEXANDRO RAMIREZ.

---

## *Navos regulamentos dos direitos da Alfandega.*

Havannah 15 de Julho 1817.

1. Toda a mercadoria importada em navios estrangeiros, e mettida nos armazens Reaes; depois de dez dias da sua admissaõ, pagará ½ por cento ao mez, do valor que tiver.

2. Toda a mercadoria de Hespanha, ou America Hespanhola, importada em navios nacionaes, pagará ¼ por cento na mesma maneira.

3. Toda a mercadoria de Hespanha, que houver de ser transportada para a America Hespanhola, terá um mez de espéra, depois pagará ¼ por cento ao mez, por todo o tempo que estiver nos armazens d' ElRey.

4. Igualmente a cochinilha, anil, e outros productos preciosos, que viérem para Havannah, para serem transportados para Hespanha, gozaraõ de dous mezes gratis, e depois disto ¼ por cento ao mez.

5. Farinha de trigo estrangeira terá dous mezes gratis, e depois disto ½ por cento ao mez, de armazem.

6. Manteiga, toucinho, queijo, e untos de todas as qualidades, e outros mantimentos, ficaraõ por dez dias gratis; e depois pagaraõ ½ por cento por mez.

7. Prohibe-se o deixar juncto ás portas e alpendres da alfandega, assim como nos caes, quaesquer volumes, como pipas, barris, caixas, &c. por mais tempo do que 24 horas, sob pena de pagar 1 por cento, por mez, como multa.

## *Preços Correntes dos principaes Productos do Brazil.*

LONDRES, 26 *de Septembro, de* 1817.

| Generos. | Qualidade. | Quantidade. | Preço de | a | Direitos. |
|---|---|---|---|---|---|
| Assucar | Redondo | 112 lib. | 56s. 0p. | 64s. 0p. | Livre de direitos por expontaçaõ. |
| | Batido | | 48s. 0p. | 52s. 0p. | |
| | Mascavado | | 44s. 0p. | 47s. 0p. | |
| Arroz | Brazil | | 26s. 0p. | 28s. 0p. | |
| Caffe | Rio | | 86s. 0p. | 88s. 0p. | |
| Cacao | Pará | | 56s. 0p. | 65s. 0p. | |
| Cebo | Rio da Prata | | 56s. 0p. | 58s. 0p. | 3s 2p por 112lb |
| Algodaõ | Pernambuco | libra | 2s. 2½p | 2s. 3½p | |
| | Ceará | | 2s. 1p. | 2s. 2½p | 8s. 7p. por lb. 100 em navio Portuguez ou Inglez. |
| | Bahia | | 2s. 1p. | 2s. 2p. | |
| | Maranhaõ | | 2s. 1p. | 2s. 2p. | |
| | Pará | | 2s. 0p. | 2s. 1p. | |
| | Minas novas | | . . . . | . . . . | |
| | Capitania | | . . . . | . . . . | |
| Annil | Rio | | 3s. 0p. | 3s. 6p. | 4¾p. por lb. |
| Ipecacuanha | Brazil | | 7s. 0p. | 7s. 6p. | 3. 6¾p. |
| Salsa Parrilha | Pará | | 3s. 0p. | 3s. 6p. | 1s. 2¼p. |
| Oleo de cupaiba | | | 3s. 4p. | 3s. 6p. | 1s. 11¾p. |
| Tapioca | Brazil | | 0s. 4p. | 0s. 6p. | 4 p. |
| Ourocu | | | 3s. 3p. | 3s. 6p. | direitos pagos pelo comprador |
| Tabaco | em rolo | | | | Livre de direitos por exportaçaõ. |
| | em folha | | | | |
| Couros | Rio da Prata, pilha A | | 8p. | 8½p | |
| | Rio da Prata, pilha B | | 7p. | 7½p | 9½p. por couro em navio Portuguez ou Inglez. |
| | Rio da Prata, pilha C | | 6p. | 6½p | |
| | Rio Grande A | | 7p. | 7½p | |
| | Rio Grande B | | 6p. | 6½p | |
| | Rio Grande C | | 5p. | 5½p | |
| | Pernambuco, salgados | | 3¼p | 5p | |
| | Rio Grande, de cavallo | Couro | 4s 0p. | 6s. 0p. | |
| Chifres. | Rio Grande | 123 | | | 5s. 6½p. por 100. |
| Páo Brazil | Pernambuco | Tonelada | 140l. | | direitos pagos pelo comprado |
| Páo amarello | Brazil | | 7l. | 9l. | |

### *Especie.*

| | | |
|---|---|---|
| Ouro em barra | £4 0 0 | por onça. |
| Peças de 6400 reis | 4 0 0 | |
| Dobroens Hespanhoes | 0 0 0 | |
| Pezos . . dictos | 0 5 2 | |
| Prata em barra | 0 0 0 | |

### *Cambios.*

| | | | | |
|---|---|---|---|---|
| Rio de Janeiro | 62 | | Hamburgo | 35 2 |
| Lisboa | 58 | | Cadiz | 36½ |
| Porto | 58 | | Gibraltar | 32 |
| Paris | 24 | 60 | Genova | 46½ |
| Amsterdam | 11 | 14 | Malta | 47 |

### *Premios de Seguros*

| | Hida | | | Vinda | | |
|---|---|---|---|---|---|---|
| Brazil | 40 | a | 0 Guineos | 35 | a | 40s. |
| Lisboa | 1½ | a | 0 | 35 | a | 40s. |
| Porto | 1½Gs. | a | 40s. | 25 | a | 80s. |
| Madeira | 2 | a | 2½Gs. | 40 | a | 2Gs. |
| Açores | 3 | a | 0 | 40 | a | 2Gs. |
| Rio da Prata | 4 | a | 5Gs. | 3Gs. | a | 70s. |
| Bengalá | £6 | a | 6Gs. | £6 | a | 6Gs. |

# LITERATURA E SCIENCIAS.

## Novas Publicaçoens em Inglaterra.

*Transactions of the Geological Society, vol. IV.*, 4to. preço 3l. 3s. Transacçoens da Sociedade Geologica, vol. 4o. part 2a.

---

*Rickman on English Architecture*, 8vo. preço 10s 6d. Tentantiva para discriminar os estylos da Architectura Ingleza, desde a conquista até a Reforma; precedida de um esboço das Ordens Grega e Romana; com a noticia de perto de 500 edificios. Por Thomaz Rickman.

---

*Accum's Chemical Amusement*, 12mo. preço 7s. boards. Divertimentos Chimicos; comprehendendo uma serie de experiencias chimicas, curiosas, e instructivas; que se podem facilmente executar, e que naõ tem perigo. Por Frederico Accum.

---

*Hawkins's Enquiry*, 8vo. preço 14s. Inquiriçaõ sobre a natureza, e historia da poesia Grega e Latina, mais particularmente da especie dramatica; tendente a averiguar as leys do metro comico, em ambas as linguas; para mostrar. 1º. Que as licenças poeticas naõ tem existencia Real; e saõ méras corrupçoens. 2º. Que os versos de Plauto, Terencio, Pindaro, e Horacio, se regulam em muitos exemplos erradamente; e para suggerir uma divisaõ mais racionavel e musica dos versos. Por Joaõ Sidney Hawkins, Esc. F. A. S.

---

*Taylor's Anecdotes af Insects*, 18mo. preço 3s. Anecdotas de insectos notaveis, escolhidas da historia natural, e mixturados com poesia. Por Jozéph Taylor.

---

*Booth's Greek Lexicon*, 8vo. preço 9s. Lexicon das plavras primitivas da lingua Grega, incluindo varios derivativos; em um plano de arranjamento novo, para o uso das escholas, e pessoas particulares. Pelo Rev. Joaõ Booth. Cura de Kirby Malzeard, em Yorkshire.

---

*Nicholas' Voyage to New Zealand*, 2 vol. 8vo. preço 1l. 4s. Narrativa de uma viagem á Nova Zelandia, feita nos annos de 1814 e 1815; por Joaõ Liddiard Nicholas, Esc. em companhia do Rev. Samuel Marsden, Principal Capelaõ na Nova Gales Meredional, incluindo uma conta do primeiro estabelicimento de Missionarios, que se formou naquella ilha, com a descripçaõ do interior do paiz, seu terreno, clima, producçoens, maneiras e custumes dos naturaes; e algumas poucas notas, sobre a sua economia polica. Com varias estampas e com um mappa da Ilha.

---

*Chapman on Preservation of Timber*, Svo. preço 6s. 6d.

Tractado, contendo os resultados de numerosas experiencias, sobre a conservaçaõ da madeira, contra a prematura podridaõ; prevençaõ do progresso da podridaõ, quando ella tem ja começado nos navios, e edificios; e protecçaõ contra o Termite ou Formiga Branca; com algumas notas sobre o meio de preservar a madeira das pontes, contra a destruiçaõ por insectos. Por Guilherme Chapman M. R. I. A. Engenheiro Civil.

---

*An Essay on Capacity and Genius*, 8vo. preço 15s. Ensaio sobre a capacidade e genio; para provar que naõ ha superioridade mental original, entre a mais illiterata e a mais sabia parte do genero humano; e que nenhum genio, sêja individual ou nacional, he innato; mas sím unicamente produzido pelas circumstancias, e dellas dependente. Tambem uma inquiriçaõ sobre a natureza das almas do outro mundo, e outras appariçoens, que se suppoem sobre naturaes.

---

*Memoirs of the French Revolution*, 8vo. preço 10s 6d. Memorias Authenticas da Revoluçaõ Franceza, em França, e dos soffrimentos da Familia Real, deduzidas principalmente de noticias de testemunhas occulares.

---

PORTUGAL.

Sato á luz: *Vida Christaã*, para exercicio de leitura corrente nas Escholas Militares.

Esta obra, diz o seu Edictor, he devida a D. Fr.

Manuel do Cenaculo Villas-Boas, Arcebispo que foi de Evora: nella se contém as regras, a que devemos conformar nossas acçoens durante ésta vida; e que haõ de servir de instrumento para sermos julgados na outra. As doutrinas as mais sublimes, e os preceitos mais importantes da vida Christaã; a origem, os vinculos, e os deveres do homem; a sua primeira innocencia, a degradaçaõ da sua natureza, e finalmente o resumo de todas a portentosas maravilhas obradas pela Omnipotencia, para reformar o homem e salvallo. Tudo isto se acha tractado na referida obra com clareza, precisaõ e energia, que tanto distinguem as differentes obras de seu Author, e que bem o characterizam um dos mais venerandos pastores da Igreja Luzitana.

---

Novo methodo de ensimar e aprender a pronunciaçaõ e leitura da linguagem Portugueza, para uso das Escholas Militares do Exercito e Marinha.

---

O 1o. e 2o. tomo do *Genio do Christianismo* ou Belleza da Religiaõ Christaã: obra do Conde de Chateaubriand; traduzida por D. B. A. C. de C., C. R. Teatino. Preço 480 reis.

---

*Invasaõ da Russia*, e destroço do Exercito Francez, na memoravel campanha de 1812. Resumo Historico traduzido livremente, e addicionado com observaçoens, e notas extrahidas dos Officios Ministeriaes publicos; por D. Joanna Margarida Mancia Ribeiro da Silva. Preço 400 reis.

*Oraçaõ funebre*, pregada nas exequias de S. M. Fidelissima, no Real Convento do Coraçaõ de Jezus da Estrella. Por Fr. Jozé da Expectaçaõ. Preço 160.

---

Regimento de signaes, para os Telegraphos da Marinha.

---

*Opusculo Canonico, Moral e Apologetico:* no qual 1o. se defende a doutrina de Bento XIV, sobre a repetiçaõ do Sagrado Viatico aos enfermos, quando persevéra o mesmo perigo de vida: 2o. mostra-se que a Igreja no celebre canon, *Omnis utrius que sexus*, naõ definio que os meninos estéjam obrigados ao preceito da Confissaõ annual: 3o. Mostra-se a injustiça da censura, que se fez ao Larraga illustrado por Cossin; escripto pelo Padre Francisco Pires da Costa; da Congregaçaõ de S. Camillo. Preço 300 reis.

---

Historia divertida e instructiva dos Sette Sabios da Grecia: a qual contém sentenças philosophicas, dictos galantes, e outros artigos para divertimento e instrucçaõ. Preço 200 reis.

---

*D. Sebastiaõ em Africa.* Tragedia, por Manuel Caetano Pimenta de Aguîar.

---

*Additamento Geral de Leys, Resoluçoens, Avisos, &c.* desde 1603 até Julho de 1817, que naõ entráram no Indice

Chronnologico, nem no Extracto das Leys, e seu Appendice, ou fôram nelles apenas indicados; e que pela maior parte naõ tem sido impressas.

Contém fieis extractos demais de 1090 das dictas leys; e além dellas de muitos dos antigos Regimentos, que estaõ ainda em uso, qual o da Fazenda, dos Contadores das Commarcas, dos Recebedores Reaes, dos Mamposteiros, dos Captivos, dos Correctores das Aposentadorias, das Ordennanças, das Lezirias, do Ver-o-Pezo, e outros: e se citam os lugares aonde existem os textos das leys.

He pois o mesmo mui util ao estudo, assim da Historia, como da Jurisprudencia Portugueza; ainda para aquellas pessoas, que naõ se dedicáram ao estudo desta Faculdade. Author Manuel Borges Carneiro, Secretario da Juncta do Codîgo Criminal Militar. Preço 360 reis.

---

*Divertimento Instructivo;* ou collecçaõ de Novellas, Historias, contos Moraes, Anecdotas, dictos philosophicos, contos para rir, &c. com galantes estampas. Preço 600 reis.

---

*Os dous Irmaõs inimigos.* Tragedia por Manuel Caetano Pimenta e Aguiar.

---

*Tractado Practico Compendiario* de todas as Acçoens Sumarias, sua indole, e natureza em geral, e em especial.— Por Manuel de Almeida e Souza, de Lobaõ.

---

*Observaçoens sobre as affecçoens catarraes em geral;*

e particularmente sobre as que saõ conhecidas com o novo nome de Defluxos do Cerebro, e Defluxos do Peito.— Por P. G. Cabanis, traduzidas por J. Lino. Preço 300 reis.

### *Noticias scientificas, extrahidas dos Jornaes de Septembro.*

#### PARTES CONSTITUENTES DO ARROZ.

O Professor Henrique Bracannot, de Nancy, fez uma analyze do arroz Americano, d' onde parece que contém, em 100 partes, 5 de agua, 85 de gomma, quasi 5 de parenchima, 3½ de materia vegeto-animal, com assucar, oleo, e phosphato de cal em diminutas quantidades. Mostrou tambem resquicios de muriato de potassa, acido acetico, sulphur, &c.

---

#### GEOLOGIA.

O Sodalite, mineral que até aqui somente se achava em Greenland, nos rochedos do mar, foi agora descuberto pelo conde Borkowski entre as producçoens vulcanicas na cratera do Vesuvio.

---

#### DECOMPOSIÇAÕ DO AZOTE.

O Dr. Ure de Glasgow analyzou ultimamente o sal amoniaco por meio da cal; e pela constante circumstancia de desapparecer nas suas experiencias parte do azote, e apparecer certa quantidade d' agua, foi elle conduzido a crêr, que o azote éra composto de oxigenio; provavelmente um deutoxide de hydrogenio. Algumas experiencias de

Davy e Gay Lussac lévam á mesma conclusaõ, que, se for estabelecida, removerá o azote da classe das substancias simples elementares.

### GEOGRAPHIA DAS PLANTAS.

Humboldt publicou em Paris uma obra sobre a distribuiçaõ geographica das plantas, segundo a temperatura, latitude, elevaçaõ do terreno, &c. Nesta obra nos abre elle algumas vistas novas e interessantes, a respeito das *formas vegetaes*. Comparando em cada paiz o numero das plantas de certas familias bem determinadas, com o numero total dos vegetaes, descobre proporçoens numericas de notavel regularidade. Certas formas vem a ser mais communs á proporçaõ que avançamos para o polo, ao mesmo tempo que outras augmentam para o equador. Outras obtém o seu maximum nas zonas temperadas, e diminuem igualmente pelo demasiado calor e demasiado frio; e, o que he mais notavel, ésta distribuiçaõ he a mesma em torno de todo o globo, seguindo, naõ os parallelos geographicos, mas os que Humboldt chama *isothermicos;* isto he linhas da mesma temperatura. Estas leys saõ tam constantes, que se soubermos em qualquer paiz o numero de especies de uma das familias, podemos quasi concluir dahi o numero total de plantas, e o das especies de cada uma das outras familias.

### GEOGRAPHIA DOS INSECTOS.

Mr. Latreille publicou em Paris uma obra, sobre a distribuiçaõ dos Insectos. He isto intimamente connexo com a distribuiçaõ das plantas, e na realidade se acham nos montes de um paiz quente, os mesmos insectos, que habîtam as planicies de paizes mais frios. A differença de 10 ou 12 gráos de latitude, em igual altura, tras com sigo particulares insectos: e quando a differença chega a 20 ou 24 gráos, quasi todos os insectos saõ differentes. Ha mundanças analogas, conrespondentes á latitude, mas em distancias muito mais consideraveis. O antigo e novo mundo tem generos de insectos peculiares a cada um. Mesmo os que saõ communs a ambos apresentam differenças notaveis. Nas partes occidentaes da Europa apparece mui distinctamente o territorio dos insectos Meredionaes, quando vamos do Norte para o Sul chegamos ao paiz favoravel á cultura da oliveira. Esta mudança de temperatura he notavel pela presença dos escorpioens.

---

## *Nova Ediçaõ de Camoens.*

Offerece-se ao publico, e principalmente aòs Amadores do nosso insigne Camoens, que tantos elogios grangeou para si, e para a Literatura Portugueza, entre os eruditos das Nações estranhas, a Copia fiél d' um manuscripto rarissimo dos Lusiadas, corregidos (segundo affirma uma nota em Hespanhol, inserida n'esse manuscripto) pelo proprio Autor.

Já Manoel de Faria e Souza, quando se lançou a commentar o nosso Poéta, sabendo que esse mencionado manuscripto existia, o procurou, e fez procurar pelas Livrarias de Portugal e Hespanha. Baldadas indagacoens! E ora d' uma apostilla que vem no Original, donde esta cópia fielmente se tirou, se cólhe, que entre muitos autógraphos, que o Duque d' Alva, Conquistador do nosso Reyno, pelo Usurpador Phillippe 2º. mandou de Portugal para a sua Bibliotheca, se comprehendiam estes

Lusiadas. D' essa Bibliotheca o déram por mimo os Descendentes do Duque d' A'lva ao Duque de Beauvilliers quando Embaixador em Madrid por Luiz XIV. como Consta do que escreveo o Intendente d' esse ultimo Duque, accusando a successaõ dos outros autógraphos, e entre elles a dos Lusiadas, e que alli vem annexa.

Pelos conhecidos crimes, e Vandalismo da Revoluçaõ, se desbaratou essa Bibliothéca como tantas outras. E quem naõ dará por perdido um manuscripto em lingua pouco versada em França, e cahindo em maõs de taes Caraîbas, naõ reslavasse nas tendas?

Foi grande felicidade a da pessoa a quem foi permettido antes da Revoluçaõ, copia-lo para uso seu, e poder agora da-lo ao prélo, para erudita Satisfacçaõ de Portuguezes e estranhos, que depararem com mais de duas mil variantes, e mais de trezentas notas Hespanholas e Portuguezas, que em nenhuma das ediçoens de Camoens se encontram.

---

O annuncio, que deixamos transcripto acima, nos foi remettido com a informaçaõ de que o possuidor do Manuscripto he o bem conhecido Poeta Portuguez Francisco Manuel. Dá nos portanto sincero prazer, a circumstancia, de que tam capaz literato sêja o Edictor de tam precioso Poema, seguindo um manuscripto correcto pelo mesmo Author.

---

### *Observaçoens sobre a Censura das obras literarias. Por Bezenberg.*

A *Censura* tem dous objectos em todos os Estados: primeiro, prevenir que se diga alguma cousa em deterimento de pessoas particulares ou dos governos. Isto pode chamar-se *Censura Judicial;* porque o Censor faz aqui o officio de um Tribunal, somente com ésta differença, que o Tribunal impôem o castigo ao crime, depois deste haver sido commettido, depois do escripto ter sido impresso, e circulado publicamente: quando o Censor tracta de previnir a perpetraçaõ do crime, naõ permittindo que appareça cousa nenhuma offensiva.

O segundo objecto da *Censura* he prevenir que se ponham em discussaõ objectos, que naõ devem ter publicidade, em consequencia da maneira porque se governa o Estado. Entre estes objectos podemos incluir de maneira peculiar, em todos os Estados, o seu manejo economico: contas exactas de tudo quanto o Estado recebe e dispende, com quem e para que fim. Segundo o modo por que os Estados saõ presentemente administrados, embaraçarìa muito os Governos, se se imprimisse uma conta exacta e circumstanciada, dos registros de sua receita e despeza.

Além da economia publica, ha usualmente outros pontos no Estado, que naõ pódem vir a entrar na discussaõ do publico, sem embaraçar os Governos.

Isto naõ he tanto devido á alguma corrupçaõ no Governo, como á Constituiçaõ do Estado, que naõ foi organizada por aquelles que manejam os negocios; pois elles a achàram existente, com a grande massa de outros possessoens e relaçoens, que pássam de pays a filhos; e das geraçoens, que acabam para o futuro.

Isto produz a necessidade da segunda *Censura,* que, para a distinguir da outra, podemos chamar *Censura de Estado.* O *Censor,* nomeado pelo Governo, tem uma lista dos objectos, que se naõ devem trazer á discussaõ no publico: o *Censor,* pois, supprime todos os artigos, que se referem áquelles objectos, enumerados na sua lista.

A Alemanha tem sempre consistido de uma multidaõ de pequenos Estados independentes; e como cada um delles tem a sua *Censura d'Estado* particular, que he meramente limitada a si mesmo, e naõ tem nada de commum com os vizinhos, tem sempre havido, em consequencia disto, grande liberdade de discurso na Alemanha.

A Alemanha tem presentemente 38 Estados separados; e como a *Censura d'Etado* tem referencia meramente ao estado em que se acha situada a imprensa; pode-se escrever primeiramente em todos os 38 Estados; porque em nenhum delles he prohibido escrever, nem ainda no lugar mesmo em que se reside. Em segundo lugar, póde qualquer pessoa imprimir a sua opiniaõ a respeito de todos os 37 Estados, no total dos 38. Portanto $\frac{37}{38}$ partes de toda a Alemanha, está inteiramente livre quanto á imprensa.

Os 20 Estados pequenos da Alemanha contém 272 milhas Alemaãs quadradas. Toda a superfine da Alemanha contém 11.600 milhas Alemaãs quadradas. Em 272 milhas Alemaãs quadradas podemos imprimir tudo relativamente ás outras 11.600 milhas Alemaãs quadradas; e podemos ver por estes numeros, mais claramente do que por muitas palavras, que a *Censura de Estado* he fraca restricçaõ á liberdade da imprensa. Mesmo a respeito da Dieta se póde imprimir tudo; somente nesse caso temos de ir a Hesse-Cassel.

Mas podemos ainda passar com menos do que isto. Porque, como nove Estados na Alemanha contém menos do que 10 milhas Alemaãs quadradas, podemos, imprimindo em um destes Estados, publicar o que quizermos a respeito das 11.590 milhas Alemaãs quadradas, e a Censura de Estado dos outros naõ o póde impedir.

Desta divisaõ politica da Alemanha resultou sempre, na realidade, uma grande liberdade da imprensa, ainda que nunca esteve debaixo da protecçaõ de alguma ley.

Schlözer deo o primeiro exemplo de publica liberdade de fallar, e o entaõ Duque de Deux-Ponts, naõ pôde impedir que Schlözer imprimisse em Gottingen, o que lhe pareceo sobre a administraçaõ de seu paiz.

Quanto aos livros he quasi a mesma cousa como so naõ existira *Censura.* Em toda a parte se imprime; e, como isso he um officio, naturalmente se assenta aonde acha menos difficuldades, aonde os preços saõ baixos, e aonde ha boas fabricas de papel e naõ ha *Censura;* porque a *Censura* sempre retarda a imprensa; o que serve de grave inconveniente, no caso em que as obras tem de ser acabadas a tempo para a feira. Nestes casos uma parte do manuscripto está usualmente nas maõs do impressor, em quanto o author está preparando o resto: e como o manuscripto nunca se acha todo juncto, a Censura causarìa tal demora, que nunca o livro se acharia prompto para o tempo da feira.

Como todo o negocio de livreiros se concentra em Leipsic, os fardos de livros saõ remettidos directamente do lugar da impressaõ para Leipsic, ainda que o publicador ou edictor viva em Berlin, Königsberg, Hamburgo, Bremen, ou Frankfort. De Leipsic, os 360 sorteadores da Alemanha levam com sigo, cada um dous ou tres exemplares, e assim circulam os livros por todo o paiz, e até no Estado, a que pertence o author, ainda que elle naõ possa imprimir no seu mesmo Estado.

Pelo que respeita a livros, ha em muitas provincias do Estado Prussiano completa liberdade de imprensa:

e a respeito de tudo, que se imprime no Rheno e Westphalia, naõ se pergunta cousa alguma, nem sobre o author, nem sobre o conteudo do livro, antes de sua publicaçaõ. Situada como está a Alemanha, e com o seu actual negocio de livros, importaria mui pouco a um Ministerio, o qual naõ podeira favorecer nem retardar suas vistas, se a Censura de livros fosse inteiramente acabada, e se deixassem ás leys todos os crimes da imprensa; porque a *Censura d'Estado*, para os livros impressos, na presente situaçaõ da Alemanha, naõ póde existir sem uma perpetua ingerencia fiscal; e ésta darîa aos livros grande importancia, e farîa parecer que os Governos tinham a luz por cousa desagradavel ou inimiga.

Quanto aos *Jornaes*, succede alguma cousa similhante; porque, como se publîcam na Alemanha mais de cem jornaes, nenhum Governo póde prevenir a discussaõ do que lhe diz respeito; pois, ainda que póssa dizer a seus subditos, que naõ fallem sobre certas mateiras, naõ póde dizer aos outros povos que as naõ discûtam. A unica prevençaõ, neste caso, que póde ter lugar, he por via dos Embaixadores, como materia de cortezia, que um Governo observa para com outro. Com tudo naõ he de esperar, que os trinta e oito Governos da Alemanha estêjam sempre em relaçoens amigaveis uns com outros. Pelo contrario sabemos, que elles muitas vezes manifestam uma especie de petulancia entre si, e naõ saõ mui escrupulosos sobre a exactidaõ do que dizem a respeito de seus visinhos.

Além disto he impossivel que cada um dos 38 Governos dê a cada um dos outros uma lista das materias, que se naõ devem discutir; porque, no presente estado das cousas, e com a publicidade, que se dá a todas as materias, tal lista acharia o seu caminho para a imprensa, antes que se passassem seis semanas.

Com tudo, ha, quanto aos jornaes, meios de segurança, na maneira de sua conducçaõ. Elles naõ circulam, como os livros, pelo commercio dos livreiros, mas saõ mandados pelo correio; e como o correio pertence ao Governo, este naõ envia os jornaes, que lhe saõ desagradaveis. Desta sorte o Governo Francez castiga os seus jornalistas, quando, naõ obstante a *Censura*, publîcam algum artigo, que desagrada ao Governo. Embargase entaõ o jornal no correio, e soffre a demora de dous, tres ou mais dias, antes que appareça. Nada está determinado na legislaçaõ, quanto ao numero de dias, que o jornal deve ficar embargado, por cada crime destes.

O correio, porém, os manda, e por um preço determinado. Quanto a este ponto elles naõ tem arbitrio, saõ como o padeiro ou carniceiro, que uma vez, que abrem a sua loge naõ tem liberdade de vender ou deixar de vender, o seu paõ ou a sua carne.

A *consideraçaõ* de qualquer Governo depende de sua *fortaleza;* a sua fortaleza depende de sua *coragem*. He mal pensado recorrer a medidas, que conduzem á conclusaõ, de que ha no Estado alguma cousa de que tem medo.

Quando a sociedade tem obtido alto gráo de cultura, naõ he facil governálla. Entaõ o Estado he como uma familia, em que os filhos saõ ja homens.

A possibilidade de os governar depende unicamente de mostrar o Governo grande superioridade de talentos e de conhecimentos, e de produzir na Sociedade todos os dias a impressaõ de que tem a superioridade em tudo, entende todos os seus movimentos, e naõ teme nenhum.

Naõ he facil, em uma idade cultivada, ser superior em conhecimentos á Sociedade; e, antes que se possua tal superioridade, he preciso achar formas politicas mui perfeitas.

A necessidade introduz por fim éstas formas politicas; porque no meio de tantos despropositos, que cada noite sepulta no mar do esquecimento, ha tambem muita cousa boa, e muita cousa util, que o Ministro deve saber. Elle somente póde ter uma vista clara da Sociedade, vendo, por ésta maneira, quanta intelligencia e conhecimentos ella mostra; que talentos nella se percebem, e com que opposiçaõ póde calcular.

O peior da Censura he, que ella sempre dá ao Governo um ar de ter medo. Se acontece que os jornaes estrangeiros seguem uma carreira media, fallando com firmeza, circumspecçaõ e intelligencia; se saõ o mais exactos, que he possivel, a respeito de factos e numeros; isto tem sempre um effeito prejudicial aos Governos; quando nós vemos que elles naõ góstam daquelles jornaes, que naõ pódem ser accusados de falta de intelligencia, nem falta de informaçoens.

Se o Estado he regulado por tal maneira, que o que he publico se póde fazer publico, sem produzir confusaõ, o Governo póde permittir aos jornaes, que fallem como lhes parecer. O que se diz contra o bom senso, esquece dentro de um mez; e o que for sensato será de vantagem ao Governo.

A *censura* augmenta prodigiosamente a difficuldado de governar; ella procede somente da imperfeiçaõ da Constituiçaõ Politica, a qual he construida de maneira, que sem uma Censura cairìa immediatamente na confusaõ.

*Des trois derniers Mois de l'Amerique meridional et du Brazil.*

O folheto, que annunciamos ao publico, he da penna de Mr. de Pradt, Ex-Arcebispo de Mechlin, e se intitula "*Os tres ultimos mezes da America Meridional e do Brazil.*

Este Author, ja celebre pelas suas *Tres idades das Colonias*, e outras obras, escreveo agóra sobre materias, de que lhe éra difficil obter informaçoens correctas, e substituio muitas vezes os fructos de sua imaginaçaõ, em vez de factos ou observaçoens, que lhe ficávam fóra de seu alcance; mas como he mui importante saber o que os estrangeiros pensam á cerca de nosso paiz, daremos aqui alguns extractos, que tendem a fazer conhecer o character desta obra, addindo-lhe ao mesmo tempo a nossa opiniaõ, sobre as materias, que tocarmos. A obra se divide naturalmente em duas partes; uma sobre o Governo do Brazil; outra sobre as Colonias Hespanholas da America.

Fallando o Author do Brazil, e alludindo ao periodo, em que a Côrte se mudou de Lisboa para o Rio-de-Janeiro, explica-se assim: —

"A este momento tudo se mudou em Portugal, no Brazil, e talvez no mundo. O navio, que levou El Rey de Portugal, levou com sigo novos destinos para o universo. Apenas se percebeo a natureza de tam importante accontecimento. Era necessario tudo quanto se tinha passado, para attrahir a isto attençaõ. Pela mudança da residencia d'El Rey se inverteo toda a antiga ordem entre Portugal e o Brazil, e entre Brazil e Portugal.—Um tomou o lugar do outro; houvéram duas acçoens, simultaneas e oppostas; ao mesmo tempo, e naõ se percebeo senaõ uma simplez e uniforme. Formáram-se immediatemente duas novas combinaçoens entre Portugal, reduzido agóra a colonia, e o Brazil vindo a ser metropole; entre o Brazil aspirando a conservar o Rey, e Portugal de sua parte aspirando a recuperállo: entre o Brazil vivificado e enriquecido pela presença do Soberano; e Portugal humilhado e empobrecido pela sua auzencia, e affigido pela distancia."

Este paragrapho do Author contém as idéas erradas de

Mr. De Pradt; que dám origem ao resto de seus mal fundados raciocinios. Mr. De Pradt toma Lisboa pelo Reyno de Portugal, e o Rio-de-Janeiro pelo Reyno do Brazil, e com este equivoco procede a discorrer falsamente; porque falsa he a primeira supposiçaõ.

Se El Rey de Portugal mudasse a sua côrte de Lisboa para Coimbra, Porto, Madeira, ou Açores; nem por isso se podìa dizer, que Portugal ficava sendo colonia daquella cidade, provincia ou ilha, para onde se mudasse a Côrte; nem o Brazil deixou de ter a mesma administraçaõ de colonia, que d'antes tinha, por isso que a côrte se acha no Rio-de-Janeiro. Pelo contrario ha provincias no Brazil, cujo accesso á côrte do Rio-de-Janeiro he mais difficil do-que lhe éra a Lisboa.

A differença, logo, que se deve notar nas relaçoens entre o Brazil e Portugal, naõ provém do lugar em que reside a Côrte, mas sim das relaçoens commerciaes entre os dous paizes, as quaes fôram alteradas, naõ em consequencia da mudança da Côrte, mas em consequencia de haverem os Francezes occupado Portugal, o que fez ser de absoluta necessidade a abertura dos portos do Brazil ao commercio dos Estrangeiros.

Esta liberdade do commercio tanto a podìa gozar o Brazil estando a Côrte em Lisboa, como no Rio-de-Janeiro; e como nem a forma de administraçaõ colonial se alterou, nem o systema de legislaçaõ teve mudança; uma vez que continuasse a liberdade do commercio, pouco importava ás provincias do Norte do Brazil o receber as ordens d' El Rey vindas do Rio-de-Janeiro, ou vindas de Lisboa.

Pelo que respeita a Portugal, a sua perca, no presente estado das cousas, naõ provém de que a côrte se ache no Rio-de Janeiro, mas sim de que o commercio do Brazil he livre a todas as naçoens, quando até 1808 éra só privativo de Portugal. A pobreza, por tanto, de Portugal, que Mr. De Pradt attribue á mudança da Côrte, só provém do novo systema commercial, que privou Lisboa e Porto do monopolio, que tinham, do commercio do Brazil.

Supponhamos que a Côrte voltava agora do Rio-de-Janeiro para Lisboa; e continuava o commercio do Brazil livre a todas as naçoens como agora se acha ¿ que riquezas suppôem Mr. De Pradt, que adquiriria Portugal, com aquella unica medida da mudança da Còrte.

Os recursos, quanto á administraçaõ da justiça; continuando pelos mesmos Tribunaes d'antes, naõ soffrem deterioraçaõ consideravel, em Portugal, pela distancia da Côrte. He certo, que os pretendentes a lugares, que dependem immediatamente do Ministerio, devem achar mais commodo o terem a Côrte proxima ao lugar em que residem; mas o numero destas pessoas, comparativamente fallando, he demasiado pequeno, para que deva entrar em contemplaçaõ, quando se tracta dos interesses geraes da monarchia; nem a sua residencia em Lisboa ou no Rio-de-Janeiro, em quanto andam em seus requirimentos, se póde dizer que influa na riqueza de Portugal ou do Brazil.

Mr. De Pradt engana-se tambem na questaõ que agita; quanto ao systema de medidas, que El Rey de Portugal devia seguir, depois de haver mudado a sua Côrte para o Rio-de-Janeiro. O engano de Mr. De Pradt resulta, nst e ponto, de outra falsa proposiçaõ, que elle ja tinha aventurado na sua obra sobre o Congresso de Vienna, e que repete neste seu opusculo; e he que

> "El Rey naõ póde conservar o seu dominio em Portugal, e no Brazil; e que deve escolher ou ser Rey de Portugal, e abandonar o Brazil, o ser Rey do Brazil, e abandonar Portugal."

Na obra sobre o Congresso de Vienna, Mr. De Pradt, leva ésta doutrina tam longe, que chama a isto, naõ a causa de Portugal, mas a causa da Europa, suppondo que he derrogatorio a toda a Europa o soffrer, que alguma parte de seu territorio esteja suggeita a um Soberano, cuja residencia sêja na America.

Desta supposiçaõ se vê, que o Author quer manter o presjuizo do orgulho, em vez de illustrar os raciocinios de Politico. Este prejuizo foi a causa de tam longas guerras entre os Escocezes e Inglezes, naõ soffrendo o orgulho nacional daquelles, que o seu Rey residisse ao Sul do rio Tweed; até que succedendo El Rey Jaimes VI de Escocia á corôa de Inglaterra, com o nome de Jaimes I; puderam os Escocezes soffrer, que seu Rey residisse em Londres; porque, sendo Escocez, imaginávam, que a Escocia tinha conquistado a Inglaterra.

A naõ ser, pois, que este mesmo prejuizo guia os raciocinios de Mr. De Pradt, naõ vemos como elle possa provar a sua proposiçaõ de que he derrogatorio a toda a Europa, que alguma porçaõ de seu territorio sêja governada por um Soberano, que resida na America.

Mr. De Pradt desapprova, decididamente, todo o systema, que tem seguido a Côrte do Rio-de-Janeiro, depois que ali se estabeleceo. Nós convîmos, em grande parte com o A. neste ponto, mas por principios mui differentes dos seus; e de todo discordamos na soluçaõ da seguinte questaõ:—

"¿ Que deveria fazer El Rey do Brazil?" Mr. De Pradt responde assim:—" A resposta he simples: o contrario de tudo quanto tem obrado."

Differimos inteiramente do A. quanto á exactidaõ desta reposta; porque julgamos, que El Rey de Portugal tem obrado como devîa, até certo ponto, e só reprehendemos o Ministerio do Brazil por naõ ter levado as suas medidas tam longe como devêra levar. Expliquemonos.

Quando El Rey chegou ao Brazil, concedeo áquelle paiz a liberdade, que naõ tinha, de negociar com as naçoens, estrangeiras. Segundo as ideas de Mr. De Pradt, que El Rey de Portugal devia obrar tudo pelo contrario do que obrou, El Rey naõ deverìa conceder tal liberdade de commercio; nós, porem, somos de opiniaõ, que El Rey obrou nisto muito bem; mas que, havendo dado este primeiro passo acertado, o Ministerio deverìa passar adiante; e excogitar, depois daquella medida, duas séries de regulamentos: 1ª. que favorecesse o commercio de Portugal, e das outras partes da Monarchia, no Brazil, em preferencia do negocio dos Estrangeiros: 2ª. que abolisse inteiramente os traços de administraçaõ colonial no Brazil, e assimilhasse todas as provincias da monarchia, com uma constituiçaõ politica geral e uniforme. Difficultosa empreza por certo, mas mui factivel, se houvesse um ministerio composto de pessoas, que unissem aos conhecimentos para isto necessarios, o amor da Patria, a lealdade ao Soberano, e a actividade incançavel, que se requerem para o bom exito de tal empreza.

"Desenvolve depois o Author os inconvenientes de manejar negocios interiamente novos, por homens de tempos antigos, a incompatibilidade de ideas e instrumentos antiquados com a novidade dos objectos, a que se tem de applicar, e que pretendem regular. He o processo do Inverno contra a primavera, sempre perdido d'antemaõ, e a muito custo.

"Vale a pena de examinar isto. Para renunciar ás ideas e habitos da vida inteira, requer-se grande fortaleza d'espirito. A experiencia he além das faculdades de homens de fraca constituiçaõ. Comtudo, se alguma cousa he applicavel a taes espiritos, he a transplantaçaõ para um paiz interiamente novo, que naõ apresenta objecto algum, que elles estivessem accustumados a observar: entaõ temos um auxilio, que nos ajude a desfazer-nos de nossos antigos habitos. A mudança das cousas póde produzir a mudança de disposiçoens moraes: os exemplos naõ se perdem de todo; e temos visto homens, que soubéram fazer ésta mudança. Quando somos obrigados a despegar-nos de um systema antigo, devemos saber como havemos de adoptar o novo, em que nos achamos colocados, resignada, plena e efficazmente. A mixtura do antigo com o novo, naõ serve senaõ de estragar ambos. A liberdade da carreira remove parte das difficuldades."

Até aqui concordamos plenamente com o Author; porque a falta de melhoramentos politicos no Brazil se deve, quanto a nós, imputar ao systema, que o Ministerio tem seguido, de conservar no Brazil as instituiçoens coloniaes, que ali se achávam, e crear muitas instituiçoens á imitaçaõ das que existíam em Portugal, sem inventar uma só medida, das de grande momento, applicavel ás circumstancias do Brazil.

Assim continúam todas as provincias, cidades e villas, a serem governadas, por governadores militares e juizes-de-fora, que éra o antigo regimen colonial; e se accrescentàram inuteis tribunaes na Côrte, á imitaçaõ dos que existîam em Lisboa, e Rellaçoens em varias cidades; porque esse éra o custume de Portugal, e de duas cidades do Brazil. O Erario, que he o nervo principal do Estado, continua da mesma forma, que d' antes, e tem sido até agora administrado por pessoas, cuja ignorancia ou afferro ás ideas antigas os inhabilita inteiramente para pensar em plano algum novo, que dê ás financas uma uniformidade de administraçaõ, adaptada á localidade e estado actual de populaçaõ, territorio, e recursos do Brazil.

" ¿ Que devia pois fazer El Rey de Portugal, transplantado para o Brazil?" Pergunta o Author; e depois responde.

"Fazer-se plenamente Braziliano; deixar de olhar da America para Portugal com olhos saudosos, ou de avançar e retrogradar, para o caminho antigo. Isto he ser acarretado pelos acontecimentos e naõ dirigîllos; como convem ao chefe de um Estado."

"Em vez de se entreter com lamentar a perda de um estreito territorio, como he Portugal, uma alma elevada daria graças ao Céo, pela necessidade, que o levou a um paiz de extençaõ illimitada, e de riquezas immensas; e pelos novos destinos, que a Revoluçaõ Americana está preparando ao mundo. Vassallo ou inferior de todos na Europa

El Rey do Brazil, pizando a terra da America, adquiririo um campo immenso; entrou na politica do universo, em que lhe cabia tam pequena partilha, pelos seus territorios Europeos. Subdito, em sua antiga habitaçaõ; na nova, he de todo independente; e participa no systema de emancipaçaõ, que he a nova vida dos paizes, que o cèrcam. Por meio delle preservou a Realeza na America um ponto de apoio, com um representante; e os thronosda Europa lhe devem, o naõ haverem ali perdido toda a similhança de suas instituiçoens."

Mr. De Pradt une, neste paragrapho, ideas que naõ tem entre si connexaõ; porque parte de um principio errado, que he o seu systema valido da separaçaõ de Portugal e Brazil.

He verdade, que a residencia d'El Rey no Brazil o pôem em tal estado de independencia, que nunca poderîa obter, continuando a ter a sua corte em Lisboa, aonde em caso de guerra, de algum modo geral na Europa, se vîa apertado por mar e por terra, entre partidos oppostos; e para assim dizer como prizioneiro de guerra, e obrigado a tomar o partido de um dos combatentes, para naõ ser esmagado por ambos.

He tambem verdade, que, além desta independencia, póde no Brazil manejar tal força, que lhe dê grande respeito entre as outras naçoens do Globo, se cuidar em aproveitar-se dos recursos que o paiz lhe ministra.

Se a isto chama Mr. De Pradt tornar-se inteiramente Braziliano, convimos com elle: mas daqui naõ se segue que, para gozar destas vantagens, lhe sêja preciso abandonar Portugal. Pelo contrario julgamos, que, addindo a possessaõ de Portugal ás grandes vantagens que o Brazil offerece, El Rey gozará de grande preponderancia em todo o territorio Americano, e conservará um ponto de contacto com a politica Europea, de que póde tirar grande partido, sem que soffra os inconvenientes e apertos, naturalmente resultantes de sua residencia em Lisboa, como a experiencia do seculo passado tem amplamente demonstrado.

Mr. De Pradt descreve a presente situaçaõ de El Rey no Brazil, suas vantagens, e partido, que deve tomar a respeito das outras partes da America; mais como poeta do que como politico, deixando correr á redea solta a viveza de sua imaginaçaõ, de que temos provas tam conspicuas em todas as suas obras.

"Eis aqui a part sublime, a que seu proprio interesse bem entendido chama a El Rey do Brazil; accrescente-se a isto que, expulso da Europa, por uma invasaõ, nunca deveria permittir se a si mesmo alguma usurpaçaõ: accrescente-se mais: que, habitando a America, devia tornar-se inteiramente Americano; que, collocado em um paiz, aonde tudo termina, com o nome de liberdade, elle naõ devia offerecer governo despotico a nenhum dos partidos: e elevando suas vistas ainda mais alto, accrescente-se que, visto que a sorte lhe deo a America, elle devia procurar ser adoptado por ella, unindo-se francamente á sua causa, e abreviando com isso os males que ella soffre, na nascença de sua liberdade. Entaõ a America recemnascida sería sua egide; e a gratidaõ a ataría a seu carro. Elle pôde fazer a escolha entre esta parte, e a que tem adoptado. Um Pombal ou um Richelieu naõ tería hesitado: porém ha neste mundo homens bem estranhos: imaginam alguns, que, nos negocios do mundo, tudo esta ligado ás suas pessoas, a seus habitos, e a suas idéas: que o mundo deixa de revolver, e pára a sua carreira, no que lhes diz respeito, que obedece á sua conveniente inacçaõ: que uma abrogaçaõ eterna e universal dos interesses do genero humano, a favor dos delles, he a única ley que deve governar: e què o genero humano, julgando-se feliz em fazer estes sacrificios, deve ir para diante, sem jamais voltar os olhos para fôra da carreira por que he impellido. Eu naõ se até que ponto estas ideas tem predominado no Brazil; he mui evidente, que ali reyna grande erro, quanto á natureza do systema que se deve seguir, do que se póde formar algum juizo, pela situaçaõ em que actualmente se acha o Governo. Ameaçado de represalias, por Buenos-Ayres; insurreiçeens por uma porçaõ de seus subditos Americanos; de uma separaçaõ por Lisboa; de um ataque por Hespanha na Europa, com uma irresistivel intervençaõ por parte das Potencias Alliadas ¿ como póde elle desembaraçar-se do circulo de difficuldades, que tem creado para si mesmo por outro circulo de erros, sem perda em seus interesses essenciaes, e em sua consideraçaõ politica e moral? Devemos compadecer-nos do infeliz povo, cuja sorte tem de ser decidida por homens, a quem a verdadeira luz naõ illumina, a quem nenhum exemplo melhora, e que datam todos os seus actos de um mundo antigo, e consumido pela velhice, no meio de um mundo absolutamente novo."

As difficuldades, que o Author aqui pinta tam energicamente, nem saõ filhas das causas, que elle suppôem, nem tem a extençaõ, que Mr. De Pradt lhe imagina. A materia he de grande importancia, e merece séria consideraçaõ.

A primeira difficuldade he o ameaço de represalias pelo Governo de Buenos-Ayres. A segunda o ameaço de uma invasaõ da parte de Hespanha, na Europa; e a ingerencia irresistivel das Potencias Alliadas nesse negocio. A terceira o receio da separaçaõ de Lisboa, e a revoluçaõ de Pernambuco.

Quanto á primeira; engana-se inteiramente Mr. De Pradt, em suppôr que a invasaõ de Montevideo, pelas tropas do Brazil, tornem neccessarias as represalias da parte do Governo de Buenos Ayres. Aquelle Governo nem tem influencia na parte oriental do Rio-da-Prata, nem perde cousa alguma na sua invasaõ, porque Artigas, chefe naquelle territorio, além de naõ lhe obedecer, ja esteve em guerra aberta com elle, e se tem sempre mostrado um vizinho incommodo.

Nestes termos tudo quanto he preciso para tranquilizar o Governo de Buenos-Ayres, conservallo em bons termos com o do Brazil, he convencêllo de que a invasaõ de Monte-Video, sendo medida de méra precauçaõ para cubrir as fronteiras do Brazil, contra as manifestas irregularidades de Artigas, naõ he destinada a intrometter-se com a nova ordem de cousas politicas no Paraguay e Chili, ou outra qualquer parte das colonias Hespanholas revoltadas. Isto feito, o Governo do Brazil naõ tem nada a temer da parte do Governo de Buenos-Ayres; antes póde ter no Rio-da-Prata fecundo campo para lucrativo commercio.

He verdade, que os corsarios de Buenos-Ayres começáram a fazer prezas dos navios Portuguezes; mas este incidente resultou da officiosa e mal entendida ingerencia de um campeaõ do Governo do Brazil em Londres, o qual, tentando justificar a Côrte do Rio-de-Janeiro, para com as Potencias Alliadas, publicou que a invasaõ de Monte-Video tinha sido intentada de concerto com a Côrte d' Hespanha, e para o fim de destruir os novos Governos Independentes.

Uma declaraçaõ tam inte pestiva, desnecessaria, e impolitica, ainda quando verdadeira, naõ podia deixar de produzir a retorsaõ, que tem acontecido; porque os agentes de Buenos-Ayres em Londres, dando logo parte disto a seus corsarios, julgáram estes, que, depois de tal declaraçaõ éram justificados em fazer represalias, e tomar a propriedade de Portuguezes, aonde quer que se pudessem assenhorear della.

Este disturbio, porem, na paz do Brazil, facilmente se póde remediar, se a Côrte do Rio-de-Janeiro, desapprovar a declaraçaõ, que se fez em Londres, e mostrar ao Governo de Buenos-Ayres, que naõ obra de concerto com o Gabinete de Madrid, provando isto com a mesma queixa daquelle Gabinete ás Potencias Alliadas, e com a representaçaõ destas á Côrte do Rio-de-Janeiro.

A segunda difficuldade, que vem a ser uma invasaõ da parte de Hespanha na Europa, e a Ingerencia das Potencias Alliadas; nem provém de culpa ou erro, no Ministerio do Brazil, nem he cousa de consequencia, que deva produzir inquietaçaõ áquelle Governo. O mal que a Hespanha podìa fazer com a sua invasaõ, éra tomar posse de todo o Portugal. Nós negamos a possibilidade desta hypothese; mas suppondo que isso acontecia, segundo os principios de Mr. De Pradt, que El Rey do Brazil deve abandonar Portugal, he claro que a Hespanha nisto lhe naõ podìa fazer mal. Mas que a Hespanha tal naõ poderìa conseguir, fica evidente, considerando nós, 1°. que o Governo Hespanhol naõ tem nem forças phisicas nem moraes para similhante empreza; e 2º. que os Inglezes, e outras naçoens, que tem interesses analogos, obstarîam com todas as suas forças a que Portugal se unisse á Hespanha.

Quanto ás Potencias Alliadas; parece-nos mui claro, que se a Côrte do Rio-de-Janeiro tivesse (como nós muitas vezes recommendamos) publicado o devido manifesto de suas intençoens na invasaõ de Monte-Video; se as suas vistas saõ as que suppomos; e fossem prudente, e francamente explicadas ás Potencias Alliadas, estas naõ podîam deixar de acquiescer, e convencer-se; e pelo menos ficárem neutraes.

Agóra, se o mal que Hespanha podîa fazer a El Rey do Brazil, declarando-lhe a guerra na Europa, serîa insignificante, mesmo na hypothese de Mr. De Pradt; por outra parte, o mal, que com tal guerra podîa soffrer a Hespanha, serîa considerabilissimo e irremediavel: basta suppormos o caso de que o Gabinete do Brazil adoptasse, por via de represalias, a medida que Mr. De Pradt recommenda, como systema de politica; favorecer a emancipaçaõ de todas as colonias Hespanholas.

Neste ponto differimos tambem de Mr. Pradt; porque, em vez de suppormos com elle, que El Rey do Brazil deve decidir-se a favorecer abertamente a revoluçaõ das Colonias Hespanholas, somos de parecer, que a S. M. Fidelissima nada convem mais do que uma perfeita neutralidade, e tractar com os Governos ali estabelecidos de facto, sem se intrometter com decidir a questaõ de direito. A medida, recommendada por Mr. De Pradt, de favorecer abertamente a independencia das Colonias Hespanholas, serîa injusta a respeito da Hespanha; e impolitica quanto ás mesmas colonias, no progresso de sua revoluçaõ.

O Governo do Brazil nunca poderìa dar á revoluçaõ das Colonias Hespanholas a direcçaõ, que desejasse; e se pudesse dar-lhe repentinamente a independencia; aquelles povos naõ saberîam como usar de sua liberdade; e sem duvida cairîam no maior cahos da anarchia. Pelo contrario, a guerra da independencia dá tempo a que os novos Governos se fortifiquem pouco a pouco, e que os homens influentes aprendam a arte de governar e com a experiencia, que vam adquirindo, em quanto o inimigo exterior os naõ deixa pensar em querellas intestinas; aprenderaõ a melhorar as suas instituiçoens politicas, e remediar os males que nellas fôrem descubrindo; até formarem algum Governo regular; e consolidado pelo tempo.

Nestes termos basta que El Rey do Brazil conserve, com sua neutralidade, as relaçoens commerciaes com seus vizinhos; e os tenha bem dispostos, para os casos imprevistos, em que sua amizade lhe sêja util ou necessaria. A independencia da America he infallivel, mais dia ou menos dia; porque he contra a natureza das cousas, que paizes tam extensos, populosos e ricos estêjam sugeitos a metropoles inferiores em todas estas circumstancias. Porém a esses mesmos paizes naõ convem, que ninguem lhes dê uma liberdade repentina, sem um Governo ao mesmo tempo assas forte, e adaptado ás ideas dos povos para ser permanente. E isto por uma razaõ bem simples; porque aquelles povos naõ saberaõ gozar de sua independencia, nem teraõ ideas bastantes para fomar um Geverno solido para si mesmos; em quanto naõ puderem appreciar, pelo trabalho, que lhes custar, o valor que aquelles bens merecem; e aprenderem com o uso de governar pequenas secçoens de territorio, o modo de estabelecer instituiçoens politicas, dignas de grandes naçoens.

A ultima difficuldade, que, segundo Mr. De Pradt, deve embaraçar o Governo do Brazil, he a supposta separaçaõ de Lisboa, e insurrecçaõ de Pernambuco. A separaçaõ de Lisboa he mencionada pelo Author, assim como por outros escriptores, principalmente jornalistas; em consequencia do que tem publicado os Governadores de Portugal; os quaes, na ridicula conspiraçaõ de algums officiaes, descontentes com,o Marechal Beresford, achâram opportunidade, para fazer de um argueiro um cavalleiro, e debelando gigantes imaginarios, engrandecerem seus relevantes serviços juncto ao throno: daqui resultou a opiniaõ de Mr. De Pradt, e um similhante rumor por toda a Europa, que esperamos se verefique, como se verificâram os uniformes, artilheria, &c. &c. da Septembrizaida de Lisboa. Assim deixamos o imaginario temor de Mr. De Pradt, a este respeito, para ser desvanecido, com a desenvoluçaõ dos factos sobre a conspiraçaõ, que seus mesmos inventores daraõ a conhecer; assim como fizéram a respeito da Septembrizaida, aonde a maldade dos calumniadores foi exposta pela sua mesma estupidez; porque ha muitos homens malvados e mal intencionados; que naõ tem assas habilidade, para dar pleno effeito a seus iniquos projectos.

Quanto a Pernambuco Mr. De Pradt tambem dá áquelle acontecimento uma importancia, que lhe naõ compete; e o attribue a causas, que naõ saõ as verdadeiras; e suppôem consequencias mui alheias do que se deve presumir ou conjecturar: o rumor publico sobre a insurreiçaõ desorientou nisto aquelle Author.

Diz Mr. De Pradt, que El Rey, victorioso ou vencido, sempre perderá na contenda; porque naõ tem nada a ganhar: " isto he verdade. Uma rebeliaõ he sempre um mal para o Estado, ainda quando supprimida, e todo o mal do Estado, he pérca para El Rey. Porém a respeito da rebelliaõ de Pernambuco, o Author naõ he justificado nas suas conclusoens; porque naõ tinha dados bastantes para conhecer nem as causas, nem a extençaõ da rebelliaõ.

" Uma insurreiçaõ supprimida, diz Mr. De Pradt, occulta outras muitas dentro em si. ¿ Aonde podeis vôs seguir e aprehender os agentes da insurreiçaõ, em um paiz sem limites a sem policia? Naõ he como na Europa, aonde de um quarto de legua a outro todos os postos estaõ occupados, todas as cáras saõ conhecidas, todos os nomes registrados: aonde um assobio he bastante para levantar, por assim dizer, debaixo dos pés, um exercito de biliguins, de agarradores, de juizes, e de executores de suas ordens. A Europa vive bebaixo de uma ley de policia geral, que forma uma cadêa, cujas extremidades tem differentes ministros, desde Petersburgo ate os pilares de Hercules: uma cadêa que a ninguem he permittido quebrar, ou salvar. Porém os novos paizes da America estaõ bem longe de possuir estes meios perfeitos de duplicada vigilancia. A America está no *minimum* daquillo, cujo *maximum* afflige a Europa. He portanto mui provavel, que as perturbaçoens continuem no Brazil, eu em todo ou em parte."

"He necessario accrescentar, que a insurreiçaõ prevenio que El Rey deixasse o Brazil. O que se tinha atrevido fazer em sua presença lhe mostrou o que se obraria em sua auzencia; e isto tanto mais o deve vexar; porque nunca Portugal necessitou mais de sua presença. A insurreiçaõ fez que fosse imperioso o retirar o mais depressa possivel as tropas que estavam em Monte-Video, empregadas contra outrem para as dirigir contra seus vassallos; e deve agradecer ás Potencias da Europa o terem posto a sua intervençaõ neste caso, porque isso o livra da legitima vigança deHespanha."

A obra de Mr. Pradt teve tam rapida extracçaõ, que em poucos dias appareceo nova ediçaõ; e como ésta succedeo depois de estar supprimida a insurreiçaõ de Pernambuco, éra de esperar que elle alterasse de algum modo os seus raciocinios sobre aquelle ponto. Mas pelo contrario, fallando da insurreiçaõ de Pernambuco, na pequena addiçaõ que fez á sua obra, na segunda edicçaõ, diz Mr. De Pradt;

" A suppressaõ da insurreiçaõ de Pernambuco, acontecimento previsto e facil de prever, naõ fez nada para a causa da independencia.

"O bom successo a tería fortalecido; mas o máo successo naõ a pode fazer parar. Ha uma cessaçaõ de lucro, mas naõ ha perda."

Mr. De Pradt, naõ ficou sem resposta, mesmo em França; porque logo depois de apparecer a sua segunda ediçaõ se publicou em Paris um folheto, com o titulo de "*Observaçoens sobre a obra de Mr. De Pradt, intitulada Colonias e revoluçaõ na America, e os tres ultimos mezes, por Mr. Fauchat.*" Mas, naõ obstante, convém ao Correio Braziliense, expôr o erro das supposiçoens de Mr. De Pradt em apoio das doutrinas, que se tem mantido, em outros N^os. deste Periodico.

A insurreiçaõ de Pernambuco naõ teve, como suppôem Mr. De Pradt, e outros escriptores da Europa, connexaõ alguma com a revoluçaõ das Colonias Hespanholas. Nestas, o principal objecto he obter um Governo independente da Europa; no Brazil este ponto, se fosse o objecto dos povos, ou dos cabeças da rebelliaõ; estava ja alcançado, pois o seu Rey residia no Brazil. Resta saber qual foi o motivo porque o Governo de Pernambuco caîo sem resistencia, e o povo todo appareceo da parte da revoluçaõ; e ésta em seu turno desappareceo como um relumpapo, á vista das tropas d' El Rey. Nós explicaremos estes factos incomprehensiveis a muitos escriptores da Europa; porque as extensas informaçoens, que possuimos daquelle paiz, nos pôem em estado de podermos ajuizar daquelles successos, talvez ainda com melhor criterio, do que se estivessemos naquelle lugar, atordoados com o estrondo tam proxim dos acontecimentos.

Caîo sem resistencia o Governo de Pernambuco; porque aquelle Governo, assim como os demais das Colonias Portuguezas, he fundado em despotismo, sem com tudo ser apoiado por todas as instituiçoens, que, como observa Montesquieu, saõ essenciaes á preservaçaõ de tal forma de Governo: e muitas vezes o desposta he assas despota para attrahir contra si o abhorrecimento ou indifferença do povo, sem o seu despotismo ser assas cruel, e activo para asse gurar a continuaçaõ do seu poder. Tal éra o caso do Governador de Pernambuco. Governava a força phisica; faltava-lhe a força moral.

O povo unio-se aos revolucionarios; porque suppoz na revoluçaõ uma porta para os remedios contra os abusos, que saõ objecto das queixas geraes no Brazil.

O Governo revolucionario caîo por terra: porque, sendo composto de pessoas ignorantes de politica, suppoz que a reforma de administraçaõ desejada pelo povo, consistia na mudança da forma de governo; portanto os cabeças da revoluçaõ declaráram Pernambuco uma Republica; o que éra bastante para assustar toda a gente, declarando a provincia rebelde ao Soberano; em vez de se mostrar desejosa de reformas: desde esse momento os cabeças se declaráram rebeldes; e os homens honrados e pensantes naõ pudéram mais desejar ter nada de commum com elles.

A insurreiçaõ pois de Pernambuco, naõ teve em vista a independencia; porque essa já a possue o Brazil; nem a mudança da forma de Governo para uma Republica; por que tal forma de Governo he a que menos convém aos custumes do paiz: a revoluçaõ fundamentou-se no desejo geral do povo de ver reformados os abusos da administraçaõ; e tomou a vereda da mudannça de forma de Governo, pela ignorancia dos cabeças; e essa vereda errada destruio a mesma obra, que desejava edificar.

Mr. De Pradt toca ainda outro ponto, em que se acha outra vez falto de informaçoens; copiaremos o que elle diz, mas naõ seguiremos a refutallo; por ser materia que temos ja explicado em outros N[os]. deste Periodico. Isto refere-se á volta de S. M. Fidelissima para a Europa.— Mr. De Pradt diz assim: —

"Quando, em 1814, teve lugar a resurrecçaõ das soberanias abolidas por Bonaparte, se annunciou a volta d'El Rey de Portugal. Devemos ao Parlamento Britannico os unicos meios, que existem na Europa, de receber informaçoens um pouco extensas sobre as colonias: isto foi a participaçaõ que fez Lord Castlereagh, de que El Rey projectava áquelle tempo voltar para a Europa; e que tinha pedido ao Governo Inglez uma esquadra para o conduzir. Circumstancia ésta estranha, e tam contraria á presente honra de Portugal, como á sua gloria passada,—ver que o successor de Soberanos, a quem a Europa deve a descuberta de tantas terras, e cuja bandeira reynou triumphante nos mares da India, estava reduzido a tal fraqueza, que naõ podîa atravessar o oceano, e voltar a seus dominios paternos, sem auxilio da marinha Ingleza."

"Esta primeira resoluçaõ naõ foi posta em execuçaõ. O Principe ficou no Brazil. A escuridaõ em que as côrtes despoticas do Sul gostam sempre de se involver, nos tem ocultado os motivos da prolongaçaõ desta estada. Naõ he desarrazoado o pensar, que isto pudesse ter duas causas.

1a. A necessidade de naõ saîr do centro do movimento, que agita a America Hespanhola. O Brazil está de tal maneira situado a respeito daquelle paiz, que naõ poderîa escapar dos seus effeitos. Pela mudança d' El Rey, elle adquiro o principal objecto deste mesmo movimento; que éra fixar o governo de seus territorios, no meio destes mesmos territorios. A America peleja para conquistar o que o Brazil tem obtido sem luta, isto he um Soberano independente da Europa; e o fim de umà ordem puramente colonial. 2a. A difficuldade de deixar o Brazil entregue a si mesmo, sem o expôr ao perigo de ser perdido na sua volta a Portugal; porque certamente ha nisso perigo. O Brazil depois de ter gozado da presença d' El Rey, depois de se ter lisongeado com a esperança de o reter, naõ o restituirá sem extrema repugnancia e sem consequencias sérias, He necessario olhar para estas circumstancias, quando se estabelecem certos dados, e calcular as suas consequencias. O povo do Brazil naõ restituirá El Rey com o mesmo prazer, com o mesmo zêlo, que testemunhou na sua chegada; e antes de dar um passo como este, o Governo deve estar seguro das consequencias. A presença d' El Rey no Brazil, éra a verdadeira segurança, que tinha a casa de Bragança, naquellas regioens, e a sua mudança serîa a sua terminaçaõ. El Rey saindo dali, deixarîa a independencia em sua deserta capital. Seja qual for a realidade destas conjecturas que todas junctas ou separadas naõ contém nada de improvavel, El Rey ficou no Brazil. A guerra estava distante de suas fronteiras, porque havia grande distancia entre os seus Estados e o Rio-da-Prata: o theatro da guerra estava ainda mais remoto; porque se estendia na direcçaõ do Chili e Peru, collocados na parte opposta do Continente. Artigas naõ o molestava; e Buenos-Ayres estava demasiado occupado para desejar crear um inimigo de novo, atacando o Brazil."

Mr. De Pradt fallou desta mateira, unicamente pelas informaçoens, que pôde ter, lendo os debates do Parlamento Britannico: porém Mr. De Pradt, antes de tirar as suas consequencias daquella informaçaõ, deveria lembrar-se, que tudo quanto se soube no Parlamento sobre este ponto da projectada volta de S. M. Fidelissima para a Europa, foi unicamente o que os Ministros Britannicos julgáram conveniente declarar, para se defenderem das accusaçoens, que o partido da opposiçaõ lhes havia feito, de mandarem inutilmente uma esquadra ao Rio-de-Janeiro, para trazer El Rey, e uma embaixada a Lisboa para o cumprimentar. Os Ministros publicáram extractos de conrespondencias, em prova do que disséram, mas nesses papeis se naõ acha officio ou escripto algum dos Ministros de S. F. M. de maneira que tudo resta na simples asserçaõ de Lord Strangford, que obviamente éra interessado na volta daquelle monarcha para a Europa.

Se Mr. De Pradt quizer ter o trabalho de examinar o que temos dicto em varios N^os^. deste Periodico, a este respeito; mas mui particularmente o nosso N°. passado (Vol XIX) achará, a p. 139 e seguintes, documentos que o convençam do credito que merecem os extractos, que se apresentáram ao Parlamento. Quanto á necessidade da esquadra Ingleza para proteger El Rey de Portugal, e Brazil na sua volta para a Europa, naõ podemos deixar de referir Mr. De Pradt ao que dissemos, no nosso N°. passado a p. 201. O Author naõ podia ter lido estes documentos, que naõ estavam publicos quando elle imprimio a sua obra; agóra he natural, que, vendo-os, altere um pouco a sua opiniaõ a este respeito.

# MISCELLANEA.

*Causa do Duque de Wellington contra Mr. Buscher, por Libello infamatorio.*

(Extracto *do Jornal de Gante*, de 6 de Septembro.)

" Publica-se em Bruxellas um Jornal em Inglez, intitulado *Philantropist*, cujos principios nós (o Jornal de Gante) temos frequentemente combatido, quando elle defendia, com todas as suas forças, interesses, que poderaõ ser os do Ministerio Britannico, mas que naõ saõ os dos Belgas. O *Philantropist* e seus collegas da outra parte do mar, O *Times*, *Star*, e *Courier*, tem tido o prazer de nos responder, algumas vezes com argumentos, algumas vezes com invectivas. Com tudo o *Philantropist* mostrou nobremente, o quasi diriamos que atraiçoou, a sua origem de uma raça pura e genuina Ingleza, pelos mais elevados sentimentos, pela independencia de opinioens, e pelo amor da liberdade de toda a sorte, e particularmente a mais preciosa de todas, a liberdade da imprensa ; e entaõ temos feito justiça ao nobre character, que manifestou.

" Assim no seu ultimo N°. , que sentimos naõ ter visto ha mais tempo, ha o seguinte artigo, que he tanto mais notavel, neste momento (isto he antes de ser processada a causa) quanto parece ser uma inserçaõ benevola, officiosa, e, desejavamos poder dizer, official. He mais que evidente, que naõ póde ter sido inserido, senaõ com as melhores intençoens; e, sem duvida, com as vistas de prevenir, em tanto quanto estava no poder daquelle que forneceo o artigo, que a influencia de um nome grande e illustre fizesse descer uma das conchas da balança de Themis.

" Alguns Jornaes deste paiz, diz o Philantropist, affirmam que Sua Graça, o Duque de Wellington, dá grande importancia á acçaõ, que poz contra o Edictor de uma das gazetas de Gante. Nós apenas podemos crer, que esta assersaõ sêja exacta; visto que temos em nossa maõ uma carta escripta pelo Nobre Duque, em resposta a uma pergunta, que se lhe fez, tendente a obter a sua permissaõ, para publicar uma carta, que lhe dirigio Mr. Constantine, de Dinant, e que he relativa á espoliaçaõ do Museum de Paris. Sua Graça declara, naquella carta, a absoluta indifferença, que ha muito tempo tinha, por tudo quanto delle se dissesse ou escrevesse; e concede a permissaõ requerida.

" Este traço he de um espirito naõ ordinario; e meramente citando-o se sente aquella satisfacçaõ, que he o gozo de uma alma bem formada. O *Philantropist* continua.—

" Nesta Carta Mr. Constantine faz ao Duque os elogios, que elle bem merece, como General de um Exercito: porém o Author vitupéra inteiramente o seu comportamento a respeito da espoliaçaõ do Museum; e isto por argumentos, que indîcam um espirito vigoroso e cultivado. Os nossos Leitores veraõ pelo nosso aviso, que a carta de Mr. Constantine está na imprensa em ambas as linguas, Franceza e Ingleza.

" A maneira porque os authores do artigo se expressam, faz honra, neste tempo, ao seu coraçaõ e sua cabeça. De facto a carta está ja annunciada, e ao momento em que aqui chegar nos apressaremos a dar uma conta della.

---

*Gante 7 de Septembro.*

A acçaõ que Sua Graça, o Duque de Wellington, instituio contra Mr. De Busscher, foi decidida hontem: e annunciamos com uma especie de orgulho, que a sentença, ainda que prevista por todas as pessoas sensatas, tem satisfeito todas as esperanças, e dado geral satisfacçaõ. Esta acçaõ, (em que, tomamos o prazer de crêr, naõ consentîra o Nobre Lord, que está collocado tam alto na escala da grandeza humana, senaõ em consequencia de suggestoens inconsideradas) tem parecido insignificante, e indigna da parte colossal, que Sua Graça representa no grande theatro do mundo. Quanto ao mais os nossos Leitores apreciaraõ melhor o merecimento da causa, pelos termos da sentença. No entanto até que possamos copiar a mesma sentença, nos aventuraremos a dar uma recapitulaçaõ, pelo que nos lembrar de memoria.

(Omittimos o resto do artigo para dar a integra da sentença, como ja se tem publicado.)

*Sentença da Côrte de Justiça na causa do Duque de Wellington contra Mr. Buscher.*

O Tribunal, considerando, que, no artigo do Jornal, que faz o objecto desta acçaõ, se naõ imputa ao Nobre Lord acto algum, que o possa expôr a acçaõ criminal ou correccional; que tambem se naõ imputa a Sua Graça acto algum, que possa expôllo ao desprezo ou odio publico; que, outrosim, fallando de úm desejo, naõ se accusa a Sua Graça de ter procurado influir o Governo de França, para que continuasse Mr. Dubree no seu emprego de

Intendente da Martinica; e que se naõ diz que Sua Graça tinha algum conhecimento de que Mr. Dubree houvesse prevaricado no exercicio do dicto poder.

Considerando outrosim, que, se Sua Graça tivesse manifestado o dicto desejo, se deverîa attribuir a poderosas recommendaçoens, representando Dubree em aspecto de todo differente do que se acha no artigo do Jornal, de que se tracta; de manstra que, neste ponto de vista, e no sentido do artigo, se naõ póde concluir que Sua Graça houvesse commettido algum acto indigno de si mesmo, ainda no cáso de que elle tivesse manifestado tal dezejo; porque Mr. Dubree tivesse administrado mui bem a Colonia, a favor de um Governo Estrangeiro; e tanto mais, que póde alguem administrar uma colonia, em favor de uma potencia estrangeira, sem que dahi se siga necessariamente, que a administre mal, ou atraiçoadamente, para com seu proprio Governo; visto que he cousa importante a todos os Governos terem as suas colonias administradas de maneira favoravel aos estrangeiros, em ordem a attrahir effectivamente para ali, e augmentar por todos os meios o commercio e prosperidade das dictas colonias; resulta daqui, como ja se disse, que o desejo, que o Nobre Lord podia ter manifestado, de ver a Mr. Dubree continuando em seu emprego, naõ devîa nem podîa expôllo ao despreso ou odio do publico; e tanto menos, porque os grandes feitos e eminentes qualidades, tanto moraes como politicas e militares do Duque de Wellington, o pôem além do alcance de qualquer suspeita de haver tentado obrar de outra maneira, que naõ séja a de um homem de honra; e como he impossivel que a sua brilhante reputaçaõ possa soffrer algum damno por folhetos, ainda que as suas expressoens sêjam ambiguas ou equivocas, a este respeito.

Por éstas razoens o Tribunal exonera o accusado das imputaçoens, de que se lhe faz cargo.

E decidindo a petiçaõ do Author,

A declara inadmissivel.

E outrosim, fazendo justiça á petiçaõ do Réo, para obter percas e damnos.

Considerando, que a acçaõ, intentada por parte de Sua Graça, se naõ póde olhar cômo de calumnia, porquanto méramente submette a uma corte de justiça o sentido de um artigo inserido em um jornal publico,

Declara a dicta petiçaõ do Réo inadmissivel.

E, visto o artigo 194 do Codigo dos Processos Criminaes, condemna o Author nas custas, tanto para com o publico, fixadas em dous florins e doze centecimos, como para o Reo, fixadas em um florin e cincoenta e sette, centecimos.

Dada e pronunciada, em sessaõ publica, aos 6 de Septembro, de 1817.

Presentes: Messrs. Vispoel, Presidente da sessaõ: Lebegue, Camberlyn, e Parez; Juizes: e Smet, substituto do Procurador Geral d' ElRey.

(*Assignados*) J. Vispoel.
L. Lebegue.
J. B. Camberlyn.
H. Parez.

## REYNO UNIDO DE PORTUGAL, BRAZIL, E ALGARVES.

### *Exequias do Senhor Infante de Pedro no Rio-de-Janeiro.*

Havendo chegado de Portugal o magnifico tumulo, que ElRey Nosso Senhor mandára construir para deposito dos restos preciosos do Seu Muito amado Sobrinho e Genro o Serenissimo Senhor D. Pedro Carlos de Bourbon e Bragança, Infante de Hespanha, e Almirante General da Marinha Portugueza; quiz o Mesmo Augusto Soberano dár um publico testemunho do seu amor, e piedade, ordenando que no dia 25 do corrente, o som funebre dos sinos, preludiasse as funebres demonstrações, que se preparavam no Templo. A'noite passou S. M., acompanhado do Principe Real, e do Senhor Infante D. Miguel, á Igreja do Convento dos Religiosos Menores Observantes, e mandou abrir o sepulcro do Serenissimo Senhor Infante Almirante General, e reconhecer a identidade do Corpo alli depositado, pelo Regedor e Chanceller da Casa da Supplicaçaõ (que havia servido de Secretario de Estado de S. A. no acto do deposito) em presença dos Grandes do Reyno. Feito o exame, e fechado o Caixaõ na fórma costumada, o Excellentissimo o Reverendissimo Bispo Capellaõ Mór com seu Cabido, e acompanhado dos Religiosos do Convento, foram á Capella do Deposito, donde o Corpo foi levado á Igreja pelos Grandes do Reyno, seguindo o fereto S. M., e Seus Augustos Filhos; posto na Eça o Corpo, começaram as Matinas e Officio de Defuntos com os Responsorios do celebre Portugal, cantados pelos Musicos da Real Camara e Capella, e regidos pelo mesmo insigne Compositor, estando S. M. presente até o fim.

Concluidas as Matinas, e fechada a Igreja, ficaram os Gentis-Homens e Guardas-Roupas guardando o Corpo do Senhor Infante, assistindo a Guarda Real dos Archeiros; em toda a noite quatro Religiosos mudados de meia em meia hora entoavam em frente da Eça os Nocturnos do Officio de Defuntos.

No dia seguinte pozeram-se em funeral as fortalezas, e navios de guerra surtos neste porto, com bandeiras a meio páo, e tiros de quarto em quarto de hora, e ás 7 horas postou-se no largo da Carioca um parque de 7 peças de artilheria, e na ladeira, que vai para o Convento, o 1°. Regimento de Infanteria de linha.

A's 10 horas e um quarto começou o Excellentissimo Bispo Diocesano a Missa, tendo por Assistente o Illustrissimo Monsenhor Deaõ, e estando tambem presentes os Conegos da Real Capella ricamente paramentados, e os Capellaens e Cantores da mesma para as suas funções respeetivas. S. M. e seus Augustos Filhos occupavam o lugar destinado.

Este Templo estava ricamente revestido de funebres ornatos, e continha no centro o elegante mausoléo, a que estava sobreposta uma Corôa dourada. Assistiram, além dos Grandes do Reyno, Officiaes da Casa Real, Nobres, &c. muitas pessoas das classes mais distinctas.

Enchia a Igreja o Illustre Concurso do dia precedente, e os Corpos da Marinha e Brigada, de uniforme rigoroso, e luto pezado.

A Musica era do mesmo celebre Compositor, e regida por elle mesmo; e finda esta, subio ao Pulpito o Enviado do Reyno do Algarve, e em uma eloquente Oraçaõ desafiou a saudade, e a dôr no coraçaõ dos ouvintes.

Acabada a Oraçaõ fez o mesmo Chanceller o Acto de entrega ao R. P. Guardiaõ do Convento, encarregado de uma das chaves do caixaõ, o qual foi lido pelo mesmo, que o fez, e assignaram os Grandes do Reyno com o Guardiaõ. Depois foi levado ao tumulo soberbo, e na occasiaõ do deposito salvou o parque de artilheria e deo as descargas o 1°. Regimento de Infanteria de linha, postado na ladeira, seguindo-se as salvas das fortolezas, e navios de guerra.

O pomposo tumulo de marmore tem sobreposto o Busto do Serenissimo Senhor Infante em marmore; dous Anjos sustentaõ uma Coroa dourada sobre sua cabeça; e nelle se lê o epitaphio seguinte:

HIC. JACET
D. D.
PETRUS. CAROLUS. HISPANIARUM. INFANS. GABRIELIS. HISPANIARUM. ET MARIÆ. ANNÆ. VICTORIÆ. PORTUGALIÆ. INFANTIUM. FILIUS. MARIÆ TERESIÆ PRINCIPIS. JOANNIS. PROREGENTIS. PORTUGALIÆ. PRINCIPIS. CARLOTÆ. QUE. HISPANIARUM. INFANTIS. FILIÆ. CONJUX. NAVALIS. MILITIÆ. IN. LUSITANIA. DUX. SUPREMUS. OBIIT. VII. KALENDAS. JUNII. ANNO. XXV. ÆTATIS. SUÆ. MDCCCXII.

---

*Rio-de-Janeiro* 17 *de Maio.*

No Faustissimo Dia 13 do corrente, a uma hora da tarde o Ex. Pedro de Balk Poleff, Enviado Extraordinario e Ministro Plenipotenciario de Sua Majestade o Imperador de todas as Russias, teve a sua primeira Audiencia no seu novo caracter de Embaixador Extraordinario do mesmo Soberano, de quem nesta occasiaõ appresentou as novas credenciaes, e fez a S. M. a seguinte.

*Falla.*

Senhor:—Offerecendo-vos da parte de Sua Magestade, o Imperador, Meu Augustissimo Amo, os seus mais sinceros parabens sobre a feliz elevaçaõ de Vossa Majestade ao Throno de Seus Antepassados, he do meu dever enunciar votos, cuja expressaõ será um novo testemunho dos sentimentos de alta estima, e de amizade, que Sua

Majestade Imperial nunca deixou de manifestar pelos Destinos de Vossa Illustre Casa.

"Oxalá, Senhor, que a nova era, que Vossa Majestade imprimio a Seus vastos dominios do Brazil, apague para sempre os vestigios de systemas de ora em diante incompativeis com a exigencia das luzes sociaes, e com a regeneraçaõ da ordem politica na Europa.

"Os principios sabios e liberaes, que demanda o espirito verdadeiro do Christianismo, desenvolvidos pelas leys da moral politica e administrativa, que naõ podem ser estranhos aos sentimentos de Vossa Majestade, saõ as unicas bases duraveis da prosperidade dos Imperios.

"Em fim para um Throno de uma Casa taõ Illustre como a de Vossa Majestade, estabelecida no seio do novo Mundo, e no meio dos ricos beneficios de uma Natureza fecunda e majestosa, naõ póde haver outra ambiçaõ mais do que a de ganhar um interesse Europeo, taõ permanente como solido.

"Feliz neste momento do ser o Interprete de um Soberano taõ grande como magnanimo, ouso dirigir-me a vós, Senhor, appellidado Pay de Vossos Vassallos, lisongeando-me de que pelo duplo titulo deAlliado Fiel do Meu Augustissimo Soberano, e de Assignante da Santa Alliança, seraõ completos os vótos de um Monarca Pay da Patria, que só deseja a felicidade de Vosso Reynado."

S. M. respondeo a esta obsequiosa falla, expressando os sentimentos de especial amizade, que sempre teve por S. M. o Imperador de todas as Russias, e o singular apreço, que fazia desta Embaixada.

Foram os introductores do Embaixador os Excellentissimos Marquez de Bellas, Capitaõ da Guarda Real, e Conde de Belmonte, Porteiro Mór.

Finda a Audiencia d'ElRey Nosso Senhor, a que assistiram o Serenissimo Senhor Principe Real do Reyno-Unido de Portugal, do Brazil, e dos Algarves, e o Serenissimo Senhor Infante D. Miguel, foi o Embaixador appresentado á Audiencia de S. M. a Raynha Nossa Senhora, que estava acompanhada de S. A. R. a Princeza D. Maria Thereza, e das Senhoras Infantas, com o ceremonial do estylo e etiqueta da Corte, sendo introductores os mesmos.

## Revoluçaõ de Pernambuco.

### *Extracto da Gazeta do Rio de Janeiro de* 14 *de Maio* 1817.

Temos demorado por longo tempo o communicar aos nossos leitores quanto nos constava dos desastrosos successos, ácerca da revolta de Pernambuco, naõ tanto pelo horror, que sentiamos em referir similhante acontecimento, ainda que bem desejariamos naõ manchar com tal atrocidade as paginas da Historia Portugueza, tam distincta pelos testemunhos de amor, e respeito, que os vassallos desta naçaõ consagraram ao seu Soberano nas occasiões de maior apuro, e em distancias mui remotas; mas para naõ adiantar facto, ou circumstancia alguma, em cousa por sua natureza taõ odiosa, de que naõ tivessemos completa informaçaõ; e porque demais estando convencidos, assim como todos, de que os habitantes de Pernambuco naõ podiaõ ter-se alienado até o ponto de perderem os sentimentos de fidelidade, e obediencia, que noutro tempo realçaram o seu caracter, naõ acertavamos, como pôde verificar-se a escandalosa ingratidaõ, que acabavam de manifestar. As noticias mais individuaes, que ultimamente tem chegado, nos tiram desta incerteza, mostrando que na funesta rebelliaõ de Pernambuco naõ teve parte a maioridade dos seus habitantes; e naõ nos arrependemos por isso de uma demora, que servio para confirmar a persuaçaõ em que estavamos, e que tinhamos tanto a peito: sabe-se já com toda a evidencia, que foi unicamente o resultado da trama de alguns malvados, que tomaram este expediente, para fugir á justa puniçaõ dos seus crimes.—Tinha o Governador e Capitaõ General passado ordem de prisaõ contra alguns delles, que desde muito tempo a esta parte procuravam excitar animosidades, e maquinar desordens: em execuçaõ desta ordem foi preso no dia 6 de Março ultimo Domingos José Martins, que era um dos principaes; e da prisaõ de outros, que eram Officiaes da guarniçaõ, se encarregaram os dous Chefes dos Regimentos de Infanteria e Artilheria, de que esta se compôem; infelizmenre porém tal espirito de insubordinaçaõ e indisciplina tinham os Officiaes culpados introduzido nestes dous corpos, que nenhum delles obedeceo á voz dos seus Chefes, e se pozeram em declarada insurreiçaõ. O Brigadeiro Manoel Joaquim, Commandante do regimento de artilheria, foi cobardemente assassinado por um Capitaõ, a quem deo a voz de prezo; e animados com este exemplo os Soldados dispararam as suas espingardas sobre o Coronel Ajudante d'Ordens, Alexandre Thomaz, Official geralmente estimado, que o Governador mandára aos quarteis, para com o mencionado Brigadeiro acommodar o tumulto. Perpetrados estes assassinios foram em tropel ás cadêas pôr em liberdade Domingos José Martins, e soltar todos os facinorosos, os quaes se lhes associaram, para as desordens subsequentes desse dia, em que perderam a vida álguns dezeseis individuos. O Governador teve unicamente tempo de recolher-se com a sua diminuta guarda no forte do Brum, mas naõ havendo alli, nem mantimentos, nem meios de defeza, se vio obrigado a embarcar-se no dia 9 de Março, em a sumaca, que lhe subministraraõ os rebeldes, para trazello a este porto, onde chegou no dia 25.

Os chefes principaes dos revoltosos, que saõ Domingos Jose Martins, o Padre Joaõ Ribeiro, o Advogado José Luiz de Mendonça, o Capitaõ de Artilheria José de Barros Lima, e o Coronel de Milicias Manoel Corrêa de Araujo, se installaram em governo provisorio no dia 7 de Março, e repartiram pela Soldadesca uma parte do dinheiro, que acharam nos cofres publicos.

Pouco depois da sumaca, em que vinha o Governador, entrou outra mandada expressamente da Bahia, pelo Conde dos Arcos, e por estas duas embarcações vieram as primeiras noticias de taõ nefando dezar. S. M. El Rey Nosso Senhor apezar do abalo, que taõ sacrilego attentado faria no Seu Extremoso e Paternal Coraçaõ, sem sossobro, e com a maior presteza, deo logo providencias para obstar a que os malevolos naõ conseguissem por meio da força e da seducçaõ, induzir á desordem mais alguns infelizes, e mandou promptificar com a maior actividade os navios de guerra e força armada, que deviam sugeitar os rebeldes.

As provas de amor e vassallagem, que nesta occasiaõ S. M. tem recebido de todas as classes dos seus vassallos, os quaes á porfia offertaram as suas vidas e fazendas, haõ de sem duvida ter diminuido a pungente magoa do Seu Regio Coraçaõ, e apagam de algum modo a feia nodoa, que taõ inesperado desacato pôz sobre a lealdade Portugueza. A Bahia, como Provincia mais proxima, foi a primeira em dar a conhecer os dignos sentimentos de seus honrados habitantes, cujos esforços e boa vontade, dirigidos pela discripçaõ, actividade, e zelo do Capitaõ General, Conde dos Arcos, facilitaram os meios, naõ só de obstar á propagaçaõ da revolta para o sul de Pernambuco, mas para armar em guerra dous Navios da Praça, os quaes com um

Brigue, que havia, foram fazer o bloqueio ao porto de Pernambuco; e ultimamente para por em campo uma Divisaõ de tropas destinada contra os insurgentes. As energicas medidas tomadas nesta Corte para preparar os Navios de guerra, ás quaes S. M. deo o maior impulso, dignando-se por algumas vezes ir Pessoalmente ver os trabalhos, conseguiram que no dia 2 de Abril sahisse a flotilha do bloqueio de Pernambuco, composta de uma Fragata, uma Escuna, e duas Corvetas, debaixo do commando do Chefe de Divisaõ Rodrigo Lobo. Logo se continuou a providenciar sobre a organizaçaõ, municiamento, e preparos das tropas, que tinham de operar contra as forças dos revoltosos, e no dia 4 de Maio sahio com um comboy, composto da náo Vasco da Gama, e de 10 Navios de transporte na sua conserva com 3.000 homens de Infanteria e Cavallaria, os quaes todos se offereceram para esta expediçaõ, e com um parque de Artilheria. Esta tropa he commandada pelo Marechal de Campo Luiz do Rego Barreto, bem conhecido já pelos seus serviços no exercito de Portugal, e juncta com igual numero de tropas, que se lhe ha de reunir do Governo da Bahia, he mais do que sufficiente para o fim, a que se destina, o qual se espera obter com toda a certeza, e dentro de breve tempo.

Iremos dando em outras folhas a lista das subscripçoes voluntarias, que nesta crise offereceram os habitantes desta Corte, para que possa fazer-se alguma idéa dos bons sentimentos, que os animam, ainda que naõ póde manifestar o enthusiasmo, com que todos adoram a Augusta Pessoa de seu Amado Soberano, e o profundo pezar, que experimentam, em razaõ de um acontecimento, em que vem pela primeira vez compromettido o nome da sua naçaõ.

*Bahia 3 de Junho.*

Sabbado de manhaã (30 de Maio) acabou de chegar a este porto a Esquadra do Rio de Janeiro, a qual principiou a entrar perto da noite do dia antecedente. O Excellentissimo Governador e Capitaõ General de Pernambuco saltou logo em terra com um grande numero de Officiaes; e entre elles alguns Fidalgos Titulares. A gente desta Cidade mostrou a maior complacencia no recebimento desta illustre, e luzidissima tropa. Trouxe um mez de viagem. (G. da Bahia.)

## PORTUGAL.

*Ordem do dia, do Exercito em Lisboa.*

Quartel General, Pateo do Saldanha.

13 de Augusto, 1817.

O Illmo. Exmo. Senhor Marechal General, Marquez de Campo Maior, sente muito ter de advertir aos Senhores Commandantes dos Corpos, e outras authoridades do Exercito, que a direcçaõ incompetente, que dám ás representaçoens, officios, e requirimentos, que pertencendo pela sua natureza a uma Repartiçaõ do seu Estado Maior saõ remittidos a outra, causa uma grande confusaõ, e faz perder muito tempo nas remessas para aquellas a que competem.

Naõ póde S. Exa. deixar de notar a pouca attençaõ, que se dá ás ordens do Exercito; pois havendo determinado na ordem do dia 26 de Maio, 1809, que a dicta direcçaõ se fizesse segundo a natureza dos seus objectos ás referidas Repartiçoens, ainda se vê obrigado a lembrar a execuçaõ de uma ordem, que publicada uma vez naõ deveria esquecer mais: e para que finalize similhante irregularidade nas mencionadas direcçoens, manda S. Exa. declarar, que á Repartiçaõ do Senhor Ajudante General pertence tudo, que he relativo á disciplina do Exercito, em todos os seus ramos, á sua organizaçaõ, ao recrutamento, &c.: á do Senhor Quartel-Mestre General tudo, que he relativo ao equipamento das tropas, municiamento, aquartelamentos, fardamentos; &c. e á do Senhor Secretario Militar tudo, que he relativo á contabilidade, graças, habilitaçoens para cadetes, representaçoens sobre cousas ou pessoas civis; e em fim tudo, que naõ pertence ás duas outras.

No impedimento do Ajudante General.
O Tenente Coronel Deputado, De Chaby.

## Hespanha.

### *Madrid 26 de Julho.*

A 25 do corrente apresentou á Raynha nossa Senhora o Senhor Balio Tatischeff, Senador e Ministro Plenipotenciario da Russia nesta Corte, as Insignias da Gram-Cruz da Ordem de Sancta Catharina, que a Imperatriz Mãy dirigio a S. M. acompanhadas de uma expressiva carta, concebida nestes termos:

"Senhora minha Irmaã:....A estimaçaõ e amizade sincera que S. M. El Rey vosso Esposo tem inspirado ao Imperador meu muito amado Filbo, me tinha ha muito penhorado a tomar o mais vivo interesse pela felicidade de um Soberane que exclusivamente se occupa em procurar a dos seus vassallos.

"Causou-me por tanto verdadeira satisfacçaõ a noticia do feliz laço, que, unindo a vossa sorte, assegura uma prosperidade permanente á Augusta Casa, que V. M. tem enriquecido com suas virtudes. O Imperador, com o intuito de lhes render homenagem, me ha manifestado o seu desejo de que V. M. tivesse a Gram-Cruz da Ordem de Sancta Catharina, e Eu para este fim e com o maior prazer dirijo a a V. M. as suas Insignias, esperando as haja de acceitar.

"Muito me lisonjêa poder aproveitar uma occasiaõ taõ opportuna como esta para vos expressar, Senhora, minha Irmaã, os meus efficazes votos pela ventura de V.M. Estes saõ os de uma Mãy afortunada pelas felicidades que o Ceo tem derramado sobre o seu querido Filho, e que deseja vivamente que V. M. disfructe iguaes delicias, pois que a sua actual situaçaõ lhe proporciona o podellas esperar.

"Peço a V. M. que receba ao mesmo tempo os testemunhos do apreço e da consideraçaõ mais distincta, com a qual sou,—Senhora, minha Irmaã, de V. M. boa Irmaã—Maria—Petersburgo 13 de Maio de 1817."

A Raynha nossa Senhora, mostrando a sua gratidaõ, e a alta estima que dellas fazia, recebeo as Insignias, que consistem em uma Banda com a competente Cruz da Ordem, e uma rica placa guarnecida de brilhantes.

## Colonias Hespanholas.

### *Noticias da guerra, nas Colonias de Hespanha, publicadas pelo Governo Hespanhol.*

Madrid 23 de Julho.

O Tenente General D. Paulo Morilho, General em Chefe do Exercito expedicionario, existente na Costa firme, participou ao Senhor Secretario d'Estado e do Despacho da Guerra a brilhante marcha, que fez com parte do mesmo Exercito desde o Reyno de Santa Fé ás Provincias de Venezuela, dizendo entre outras cousas, com data do I° de Abril deste anno, do seu Quartel General de Maracay nas dictas Provincias de Venezuela, o seguinte.

" Excellentissimo Senhor: Nos meus officios anteriores participei a V, Exca. as razões que me detinham em Santa Fé, e a impossibilidade de marchar a Venezuela, por causa das inundaçoens, a pezar de que naõ ignorava a força que ia reunindo o inimigo, disciplinada e conduzida por Officiaes de todas as Nações, e a diminuiçaõ das de S. M. Avisei tambem que o Exercito inimigo chamado do Oriente da nova Granada tinha penetrado em Varinas, e batido completamente o seu Governador o Coronel Lopes. Nos principios de Dezembro desceo uma columna do Exercito do Rey a cordilheira até ás campinas de Casanare, e foi batendo de frente o inimigo, e envolvendo-o ao mesmo tempo que o Coronel Calçada executava igual movimento desde Cuenta, a cahir sobre o flanco inimigo, ou sobre a retaguarda, chegando a Varinas ao mesmo tempo que as outras tropas conseguiam chegar a Guasdalito commandadas pelo Brigadeiro la Torre. O inimigo passou o Apure carregado de todos os despojos de Varinas, destruindo-a inteiramente, dexiando-me um vasto deserto, e levando comsigo todos os habitantes, uns á força, outros por vontade, mas armando todos os homens capazes da se armarem. Eu conriderava Varinas como o sitio em que o Exercito se restabeleceria de tam longa marcha, e donde partiria com todo o necessario a fim de correr aquelles immensos desertos, porém tudo se frustrou, e suas tropas, tam costumadas ás fadigas militares, he bem positivo que nem um houvera chegado a este povo donde escrevo.

O Caudilho rebelde Paez poz sitio a S. Fernando de Apure logo que bateo a Lopes e fortemente o apertava ; mas sabendo da evacuaçaõ de Margarita, da presença de Bolivar em Barcelona, da de Marinho sobre Cumaná, que o vil Arismendi se dispunha a passar ao Continente e que a Guayana estava atacada por Piar, mas que o Exercito do Rey, debaixo do meu commando, ia sobre elle, teve a ousadia de intimar e ameaçar o valente Coronel o Cacique D. Joaõ de los Reyes Vargas, que a defendia, e que lhe respondeo como merecia. Chegou este Exercito ao Apure, e o inimigo teve de levantar o sitio, e de se dispor a fugir ou pelejar. As minhas tropas, fatigadas com a longa marcha que traziam, e que em vez de sitio onde descançar encontráram immenso deserto, sem viveres nem auxilio de qualidade alguma, moveram-se novamente, dirigindo-se pelo paíz doentío, que forma a faxa que ha entre os rios Apure e Arauca; e como era de esperar adoecêram muitos, naõ havendo meios de os passar ao outro lado do rio, razaõ porque pereceram bastantes na marcha. A Cavallaria, que tinha passado tam incriveis asperezas desde a Capital da Nova Granada, apenas se podia mover com uns cavallos, que no muito que tinhaõ andado naõ tiveram mais alimento que a palha da Sábana (campo aberto, a que daõ aqui este nome), naõ podendo reparar-se esta falta porque o inimigo destruio o paiz e rebanhou todos os cavallos. Naõ obstante todas estas desvantagens, foram os inimigos batidos todos os dias, e envolvidos, até que a 27 de Janeiro reunidos em numero de 2.500 cavallos, e commandados por Paez e Donato Perez, esperaram a vanguarda ás ordens do Brigadeiro D. Miguel de la Torre, com o qual se batêram na Sábana de Macubitas com o encarniçamento que em seu officio refere o dicto Brigadeiro; porém naõ foi o inimigo de todo destruido por falta de cavallaria, collocando-se la Torre no passo del Frio, á direita do Apure, a fim de dar algum descanço á tropa, e reparar os cavallos. A'primeira noticia que tive da presença do inimigo marchei a encorporar-me com a vanguarda, da qual distava seis legoas: consegui-o a 28, fiz ajunctar cavallos, organizei o melhor que pude a cavallaria do paiz, e puz-me em acçaõ de destruir Paez, o qual, apezar de que naõ tardei mais de quatro dias, em vaõ o busquei, nunca quiz novo choque. Segui por Banco-largo e Apurito até á Ilha de Achaguas, colhendo alguns destacamentos inimigos, e continuando por aquelle deserto cheguei a S. Fernando de Apure a 13 de Fevereiro, onde encontrei as tropas que commanda o interino Governador da Provincia de Varinas Brigadeiro D. Ramon Corrêa, e as do Tenente Coronel D. Salvador Gorrin, que se tinham gloriosameute batido com os corpos que attacáram aquelle ponto fortificado, cuja defeza sustentáram com o maior enthusiasmo e valentia. Os bandos renuidos de Paez com mais da 800 mulheres, e uma emigraçaõ immensa, viram-se desde entaõ reduzidas a viver nas Sábanas sem recursos nem communicaçaõ alguma, em uma terra que nada offerece mais que carne, a qual, sem sal, era o unico alimento, o que os diminuio consideravelmente tanto pelas enfermidades como pela deserçaõ.

" Reduzio-se entaõ o meu plano a defender a margem esquerda do Apure, a fim de que aos obstinados e máos vassallos d' El Rey os quebrante a sua má situaçaõ, até ter boa e numerosa cavallaria que corra aquellas ardentes e vasias campinas. Fiz saîr com mil trabalhos uma numerosa e bem arranjada divisaõ ás ordens do Brigadeiro D. Miguel de la Torre, para expulsar de la Guayana o rebelde Piar, que a tinha estreitamente sitiada, apoderando-se das Missões de Caroin, donde os sitiados se proviam de viveres; e naõ foi sem grande trabalho, e vencendo incriveis obstaculos, que tive a satisfacçaõ de ver marchar a 9 de Março uma expediçaõ como jámais ha navegado neste rio taõ numerosa nem taõ bem preparada, em mui pequenas embarcações, que por falta dellas foi precise construir. Na mesma noite puz-me em marcha para a Villa de Calabozo, e continuei atè este povo, sĭtuado nos abundosos valles de Asagua, e logo que as tropas tenham descançado um pouço,continuarei á frente dellas, appezar da minha quebrantada saude, a emprehender as operações sobre Barlavento; ficando V. Exca. seguro de que tudo superarei, e naõ ficara fadiga nem perigo que naõ arroste para salvar estes paizes, e sujeitallos de novo á dominaçaõ do nosso amado Soberano, por quem, como sempre, estou disposto a sacrificar a minha existencia.

"Na Provincia de Narinas deixo sufficientes tropas ás ordens do Brigadeiro D. Ramon Correa, e ao Coronel D. Sebastiaõ de la Calzada em S. Fernando, para cubrirem e defenderem as margens do Apure, e hostilizarem quanto poderem o inimigo, como succede com as frequentes incursões, que fazem por toda a magrem direita daquelle rio, onde apanham gados e cavallos, e sorprendem os destacamentos do inimigo. Nestas divisões se estaõ organisando os bons Regimentos de Cavallaria, os quaes dentro de mui pouco se poraõ em estado de obrar offensivamente contra os rebeldes, segundo as ordens que para isso tenho dado; ficando encarregado de dar impulso a todas estas operações o Marechal de Campo D. Salvador Moxó, pois sendo as distancias immensas, naõ he possivel decidir opportunamente nas differentes circumstancias, que se podem apresentar. Estas tropas obraraõ combinadas com os Esquadrões de Dragões, que ás ordens do Tenente Coronel D. Julaiõ Bayer deixei, em Chire ao pé da Cordilheira com destino de socorrer os Campos de S. Martin e Casanare, e vigiar as mardo Méta abrindo a communicaçaõ com a terceira Divisaõ ás ordens do Brigadeiro Samano, que se acha no Reyno, e pondo expedita a correspondencia nas vastas plaplanicies que mediam desde Casanare até o Arauca e o Apure.

" Tenho feito a V. Exca. esta longa narraçaõ para que tenha idéa da minha marcha desde o Novo Reyno de Granada, com a multidaõ de successos que a cada passo me tem apresentádo novos obstaculos e situações as maîs difficeis de superar; esperando se digne V. Exca. elevar e pór na presença de S. M. o merito singular e heroico, a constante firmeza e soffrimento, e o valor dos dignos Chefes, Officiaes, e tropas, que me tem acompanhado em uma campanha de que naõ ha exemplo, atravessando por mais de 300 leguas de um paiz quasi desconhecido, exhausto e deserto. Sempre com a serenidade de animo, que caracterisa os Hespanhoes, tem padecido os males de uma praga immensa de mosquîtos e carrapatos, e de milhões de insectos inimigos do homem, que parece a Providencia poz naquellas apartadas regiões, que jámais podem ser habitadas. A passagem de tantos rios navegaveis, sem canoas capazes, dos profundos canaes e valles pantanosos, tem posto á mais dura prova os nossos valentes e infatigaveis soldados. A fome, a disenteria, e as febres exercêram seu cruel imperio naqueles desertos, e terminaram muitos Officiaes e Soldados a sua carreira. Batêram-se, ao mesmo temgo, em diversos pontos com os traidores, sempre com bom exito; e os vieram perseguindo desde Ehire até S. Fernando; de modo que naõ ha genero de trabalho em que naõ se tenham exercitado.— Naõ faço recommendaçaõ de nenhum em particular, porque a todos tem cabido a mesma gloria, e todos se tem feito credores da admiraçaõ geral, e da consideraçaõ de V. Exca. Por isso rogo a V. Exca. encarecidamente que haja por bem elevar aos degráos do Throno o relevante mérito dos yalorosos deste Exercito, e pedir a favor delles as graças, que a piedade de S. M. se dignar conferir-lhes Deos guarde a V. Exca. muitos annos. Quartel General de Maracay 1º de Abril de 1817. Excellentissimo

Senhor—Paulo Morilho.—Excellentissimo Senhor Secretario d'Estado e do despacho da Guerra."

---

*Madrid 23 de Julho.*

O General D. Paulo Morilho, depois do officio do 1°. de Abril, dirigio, com data de 11 e 19 do mesmo mez os seguintes, ao Ministro Secretario d'Estado dos Negocios da Guerra, do seu Quartel General de Maracay e Valencia:

1°. "Excellentissimo Senhor: O Coronel D. Joaõ de Aldama, Commandante da primeira divisaõ deste Exercito, que opera na Provincia de Barcelona, me diz em officio que me dirige ás 5 da tarde do dia 7 do corrente, o seguinte: Excellentissimo Senhor: Tenho a satisfacçaõ de annunciar a V. Exc^a^. que esta tarde occupei por assalto a Casaforte que os inimigos guarneciam em numero de 700. Apresso-me em dar a V. Exc^a^. parte desta ditosa jornada, sem que ainda o possa illustrar sobre a perda que nella experimentei. O Exercito d'El Rey combateo de um modo heroico, e os inimigos pagáram bem caro a sua sonhada independencia. A' manhaã terei a honra de apresentar a V. Exc. esta vantajosa acçaõ tal qual foi. O que participo a V. Exc. para seu conhecimento e noticia de S. M. entre tanto que naõ remetto as particularidades."

2°. "Excellentissimo Senhor: Na carta de 11 do corrente, n°. 130, tive a honra de participar a V. Exc. o ter-se tomado por assalto, no dia 7 á tarde, a casa fortificada em que se achavam defendidos os rebéldes existentes em Barcelona, segundo me communicou o Coronel D. Joaõ de Aldama, Commandante da primeira divisaõ; offerecendo dar a V. Exc. conta circumstanciada da acçaõ, logo que soubesse as suas particularidades. Hoje chegárm á minha maõ os officios circumstanciados de que saõ copias litteraes os adjuntos, e que dirijo a V. Exc. para seu devido conhecimento e noticia de S. M; proporcionando-se-me com este motivo a satisfactoria occasiaõ de apresentar ao Soberano um novo testemunho do valor, pericia, e heroismo que caracteriza as dignas tropas, que tenho a honra de commandar. Naõ posso deixar ao mesmo tempo de recommendar a V. Exc. o benemerito e valoroso Coronel Aldama, que tem grangeado na divisaõ o justo apreço, que merece a sua bizarria e os seus conhecimentos militares; pedindo a V. Exc. se digne reclamar da piedade d'El Rey o posto de Brigadeiro a favor deste Chefe, que tem dous annos mais de antiguidade na sua classe, que todos os Brigadeiros, que foram promovidos por motivo da tomada de Carthagena."

(Segue-se o extenso e circumstanciado officio do Coronel Aldama, e o mappa da sua perda na tomada do forte de Barcelona, que foi de 23 mortos, 69 feridos, e 4 contusos; e um resumo do que se tomou aos insurgenres, a saber 22 peças de artilheria, 918 espingardas, munições, e outros effeitos, etc.)

---

### *Capitulaçaõ da Ilha de Amelia.*

O Brigaddiro-General Mc. Gregor Commandante em Chefe de todas as forças, tanto navaes como militares, destinadas a effectuar a independencia das Floridas, devidamente authorizado pelas authoridades constituidas das republicas de Mexico, Buenos-Ayres, Nova-Granada e Venezuela, offerece a D. Francisco Morales, capitaõ do Regimento de Caba, e Commandante Civil e Militar da Ilha de Amelia os seguintes termos:—

1. O Commandante Civil e Militar, D. Francisco de Morales, renderá immediatamente a guarniçaõ da Ilha, com todas as armas e muniçoens de guerra, pertencentes a El Rey de Hespanha.

2. Todos os officiaes e tropas da guarniçaõ se renderaõ como prisioneiros de guerra, e seraõ mandados para S. Agustin, ou para Havanna, com a sua bagagem particular, a qual será respeitada.

3. As vidas e propriedade de todas as pessoas particulares, amigos ou inimigos do systema da Independencia seraõ sagrados e inviolaveis; e aquellas que naõ quizerem unir-se ás bandeiras da Independencia, teraõ seis mezes de prazo para vender, ou dispôr de outra maneira de sua propriedade.

4. O General offerece tambem aos habitantes de Amelia, sêjam ámigos ou inimigos que se tem ausentado, por causa das presentes circumstancias, o privilegio de voltar para suas casas, e gozar do beneficio do 3° artigo da capitulaçaõ, e se daraõ livremente passaportes, a todos o que desejarem retirar-se.

Os artigos précedentes fôram concordados, entro o Commandante D. Francisco de Morales e o Secretario do General M^c Gregor.

Fernandina, 29 de Junho de 1817.

FRANCISCO MORALES.
JOZE DE YRIBARREN.

Certificado. BERNARDO SEGIN.

Approvado. GREGORIO MACGREGOR.

---

### *Proclamaçaõ do General M' Gregor.*

Gregorio M' Gregor General de Brigada dos Exercitos das Provincias Unidas de Nova Granada e Venezuela, e General em Chefe do Exercito destinado contra as Floridas, devidamente commissionado pelo Supremo Governo de Mexico e America Meredional, &c.

Habitantes dos Districtos Septentrionaes e Ocidentaes da Florida oriental!—A evacuaçaõ do Forte San Nicolas pelas tropas Hespanholas, aos 4 deste mez, pôz o territorio adjacente debaixo da administraçaõ e protecçaõ do Governo Independente. Naõ perco tempo em assegurar-vos do gozo de vossa liberdade civil, conservaçaõ de vossos direitos, e protecçaõ de vossa propriedade.—Eu extenderei a todos os pacificos cidadaõs, que vivem nos lugares adjacentes aos rios de Santa Maria e S. Joaõ, nas ilhas e paiz intermediario, todas as vantagens que se pódem tirar dos artigos 3° e 4° da capitulaçaõ de 29 de Junho ao tempo do rendimeeto desta praça, isto he plena protecçaõ de suas vidas e propriedades.

Naõ sêja o temor da pilagem e do saque que leve á opposiçaõ ou desconfiança os bem dispostos habitantes da Florida: outros e mais gloriosos motivos impéllem os que pelejam na causa da liberdade.

Continuai a mostrar as vossas disposiçoens amigaveis, permanecei quietos em vossas casas, no exercicio de vossos empregos domesticos, e tal comportamento segurará o seu premio: naõ vos unais aos renques de vossos inimigos, nem os ajudeis contra nós, do contrario sereis tractados com o espirito de hostilidade, e as vossas pessoas e propriedade deveraõ participar de sua sorte. Descançai nas seguranças da candura e verdade; naõ nos obrigueis a oppor-nos como inimigos áquelles que desejamos abraçar como irmaõs.

Quartel-general de Fernandina, 12 de Julho 1817.

GREGORIO M' GREGOR.
Jn. de Yribarren; Sec.

*Reflexoens sobre as novidades deste mez.*

## REYNO UNIDO DE PORTUGAL BRAZIL E ALGARVES.

### *Revoluçaõ de Pernambuco.*

Adiante achará o Leitor uma carta, em que o nosso Conrespondente nos dá as suas informaçoens, sobre a Revoluçaõ de Pernambuco; e ajuncta uma lista dos prezos, por occasiaõ daquelle attendado. A p. 297 damos tambem as noticias, que se publicáram no Brazil a este respeito; e que, supposto sêjam de data antiga, com tudo saõ importantes, em tanto quanto servem de monumentos á historia do Brazil.

As gazetas de Londres publicáram, neste mez, noticias de outra revoluçaõ na Paraiba, aonde um navio estrangeiro tinha dasembarcado tres mil armamentos, que vendêra aos Insurgentes, a dinheiro de contado. Nós naõ damos o menor credito a tal rumor por duas razoens: 1a. porque temos cartas de Pernambuco de data tam moderna, como as que cîtam as taes gazetas; e naõ nos dizem uma só palavra sobre a tal revoluçaõ da Paraiba.—2a. porque, depois do fatal e recente exemplo de Pernambuco, naõ he natural, que outras provincias se attrevessem a igual tentantiva; e muito menos a Paraiba, que por sua insignificancia, limitada populaçaõ e pequenos recursos, naõ podia ter a menor esperança de fazer alguma resistencia effectiva ás forças, que El Rey tem mandado para Pernambuco.

Quanto ao que se tem practicado naquella cidade, depois da sugeiçaõ dos rebeldes, referimos o nosso Leitor á carta de nosso Conrespondente, adiante copiada. Naõ concordamos em muita parte, nas ideas do escriptor daquella carta, e com tudo nos he mui desagradavel vêr a extensa lista dos prezos; porque quantas mais pessoas forem prezas, por causa daquella rebeliaõ, tanto mais se inculca ao publico a sua importancia, o que he decididamente contrario aos interesses do Governo.

Nos extractos, que dêmos acima, na parte de Literatura, tirados da obra de Mr. De Pradt, verá o Leitor, que ésta nossa opiniaõ se confirma pelos factos. Porquanto, se o ruido, que fez na Europa a revoluçaõ de Pernambuco, induzio áquelle e outros escriptores a exaggerar as difficuldades, em que se acha o Governo de S. M. Fidelissima, convinha áquelle Governo o naõ augmentar a lista dos prezos, pelo crime da rebeliaõ, até com soldados razos, para naõ dar occasiaõ a que o mundo supponha, que a rebelliaõ tem mais forças doque actualmente existem. Nisto, devemos outra vez repetir a nossa opiniaõ, de que o espirito de rebelliaõ, no Brazil, está mui longe de ter a extensaõ, que actualmente suppomos no descontentamento daquelles povos. Ora o descontenamento naõ se acalma pelos mesmos meios por que se destroe a rebelliaõ.

Naõ ha duvida, que tanto no Rio-de-Janeiro como em Lisboa, se mostrou assas energia, em apromptar forças para supprîmir a rebelliaõ, e na verdade se fez mais do que a maior parte da gente esperava; mas nem por isso convém que o Governo confie a quietaçaõ do paiz, somente ás medidas de força physica: o poder moral, isto he a confiança do povo no seu Governo, e boa vontade em obedecer, deduzida da convicçaõ interna de que tal obediencia he necessaria á tranquilidade publica e á prosperidade da naçaõ, devem ser os mais firmes apoios de todo o Governo regular.

Isto he tanto mais verdadeiro neste mesmo caso, porque a noticia, que demos no nosso N°. passado, sobre o descontentamento das tropas em Portugal destinadas a embarcar para o Brazil, se acha provado; porque foi necessario adoptar providencias publicas e efficazes, a fim de prevenir a desersaõ; o que se vé, pela seguinte.

*Portaria dos Governadores de Portugal.*

" Sendo presente a El Rey nosso Senhor a Consulta do Conselho do Guerra datada de 25 de Julho proximo passado, sobre o castigo, que deveraõ ter os desertores dos Corpos, que fôrem mandados a alguma expediçaõ para fóra dos Reynos de Portugal e Algarves, Sua Majestade, tomando em consideraçaõ o parecer do mesmo Conselho de Guerra, ha por bem determinar, que, desde que ésta se publicar, todas as deserçoens, que se commetterem dahi em diante, sêjam consideradas e punidas como em tempo de guerra, na forma do artigo 14 dos artigos de guerra do Regulamento de Infanteîra, O mesmo Conselho de Guerra o tenha assim intendido e faça executar. Palacio do Governo, em 5 de Agosto de 1817."

"Com as rubricas dos Governadores do Reyno."

Esta portaria naõ precisa commentos, para dar a conhecer a tendencia para desersaõ, manifestada por aquellas tropas; e prova o que dahi deduzimos, para a nossa proposiçaõ, de que o Governo naõ deve unicamente confiar-se na força phisica para ter os seus subditos em sugeiçaõ.

Por outra parte o emprestimo de quatro milhoens, que o Governo de Portugal pedio aos negociantes, para esquipar a expediçaõ para o Brazil, estava tam atrazado nos fins de Agosto, que sómente havîam entrado no Erario de Lisboa, por conta deste emprestimo pouco mais de 230 contos, o que dista bastante dos quatro milhoens. A causa deste retardamento, certamente naõ he a falta de lealdade no povo; porque o contrario se manifestou bem claramente, quando chegou a Lisboa a noticia da rebelliaõ em Pernambuco; mas o motivo desta falta se achará nas circumstancias, que explicamos no nosso No. passado, e que por isso naõ he necessario que o repitamos aqui.

---

### *Commercio de Escravatura.*

Achamos no Investigador do mez passado, uma noticia, com o tom de official: a qual, por mais de um respeito julgamos, que deviamos copiar no nosso periodico; visto que aquelle Jornal, instituido pelo Conde de Funchal, debaixo das vistas da Embaixada Portugueza em Londres, tem por isso razoens para ser o orgam de communicaçoens authenticas, e de exprimir as ideas dos que emprêgam seus Redactores.

O artigo, a que alludimos, he o seguinte.

"*Commercio de Escravatura.* Estamos authorizados para

annunciar aos proprietarios dos Navios Portuguezes empregados no commercio de escravatura, e aprezados pelos cruzadores Britannicos até o 1º de Junho de 1814, que se tem fixado os prazos para o pagamento das 300,000 libras esterlinas, que, para indemnizállos, fôram concedidas pelo Governo Britannico, na Convençaõ de 21 de Janeiro, de 1815. A saber:—150,000 libras seraõ pagas, ao mais tardar, até os fins de Maio, 1818; e as restantes 150,000 libras, com os juros conrespondentes a toda a somma, desde a ratificaçaõ da sobredicta convençaõ de 21 de Janeiro, até os fins de Agosto do mesmo anno de 1818.

"Igualmente podemos annunciar, que em Londres se formara uma Commissaõ mixta, composta de numero igual de individuos das duas naçoens, Portugueza e Britannica, para receber e liquidar as reclamaçoens dos donos dos navios aprezados, desde a ja citada epocha do 1º. de Junho de 1814, e determinar as indemnidades a que tiverem direito."

Era de esperar, que mandando-se saîr de Londres o Conde de Funchal, de atordoada memoria, terîa acabado o systema de fazer junctas de administraçaõ em Inglaterra, para dirigir os negocios de Portuguezes. Mas, segundo ésta noticia authentica, parece que continûa a produzir seus máos effeitos a perniciosa influencia dos máos exemplos.

Para que a somma de dinheiro, paga pelo Governo Inglez, para indemnizaçaõ das tomadias irregulares de seus corsarios, em embarcaçoens Portuguezas empregadas no commercio da escravatura, fosse distribuida pelos proprietarios, que soffrêram as perdas; naõ éra preciso que se formasse para isso uma commissaõ em Inglaterra: porque os proprietarios dos navios podîam legalizar as suas pertençoens ante a Juncta do Commercio de Lisboa ou do Rio-de-Janeiro,

Menos necessario, e até mui prejudicial e injusto he, que a tal commissaõ, assim erigida na Inglaterra, sêja composta em parte de individuos Britannicos, porque o salario ou paga destes deve saîr ou do Erario d' El Rey de Portugal, ou das partes que fizérem suas reclamaçoens; e naõ ha razaõ alguma, para que tal dinheiro sêja assim dispendido em paizes estrangeiros.

Dissemos que este arranjamento éra injusto; porque o consideramos contrario ao tractado, em que se estipulou, que e Governo Inglez pagasse ésta indemnizaçaõ.

O tractado foi assignado em Vienna, aos 21 de Janeiro de 1815 (Veja-se o Corr. Braz. Vol. XV. p. 571); e no artigo 2º diz assim,

" Que a referida somma se considerará como pagamento total de todas as pertençoens provenientes das capturas feitas antes do primeiro de Junho de 1814; renunciando S. M. Britannica a entrevir por modo algum na disposiçaõ deste dinheiro."

Se S. M. Britannica, por este artigo renuncia a *entrevir por modo algum na disposiçaõ deste dinheiro,* he claro que só a S, M. Fidelissima pertence a sua distribuiçaõ, satisfazendo a cada parte lezada, a somma que lhe competir, segundo as perdas, que tiver soffrido. Portanto naõ vemos, que o Governo Inglez pudesse ter a menor pretençaõ para nomear subditos seus, que entrassem nesta commîssaõ. E se quem he de nomear esses commissarios Inglezes, he ElRey de Portugal, naõ podemos comprehender a razaõ porque elle haja de nomear estrangeiros, para administrar justiça a seus subditos.

Os inconvenientes e as desordens, que se seguîram das Commissoens, inventadas pelo Conde de Funchal, em Londres, para dispôr de propriedades Portuguezas, deverîa servir de escarmento para que taes actos se naõ tornassem a repetir, mas infelizmente vêmos, que o exemplo se continûa a seguir, e até contra a expressa estipulaçaõ dos tractados.

Os documentos e provas, com que os individuos lezados por aquelles aprezamentos illegaes devem justificar as suas pertençoens, devem existir principalmente no Brazil: e por tanto ali se devîa ouvir e decidir o direito dos reclamantes. Obrigar pois aos lesados a vir requerer á Inglaterra he sugeitállos a despezas desnecessarias de viagens, e delongas consideraveis, no caso de que os commissarios se naõ dem por satisfeitos com as primeiras provas, que se lhes appresentarem, e mandem que se vám procurar outras ao Brazil.

Se os reclamantes naõ puderem vir á Inglaterra, e mandarem procuraçaõ a casas de negocio em Londres, para que requeiram e cobrem a indemnizaçaõ, teraõ de pagar por isso avultadas commissoens; as quaes escusarîam se as suas reclamaçoens fossem ouvidas nos seus respectivos paizes; ou ao menos no Rio-de-Janeiro.

Lembrados estamos de que, no caso das commissoens, inventadas pelo Conde Funchal, para arrecadar e entregar as propriedades Portuguezas tomadas pelos corsarios Inglezes em 1808; houve tal embarcaçaõ que foi vendida para pagar as custas, e o seu valor naõ chegou para as despezas,

Mas talvez se espere, que em retribuiçaõ de S. M. Fidelissima empregar, e pagar a vassallos Inglezes, para administrar justiça a seus subditos, nomee o Governo Inglez alguns Portuguezes, no Rio-de-Janeiro, para decidir as causas dos vassallos Britannicos.

## *Guyana Franceza.*

Tomamos por concedido, que o seguinte artigo, copiado de gazetas Francezas, indica a entrega do territorio, agóra occupado, por S. M. Fidelissima.

"A expediçaõ, destinada a tomar posse da Guyana Franceza deo á véla de Brest aos 13. He commandada por M. Bergeret e consiste de um navio de guerra, uma fragata, uma corveta, duas chalupas, e duas galiotas. O Tenente-General Conde Carra St. Cyr, que he nomeado Commandante e Administrador da Guyana Franceza, embarcou com a expediçaõ."

A estipulaçaõ, que fez o Conde de Funchal em Paris, para a entrega da Guyana foi desapprovada por S. M. Fidelissima, com justas e prudentes razoens, como se póde ver pelo que dissemos neste Jornal; n'aquelle tempo. (Veja-se o que dissemos a este respeito Vol. XIII, p. 96, p. 256, e p. 835, e tambem Vol. XIIII. p. 85, e p. 255.)

Uma das nossas obejecçoens, contra a entrega da Guyana, foi a falta da restituiçaõ de Olivença. ¿ Ter-se-ha arranjado este ponto.

Pouco tempo se passará, antes que vejamos explicado este paradoxo polico.

## ESTADOS UNIDOS.

Ainda que a discussaõ da linha de limites, entre os Estados Unidos e as possessoens Inglezas, na America, naõ esteja até agora terminada, com tudo parece que se tem ajustado amigavelmente outros pontos de disputa; como se vê da seguinte nota do Secretario d' Estado Inglez, a Mr. Adams, Ministro dos Estados Unidos em Londres.

O abaixo-assignado, Principal Secretario de Estado de S. Majestade, para os negocios Estrangeiros, tem a honra de informar Mr. Adams, referindo-se á nota, que o abaixo-assignado teve a honra de receber delle aos 17 de Janeiro passado, relativa a certas obrigaçoens ou titulos de divida, que fôram apprehendidos durante a guerra passada; que se expedîram ordens para a immediata suspensaõ de todo o procedimento ulterior contra Mr. Baxter assim como para desobrigar na conformidade da suggestaõ de Mr. Adams na sua Nota, as outras pessoas abrigadas de toda a operaçaõ possivel contra ellas, em consequencia do decreto de condemnaçaõ, passado pela Côrte de Vice Almirantado em Halifax."

"O abaixo-assignado lamenta, que tenha havido tal delonga entre o recebimento da nota de Mr. Adams, e a presente resposta; porem tem a honra de o informar, que o Advogado-Geral de S Majestade desejava muito obter todas as informaçoens, que pudesse, a respeito desta transacçaõ; e tambem ter uma conferencia pessoal com os captores ou seus agentes, antes de fazer o seu relatorio sobre o merecimento do caso."

"O abaixo-assignado se aproveita desta oocasiaõ para renovar a Mr. Adams as seguranças de sua alta consideraçaõ.

Secretarîa dos Negocios Estrangeiros, 21 de Maio. 1817.

*(Assignado.)* CASTLEREAGH.

Os Estados Unidos parece que se interessam na contenda de Hespanha com suas colonias, por um motivo de esperanças no augmento do territorio dos mesmos Estados Unidos. Varias circumstancias fazem que conjecturemos isto; e das gazetas Americanâs tiramos argumento para a nossa suspeita.

O Jornal Americano, intitulado *New York Commercial Advertiser* diz isto.. "Se a Hespanha nos ceder as Floridas como geralmente se espera, possuiraõ os Estados Unidoe, em Pensacola o mais bello porto, depois de Havannah, no golpho Mexico: tendo 24 pés d' agua na barra, formará uma excellente estaçaõ naval, e provavelmente virá a ser um lugar de consideravel commercio, pois commandara o trafico de todos os rios no Golpho, desde Mobile para Leste, até Appalachicolos. Até se póde esparar que venha a seu mercado grande proporçaõ dos productos dosEstabelicimentos Superiores, juncto ao Alabama; porque a navegaçaõ daquelle rio, acima do forte Claiborne naõ he difficil, e se pódem abrir excellentes estradas para Pessacola, com pouco custo ou trabalho.

## França.

Agita-se, a este memento entre os Francezes, uma questaõ de grande interesse, posto que de effeito passageiro, e he a eleiçaõ de membros, para renovar a quinta parte da Camara dos Representantes.

De mui pouco interesse he para nossos Leitores, a explicaçaõ dos partidos, que obram uns contra os outros, para fazer que as eleiçoens recaiam em pessoas de sua colha. Bastara dizer, que as facçoens combatentes, e que apparecem defendendo principios politicos oppostos, saõ as denominadas dos Constitucionalistas, e dos Ultra-realistas. Estes parece que naõ saõ os vencedores; porque acabam de perder no Ministerio um de seus protectores, na pessoa do Duque de Feltre como se vê pos seguintes decretos d' El Rey.

Luiz &c.

Tendo aceitado a resignaçaõ que offereceo o nosso primo, Marechal Duque de Feltre, temos nomeado, e nomeamos, o nosso primo, Marechal Gouvion St, Cyr, para o lugar de Ministro e Secretario de Estado da Repartiçaõ da guerra.

12 de Septembro 1817.

(*Assignado*) LUIZ.

---

Luiz &c.

O Conde Molé, Par de França, he nomeado Ministro, Secretario de Estado da Repartiçaõ da Marinha.

12 de Septembro, 1817

(*Assignado*) LUIZ

---

Estes dous decretos, pelos quaes se fez uma consideravel mudança no ministerio Francez, se attribuem á influencia do partido constitucionalista, e portanto uma victoria alcançada contra o partido ultra-realista. He notavel, que El Rey aceitando a demissaõ, que offerecco o Marachal Duque de Feltre, sem duvida um dos fieis sequazes d El Rey, quando Bonaparte voltou de Elba, naõ lhe conferisse algum signal de favor, para mostrar, que se dava por satisfeito com seus serviços passados. He tambem muito notavel, que o o novo Ministro da Guerra, escrevesse logo ao Ministro das Finanças, pedindo-lhe que désse faculdade para se exportarem armas da França, para os fins de commercio- O Ministro de finanças concordou logo nisto, e portanto he permittida a exportaçaõ de armas da França, pelas cidades fronteiras de Bayonna, Bordeaux, Rochelle, Nantes, Havre, Brest, Toulon, Marseilles, Lille, Metz, Strasburgo, Besançon, e Perpignan, Requerer-se-ha somente que as armas séjam examinadas pelo commandante da artilheria, para averiguar, se saõ ou naõ de tal descripçaõ cujo commercio naõ he prohibido, pelas orderanças precedentes.

El Rey promulgou duas ordenanças Reaes, datadas de 25 de Agosto, sobre os Morgados, e dignidade de Par do Reyno. Authoriza El Rey o estabelicimento de morgados, para os Pares hereditarios; e, para o futuro, nenhuma pessoa sera chamada para a camara dos Pares, excepto os Ecclesiasticos, se naõ tivérem previamente obtido d' El Rey cartas patentes para creárem um morgado. Estabelecem-se tres classes de morgados; uma que deve ser annexa ao titulo de Duque; e consiste em propriedade, cujo rendimento annual naõ sêja menos de 30.000 francos, Outra annexa aos titulos de Marquez, e Conde, que deverá produzir naõ menos de 20.000 francos annuaes: e a terceira annexa aos titulos de Visconde e Baraõ, que deve produzir ao menos 10.000 francos. Estes morgados descenderaõ em perpetuidade, com o titulo do Par, ao filho mais velho.

A segunda ordenança determina o modo porque se haõ formar a cartas de creaçaõ dos Pares; as precedencias dos titulares, seus filhos, &c.

Outra ordenança de 31 de Agosto ordena que se expéssam immediatamente cartas de creaçaõ, a todos os membros da presente Camara dos Pares, segundo os seus respectivos titulos, para continuarem na linha recta descendenle masculina. Ha actualmente 64 Duques, 49 marquezes, 86 Condes, 6 Viscondes e 6 Baroens.

" A principal feiçaõ, diz uma gazeta, dos procedimentos da Assemblea Legislativa na sessaõ seguinte indubitavelmente será a questaõ relativa a liberdade da imprensa, em França. Dizem, que se está formando em Paris uma associaçaõ para apoiar e animar este objecto, dando compensaçoens pecuniarias aos que padecem por causa da oppressaõ da authoridade. Circula em Paris um annuncio impresso, communicando ésta intençaõ, e pedindo subscripçoens, para a pôr em execuçaõ; pelo que se espéra, que importantes resultados procedam deste pequeno principio. O annuncio he nos seguintes termos :—"

Varios cidadaõs, que se acham convencidos de que a liberdade da imprensa he a garantia mais forte daquelles direitos, reconhecidos pela Charta Constitucional como a todos commum, temem justamente, que esta preciosa liberdade fique momentaneamente em perigo, pela existencia de leys temporarias; e que aquelles escriptores, que conságram os seus trabalhos á defeza dos verdadeiros principios, seraõ desanimados se continuarem a achar, que as suas intençoeus saõ mal interpretadas, negada a sua boa-fe; e transformado o seu sagrado direito de defensa em um perigo mais, que tem de encontrar. Tem por tanto, resolvido prevenir, se for possivel, tam calamitoso resultado, sem alguma desobediencia ás leys existentess, nem ás decisoens dos tribunaes de justiça e assim resolvêram fazer-se responsaveis por meio de uma subscripçaõ; por todas as condemnaçoens pecuniarias, em que incorram estes escriptores, que nomear a opiniaõ publica, como dignos de interesse ou victimas do erro, e ainda de excessiva severidade.—Mr. Lafitte Governador do Banco de França, e o Duque de Broglio, Membro da Camara dos Pares, receberaõ as subscripçoens, e as applicaraõ ao seu destinado objecto."

Publicamos a p. 236 a Concordata entre El Rey de França e o Papa, em que se estipulam alguns arranjamentos sobre o governos e administraçaõ das Igrejas Francezas; e se propôem o estabelicimento de outras providencias para o futuro.

Como a execuçaõ das estipulaçoens da Concordata requer medidas legislativas; occupa-se agóra o Ministerio Francez em formar um projecto de ley sobre ésta mateira; que será apresentado ás Camaras, na sessaõ seguinte, para ser discutido e approvado.

O Governo Francez naõ póde deixar de conhecer as difficuldades que ésta Concordata lhe deve occasionar; e as discussoens que dahi se haõ de originar. Uns assentam que El Rey concedeo demasiado ao Pontifice: outros que Bonaparte foi quem occasionou este embaraço, por haver permittido ao Pontifice, em paga de o coroar Imperador, vantagens sobre a Igreja Gallicana, que El Rey naõ póde agóra negar sem ser obrigado a conceder outras.

Pensar-se-hia que estava passado o seculo das concordatas; e que os monarchas conhecîam melhor os seus deveres, do que fazer capitulaçoens com outros soberanos estrangeiros, sobre o modo de governar seus vassallos em materias de religiaõ.

A estipulaçaõ mais importante desta concordata, he a faculdade que El Rey concede aos Ecclesiasticos como corporaçoens de maõ morta, para adquirir bens de raiz. Isto he um objecto puramente civil, e tanto que o Ministerio Francez se occupa com um projecto de ley para este effeito. Logo naõ havia necessidade de estipular tal cousa com o Papa. Se El Rey assentava, que devia fazer essa concessaõ, ao Clero, para bem do Estado, naõ tinha mais que legislar com as camaras, nessa conformidade, a ingerencia da authoridade do Summo Pontifice, neste caso, vem a ser de todo desnecessaria.

A distribuiçaõ do territorio do Reyno em mais ou menos bispados, he materia pertencente á disciplina interna das Igrejas, que se contém em qualquer Estado: mas he certo, que o custume tem dado ao Papa o direito de se ingerir na nova creaçaõ ou suppressaõ de bispados. Como o custume isso requer, sería proprio que El Rey de França julgando necessario fazer nova distribuiçaõ de bispados em seu Reyno, significasse ao Papa seus desejos e naõ procedesse a obrar sem a intervençaõ do Papa, a menos que este naõ recusasse desarrazoadamente acceder ao que se lhe propuzesse. Mas ainda assim naõ vemos como este ponto deva ser objecto de Concordata; porque se o Papa recusasse fazer a distribuiçaõ dos bispados, segundo conviesse ao interesse do Reyno naõ havia mais do que executar isso por meio de um Concilio Nacional; como se practicava nos tempos antigos, e em muitos exemplos modernos da Igreja Catholica.

Napoleaõ concedeo ao Papa a nomeaçaõ de bispos; porque reduzio as rendas episcopaes a tam modica somma; que os bispos naõ podîam ter influencia politica; assim pela insignificancia do lugar, vinha a ser indiferente quem houvesse de ter a sua nomeaçaõ.

El Rey, desejando dar maiores rendas aos bispados, quiz recobrar do Papa este direito de nomeaçaõ, que os antigos reys de França sempre tivéram; e que he importante, todas as vezes que a riqueza das sées dê aos bispos influencia politica: daqui nasceo a necessidade de capitular com o Pa[illegible] Porém naõ obstante isto El Rey de França terîa menos embaraços a encontrar, se promulgasse sobre os negocios ecclesiasticos as leys que lhe parecessem justas; e depois diferir, ao clero, bispos ou papas, o que lhe requeressem por petiçaõ no seu Reyno; conforme achasse ser mais conveniente ao bem de seus vassallos

Ha com tudo um ponto dos ajustes d' El Rey com S Sanctidade, que deve tender muito para tranquillizar os proprietarios de terras em França; e he a ratificaçaõ da allienaçaõ dos bens ecclesiasticos durante a Revoluçaõ,

O extracto da bulla do Papa, que publicamos a p. 243, pôem fim á incerteza em que sobre isso se estava em França.

Por mais que se possa dizer, sobre a injustiça com que as Igrejas de França fôram privadas de seus bens, he certo que os taes bens fôram vendidos publicamente, por ordem da authoridade, que entaõ de facto governava na França. Dos primeiros compradores, passou a seus herdeiros, aos credores, aos herdeiros desses credores; dividio-se por outros, trocou-se, mudou-se, no espaço de 25 annos, por tal maneira, que o seu restabelicimento, sendo impossivel em muitos casos, na parte em que seria possivel produziria a maior confusaõ; porque ha muitos possuidores de terra em França, que naõ poderaõ dizer a este momento, se as suas terras pertencêram ou naõ algum dia á corporaçoens ecclesiasticas; porque os Revolucionistas extinguîram os titulos antigos de terras assim vendidas, umas pertenciam a ecclesiasticos, outras a nobres, outras a criminosos de varias culpas, demaneira, que a naõ se darem por validas aquellas vendas nacionaes,se lançaria uma nuvem de duvidas sobre os titulos de quasi todas as propriodades territoriaes da França, com indizivel confusaõ, e inquietaçaõ dos possuídores actuaes.

## HESPANHA.

*Madrid 25 de Agosto.* Cantou-se um Te-Deum solemne na capélla d' ElRey, para dar graças ao Céo, pelo bom successo da Raynha. Houve illuminaçaõ geral e gala grande na Côrte. ElRey fez uma consideravel promoçaõ nas Ordens do Tosaõ d' Ouro, e de Carlos III. Entre os que recebêram a decoraçaõ da primeira, fôram os Duques de Hyar, e de Montemar, e o Conde de Peralda. Os Presidentes dos Conselhos, que naõ éram conselheiros d' Estado, fôram elevados a ésta dignidade, assim como tambem o Duque del Parque. Os Ministros, Secretarios d' Estado, obtivéram a Gram-Cruz de Carlos III.

Um artigo de Madrid, datado de 12 de Agosto, diz, que se restabeleceo a Censura da imprensa, no mesmo pé em que se achava no mez de Novembro, de 1814, quando foi confiada á direcçaõ do Conselheiro de Castella D. Jozé Colon. Agora foi encarregado disto D. Francisco Martin, Membro do mesmo Conselho. Este magistrado he o juiz supremo a respeito dos livros em geral. O tribunal da Inquisiçaõ occupa-se somente com o queja se acha impresso, e em virtude de expressa denuncia.

A p. 302 damos as cartas de cumprimento, que se passáram, pela occasiaõ das ordens Russianas, que viéram de presente a varias personagens da Hespanha.

## Colonias Hespanholas.

De p. 303 em diante, publicamos varias noticias da guerra civil, na America Hespanhola; e damos separadamente as que se publicam pela Côrte de Madrid, das que vem por via dos Insurgentes. He claro, que cada um dos partidos refere sómente o que lhe faz mais conta; mas o unico meio de julgar da verdade, ao menos com approximaçaõ á realidade, he ouvir o que dizem ambas as partes contendentes.

Um artigo de Madrid em data de 26 de Agosto, diz assim. " O General D. Ciriaco Hanos, em um officio datado aos 5 de Março, em Pueblas, deo conta ao Vice-Rey de Mexico de varios ataques com os rebeldes, cujo resultado foi o tomar a cidade de Chiquilite, e a ponte de Atoyac. As vantagens obtidas pelas Armas Reaes, na Nova Hespanha, fôram celebradas no Mexico, aos 8 do mesmo mez, com um Te-Deum, que se cantou na Cathedral, e a que assistîram as principaes authoridades civis e militares. De dia em dia se tranquilliza mais o paiz: felizes consequencias das sabias medidas do Vice-Rey, D. Joaõ Ruiz Apodaca."

Daqui vemos que a Côrte de Madrid he obrigada a ir para traz ao mez de Março, para achar novidades favoraveis que publique.

Por outra parte os Insurgentes naõ deixam de blazonar de suas victorias; e julgamos que a tomada da Ilha de Amelia, como se vê da capitulaçaõ, que publicamos a p. 310, que este passo deve ser mui prejudicial aos interesses de Hespanha; porque pôem aos Insurgentes em contacto immediato com os Estados Unidos. Assim ficará facilimo aos cidadaõs dos mesmos Estados, que desejarem dar auxilios aos Insurgentes, o fazer passar para elles tudo quanto desejarem prestar-lhes, sem que as leys dos Estados Unidos, prohibitivas desses procedimentos, póssam ser de nenhum effeito; pela contiguidade da Ilha de Amelia com uma das provincias dos Estados Unidos, e pela impossibilidade que ha de previnir, que os cidadaõs passem de uns Estados a outros, todos os petrechos de guerra, que quizerem, a titulo de objecto de mercancia.

Pelos jornaes Americanos sabemos, que Sir Gregorio Macgregor obteve parte dos subsidios pecuniarios, de que necessitava, por um modo tam engenhoso como economico. Hypothecou cousa de 44.000 *acres*.de terra, na Florida, pela somma de 220.000 *dollars*. Porém a Florida havia ser conquistada, antes que os credores pudessem appossar-se da hypotheca; de maneira, que a segurança só vinha a verificar-se depois da destruiçaõ do Governo Hespanhol naquelle paiz: daqui se vê qual he a opiniaõ que prevalece nos Estados Unidos, quanto ao exito da contenda de Hespanha com suas Colonias.

Quanto aos soccorros, que aquelles Insurgentes pódem esperar da Inglaterra, ja no nosso No. passado dissemos o que se passava, sobre o embarque de officiaes Inglezes para a America Meredional. Mas agora o alistamento de officiaes e soldados faz-se tam publicamente, que achamos em um dos jornaes de Londres o seguinte artigo:—

" Diz-se geralmente nos circulos militares, que se estaõ levantando eorganizando varios Corpos, neste paiz, por experimentados e intelligentes Officiaes Britannicos, para o serviço dos Patriotas na America Meredional; e que outros officiaes andam com esperança de ter emprego, no serviço d' ElRey d' Hespanha. Os agentes dos Patriotas prestam aos heroes Britannicos o mais liberal e completo acoroçoamento. A falta de dinheiro impedo que a Côrte de Hespanha sêja igualmente liberal. Màis de duzentos officiaes partîram ja, para se unir aos Patriotas. Os Tente-Coroneis Campbell, Wilson, Skeene, Armstrong, Bold, e Hippersley, saõ mencionados, entre as sociedades militares, como os que tem graduaçoens de Generaes. Parece que estes officiaes saõ empregados para procurar outros, e tambem officiaes inferiores e soldados, que sirvam nos seus diversos regimentos de cavallaria, artilheria e infanteria. Dizem que um Coronel Tucker espéra o commando de uma legiaõ, no serviço d' ElRey de Hespanha. Os jornaes publicos estaõ cheios de controversias e argumentos, a favor e contra estes diversos partidos. Os partidistas dos Patriotas augmentam todos os dias Empregam os agentes e generaes dos Patriotas a maior industria, zelo e actividade, em expedir a partida de grandes reforços, e petrechos militares para a America Meredional. Muitas casas opulentas de commerico tem embarcado o seu capital, em promover a emancipaçaõ da America Meredional; e cada dia apparecem novas provas do espirito emprehendedor e liberal dos negociantes Inglezes, na causa dos Patriotas. O Duque de S. Carlos se espera aqui todos os dias, vindo de Hespanha, como Embaixador em St. James; porém a sua presença naõ excitará apprehensoens nem susto aos partidistas dos Patriotas. Um posto de augmento; tres mezes de soldo adiantado e 220 dollars saõ os termos, que aceitam os officiaes destinados ao serviço dos Patriotas. Saîram quatro navios, cheios de nossos valentes patricios; e outros estaõ ao ponto de dar á vella, bem preparados a encontrar os Hespanhoes, no mar ou em terra"

Mas apparece agóra, com aspecto mais sério co tra os Insurgentes, a difficuldade, em que se pôem, permittindo a seus corsarios o fazerem prezas.

As noticias das Indias occidentaes referem, que o navio Inglez Alligator, que îa de Londres para a ilha de S. Vicente, fôra abordado e roubado, por um corsario, que trazîa a bandeira de Buenos Ayres. O rumor diz, que parte da equipagem do corsario éra composta de Inglezes. He evidente, que nenhum dos governos Insurgentes da America permittiria a seus corsarios o cruzar contra o commercio da Gram Bretanha; porque um assopro de guerra da parte dos Inglezes orîa em breve fim a todas as suas esperanças. He logo de suppor, que o tal chamado corsario de Buenos-Ayres, he um dos piratas, que se daõ a simesmo cartas de marca, contra todas as naçoens que podem atacar impunemente, e que portanto todas as naçoens, que os apanharem, tem o direito de enforcar.

Como quer quer sêja a Inglaterra deve résentir-se disto, e os Insurgentes, que admittem em seus corsarios a canalha de todas as naçoens, mal poderaõ satisfazer ás bem fundadas queixas do Governo Inglez. Este ponto será de difficil arranjo.

O Duque de S. Carlos chegou já á Inglaterra havendo entrado em Londres aos 22 he Septembro, e nesta circumstancia dos corsarios dos Insurgentes achará elle melhor argumento do que em outra cousa alguma, para dissuadir os Inglezes de que naõ fiquem neutraes nesta guerra das colonias.

Quanto ao ponto dos officiaes Inglezes, que se destinam ao serviço dos Insurgentes, o Duque de S. Carlos terá obstaculos a superar de tal magnitude, que quasi suppomos involveraõ nova guerra na Europa, sé elle quizer forçar a Inglaterpa á sua opiniaõ.

Pelo que respeita a exportaçaõ de armamentos e petrechos de guerra da Inglaterra, para os Insurgentes, naõ vemos como o Duque de S. Carlos possa obter do Governo Britannico, que prive a Naçaõ Ingleza deste Commercio.

Supponhamos, que os Inglezes se privávam deste lucro, os Hollandezes, e os Americanos o teriam, pois daquelles paizes se exportam muitos armamentos para a America Meredional. Até a França facultou agóra a exportaçaõ de armas publicandose os portos aonde o seu despacho seria admittido.

Nestes termos ¿ como pode o Duque de S. Carlos pedir que a Inglaterra sêja a unica., que se prive dos lucros de tal Commercio?

O ponto he mais difficil do que imagina o Gabinete de Madrid.

## INGLATERRA.

Entre os papeis estatisticos, que se apresentáram ao Parlamento achamos os seguintes extractos, que naõ deixaraõ de serem bem aceitos ao Leitor.

Exportaçoens da Gram Bretanha e Irlanda valor official no anno, que acabou em 5 de Janeiro 1815 4:265.831 2 8

| | | | | |
|---|---|---|---|---|
| anno, que acabou em 5 de Janeiro | 1815 | 4:265.831 | 2 | 8 |
| Em . . . | 1816 | 3:557.873 | 10 | 10 |
| Em . . , . | 1817 | 3:025.527 | 1 | 3 |
| As mesmas exportaçoens em valor declarado. | | | | |
| | 1815 | 4·412.015 | 11 | 1 |
| | 1816 | 3:555.563 | 18 | 8 |
| | 1817 | 2:623.016 | 12 | 10 |

| | |
|---|---|
| O numero de gallons de espiritos ardentes, impertados na Inglaterra da Escocia, no anno que acabou aos 5 de Abril 1815 | 1:748 351 |
| Da Irlanda | 428.933 |
| De outras partes | 8:332.776 |
| Exportados de Inglaterra | 3:434.768 |
| 1816. | |
| Da Escocia | 1:360.380 |
| Da Irlanda | 283.621 |
| De outras partes | 7:966.052 |
| Exportados de Inglaterra | 3:260.028 |
| 1817. | |
| Da Escocia | 1:262.539 |
| Da Irlanda | 20.069 |
| De outras partes | 5:240.436 |
| Exportados de Inglaterra | 2:733.017 |

A quantidade de pannos de linho importados da Irlanda para a Inglaterra no anno que findou aos 5 de Janeiro 1817, foi de 41:204.854 yardas, das quaes 32:603.032 ficaram para o consumo do interior.

A quantidade total, e valor official das fazendas de seda, de manufactura Britannica, exportadas da Gram Bretanha, no anno que findou aos 5 de Janeiro de 1817, foi a seguinte.

Estofos de seda somente, incluindo lós e escumilha.

| | |
|---|---|
| Quantidade 41.578lb. 15oz. Valor official | £71·618 4 11. |
| Meias, luvas, retroz &c. | |
| Quantidade 45lb. 6oz. Valor official . | 181 10 0 |
| Estofos de seda e gogoraõ | |
| Quantidade 163lb. 5oz. Valor official . | 38 2 1 |
| Estofos de seda e algodaõ | |
| Quantidade 38.262lb. Valor official . | 11:801 17 11 |
| Estofos de seda e laã. | |
| Quantidade 73.869lb. Valor official . | 17:727 17 4 |
| Total do valor official . . | 190:868 18 0 |

A divida naõ remida da Gram Bretanha e Irlanda, como se acham agóra formando uma Divida Nacional Consolidada, nos juros o nos fundos de amortizaçaõ, he a seguinte.

| | | | |
|---|---|---|---|
| Divida naõ remida da Gram Bretanha e Irlanda . . . . . | £799:601.176 | 8 | $3\frac{3}{4}$ |
| Fundo de amortizaçaõ, comprado desde o 1° de Fevereiro até o 1 de Agosto de 1817 . . . . . | 9:461.657 | 0 | 0 |
| O Fundo de amortizaçaõ para a divida pagavel em Inglaterra éra no 1° d' Agosto, por anno . . | 13:844.434 | 13 | $1\frac{1}{2}$ |
| O encargo annual para a divida, incluindo o fundo d' amortizaçaõ . | 44:093.440 | 9 | 4 |

A medida mais importante, na economia interna da Inglaterra, que temos a mencionar este mez, he a resoluçaõ do Banco de pagar outra vez em moeda as suas notas.

Ao tempo em que se adoptou na Inglaterra o plano de impedir que o Banco pagasse em dinheiro de contado as suas notas promissorias, julgou a maior parte da gente, que éra este um golpe fatal ao credito de Naçaõ. Os Francezes decidiram, como de commum accôrdo, que Mr. Pitt, promovendo tal medida, tinha decretado a Bancarrota Nacional em seu paiz.

Enganáram-se todos; porque a punctualidade do Govorno em pagar suas dividas, e cumprir suas promessas, obrou por tal maneira no espirito publico, que o credito do Banco se pôde conservar sem diminuiçaõ, e continuou intacto, por todo o tempo que durou o perigo.

O Banco porém começou só gradualmente a fazer os pagamentos em metal, como se vê da seguinte noticia official.

"Em consequencia das direcçoens de um Acto, passado no anno 37o. do reynado de Sua presente Majestade George III; intitulado "Um Acto para confirmar, por tempo limitado a restricçaõ contida na minuta do Conselho de 26 de Fevereiro, de 1797, sobre os pagamentos do Banco em moeda," e tambem de varios Actos, que se passaram ao depois, para continuar e emendar o mesmo,

" Eu por este ordeno, que se insira immediatamente na Gazeta de Londres a seguinte notificaçaõ do Governador e Companhia do Banco de Inglaterra datada de 18 de Septembro de 1817, a saber."

" Que desde o 1o de Outubro proximo futuro em diante, o Banco esta prompto a pagar moeda corrente, por suas notas, de qualquer descripçaõ que sêjam, datadas antes do 1o Janeiro. de 1817."

*(Assignado.)* CARLOS MANERS SUTTON.
22 de Septembro 1817. Orador.

---

A tentativa dos Inglezes para explorar o interior de Africa, pela expediçaõ mandada á costa de barlavento, saîo tam frustrada, como a que se dirigio ao Congo. Uma carta de Sierra-Leone, de 30 de Junho, diz; que havia chegado áquelle lugar noticia de que o Capitaõ Campbell tinha morrido de paixaõ; e que se esperava, que a expediçaõ voltasse dentro em breve tempo — O official de marinha, segundo em commando, que tinha ficado em Sierra Leone, por causa do máo estado de sua saude, tinha melhorado e îa em caminho para se unir ao capitaõ Campbell, mas voltou para Sierra-Leone, ouvindo da morte do Capitaõ Campbell; para consultar com o Governador sobre o que se devia obrar a respeito da expediçaõ

## POTENCIAS ALIADAS.

A questaõ, sobre a diminuiçaõ do Exercito de Ocupaçaõ em França, parece haver-se decidido pela negativa, e a pouca satisfacçaõ, que reyna na Alemanha, a respeito dos actuaes arranjamentos politicos, parece contribuir para que as Potencias Alliadas desejem ainda manter em pé o Exercito Combinado, que dirigido apparentemente contra a França, póde obrar em outro qualquer ponto, aonde commoçoens populares o façam necessario: como se vê dos seguintes extractos.

Um Jornal Alemaõ de reputaçaõ traz sobre ésta materia o seguinte artigo.

" As ultimas noticias da Russia dizem, que, naõ obstante o ter-se publicamente asseverado, que a Inglaterra e Russia havîam concordado em diminuir o Exercito de Occupaçaõ na França, em outra quinta parte, ha com tudo razaõ para crer, que o Governo Russiano naõ approva ésta medida; e julga que os tractados concluidos com França a este respeito devem ser executados; tanto mais porque os sérios disturbios em Lyons tem mostrado, que a tranquillidade da França, e consequentemente a dos Estados vizinhos, depende da estricta observancia destes tractados."

Um artigo de Breslaw, datado de 23 de Agosto, diz o seguinte: " Em consequencia de um tumulto, que aqui houve, por causa da prizaõ de alguns cidadaõs, a que se tentou pôr em liberdade, e a respeito dos quaes se naõ sabem exactamente as particularidades; o Governo expedio a seguinte proclamaçaõ:—

1. Os donos de casa devem ter as portas fechadas, e naõ devem soffrer, que nenhuma das pessoas, que nellas habitem saiam fóra sem urgente necessidade; e devem tambem fechar as janellas.

2. Os pays, mestres, amos, &c. teraõ cuidado em que as pessoas, que lhes saõ subordinadas, estêjam em casa.

3. Todas as tavernas, de qualquer descripçaõ que sêja ficaraõ fechadas, e por nenhum pretexto se permittirá a venda de algum licor espirituoso.

4. Naõ se soffrerá que nas ruas estêjam junctas mais de tres pessoas, nem que algum individuo esteja parado. Todo o que

transgredir ésta ordem será compellido a obedecer, pela força d'armas, e se naõ attenderá á sua vida.

5. Todo o ajunctamento de povo será disperso, com o illimitado uso da artilherîa. Para este fim usará o militar de seu pleno poder. Todos observaraõ isto, e a si sómente imputaraõ as inevitaveis consequencias de sua desobediencia.

O Imperador d' Austria approvou o systema de Conscripçaõ, para as suas provincias Italianas, proposto pelo Conselho Aulico de Guerra, e segundo o qual a Nobreza fica sugeita á conscripçaõ, da mesma forma, que as outras classes de cidadaõs.

A Dieta Saxonia, convocada para os 19 de Outubro, tem por objecto arranjar as mudanças na Representaçaõ, que devem ter lugar na Saxonia. Os outros grandes objectos, relativos ao interior do Reyno haõ de ser discutidos em nova Dieta; a qual será convocada, no principio do anno que vem.

ElRey de Saxonia intenta tambem fazer uma alteraçaõ consideravel no systema monetario do Reyno; porque a moeda Saxonia desapparece continuadamente, e o Reyno se acha inundado de moeda Prussiana.

## WURTEMBERG.

Achamos em um Jornal Alemaõ intitulado *Jornal de Aaran* uma narraçaõ interessante dos negocios publicos de Wurtemberg, nos seguintes termos; extrahidos de uma carta:—

" Os Estados entráram em negociaçaõ com ElRey, confiados no bom successo. Principiáram com a reclamaçaõ da parte do Governo, de que o Conselho Privado tomasse parte nas deliberaçoens dos Estados, e que estivesse presente quando se votasse. Ainda que ésta pretençaõ fosse, em muitos respeitos, digna de objecçaõ, os Estados cedêram; porém pedîram, em troco disto, a completa publicidade de seus procedimentos: isto he, que fosse permittido ao publico o estar presente. Concordou-se tambem nesta proposiçaõ; porém, todas as vezes que se chamou a attençaõ do Governo para este ponto, nunca os Ministros achavam um edificio conveniente para este fim. O Conselho Privado propoz ao depois, para discussaõ, aquellas secçoens da Real minuta de constituiçaõ, que dizîam respeito ás formalidades dos procedimentos; ainda que os mesmos Ministros declarávam, que a maior parte dos arranjamentos éram inaplicaveis: pareceo, portanto, singular, que a primeira parte da secçaõ 296 fosse escolhida para discussaõ. Nesta secçaõ se expressava, que uma maioridade relativa de votos éra sufficiente para qualquer resoluçaõ. Os Estados nomeáram um committé; o qual expoz em summa as razoens porque tal maioridade naõ devia ser em todos os casos decisiva naquella assemblea; pois, segundo o rescripto de 13 de Novembro de 1815, ambas as partes do Reyno, naõ devîam ter igual direito á Constituiçaõ dos dominios hereditarios, e o contracto de incorporaçaõ, que se havia de concluir, suppunha tres partes contractantes. Este principio foi opposto pelo Conselho Privado; e como elle tomou por concedido, que a sua applicaçaõ naõ éra necessaria, procedêram, sem agitar a questaõ na Assemblea, á discussaõ do resto do Relatorio do Committé, sobre o plano dos procedimentos. Neste relatorio se propunham, como objectos de discussaõ os seguintes pontos, cuja decisaõ abreviarîa o negocio da Constituiçaõ, resultado que todos desejavam. Estes pontos éram: 1. a responsabilidade dos servos do Estado: 2. a forma da Representaçaõ: 3. A sua duraçaõ: 4. a segurança dos Representantes, na execuçaõ de seus deveres: 5. a administraçaõ do Estado.

"O Committé foi encarregado da completa investigaçaõ destes pontos, e as suas proposiçoens encontráram favoravel acolhimento. Saõ ellas bem sabidas, e alludirei méramente á sùa tendencia. A responsabilidade dos Servos do Estado, he a primeira garantia da Constituiçaõ. Se isto suppôem providencias, que saõ defeituosamente concebidas, na minuta Real; vem a ser do dever dos Representantes do Povo segurar os Servos do Estado, contra os effeitos do poder arbitrario, a que devem resistir. A respeito da forma de Representaçaõ, contentáram-se com mostrar o perigo de duas Camaras, tanto para o Governo como para o Povo; e quanto ao terceiro ponto, a necessidade da independencia da Representaçaõ, demonstráram, que as providencias da minuta Real éram inadequadas para aquelle fim. He igualmente importante, que os Representantes tenham o poder de obrar com liberdade, quando se provar que o Governo tem obrado alguma injustiça. Se naõ se admittir, nem mesmo na Assemblea dos Estados, a liberdade de fallar, independente de todo o poder e authoridade externa; e se a referencia a providencias ambiguas ameaça a segurança do homem, que falla a favor de seus concidadaõs: ¿ que esperança póde haver de que o povo tenha liberdade? Finalmente, no quinto ponto, o livre consentimento para impôr tributos foi omittido; pelo que se vio a impossibilidade de averiguar a somma das rendas hereditarias; e até nem apparecéram traços de thesouro publico. Segundo a secçaõ 213, se devia provar primeiro a insufficiencia das rendas hereditarias: depois seriam admittidas pelos Estados as despezas que se devîam fazer, e por este meio se punham os Estados no predicamento de impôr ao povo uma somma de tributos totalmente desconhecida."

"Apenas se tinha feito o Relatorio do Committé, quando appareceo um Rescripto, que falla de um voto indefinito, e requeria, sob pena de dissoluçaõ, o assenso á proposiçaõ, de que uma maioridade relativa de votos devia ser decisiva. He bem sabido, que, em consequencia deste Rescripto, se fez uma proposiçaõ ao Governo, para que só a maioridade de tres quartas partes fosse decisiva; ao menos a respeito de dous objectos: a saber, a duraçaõ da Representaçaõ, e a administraçaõ das Rendas. O Committé fundamentou a sua proposiçaõ, na secçaõ 296 da minuta Real, segundo a qual a futura Constituiçaõ somente se poderia mudar por tal maioridade, e isto nas duas Camaras. O Governo deo a ésta proposiçaõ uma resposta alheia das vistas dos Estados, declarou ley o principio da maioridade relativa; e pareceo desejar que os Estados naõ pudessem justificar suas vistas; pois declarou inadmissivel toda a ulterior discussaõ nesta materia. Este principio foi outravez pronunciado no Rescripto de 11 de Maio; porém o Governo evidentemente naõ tinha direito para obrar desta maneira; porquanto as pessoas, que delibéram, saõ sómente as que pódem decidir a respeito dos direitos, que saõ communs a todas ellas; e no Rescripto de 13 de Novembro, 1815, se pronunciou, que as Novas Terras naõ tinham direito á Constituiçaõ dos dominios hereditarios; e com tudo ésta parte éra a mais poderosa, e quem somente podia decidir. Apesar tinham começado as negociaçoens sobre a duracaõ da Representaçaõ, quando appareceo o Rescripto de 26 de Maio, que deo á Assemblea oito dias para declarar se aceitaria ou naõ a minuta de Constituiçaõ, com as mudanças nos cinco pontos. Foi este um penoso golpe! Ainda que os Estados conhecîam a carreira de dilaçoens, que se tinha seguido, e desejavam fazer progressos mais rapidos, comtudo naõ se podîam dispensar do exame de cada ponto; e da condiçaõ em que os mesmos Estados estavam negociando, isto he, sendo obrigados a admittir o reconhecimento da validade da Constituiçaõ hereditaria, e a conclusaõ, que dahi necessariamente se seguîa, de que ella se devia restituir aos dominios hereditarios, no caso de que se naõ viesse a concordar em alguma Constituiçaõ commum."

" As mudanças relativas aos cinco pontos, continham, he verdade, melhoramentos importantes; mas naõ se devîam considerar como se naõ fossem susceptiveis de ulteriores emendas: porque, para citarmos meramente alguns exemplos, os Servos do Estado naõ estaõ seguros contra uma demissaõ arbitraria, pois se lhe naõ permitte recurso ao Juiz. As duas Camaras se devîam fixar de antemaõ em tres annos: porém a Segunda Camara consistirîa pela maior parte dos Servos assalariados do Estado, e no fim de tres annos dependerîa absolutamente do Governo o continuar as Camaras ou dissolvêllas. A duraçaõ da Representaçaõ, neste caso de dissoluçaõ extraordinaria, da parte do Governo, naõ estava segura, e os membros naõ éram protegidos de maneira adequada, no exercicio de seus deveres. Naõ se dávam providencias para a inspecçaõ das finanças. Appellando para nossos antigos direitos, desejava que se lhe mostrasse o devido respeito, retendo uma instituiçaõ, que delles se originava. A eleiçaõ dos Representantes éra tambem inadequada; pense-se somente nas difficuldades da uniaõ de dous departamentos para este objecto; o pequeno numero dos Collegios Electoraes, a exclusaõ de homens, que poderîam em todos os respeitos merecer plena confiança, porque naõ possuîam bens de raiz; ou porque naõ possuîam tanto, quanto pagasse annualmente 15 florins de tributos; e a influencia dos Prefeitos e tam peque o Collegio Electoral. Daqui se póde facilmente conhecer, se havia alguma segurança de que os Representantes havîam de ser escolhidos de maneira que o povo lhes podesse confiar tranquillamente os seus direitos. Porem ainda que naõ existissem todos estes defeitos ¿ que segurança tinha a Constituiçaõ? O Governo recusa reconhecer a obrigaçaõ de contractos anteriores, e nós aceitando a constituiçaõ, que o Governo nos offerece, reconhecemos, que elle se naõ acha ligado pelos contractos passados. ¿ Mas que serìa, se o Governo tambem se soltasse a si mesmo deste ultimo contracto? ¿ Estamos nós seguros pelo character do presente Rey, do que fará seu Successor?—Elle pode dizer aos Estados—" O Governante passado naõ observou os contractos entre os seus antepassados e vós; e vós acquiescestes nisso." O povo serìa assim entregue ao Governante, sem direitos positivos. Contribuir para pôr o meu paiz nesta situaçaõ, éra o de que eu me achava incapaz; e por tanto votei contra a aceitaçaõ, e por isso tambem contra ella votou a maioridade."

" Facilmente se verá, que muitas cousas na minuta deviam ser expressas mui diversamente. Eu mencionarei unicamente a secçaõ 254, aonde, entre as qualificaçoens necessarias para ser Representante, se diz o seguinte:—" que deve professar a Religiaõ Christaã:" mas eu accrescento—" e ser de nascimento Alemaõ, honrado e Christaõ:" de outra maneira um Francez de nascimento, naturalizado, ou um Judeu baptizado, poderá vir a ser Representante na nossa patria. Lamento tambem, do fundo do meu coraçaõ, que as jurisdiçoens patrimoniaes dos Cavalleiros lhes sêjam outravez restituidas: porque nada senaõ as peiores consequencias pode resultar daqui para os subditos, a quem ésta medida affecta."

" Ainda que naõ sêja insensivel ás muitas cousas boas, que se contém na Real minuta; comtudo, o meio e modo porque foi apresentada para ser aceita, naõ podia deixar de me ser penoso, como um dos Representantes do povo; pareceo-me, que tinha sido chamado militarmente para responder *sim* ou *naõ;* em obediencia do Rescripto Real de 26 de Maio. Portanto a minha determinaçaõ em breve se decidio pela negativa; e porém confesso francamente, que se naõ se prescrevesse uma experiencia condicional de tres annos, pelo menos, com as duas Camaras, eu terìa cedido da minha opiniaõ.

## RUSSIA.

Um artigo de nevidades, datado de Hamburgo aos 20 de Agosto; diz o seguinte. As relaçoens de paz e amizade de Russia com os seus vizinhos do Sul, parece que tómam um aspecto de character duravel. A boa intelligencia, que reyna entre o Imperador de Russia e aquelles povos, tem ja occasionado consideravel diminuiçaõ no exercito de observaçaõ naquellas fronteiras, e conserva-se ali somente uma força sufficiente para prevenir as irrupçoens das tribus errantes do Caucaso. As difficuldades entre Russia e Turquia se ajustaraõ em breve tempo, á satisfacçaõ de ambas as partes. Requer-se da Porta, que execute um plano, ja ha muito contemplado, em virtude do qual se permittirá a livre navegaçaõ das Dardanellas, pagando um moderado tributo de passagem. He certo que se a Porta garantir no Mediterraneo, contra as piraterias, os navios que tiverem pago aquelle tributo, serìa isso uma circumstancia importante; porém a pouca authoridade que a Porta tem sobre os Estados da Barbaria faz mui duvidoso, que se possa entrar em tal arranjamento.

O Emperador intentava saîr de Petersburgo no 1o. de Septembro; na viagem por seu Imperio, que deve durar 15 ou 16 mezes. S. M. I. procederá primeiro para Witepsk, passará revista ás tropas, que formam parte do corpo d' exercito do General Barclay de Tolly, e chegará a Moscow em Novembro. Ali se demorará até Junho, e entaõ procederá a visitar as provincias meridionaes do Imperio. Passará a Astracan, Crimeo, e fará a revista das tropas do General Benningsen; dali virá para a Alemanha, para assistir á Assemblea, que se fixou em 1815, pelos Soberanos Alliados, e que ha de ter lugar em Frankfort sobre o Meine, ou em Aix-la-Chapelle. Depois disto visitará Warsaw, e dali voltará para Petersburgo.

A intençaõ daquelle Monarcha he adquirir pleno conhecimento de seus Estados, ou, pelo menos, daquelles que saõ civilizados, ou sus eptiveis de civilizaçaõ; e adoptar tudo quanto tender a aboliçaõ dos abusos, e introducçaõ dos mais desejaveis modos de administraçaõ.

" Depois que a maior parte da Polonia está unida em um

reyno, debaixo do dominio do Imperador Alexandre, he difficil appreciar o gráo de prosperidade, que diariamente adquire. A colheita tem sido mui abundante. O preço do trigo tem diminuidouma terça parte no Baltico.

---

S, M. Imperial Russiana havia determinado em 1812, que Helsingfors fosse para o futuro a capital do Gram Ducado de Finlandia; e desde aquelle periodo se continuou na erecçaõ dos edificios publicos necessarios para áquelle fim. Em conformidade de outra determinaçaõ de S. M. Imperial, todas as authoridades do Gram Ducado se mudaraõ de Abo para Helsingfors no 1o. de Outubro,

---

*Mutabilidade da grandeza humana.*

No anno de 1504, o Mestre de Cerimonias do Papa Julio II graduou as Potencias da Europa conforme o seguinte arranjamento.

| | | |
|---|---|---|
| 1 Alemanha | 9 Escocia | 17 Bretánha |
| 2 Roma | 10 Hungria | 18 Borgonha |
| 3 França | 11 Navarra | 19 Baviera |
| 4 Hespanha | 12 Chipre | 20 Brandenburg |
| 5 Aragaõ | 13 Bohemia | 21 Saxonia |
| 6 Portugal | 14 Polonia | 22 Austria |
| 7 Inglaterra | 15 Dinamarca | 23 Saboia. |
| 8 Sicilia | 16 Veneza | 24 Florença |

Depois daquelle memoravel periodo ¿ o que he agora a orgulhosa cidade Imperial de Româ, cujo desprazer espalhava terror e medo em todo o mundo civilizado? Apenas um ponto na escala das nacoens. A mesma pergunta se póde fazer a respeito da maior parte dos Reynos, que naquelle periodo brilhavam com esplendor na constellaçaõ politica: e que ao depois se tem despedido de toda a sua grandeza. Nem Russia nem Prussia apparecem na lista; naquelle tempo éram de mui pequena importancia para que tivessem graduaçaõ alguma entre as naçoens civilizadas.

# CONRESPONDENCIA.

## *Carta ao Redactor, sobre o Investigador, Nº. 75.*

SENHOR REDACTOR DO CORREIO BRAZILIENSE!

Londres 5 de Septembro, 1817.

Apresso-me a escrever a V M. éstas poucas linhas sobre o que o Investigador No. 75 disse a seu respeito; para ver se assim lhe poupo o trabalho de se occupar com as iuvectivas, que lhe atira áquelle Jornal; e porque desêjo sinceramente, que applique o seu tempo a escrever sobre os negocios importantes á nossa naçaõ, que devem ser objecto de seu emprego, uma vez que tomou sobre si a tarefa de jornalista publico. Nem vejo porque V M. naõ deva tractar estes assalariados da Embaixada Portugueza em Londres, com o mesmo desprezo com que tracta o assalariado do Governo. de Lisboa, Expectador; pois ambos tem por unico fim insultállo de maneira, que V. M. para se defender a si, naõ tenha nem tempo, nem lugar, de tractar dos erros e defeitos do Governo, que elles trabalham por defender, ou metter no escuro

Começa o Investigador dizendo, que nem Hercules contra dous; para se ensoberbecer dando a entender, que dous Jornaes o atacáram quando foi elle que, com a maior sem razaõ accusou a V. M. de ser favorecedor da revoluçaõ de Pernambuco, e queríam que V. M. e o outro Jornal, que tambem insultáram, ficassem sem se defender; e porque se defenderam, gritam os do Investigador, aqui d'ElRey, que temos dous antagonistas.

¿ Quem lhe procurou esses antagonistas? Elles, que para fazerem jus á pitança que recebem, tivéram a boa consciencia de accusar a V. M.c. de traidor a ElRey, e promotor de rebellioens: e assentam esses santinhos, que esse ataque he bagatélla, e que por V. M. c. se escandalizar, he um terrivel antagonista.

Nós todos sabemos, em Londres, o tempo em que o Investigador foi estabelecido; por quem; para que fim; e que pesscas se tem nelle empregado, e porque sordidos motivos: isto posto naõ ha vituperio que V. M. c. naõ tivesse direito a dizer-lhe; e nc entanto até se admîram que V. M. c; inserisse no Correio Braziliense, a carta de um seu Conrespondente: quando o Investigador está cheio, em todos os seus volumes, das mais infames diatribes contra V. M c.

Que póde ser mais falto de boa-fe, e portanto mais digno do Investigador, do que dizer a p. 414, que a opiniaõ do seu Conrespondente sobre a perfeiçaõ dos Governos Militares deve ser tambem a sua. He impossivel passar pelos olhos meia duzia de Nos. do Correio Braziliense, sem achar amplas provas do quanto o seu Redactor aborrece o despotismo militar, e comtudo aquelles Redactores, que pretendem refutar seus escriptos, attrevem-se a fazer-lhe tal accusaçaõ

A ironia comque dizem, que V. M. c. deve estar obrigado ao tal Conrespondente, por lhe fazer presente daquella carta, he digna de notar-se; porque mostra o espirito daquelles Redactores, elles naõ pensam senaõ agradar aos que os empregam, e pagam para insultar a V. M. c.; tremem somente com a idea de que seraõ demittidos daquelle serviço; e portanto chamam um *presente fatal*, a carta do Correspondente, como que um Jornalista independente julgasse, como elles julgam, que he *desgraça fatal* desagradar a nenhum homem.

Isto supposdo, que a tal carta continha cousa alguma desagradavel a ElRey; mas persuada-se, Senhor Redactor, que todos entendem muito bem as expressoens do escriptor daquella carta; pois tem sentido obvio; e seguramente a palavra *borracheira*, he applicavel a todo o paragrapho do Investigador, a que a tal carta alude, pois que he a semsaboria mais ridicula que se podia escrever em tal materia: aquelle escriptor chamou-lhe *borracheira*, eu chamo-lhe *semsaboria*; a maior parte da gente chamou-lhe borrar papel, para fazer juz à pitança da embaixada.

As expressoens de *frades* e *ex-frades*, que desafiáram a delicada sensibilidade do Investigador, e com que se *honra* muito o individuo a quem o Investigador presume que ellas se dirigem, vem aqui como crime naõ do Conrespondente mas do Correio Braziliense; porque as phrases de *frades* e *ex-frades* se tem achado muitas vezes nas paginas do Correio Braziliense.

He verdade, que o Correio Braziliense tem fallado de *frades* e *ex-frades*: porém como? para defender as corporaçoens religiosas; quando esse mesmo Investigador publicou memorias sobre memorias, para mostrar, que os frades éram gente inutil, perversa, incapazes de reforma e melhoramento, e que naõ havia outro remedio contra ésta peste, de aduladores dos grandes, de debochados, de ignorantes, de zagaõs do Estado, senaõ abolillos de todo, extinguilhos, annihilallos.

Quando o Investigador sustentava taes opinioens; o Correio Braziliense defendeo as corporaçoens religiosas; e fez a devida distincçaõ, entre os fins daquellas corporaçoens, e os abusos de seus membros. Agóra queixa-se o Investigador de que as phrases de frades e exfrades se achem no Correio Braziliense.

Quizéra eu que o Investigador nos disséra ás claras de que opiniaõ he a respeito dos frades, para os Conrespondentes do Correio Braziliense saberem como se haõ de haver; porque dizendo tantas vezes o Investigador tanto contra os frades, sáe-se agóra este mesmo Investigador dizendo, que se honra se lhe chamarem frade ou exfrade.

Se está o Investigador pelo que tem dicto contra os frades; e julga honra que alguem chame frade a algum dos seus Redactores, he estranha honra por certo. Se ja naõ está da mesma opiniaõ, entaõ deveria confessar que o Correio Braziliense tem razaõ no que tem escripto a favor dos frades.

Mas pergunto eu agóra, he do dever dos frades honrados seguir a vocaçaõ dos seus sanctos institutos ou naõ? e se estes institutos se devem desprezar como honram elles os individuos que uma vez os abraçáram e os deixáram.

Isto sem entrar nos motivos; sêja Joze Agostinho, Expectador, ou quem quer que for.

Sou De V. Mc.
Mto. Venor.
MANUEL COHERENTE.

## *Carta ao Redactor, sobre os negocios de Pernambuco.*

SENHOR REDACTOR DO CORREIO BRAZILIENSE!

Naõ duvido, que V. Mce. tenha recebido muitas informaçoens, a respeito da infeliz catastrophe de Pernambuco: mas tambem estou persuadido que cada um lhe representará os factos, segundo as impressoens, que lhe derem os differentes partidos politicos, a que fôrem affectos ou desaffectos. He por isto, que tomo a meu cargo o dar-lhe informaçoens, as quaes se naõ fôrem judiciosas, póde estar certo que saõ imparciaes.

Fique V. M. seguro deste principio, que nunca existio tal cousa como uma revoluçaõ premeditada, salvo se foi nas cabeças de vento, que chamáram áquella amotinaçaõ momentanea, o estabelicimento de uma Republica. Nenhuma pessoa sensata em Pernambuco se persuadio ja mais, que a Provincia de Pernambuco pudesse fazer só de per si um Governo independente do resto do Brazil, fosse de Republica, ou fosse do que fosse: nem havia a menor razaõ para suppor, que outras capitanias se unissem á de Pernambuco, em tam despropositado plano.

A indolencia do Governador de Pernambuco éra tam manifesta; a dilapidaçaõ das rendas publicas tam conhecida; e os abusos de todos os empregados publicos tam escandalosos, que o povo tinha concebido pelo Governo os mais profundos sentimentos de desprezo. Recorrer sobre isto á Côrte seria tempo perdido; porque a experiencia tem mostrado, que os empregados publicos, mesmo Governadores e Magistrados, que mais desencamiuháram os bens da Fazenda Real, e mais extorçoens fizéram a individuos particulares, vendendo a justiça a quem mais dava, saõ os que melhores e mais honrados empregos tem obtido ao depois.

Dizer que os offendidos deviam ir queixar-se á Côrte, he mostrar, que se ignóra a marcha das cousas neste paiz. Um individo a quem o Governador ou Magistrados fazem injustiça; ou que tem meios de saber e provar os roubos, que se fazem á Real Fazenda, naõ póde largar a sua casa e familia para ir á Corte, de seu proprio motu, arruinar-se de todo, e desamparar as suas occupaçoens, só para ter o gosto de dizer, que provou a prevaricaçaõ deste ou daquelle individuo publico; o qual com o mesmo dinheiro, que roubou, mantém a sua defensa, e pelos patronos, com quem reparte o saque, tem tremenda vantagem contra o seu accusador.

Nesta situaçaõ estávam as cousas em Pernambuco, quando o accidente de querer o Governador prender alguns individuos, entre os quaes havia militares, bem quistos dos soldados, pôz um regimento em sublevaçaõ. O Governador até parecêo ignorar, que a prizaõ de muitos individuos ao mesmo tempo, em qualquer paiz, produz naturalmente commoçoens no povo; e comtudo mandou fazer todas as prizoens de dia, e nos quarteis, sem haver tomado a menor precauçaõ para o caso de resistencia. Esta teve lugar; e os soldados tomáram a parte dos officiaes, que devîam ser prezos.

Os officiaes, que, para se livrarem de ser prezos, amotináram os soldados, decidîram-se a commetter outro crime, para se abrigar do primeiro; e assim prendêram o Governador: o qual, pelo desprezo em que seu governo se achava, naõ teve defensores nem na tropa, nem nos paizanos.

Posto assim Pernambuco n' um perfeito estado de anarchia: passáram os revoltosos a commetter o terceiro crime, que foi constituirem elles mesmos um Governo, de sua invençaõ; quando a marcha natural, visto que prendêram o Governador, éra lançar maõ do Governo Interino, que se acha providenciado pelas leys. Isto he o Bispo, a Primeira Patente Militar, e o Magistrado de Maior Graduaçaõ.

As pessoas, que os revoltosos puzéram no Governo, quer apoiassem quer naõ previamente os amotinados, naõ sómente entráram completamente em suas vistas; mas commettêram o ultimo crime, que foi abjurar a fidelidade a ElRey, e declarar Pernambuco uma democracia; sem saberem o que este nome indica; sem terem consultado o povo, de quem se chamávam representantes; sem considerarem as forças que tinham para se defender das que ElRey necessariamente havia mandar contra elles; em fim sem mostrarem sequer a habilidade que se observa em qualquer quilombo de negros fugidos; os quaes pelo menos tomam as precauçoens, que a prudencia e razaõ natural suggere, para escaparem do Capitaõ do Matto, ou para lhe resistirem se este os encontrar.

Nenhum homem de senso se podîa unir a tal miseria de governo: mas todos lhe obedecêram; primeiro, porque os revoltosos tinham a força armada; e segundo porque a indiferença que todos tinham pelo passado Governador, fez com que ninguem pensasse em defendêllo, ou em tomar parte n' uma querella, que ninguem julgava que éra sua.

O Governador desta Capitania, Conde dos Arcos, portou-se com toda a actividade, de preparando as forças que pôde, para atacar os insurgentes porém accreditou o que aquelles ignorantes espalhávam, á cerca da magnitude de seus recursos, e fez um espalhafato verdadeiramente ridiculo. He verdade que foi necessario fazer fogo aos poucos soldados de Pernambuco amotinados, que estavam em armas, juncto com alguma canalha, que os acompanhou, mas a prompta dispersaõ dos rebeldes mostrou, que tal revoluçaõ naõ tinha pés nem cabeça, como éra bem de suppôr.

O commandante da esquadra, Rodrigo Lobo, achou bella occasiaõ de mostrar o seu character, e entrando em Pernambuco, começou a fazer prizoens a torto e a direito, exaggerando os seus serviços, que talvez ainda recêbam o premio que merecem; porque o Conde dos Arcos, segundo se diz, deo uma conta delle para a Côrte, que, se fôr attendida, o sugeitará a um Conselho de guerra; e por isso naõ digo mais nada delle.

O actual Governador de Pernambuco, depois que ali chegou, se tem portado com mais alguma moderaçaõ; mas pouco devemos esperar delle; porque todos estes senhores estaõ tam persuadidos de que os negocios vam maravilhosamente bem, que he impossivel nesta sua hypothese, que esperemos o menor melhoramento: assim naõ se falla em outra cousa senaõ cortar cabeças, castigar os rebeldes, e metter tropas em Pernambuco, que subjuguem o povo. Porém dos prezos, que aqui tem chegado, só os tres marcados na lista, que lhe envio, fôram ainda executados: e um delles, que éra letrado talvez fosse o que éra menos culpado; pois se provou, que elle naõ éra da opiniaõ dos mais, que por isso o quizéram matar, e que só continuou no chamado Governo Provisorio, para ver se fazia algum bem; o que conseguio em parte, impedindo que se fizessem crueldades ou vexames, a muitas pessoas, conhecidamente do partido d'ElRey.

Na minha opiniaõ o povo de Pernambuco bem socegado está, e sempre esteve; e o unico merecimento, que pódem ter os que El*R*ey lá mandar para apaziguar a revoluçaõ, he naõ dar ouvidos ás calumnias, que os odios particulares naturalmente inventaraõ; e ter o discernimento de indagar as cousas a fundo, e dar parte a ElRey do verdadeiro estado do espirito publico. Mas V. M verá, que esses mesmos homens em vez de fazer isso, haõ de dar a ElRey noticias exaggeradas, para depois pedirem premios por haver morto a bixa de sette cabeças.

O motivo; porque se mandam para aqui os prezos, ainda o naõ sei; e me parece, que o seu processo devia ser feito em Pernambuco; pois lá he que se podem achar as provas de suas culpas ou innocencia. Porém isto mesmo faz crescer o apparato.

* * * * * * * * *

* * * * * * * * *

Sou com todo o respeito

De V. M. c.

Muito Venor. e Criado.

*Bahia* 27 *de Julho*, 1817. P. G. BAHIESNE.

*Lista dos prezos conduzidos por uma sumaca de Pernambuco, e chegados á Bahia em 28 de Maio,* 1817.

| | |
|---|---|
| Joze Maria de Vasconcellos Bourbon | Paizano |
| Ignacio Francisco d'Oliveira | Do. |
| Vicente Ferreira de Serqueira | Pardo |
| Joze Francisco Ferreira | Paizano |
| Francisco da Rocha Paes Barreto | Do. |
| Thomaz Liz Caldas | Do. |
| Manuel Clemente Cavalgante | Do. |
| Joaquim Rodriguez Froez | Do. |
| Venancio Henriques de Resende | Padre |
| Antonio de Soutto Maior | Do. |
| Antonio Jozé de Victoriano | Cap. d'artilheria |
| Jozé Jeromino Salgado | Cadete do. |

*Prezos remettidos pelo Carrasco; chegados á Bahia, em 9 de Junho,* 1817.

| | |
|---|---|
| Ignacio Leopoldo | Soldado |
| Camillio Joze Moreira | Do. |
| Manuel Mathias | Do. |
| Belchior Jozê | Do. |
| Cosme Jozé | Do. |
| Manuel Rodriguez | Do. |
| Manuel de Souza | Ajudante |
| Antonio Francisco Carneiro | Alferes |
| Ignacio de Faria | Do. |
| Jacinto Luiz de Mello | Soldado |
| Jozé Francisco da Silva | Capitaõ |
| Manuel Jozé da Silva | Do. |
| Agostinho Beserra | Tene. dos pretos |
| Antonio Jozé da Silva Coelho | Coronel |
| Pedro Hivo Jozé Velozo | Capitaõ |
| Amaro Francisco de Moura | Do. |
| Jozé Alexandre | Tene. |
| Manuel d'Azevedo | Capitaõ |
| Pedro Antonio Vellozo da Silveira | Tenente |
| Jeronimo Jacinto | Soldado |
| Jozé Antonio da Costa | Do. |
| Joze Lourenço | Do. |
| Manuel da Fonceca | Do. |
| Jozé Caetano | Do |
| Candido de Figueiredo | Do. |

Jozé Ramos . . . . . . . . Furriel
Antonio Barboza . . . . . . . Soldado
Joze André . . . . . . . . Do.
Francisco Jozé Alvez . . . . . . Do.
Vicente Francisco de Melho . . . . . Sargento
Joze Valentim . . . . . . . . Soldado
Leonardo Francisco . . . . . . Tambor
Martinho Francisco de Souza Bandeira . . . Soldado
Maooel Joaquim . . . . . . . . Do. de Cavallaria
Antonio d'Oliveira . . . . . . . Soldado
Fr. Jozé Maria Braine . . . . . . Carmelita
Joaõ Gomes de Lima . . . . . . Padre
Fr. Francisco de S. Pedro . . . . . . Carmelita
Francisco Xavier da Silva . . . . . Padre
Miguel Joaquim d' Almeida . . . . . Do.
Bernardo Juiz Ferreira Portugal . . . Deaõ
Antonio Jacomo Bezerra . . . . . . Vigario
Joaõ Cavalcante d' Albuquerque . . . . Do.
Luiz Carlos Coelho da Silva . . . . . Padre
Fr. Joaõ da Conceiçaõ . . . Guardiaõ de S. Francisco
Prudencio Pessoa . . . . . . . . Paizano
Francisco de Paula Guedes . . . . . Do.
Antonio Vieira de Lima . . . . . . Do.
Joaõ Antonio d' Albuquerque . . . . . Do.
Antonio Carlos da Silva . . . . . . Do.
Joze Carneiro Pessoa . . . . . . Do.
Gervasio Pires Ferreira . . . . . . Do.
Manuel Jozê Pereira Caldas . . . . . Doutor
Jozê Luiz de Mendonça . . . . . . Do.
Francisco de Paula Cavalgante . . . . . Capm. Mor
Dominigos Jozé Martins . . . . . . Paizano
Ignacio Correia . . . . . . . . Do.
Antonio Mello Rodriguez . . . . . . Do.
Joaquim Antonio de Sta. Anna . . . . Do.
Gonçallo Ferreira . . . . . . . . Do.
Jozé Francisco Axiolla . . . . . . Do.
Joaõ Fernandes . . . . Paizano addido aos pretos.
Francisco Romaõ . . . . . . . . Do.
Anselmo . . . . . . . . . . Do.
Floriano Soares . . . . . . . . . Do.
Joaõ Francisco . . { Ordenança do Capm. Mor do Cabo Francisco Paes
Bento de Lemos . . . . . . . . Do.
Damiaõ Alvez . . . . . . . . . Do.

| | |
|---|---|
| Bernardo da Costa . . | Ordenança do Capm. Mor Jozé Antonio Pinheiro |
| Jozé Thomaz . . . . . . . . | Do. |
| Francisco Paes Barreto . . . . . | Capm. Mor |

### *Prezos conduzidos pelo Mercurio, chegados á Bahia a 19 de Junho.*

| | |
|---|---|
| Bento Gomes d' Andrade . . . . . . | Carpinteiro |
| Francisco Borges . . . . . . . | Do. |
| Antonio Manuel Sodré . . . . . . | Maritimo |
| Manuel Jozé d' Assumpçaõ . . . . . | Padre |
| Joaõ do Souto Maior . . . . . . | Agricultor |
| Manuel Antonio Calheiros . . . . . | Do. |
| Joaõ Gonçalves Bezerra . . . . . . | Capm. de Milicias |
| Francisco Xavier Cavalgante Lins de Moraes . . | Capm. Mor |
| Luiz Jozé d' Albuquerque . . . . . | Paizaano |
| Francisco Jozé Martins . . . . . . | Do. |
| André Jozé Martins . . . . . . . | Do. |
| Jozé Antonio de Souza Froes . . . . | Do. |
| Joaõ Baptista da Fonceca . . . . . | Padre |
| Joaõ Nepomucemo e Albuquerque . . . . | Agricultor |
| Affonso d' Albuquerque e Mello . . . | Do. |
| Francisco Paula Cavalgante . . . . . | Tn. d' artilheria |
| Francisco Moniz Tavares . . . . . . | Padre |
| Joaõ do Rego d' Antas . . . . . . | Ajudante |
| Francisco Dias d' Oliveira . . . . . | Padre |
| Fr. Joaquim do Amor Divino . . . . . | Carmelita |
| Antonio do Monte e Oliveira . . . . . | Agricultor |
| Jozé d'Hollanda e Albuquerque . . . . . | Do. |
| Martinho da Cunha Porto . . . . . | Capm. dos Pardos |
| Angelo de Barros Falçaõ . . . . . | Alferes |
| Luiz Ribeiro Peixoto . . . . . . | Boticario |
| Joze Mariano d' Abuquerque Cavalgante . . | Tenente |
| Pedro da Silva Pedrozo . . . . . | Capitaõ |
| Antonio Carlos Ribeiro d'Andrade . . . | Dezembargador |

Total 114.

### *Prezos por suspeitas:*

| | |
|---|---|
| Francisco da Cunha Pedro Palacio . . . | Paizano |
| Sebastiaõ Jozé da Cunha . . . . . . | Soldado Artilheiro |

---

N. B. Os tres com o igual * fôram arcabuzados no dia 13 de Julho, 1817.

# CORREIO BRAZILIENSE,

## DE OUTUBRO, 1817.

---

Na quarta parte nova os campos ára
E se mais mundo houvéra la chegára.

CAMOENS, C. VII. e. 14.

---

# POLITICA.

### REYNO UNIDO DE PORTUGAL, BRAZIL, E ALGARVES.

*Portaria dos Governadores de Portugal, sobre os contrabandos.*

FAZENDO-SE indispensavel (para que surtam o seu devido effeito as Providencias dadas na Portaria de oito de Julho do presente anno, que tem por fim a melhor Vigia sobre a introducçaõ de Contrabandos) evitar os differentes pretextos, com que se tem procurado cohonestar o uso das Embarcaçoens ligeiras chamadas Bichas; e naõ sendo menos necessario estabelecer a beneficio da Real Fazenda a Lotaçaõ dos Escaleres, de que se deveraõ para o futuro servir no exercicio das suas funcçoens no mar, as differentes Repartições de Arrecadaçaõ: He Sua Majestade servido Determinar interinamente a todos estes respeitos o seguinte.

I. O uso de Escaleres de mais de seis remos será privativo unicamente do Arsenal Real da Marinha, e da Vigia dos Contrabandos; os Escaleres porém das Alfandegas, e Casas de Arrecadaçaõ, Arsenal Real do Exercito, e quaesquer outras Repartiçoẽs, que naõ sejam dependentes do Arsenal Real da Marinha, poderaõ ter até oito remos.

II. Quando algum Particular queira ter para seu uso um Escaler de maior número de remos, será obrigado a solicitar uma Licença de Sua Majestade pela Secretaria d'Estado dos Negocios da Marinha, a qual se naõ concederá sem graves motivos, e contemplaçaõ ás qualidades do sujeito, que a requerer, e sempre debaixo das seguintes Condiçoens, pena de perdimento das dictas Embarcaçoẽs, e de prohibiçaõ absoluta de poderem ter outras: Primo de fazer registar a Licença na Delegaçaõ dos Contrabandos do Porto Franco: Secundo de fazer pintar as suas Armas, ou o seu Nome, com letras bem visiveis na prôa dos ditos Escaleres: Tertio de trázer sempre fardados os Remeiros com a chapa das suas Armas, ou Cifra, nas Barretinas:— Quartò de conservar em Telheiro fechado as mesmas Embarcaçoens, sempre que naõ se servir dellas.

III. As Embarcaçoẽs chamadas Bichas ficam absolutamente prohibidas des da publicaçaõ desta Portaria, a naõ ser no serviço immediato da Vigia dos Contrabandos. As que actualmente existem seraõ logo tomadas, e avaliadas, para o Arsenal Real da Marinha, por onde será satisfeita aos seus donos a sua importancia.

IV. Fica igualmente prohibida a Construcçaõ de outras Embarcaçoẽs similhantes nos Estaleiros particulares, debaixo da pena para os transgressores (além do perdimento das dictas Embarcaçoens) do duplo do seu valor pela primeira vez, do quadruplo pela segunda, e pela terceira da mesma pena aggravada com prizaõ por tempo de seis mezes: cuja pena será imposta ao Dono, ou Mestre do

Estaleiro, em que se encontrar em fabrico, ou ao Dono da Embarcaçaõ, quando seja aprezada fóra já do dicto Estaleiro.

V. Um mez depois da publicaçaõ desta Portaria os Escaleres da Vigia dos Contrabandos apprehenderaõ, e remetteraõ para o Arsenal Real da Marinha, qualquer Escaler, que encontrarem em contravençaõ do que nella se determina. Quanto aos Escaleres do serviço Público, para se haver com oChefe da Repartiçaõ, a que pertencer, a demonstraçaõ, que o caso pedir; e pelo que pertence aos dos Particulares, para se lhes impôr irremissivelmente a pena de perdimento das dictas Embarcaçoens, se se naõ tiverem conformado ao que nesta Portaria se determina.

As Authoridades, a quem compete, o tenhaõ assim entendido, e façam pontualmente executar. Palacio do Governo em trinta de Agosto de mil oitocentos e dezesette.

*Com as Rubricas dos Governadores do Reyno.*

---

*Portaria dos Governadores de Portugal, sobre o recrutamento da marinhagem.*

Fazendo conhecer a experiencia a necessidade, que ha, de prescrever um methodo para oRecrutamento da Marinhagem, que se fizer precisa para tripular os Navios da Corôa, o qual previna e acautele as demoras, irregularidades, e outros inconvenientes, que atégora se tem encontrado na execuçaõ de similhantes diligencias: He Sua Majestade servido determinar, que a este respeito se fique praticando interinamente, e em quanto naõ mandar o contrario, o que se contém nas Instrucçoens annexas a esta Portaria, assignadas por D. Miguel Pereira Forjaz, do Conselho do Mesmo Senhor, e Secretario dos Negocios da Marinha, Estrangeiros, e da Guerra, que assim o tenha entendido, e faça executar; expedindo para esse effeito as Ordens convenientes e necessarias. Palacio do Governo em 26 de Agosto de 1817.

*Com as Rubricas dos Governadores do Reyno.*

---

*Instrucçoes, de que tracta a Portaria da data de hoje, relativas ao modo, porque daqui em diante se deverá proceder ao Recrutamento da Marinhagem para as Tripulaçoes dos Navios da Coroa.*

Art. I. Logo que se mandar completar qualquer Navio de Guerra, o seu Commandante deverá remetter á Secretarîa d'Estado dos Negocios da Marinha um Mappa numerico, conforme ao Modêlo *A*, do estado da sua Tripulaçaõ, e do que lhe falta para o completo.

II. Pela mesma Secretaria d' Estado se expediraõ sempre ao Auditor Geral da Marinha as Ordens, para se proceder ao Recrutamento para a Maruja; indicando-selhe o número de Marinheiros, e Grumetes, que faltam a cada uma das Embarcaçoẽs, que se manda armar.

III. Des do dia, em que os Commandantes dos Navios da Corôa remetterem á Secretaria d'Estado o Mappa, de que trata o § 1°. enviaraõ diariamente ao Auditor Geral da Marinha, até que as suas guarniçoẽs estajam completas, um Mappa similhante ao Modêlo *B*, das alteraçoẽs, que for tendo a sua equipagem.

IV. Logo que o Auditor Geral tiver recebido da Secretaria d' Estado a Ordem para o Recrutamento, incumbirá esta Diligencia aos seus officiaes, ou deprecará (julgando-o assim necessario) á Brigada Real da Marinha, ou á Guarda Real da Policia, o número de officiaes Inferiores capazes, para serem empregados nesta Diligencia; encarregando a cada um a apprehensaõ de um número determinado de Marinheiros, e Grumetes, e authorisando-os com uma Ordem por escrito, assignada por elle, para procederem á mesma Diligencia.

V. Os Officiaes da Auditoria, ou Officiaes Inferiores, que se acharem munidos de uma tal Ordem, seraõ as unicas pessoas, a quem será permittido prender para a Maruja; e os Corpos da Guarda Real da Policia ficaraõ obrigados a prestar á sua requisiçaõ todo o auxilio, e soccorro, de que precisarem, e for por elles deprecado, tanto para a apprehensaõ dos Marujos, como para a sua conducçaõ, até serem entregues na Galé do Arsenal Real da Marinha.

VI. Naõ se prenderá para a Maruja pessoa alguma, que naõ se conheça como pertencente á vida do mar, ou que pelo seu traje, e disposiçaõ, se naõ considere como propria para ella: os que porém assim forem prezos, seraõ directamente conduzidos ao Arsenal Real da Marinha; ficando expressamente prohibido aos que fizerem taes apprehensoens soltallos, pois que quando tenham justos motivos que allegar, o deveraõ fazer perante as competentes Authoridades, como adiante se declara.

VII. Logo que se mandar proceder ao Recrutamento para as Embarcaçoens de Guerra, o Auditor Geral fará aprомptar um Caderno conforme o Modêlo *C.* por elle rubricado, e encerrado, destinado para nelle se lançarem os nomes dos que forem recrutados.

VIII. Cada um dos Officiaes da Auditoría Geral, ou Officiaes Inferiores, incumbidos da Diligencia do Recrutamento da Maruja, formalizará uma Relaçaõ Nominal dos individuos, que for entregando na Galé do Arsenal, no reverso da qual lhe passará o competente Recibo o Commandante da Guarda da mesma Prizaõ. Estas Relaçoẽs assim formalizadas passaraõ ao Escrivaõ da Auditoría Geral da Marinha, que lançará no Caderno competente o Assento do nome dos que nellas vierem mencionados, e nos lugares para isso destinados, o dia em que foram recrutados, e o nome do official da Auditoría Geral, ou Official Inferior, que os recrutou.

IX. Des de que se começar qualquer Recrutamento para a Maruja haverá no Arsenal Real da Marinha duas Revistas por dia, á qual devem assistir o Inspector do mesmo Arsenal, ou o seu Ajudante, quando elle estiver impedido, o Auditor Geral, e o seu Escrivaõ, e dous Facultativos por turno, nomeados pelo Fysico Mór da Armada Real, e escolhidos dos Cirurgioens do número da mesma Armada, dos da Brigada, e dos que servem no Hospital Real da Marinha. A primeira Revista se fará ás oito horas da manhaã, para examinar os que tiverem sido recrutados na tarde do dia antecedente, e a outra ás cinco horas da tarde para os que tiverem sido recrutados naquelle dia; de modo que nenhum homem fique vinte quatro horas em prizaõ, excepto os que ficarem esperados, como adiante se declara.

X. Nesta Revista seraõ examinados pelos Facultativos os que allegarem defeitos physicos, ou falta de saude, que os inhabilite para o serviço de mar. Seraõ attendidos pelo Auditor Geral os que allegarem qualquer privilegio, ou justa causa, que os deva eximir do serviço, a que se pertende destinallos; e finalmente o Inspector, ou o seu Ajudante decidiraõ da sua capacidade para a vida do mar, e a classe, a que deveraõ pertencer, isto he, se á de Marinheiros, ou Grumetes.

XI. A' medida que se forem assim qualificando, o Escrivaõ da Auditoria Geral írá lançando no lugar competente do Caderno *B* o resultado desta Revista; e no fim extrahirá tres Listas nominaes, que seraõ assignadas por todos os que a elle assistîram. A primeira, dos que ficáram approvados para Marinheiros, ou Grumetes, e que como taes, se deveraõ remetter logo para bordo da Embarcaçaõ, que lhes for destinada: segunda, dos que, allegando motivos attendiveis, que se propôem provar, ficarem esperados o tempo que para isso lhes he concedido: a tereira, dos que forem escusos, seja por falta de saude, defeitos physicos, e inhabilidade para o serviço do mar, ou outros motivos justos, que os dêvam isentar, e que forem devidamente provados no acto da revista perante o Auditor Geral.

XII. Nenhum individuo dos que forem prezos para o serviço da maruja poderá ser solto, senaõ por ordem do Auditor Geral. Os comprehendidos na primeira Lista seraõ logo entregues ao Inspector do Arsenal, que os remetterà para bordo do Navio, a que competir, acompanhados da mesma Lista nominal, no reverso da qual deverá passar o Commandante do Navio, ou o official do quarto, o Recibo da sua entrega, que o Inspector guardará. Os da segunda Lista, se naõ poderaõ conservar em prizaõ por mais tempo de tres dias, no fim dos quaes compareceraõ na revista, e seraõ classificados como lhes competir. Os da terceira seraõ immediatamente postos em sua liberdade, declarando-se na mesma Lista, e á margem de cada nome o motivo, porque foram escusos.

XIII. Fica prohibido aos Commandantes dos Navios da Corôa darem baixa a individuo algum da sua marinhagem sem ordem expressa de Sua Majestade, expedida pela Secretaria d' Estado dos Negocios da Marinha ao Conselho do Almirantado.

XIV. Ficam igualmente responsaveis os mesmos Commandantes pelas deserções da marînhagem de bordo dos seus Navios, quando naõ provem haver feito executar pontualmente o que prescreverem a este respeito os §§, 70 e 71, Capitulo 2º do Regimento Provisional da Marinha.

XV. Os Marinheiros ou Grumetes das Embarcaçoens da Corôa, que houverem de ser enviados ao Hospital

Real da Marinha, iraõ sempre acompanhados por uma Escolta; e o Commandante della será munido de uma Relaçaõ nominal dos individuos, que conduz, similhante ao Modêlo D, assignada pelo Commandante do Navio, ou pelo Official de detalhe. O Almoxarife do Hospital, e o Cururgiaõ de dia lhe passaraõ no reverso o Recibo da entrega, que o Commandante da Escolta será obrigado a apresentar á sua volta ao Commandante do Navio.

XVI. Similhantemente os Marinheiros e Grumetes, que sahirem com Alta do Hospital, seraõ acompanhados, por Escoltas, e entregues ao inspector do Arsenal com outra relaçaõ, conforme o mesmo Modêlo, e assignada pelo Director e Almoxarife do Hospital, em que se declare as Embarcaçoens a que pertencem. O sobredicto Inspector fará passar recibo da sua entrega no Arsenal, e os fará depois passar para bordo; devendo os Commandantes dos Navios, ou os Officiaes do quarto passar recibos pelos que lhes forem entregues.

XVII. Qualquer Official da Auditoría Geral, ou Official Inferior incumbido da Diligencia do Recrutamento para a Maruja, que se provar haver soltado algum individuo depois de prezo, em contravençaõ do que determina o § 12º. será prezo por espaço de quinze dias por cada vez que assim o practicar; naõ vencendo durante este tempo mais do que metade do Soldo, ou Ordenado, que lhe competir.

XVIII. Aquelle que primeiro tiver preenchido o número de Marinheiros, o Grumetes, cuja apprehensaõ lhe foi incumdida, recebera um Premio, equivalente a oitocentos réis por cada Grumete dos que lhe coube recrutar bem entendido, que só se julgará ter completado o número, quando effectivamente se tiverem mandado para bordo, por serem capazes, um número de Marinheiros, e Grumetes, igual ao que lhe tiver sido rateado, naõ se levando em conta os que, por qualquer motivo dos acima apontados, forem escusos nas Revistas do Arsenal. O segundo, que do mesmo modo tiver completado o número que lhe for rateado, terá um Premio mais pequeno, correspondente a quatrocentos réis por cada Marinheiro, e duzentos réis por cada Grumete. Aos que forem mais morosos se naõ abonará premio algum. Quando aconteça, que mais de um conclua a sua Diligencia no mesmo dia, se dará o primeiro Premio áquelle, que tiver tido menos individuos rejeitados nas Revistas.

XIX. Estes Premios seraõ satisfeitos, immediatamente que se conclua o Recrutamento pelo Intendente da Marinha, á vista de um Attestado do Auditor Geral, que declare a quem pertence, e a Somma, que (conforme fica explicado) se lhes deverá abonar,

XX. Preferindo Sua Majestade que as Equipagens dos seus Navios de Guerra se componham, quanto puder ser, de gente voluntaria, manda declarar, para que fique servindo de regra para o futuro, que a todo o Marinheiro, ou Grumete, que for offerecer-se voluntariamente em occasiaõ que se tenha mandado proceder ao Recrutamento para as Embarcações de Guerra, sendo julgado capaz, e apresentando fiador abonado, se lhe satisfaça, logo que assente praça, dous mezes de soldo adiantados e naõ sêja obrigado a servir contra sua vontade por mais tempo do que aquelle que durar o Armamento do Navio, em que assentar Praça. E os que tiverem feito assim na classe de Marinheiros tres viagens, ou mais, nos Navios da Corôa, a todo o tempo que aconteça impossibilitarem-se, seraõ attendidos de preferencia a quaesquer outros, para serem admittidos na Casa das Vêlas, ou da Estopa, ou em serviços analogos do Arsenal Real da Marinha, com que possam adquirir os meios indispensaveis para o seu sustento. Palacio do Governo em 26 de Agosto de 1817.

D. Miguel Pereira Forjaz.

*Populaçaõ do Bispado de Marianna, no anno de* 1816.

| Pessoas livres. | Homens. | Mulheres. | Total. |
|---|---|---|---|
| Brancos | 40.979 | 42.815 | 83.794 |
| Pardos | 51.273 | 55.341 | 106.614 |
| Indios | 4.433 | 4.303 | 8.736 |
| Pretos | 20.326 | 22.665 | 42.991 |
| | Total de Pessoas livres | | 242.135 |
| Escravos. | | | |
| Pardos | 11.607 | 11.093 | 22.700 |
| Pretos | 72.849 | 53.001 | 125.850 |
| | Total de escravos | | 148.550 |

*Nascimentos em* 1816.

| Pessoas livres. | Homens. | Mulheres. | Total. |
|---|---|---|---|
| Brancos | 1 859 | 1.633 | 3.432 |
| Pardos | 1.825 | 1.904 | 3.729 |
| Indios | 178 | 178 | 356 |
| Pretos | 1.001 | 1.082 | 2.083 |
| | | Total | 9.660 |
| Escravos. | | | |
| Pardos | 455 | 505 | 960 |
| Pretos | 1.786 | 1.875 | 3.661 |
| | | Total | 4.621 |

*Falecimentos em* 1816.

| Pessoas livres. | Homens. | Mulheres. | Total. |
|---|---|---|---|
| Brancos | 1.226 | 1.025 | 2.251 |
| Pardos | 1.532 | 1.422 | 2.954 |
| Indios | 160 | 163 | 323 |
| Pretos | 1.181 | 1.201 | 2.382 |
| | | Total | 7.910 |
| Escravos | | | |
| Pardos | 707 | 661 | 1.368 |
| Pretos | 2.144 | 1.529 | 3.673 |
| | | Total | 5.041 |

## FRANÇA.

*Tractado entre S. I El Rey de França e Navarra, e S. M. El Rey de Portugal do Brazil e dos Algarues: concluido em Paris aos 28 de Agosto de 1817.*

Artigo 1. S. M. Fidelissima, animado pelo desejo de executar o artigo 107 do acto do Congresso, de Vienna se obriga a entregar a S. M. Christianissima, no espaço de tres mezes, ou antes se for possivel, a Guyana Franceza, até o Rio Oyapoc, cuja boca he situada entre o 4° e 5° gráo de latitude Norte, e atê o 322 gráos de longitude a Leste da Ilha do Ferro, pelo parello de 2 graos e 24 minutos de latitude Norte.

2. Nomear-se-haõ e se despacharaõ immediatamente Commissarios de mbas as partes, para fixar definitivamente os limites das Guyanas Franceza e Portugueza, conforme o preciso sentido do 8° artigo do Tractado de Utretcht, e das estipulaçoens do Acto de Congresso de Vienna, os sobre dictos commissarios devem terminar os seus trabalhos na expiraçaõ de um anno, ao mais tardar desde a data de sua chegada a Guyana. Se na expiraçaõ deste termo de um anno os sobredictos respectivos Commissarios naõ puderem concordar, as duas Altas Partes Contractantes procederaõ entaõ a outros arranjamentos, debaixo da mediaçaõ da Gram Bretanha, e sempre conforme ao preciso sentido do 8° artigo do tractado de Utrecht, concluido debaixo da garantia daquella Potencia.

3. As fortalezas, armazens e todos os petrechos militares seraõ entregues a S. M. Christianissima, conforme o inventario mencionado no 5° artigo da Capitulaçaõ da Guyana Franceza, em 1809.

4. Em consequencia dos sobredictos artigos, immediatamente depois da assignatura do presente tractado

seraõ communicadas ao Governo Francez as ordens para se effectuar a transmissaõ da Guyana Franceza (as quaes ordens estaõ presentemente na possessaõ do abaixo assignado Plenipotenciario) a que será annexa uma copia deste tractado, e a qual informará as Authoridades Portuguezas, que tem de entregar, dentro em tres dias, a dicta colonia, aos Commissarios encarregadòs por S. M. Christianissima, de tomar posse della, logo que elles tiverem apresentado as suas instrucçoens para este effeito.

5. O Governo Francez se obriga a transportar para as cidades maritimas do Para e Pernambuco (nos navios que tiverem sido empregados no transporte das tropas Francezas para a Guyana) a guarniçaõ Portugueza desta colonia, assim como os funccionarios civis com toda a sua bagagem.

*Artigo separado.*

Todos os pontos sobre que possam occurrer algumas difficuldades, que resultem da restituiçaõ da Guyana Franceza, taes como o pagamento das dividas, a cobrança das rendas, e a reciproca troca de escravos, formaraõ objecto de um tractado particular entre os Governos Francez e Portuguez.

# COMMERCIO E ARTES.

## Companhia de Mineraçaõ no Cuiaba.

*Carta Regia para o Capitaõ General de Matto Grosso.*

Joaõ Carlos Augusto de Oeyhausen, do Meu Conselho, Governador e Capitaõ General da Capitania de Matto Grosso: Amigo: Eu El Rey vos envio muito saudar: Sendo-me presente a vossa conta de trinta e um de Maio de mil oitocentos e quatorze, acompanhada dos Estatutos da nova Companhia de Mineraçaõ do Cuiabá, que se tem proposto formar os Socios assignados nos mesmos Estatutos, pedindo em nome, e a requerimento dos mesmos Socios, a minha Real Approvaçaõ de todos os artigos, de que se compôem, para poder proseguir o plano de Mineraçaõ projectado, naõ obstante o terdes já provisoriamente mandado pôr em practica, pelas vantagens, que de um tal Estabelecimento podem resultar á minha Real Fazenda, e aos habitantes dessa Capitania, onde pela sua central posiçaõ nenhum ramo de industria parecia mais conveniente, doque a lavra dos metaes preciosos. E desejando, quanto he possivel, animar todos, e quaesquer estabelecimentos, que tendam ao bem geral, e particular dos meus Fieis Vassallos, e á prosperidade, e riqueza Publica: Tendo ouvido o parecer de pessoas doutas e zelosas do Meu Real Serviço, e bem commum: sou servido approvar a Companhia de Mineraçaõ do Cuiabá, para cuja formaçaõ tendes concorrido com tanto zelo, e desvélo, regulando-se pelos Estatutos, que com esta minha Carta vos saõ remettidos, assignados pelo Conde da Barca, do Meu Conselho de Estado, Ministro, e Secretario de Estado dos Negocios da Marinha e Dominios Ultramarinos, e Presidente Interino do Meu Real Erario: Espero do vosso zelo, luzes, e actividade, que naõ somente procurareis que se consigam os bons resultados, a que se propôem esta Companhia, conseguireis persuadilla, a que haja de mandar, logo que tenha sufficientes forças, á sua custa, algumas pessoas dessa Capitania a apprender nas Reaes Fabricas de Ferro de Ipanemá na Capitania de S. Paulo, e do Morro do Pilar; na Capitania de Minas Geraes, a Arte de fundir o Ferro, em grandes, e pequenos Fornos, para com ellas se poderem tambem erigir nessa Capitania Fabricas de Ferro; a fim de o terem em abundancia, e a bom preço, já para os traballios da Mineraçaõ, e da Agriculiura, já para a mesma defeza dessa Capitania; naõ devendo tambem esquecer-vos de fazer pesquizar com todo o cuidado as minas de Sal que houver nesse territorio, para que possam ser aproveitadas em decidida vantagem dos meus Vassallos. O que tudo executareis com a promptidaõ, e acerto com que vos tendes distinguido no meu Serviço; dandome parte pela Secretaria de Estado dos Negocios do Reyno, e pelo meu Real Erario, dos resultados, que annualmenre se obtiverem, e propondo-me o que vos parecer conveniente ao progresso, e riqueza dessa Capitania, para Eu resolver o que for servido. Escripta no Palacio do Rio-de-Janeiro aos dezeseis de Janeiro de mil oitocentos e dezesete. Rey com Guarda.

---

### *Estatutos para o Governo da Companhia da Mineraçaõ do Cuiabá.*

I. A' Real Fazenda pertenceraõ duas Accões livres aos reditos, que produzir o fundo da Companhia de Minerçaõ do Cuîabá, na forma do seu espontaneo offerecimento.

II. O Governador e Capitaõ General da Capitania de Matto Grosso será o Inspector da Companhia, para vigiar sobre a observancia dos seus Estatutos, zelando, e promovendo tudo quanto for em seu proveito, e da Real Fazenda, podendo convocar, e formar Junctas, interinas, em quanto senaõ estabelecerem as Junctas Administrativas, mandadas crear pelo Alvará de treze de Maio de mil oitocentos e tres, para nellas se decidirem em ultima Instancia aquelles negocios da Companhia, que na fórma do mesmo Alvará dependerem de taes decisões.

III. O mesmo Governador e Capitaõ General será Presidente da Meza da Direcçaõ, e do Conselho da Companhia, e sómente por approvaçaõ sua, e com sua assistencia, ou de pessoa por elle delegada, poderá reunir-se o Conselho, quando forem dignas de attençaõ as razões allegadas pela Meza da Direcçaõ para esta convocaçaõ.

IV. O Conselho da Companhia será formado de doze dos seus Accionistas, que merecerem ao Governador, e Capitaõ General um maior conceito; preferindo entre estes os que tiverem maior numero de Acções, e se acharem presentes no Cuiabá. A Meza da Direcçaõ será composta de quatro Directores, escolhidos entre os mais habeis dos do Conselho, servindo os Directores por tempo de tres annos, se naõ houver inconveniente qualificado, e reconhecido em Conselho; e no fim do triennio poderáõ ser roconduzidos os Directores, ou poderáõ ser nomeados outros, como parecer ao Conselho da Companhia, que para esse fim se convocará.

V. O Conselho da Companhia será convocado no fim de cada um anno, para lhe serem apresentados pelos Directores os Livros de Receita, e Despeza, e fazer-se a conferencia do Cofre, a fim de conhecer da boa, ou má administraçaõ dos Directores, lavrando-se de tudo os competentes Termos.

VI. No tempo. em que se assentar que se devem repartir os lucros, quando os houver, tambem se congregará o Conselho para regular os Dividendos, sendo a partilha, que se fizer, assignada por todos os do Conselho, e Directores, e ficando livre a qualquer interessado o examinar o modo com que foi calculado o Dividendo, que lhe toca ; para o que lhe será franqueado o Livro dos Termos, e da Receita e Despeza, quando assim o exija ; feito porém este exame perante os Directores, a quem compete a responsabilidade de taes Livros.

A sexta parte da quantia que tocar a cada um dos interessados, ficará em reserva, fazendo-se a competente escripturaçaõ em separado, e sendo guardada em Cofre separado, deste fundo he que sahiraõ as sommas necessarias para despezas extraordinarias, e até para compra de escravos, se para isso chegar, no fim do anno, sendo porém a sua applicaçaõ resolvida em Conselho.

VIII. A' Meza da Direcçaõ pertence o governo e direcçaõ dos negocios da Companhia, segundo os seus Estatutos, decidindo-se pela pluralidade de votos, nos casos duvidosos, ou recorrendo ao Conselho no caso de empate de votos. Nos papeis, e Contractos da Companhia poder-se-ha usar de um Sello particular, e que será formado das Armas da Villa do Cuiabá, circuladas, com a Legenda. Fortuna Duce Comite Virtute, tendo por baixo o anno da creaçaõ da Companhìa.

IX. O Conselho fará a divisaõ do trabalho pelos quatro Directores, como melhor parecer, e cada um delles tomará a si uma das quatro Chaves, que deve ter ter o Cofre da Companhia.

X. As Acçoẽs desta'Companhia saõ isentas de qualquer Penhora, Embargo, ou Execuçaõ Fiscal, ou Civil, ou do Juizo dos Orfaōs, Defuntos, e Ausentes. Os Credores só poderáō ter direito aos lucros, que de taes Acções provierem, requerendo-os nas occasiões sómente, em que se repartirem por todos os Interessados.

XI. O Juiz de Fóra do Cuiabá será o Juiz Conservador desta Companhia, e julgará breve, e summariamente as suas Causas.

XII. Todos os que tiverem ao menos quatro Acções nesta Companhia, gozaraō, em quanto ella durar, do privilegio de homenagens nas suas proprias Casas, nos casos em que ellas se costumam conceder; e os Directores gozaraō, além disto, da isempçaō de qualquer Serviço Militar naō sendo Official de Soldo, e naō seráō violentados a servil Officcio algum de Justiça, ou Fazenda, nem a ser Depositarios, ou Tutores de Orfaōs em quanto forem Directores.

XIII. Os fundos desta Companhia seráō formados por Acções, e a subscripçaō para estas se conservará aberta, até que tenha o fundo necessario para o encanamento das aguas, que poderem cobrir os taboleiros das vizinhanças da Villa do Cuiabá; fechando-se a subscripçaō logo que se principiar esta Obra, sem que nenhuma authoridade possa violentar a Companhia a receber mais Socios, e servindo-lhe de limite o designado para as Companhias de Mineraçaō, no paragrafo segundo do artigo septimo do Alvará de treze de Maio de mil oitocentos e tres.

XIV. Para que a Companhia possa augmentar os seus fundos, quando lhe convier até ao indicado limite de mil e oito escravos, ser-lhe-ha permittido o admittir novas Acçoens dos seus actuaes Socios, e na falta destas, Acçoens de novos Socios, regulando-se porém neste caso o premio, com que estes novos Accionistas devem compensar os traballos já feitos pela Companhia, para vencerem os lucros que competirem ás praças com que entrarem, sendo este regulamento feito pelo Conselho da Companhia.

XV. A duraçaõ desta Companhia será de trinta annos; e findos estes, poderá ser dissolvida, ou novamente constituida, como parecer conveniente.

XVI. Cada uma Acçaõ desta Companhia será de cem mil réis em moeda, que se deveraõ entregar no acto da subscripçaõ: e de dous escravos vestidos, e preparados de ferramentas por uma vez, e que seraõ entregues á Companhia, no momento em que principar a mineraçaõ, e logo que se concluir o encanamento das aguas, ou outra qualquer operaçaõ preliminar, de que ella depender, e para que he applicado o dinheiro recebido. E se por algum motivo o Accionista deixar de entrar com os escravos, que he obrigado, quando forem requeridos, naõ terá parte no lucro da mineraçaõ, nem jús algum para reclamar a entrada que fez para o fundo de despezas: será permettido porém á Meza da Direcçaõ o conceder um prazo, que naõ exceda de seis mezes improrogaveis, aos Accionistas de mais de duas Acções, para apresentarem todos os escravos, que saõ obrigados, supprindo no entanto a falta destes com escravos alugados á sua custa; com a clausula de que findo o prazo concedido sem fazer a entrega dos escravos que devem ficar pertencendo a Companhia, só terá direito ao pagamento dos jornaes, cedendo em proveito da Compaunia o mais lucro que houver, e ficando expulso da Companhia.

XVII. O dinheiro, e Escravos pertencentes á Companhia naõ se poderaõ tirar durante o tempo que lhe he concedido; e sómente será livre aos Accionistas o vender e trespassar as suas Acçoes, preferindo os Socios em igualdade do preço; para o que se fará publica uma tal venda por Edictaes da Meza daDirecçaõ, para conhecimento dos actuaes Interessados, sem o que será nulla a venda feita á pessoa, que naõ seja da Sociedade.

XVIII. Ficaraõ pertencendo á Companhia todas as aguas,que poder introduzir no rego, ou encanamento, que vai emprehender, achando-se devolutas, ou naõ occupadas legitimamente por algum Mineiro de effectivo trabalho, e com reserva das exceptuadas no paragrafo segundo do Artigo nono do Alvará de treze de Maio de mil oitocentos e tres; assim como as terras que poder lavrar com as aguas do dicto encanamento, ou regos chamados do Canelas, e do Brigadeiro, achando-se estes terrenos devolutos, ou naõ occupados legitimamente, e sem trabalho effectivo de algum Mineiro, sendo notificados os donos legitimos se alguns houver, sem effectivo trabalho, para dentro do prazo de seis mezes abrirem serviços mineraes correspondentes á extensaõ do terreno que possuirem, com pena de perdimento a favor da Companhia, no caso contrario: conservando sómente a extensaõ marcada no paragrafo, terceiro do artigo sexto do sobredito Alvará, se tiverem forças bastantes para o seu lavor effectivo.

XIX. Na Repartiçaõ, e concessaõ das terras mineraes e aguas, que se acharem devolutas na Capitania de Matto Grosso terá a Companhia preferencia na fórma do paragrafo primeiro do Artigo sexto do Alvará de treze de Maio de mil oitocentos e tres, sobejando-lhe forças para novas emprezas, ou devendo suspender os trabalhos principiados, na forma do paragrafo sexto do dicto Alvará, em terras que lhe saõ concedidas.

XX. Nos terrenos mineraes concedidos á Companhia, naõ teraõ lugar quaesquer denuncias, ou repartições, a titulo de descobertos.

XXI. Os Administradores, Feitores, e Camaradas, ou quaesquer empregados no serviço da Companhia, naõ poderaõ ser empregados em outro qualquer servio sem mostrarem, que foram despedidos do serviço da Companhia com pena de quarenta mil *réis* a favor da Caixa da Companhia, pagos pelos que os alliciarem.

XXII. Os Administradores, que pelo seu bom serviço por espaço de oito annos merecerem singular recommendaçaõ da Meza da Direcçaõ, e satisfaçaõ geral da Companhia, ficaraõ dahi em diante gozando de uma, até duas Acçoes, sem serem obrigados a algum premio, entrando com os escravos competentes. Palacio do Rio-de-Janeiro aos dezeseis de Janeiro de mil oitocentos e dezesete Conde da Barca.

## AUSTRIA.

*Circular da Regencia da Austria Baxa. Novo systema de direitos da alfandega.*

Por um decreto da Camara de Finanças, datado de 2 Septembro, e recebido aos 19, estabeleceo o Imperador, por consulta da Commissaõ de Commercio, novo systema de direitos d'alfandega, na importaçaõ e transito, das differentes sortes de seda, algudoens, e lanificios; e tem adoptado os seguintes regulamentos, na conformidade das resoluçoens do 1°. de Abril, 28 de Junho, e 2 de Agosto, do presente anno.

1°. Os direitos fixos pela tarifa annexa, seraõ uniformemente exigidos em todas as fronteiras da Monarchia Austriaca, que saõ limitrophes de paizes estrangeiros, desde o dia de sua publicaçaõ.

2. O commercio nestes artigos he livre no interior da Monarchia; isto he, entre as antigas provincias Austriacas, e as outras novamente adquiridas; á excepçaõ da Hungria, Dalmacia, e Istria, e os portos livres de Trieste e Fiume, incluindo os districtos dependentes destes paizes, que ficam de fora da linha das al-

fandegas. Porem ésta liberdade de transito he somente concedida debaixo da condiçaõ de que todo o transporte de fazendas será sugeito a ser examinado nas Mezas estabelecidas na linha, a fim de que se possa averiguar, se os fardos contem outros artigos, sugeitos a direitos de importaçaõ ou exportaçaõ.

3. He porém prohibida a importaçaõ de fazendas de seda, algudaõ e laã, em toda a extensaõ da Monarchia, como éra até aqui nas antigas provincias: e em ordem a que se distinguam facilmente os artigos, cuja importaçaõ he prohibida, seraõ elles notados na pauta, com os direitos a que saõ sugeitos, e a palavra *prohibido* de fronte.

4. No caso em que se permitta a algum individuo importar para seu proprio uso alguns destes artigos, com a authoridade de licença, as sedas pagaraõ os direitos de importaçaõ marcados na tarifa; e os algudoens e laãs um direito por cento, sobre o valor declarado destes artigos. Quando o proprietario das fazendas fizer a declaraçaõ, se conformará precisamente com as disposiçoens das seçcoens 35, e 63 da Ordenança Geral dos direitos, de 1788, de maneira que, se, no exame das mercadorias, se achar algum artigo, que tenha sido declarado por menor valor que o verdadeiro, os Officiaes de Alfandega seraõ authorizados a porlhe outro valor mais subido, O proprietario terá entaõ a escolha, ou de entregar a mecadoria á Alfandega, pelo preço em que a tinha aviado (sendo reembolçado dos direitos que tiver pago quando se lhe conceder a licença) ou de pagar os direitos de 60 por cento, segundo a nova avaliaçaõ, ou finalmente, se julgar que a avaliaçaõ he demasiado alta, requerer a alfandega, que se faça outra avaliçaõ por negociantes experimentados, cujas despezas seraõ pagas pelo requerente, e segundo ella pagará sem appellaçaõ os direitos estabeleciados.

5. Os direitos das differentes fazendas de seda, e algodaõ seraõ cobrados segundo o pezo dos artigos em bruto; incluindo os rolos, papel, cordel, &c. com que vem cubertos: sobre a laã, incluindo tambem estas cousas, e além disto a madeira, chumbo, e pannos usados nos fardos.

6. O commercio das mercadorias estrangeiras, que consistem em sedas, algudoens laãs, como existe no Reyno Lombardo-Veneziano, e no Tyrol, he ainda provisionalmente limitado áquelle Reyno e ao Tyrol, pelo que todas as mercadorias daquella descripçaõ, que passarem pelos dictos paizes, pelo commercio agora livre com as provincias daMonarchia, deveraõ ser accompanhadas de certidoens de origem, como até aqui se requerîam para a importaçaõ favorecida das manufacturas do Reyno Lombardo Veneziano, e do Tyrol.

7. Os direitos de transito sobre toda a sorte de fazendas de seda, saõ geral e indistinctamente fixos em 2 florins e 2½ kreutzers por quintal *(sporco)* pezo de Vienna: de maneira que, se este direito de transito for uma vez pago, na sobredicta somma; ou no Reyno Lombardo-Veneziano, na somma de 14 lib. 11 cent. por quintal metrico, segundo o systema monetario Austriaco, sem pagar outro direito de transito.

REICHMAN, Baraõ de Hochkirchen, Presid.
Viennna 20 de Septembro, 1817.

## *Preços Correntes dos principaes Productos do Brazil.*

**LONDRES, 25 *de Outubro, de* 1817.**

| Generos. | Qualidade. | Quantidade. | Preço de | a | Direitos. |
|---|---|---|---|---|---|
| Assucar | Redondo | 112 lib. | 56s. 0p. | 64s. 0p. | Livre de direitos por exportaçaõ. |
| | Batido | | 48s. 0p. | 52s. 0p. | |
| | Mascavado | | 44s. 0p. | 47s. 0p. | |
| Arroz | Brazil | | 26s. 0p. | 28s. 0p. | |
| Caffe | Rio | | 87s. 0p. | 89s. 0p. | |
| Cacao | Pará | | | | |
| Cebo | Rio da Prata | | 57s. 0p. | 59s. 0p. | 3s 2p por 112lb |
| Algodaõ | Pernambuco | libra | 2s. 2p. | 2s. 3p. | |
| | Ceará | | 2s. 0½p | 2s. 1½p | 8s. 7p. por lb. 100 em navio Portuguez ou Inglez. |
| | Bahia | | 2s. 0½p | 2s. 1½p | |
| | Maranhaõ | | 2s. 0½p | 2s. 1½p. | |
| | Pará | | 2s. 0p. | 2s. 0½p. | |
| | Minas novas | | | | |
| | Capitania | | | | |
| Annil | Rio | | 3s. 0p. | 3s. 6p. | 4¾p. por lb. |
| Ipecacuanha | Brazil | | 7s. 0p. | 7s. 6p. | 3. 6¾p. |
| Salsa Parrllha | Pará | | 3s. 0p. | 3s. 6p. | 1s. 2¼p. |
| Oleo de cupaiba | | | 1s. 3p. | 17s. 0p. | 1s. 11¾p. |
| Tapioca | Brazil | | 0s. 4p. | 6s. 0p. | 4 p. |
| Ourocu | | | 3s. 3p. | 3s 6p. | direitos pagos pelo comprador |
| Tabaco | em rolo | | | | Livre de direitos por exportaçaõ. |
| | em folha | | | | |
| Couros | Rio da Prata, pilha A | | 8p. | 8½p | |
| | Rio da Prata, pilha B | | 7p. | 7½p | 9½p. por couro em navio Portuguez ou Inglez. |
| | Rio da Prata, pilha C | | 6p. | 6½p | |
| | Rio Grande A | | 7p. | 7½p | |
| | Rio Grande B | | 6p. | 6½p | |
| | Rio Grande C | | 5p. | 5½p | |
| | Pernambuco, salgados | | 3¼p | 5s. 0p | |
| | Rio Grande, de cavallo | Couro | 4s. 6p. | 6s. 0p. | |
| Chifres. | Rio Grande | 123 | | | 5s. 6½p. por 100. |
| Páo Brazil | Pernambuco | Tonelada | 140l. | | direitos pagos pelo comprador |
| Páo amarello | Brazil | | 7l. | 9l. | |

### *Especie.*

| | | | | |
|---|---|---|---|---|
| Ouro em barra | £4 | 0 | 0 | por onça. |
| Peças de 6400 reis | 4 | 0 | 0 | |
| Dobroens Hespanhoes | 0 | 0 | 0 | |
| Pezos . . dictos | 5 | 2 | 0 | |
| Prata em barra | 0 | 0 | 0 | |

### *Cambios.*

| | | | | |
|---|---|---|---|---|
| Rio de Janeiro | 62 | | Hamburgo | 35 |
| Lisboa | 58 | | Cadiz | 36¾ |
| Porto | 58 | | Gibraltar | 32 |
| Paris | 24 | 60 | Genova | 46¼ |
| Amsterdam | 11 | 13 | Malta | 47 |

### *Premios de Seguros*

| | Hida | | | Vinda | | |
|---|---|---|---|---|---|---|
| Brazil | 35 | a | 40 Guineos | 35 | a | 40s. |
| Lisboa | 30 | a | 0 | 30 | a | 0s. |
| Porto | 35 | a | 40s. | 35 | a | 40s. |
| Madeira | 40 | a | 0s. | 40 | a | 0s. |
| Açores | 40 | a | 0 | 40 | a | 0s. |
| Rio da Prata | 4 | a | 5Gs. | 4 | a | 5Gs. |
| Bengalá | 3 | a | 3½Gs. | 3 | a | 3½Gs. |

# LITERATURA E SCIENCIAS

## Novas Publicaçoens em Inglaterra.

*Chambers History of Malvern*, 8vo. preço 9s. Historia geral de Malvern, destinada comprehender todas as vantages de um Guia, com as mais importantes circumstancias das informaçoens Chimicas, Mineralogicas e Estatisticas. Com cinco estampas; Por Joaõ Chambers Esc.

---

*Marcet on calculous Disorders*. 8vo. preço, 18s. Ensaio sobre a Historia Chimica e Tractamento Medico das motestias do Calculo. Com 10 estampas, e mais de 20 figuras. Por A. Marcet, M. D. F. R. S. Medico, do Hospital de Guy.

---

*Buteman's Delineations of Cutaneous Diseases*. 4to preço 12l. 12s. Delineaçoens de molestias cutaneas, comprehendidas na classificaçaõ do falecido Dr. Willan, incluindo a maior parte das gravuras daquelle Author, em estado melhorado, e completando a série, que elle intentava concluir. Com mais de 70 estampas illuminadas.—Ror T. Bateman, M. D. F. L. S. Medico do Dispensatorio Publico, e da Convalescença de London-House.

*Graves' Naturalist's Pocket-book.* 8vo. preço com as 8 estampas em preto 14s. com as 8 estampas illumidadas 21s. Carteira do Naturalista, ou Companheiro do viajante; comprehende uma breve instrucçaõ sobre os differentes ramos da Historia Natural, com methodos approvados para colligir e preservar quadrupedes, passaros, reptis, pexes, insectos, conchas, coraes, sementes, plantas, páos, fosseis, mineraes, &c. com os characteres genericos, habitos, e lugares aonde se acham os differentes generos dos objectos zoologicos. Por George Graves F. L. S.

---

*Histoire Critique de l' Inquisition d' Espagne* 1° vol. 8vo. preço 10s. O primeiro volume da Historia Critica da Inquisiçaõ de Hespanha; desde a epoca de seu estabelicimento por Fernando V. até o reynado de Fernando VII. Tirada de documentos originaes dos archivos do Conselho da Suprema Inquisiçaõ, e Tribunaes Subalternos do Sancto Officio. Por D. Joaõ Antonio Llorente, Antigo Secretario da Inquisiçaõ da Corte &c.

O Segundo volume apparecerá no mez que vem, e o terceiro no fim deste anno.

---

*Precis des Evenemens Militaires.* Resum ode acontemcientos militares, ou Ensaios Historicos sobre as campanhas de 1799 até 1814, com mappas e planos. Por M. Conde Mathieu Dumas, Tenente-General dos Fxercitos d'El Rey. Tomos V e VI. Campanha de 1801. Em 8vo. com um Atlas de folio, preço 1l. 18s.

---

*Leckie's Balance of power.* 8vo. preço 10s. 6d. Indagaçaõ Historica sobre a natureza da Balança do Poder na Europa. Por Gould Francis Leckie.

---

*Ellis's Embassy to China.* 4to. preço 2l. 2s. Jornal dos procedimentos da ultima Embaixada á China, comprehendendo uma narrativa authentica das transacçoens publicas da Embaixada, da viagem para a China e volta, e da Jornada por terra desde a embocadura do Pei-ho, até a volta para Cantaõ; munida de observaçoens sobre a superficie do paiz, politica, caracter moral, e custumes da Naçaõ Chineza. Por Henrique Ellis, Secretario da Embaixada, e terceiro commissario. &c.

---

PORTUGAL.

Sáîo à luz: Collecçaõ de Dissertaçoens, e Tractados varios, em supplemento ás Notas a elles relativas: por Manuel de Almeida e Souza, de Lobaõ.

---

*O Agricultor Instruido.* Obra dividida em tres partes: na 1a. tracta das sementeiras, das sementes, e de como se preservaraõ da corrupçaõ; na 2a. dos arvoredos e vinhas, e um tractado da cultura dos jardins; na 3a. de todo o gado maior e menor, e animaes domesticos, suas virtudes, e cura das suas enfermidades, e das colmêas. Author Fr. Theobaldo de Jezus Maria: preço 400 reis.

---

*Characteres da Verdadeira Religiaõ,* propostos á Mocidade de um e outro sexo. Obra traduzida da terceira ediçaõ original Italiana (impressa em Roma em 1810), e dada á luz por Joaquim Joze Pedro Lopes. Esta obra preciosa, naõ obstante pequena em volume, he uma especie de Cathecismo dîfferente de todos os outros: porque se estes ensinam o que se deve crer, ella ensina a razaõ porque se deve crer, e que a Santa Madre Igreja Catholica nos ensina. Expôem a historia da Religiaõ, e sobre ella faz interessantes e convincentes reflexões, demonstrando o cumprimento das Profécias sobre a Regeneraçaõ do Genero humano, e a verdade e e grandeza dos milagres, manifestando com clareza o modo e a sem-razaõ porque se apartaram da Communhaõ da Igreja Catholica Romana todas as Seitas, etc.; em summa, naõ só he digna de ser lida por todos, mas até necessaria aos que passam dos primeiros estudos, e aos que entram no commercio do Mundo. Vende-se por 320 réîs em brochura.

## Noticias Literarias.

Mr. Girard, do Instituto, publicou um tractado sobre o vale do Egypto, e uma analize da lama do Nilo, tam celebre pela fertilidade que communica ao chaõ daquelle paiz. Pelas experiencias chimicas de Mr. Regnault se acha que 100 partes daquella lama contém 11 de agua; 9 de carvaõ; 6 de oxide de ferro; 4 de silex; 4 de carbonato de magnesia; 18 de carbonato de cal; e 48 de alumen. As quantidades de silex e alumen varîam, segundo os lugares em que se acha a lama: a das margens do rio contém grande quantidade de arêa, e na que se acha em maior distancia a argila he mais pura. A abundancia desta terra na lama a faz propria para as artes. Della se fazem excellentes tijolos, e vasos de differentes formas: entra na composiçaõ dos cachimbos, e os fabricantes de vidros a empregam na construcçaõ das fornalhas: os habitantes do paiz cobrem, em parte as suas casas com esta lama, e a considéram sufficiente estrume para as suas terras.

---

O grande mappa de França, chamado de Casini, he em muitos respeitos incompleto, naõ obstante a sua grande reputaçaõ. Pelo que El Rey de França nomeou uma Commissaõ, em 11 de Junho passado, para preparar a base de outro mappa, que deve ser executado pelo corpo de Geographos Engenheiros do deposito de guerra, de concerto com os do Registro Geral. A' frente desta Commissaõ se acha o Marquez de la Place, Par de França, e Membro do Instituto, e da Meza de Longitude. O mappa de Casini he composto de 182 folhas; mas o novo mappa, o o Registro Geral conterá mais de 500 folhas. Assim as duas grandes emprezas, o Novo Mappa, e o Registro Geral, sé ajudaraõ e aperfeiçoaraõ um ao outro, e procuraraõ á França os dous mais bellos monumentos de topographia geral e estatistica territorial, que podem existir em qualquer naçaõ.

---

### *Aguas medicinaes no Brazil.*

Na Gazeta do Rio-de-Janeiro de 30 de Abril se acha o seguinte artigo;

O Medico da Divisaõ dos Voluntarios Reaes, encarregado dos Hospitaes Militares na Ilha de Santa Catharina, remetteo ao Fisico Mór do Reyno as observaçoens, que fizera sobre as aguas do Cubataõ na dita Ilha, e que applicára aos doentes impossibilitados do Real Serviço; e posto que as mesmas observaçoens naõ venham em fórma de se poderem publicar, em razaõ de faltar ao seu Author o tempo e as cousas necessarias para esse fim, comtudo ellas saõ evidentemente demonstrativas do grande prestimo daquellas aguas em todas as molestias de debilidade, o que se comprova por uma longa série de factos enumerados nas dictas observaçoens, em que se mencionaram muitos Soldados, que com o uso das aguas melhoraram, e entraram em serviço, depois de estarem dispensados delle, e reduzidos por mezes á cama com ataque de reumatismo chrc-nico. De todas as partes do interior tinham concorrido enfermos ao uso das referidas aguas, e no mez de Janeiro do corrente anno montava o seu numero a trezentos, que îam experimentando rapidas, e adiantadas melhoras; noticia esta, que se participa ao publíco, para que se possam aproveitar destas preciosas aguas todas as pessoas, que sôffrerem molestias, em que ellas sejam indicadas.

---

*Carta do Tenente Coronel W. Von Eschwege; **sobre o Brazil.***

Os estrangeiros estaõ accustumados a formar noçoens mui erradas das riquezas do Brazil; e eu tenho visto muitos, que viéram aqui ter com a esperança de voltar em breve tempo carregados de riqueza, tornar a ir-se embora desconsolados, e talvez mais pobres do que viéram. Alguns até imagináram, que naturalmente havîam de apanhar um saco cheio de diamantes, se obtivessem permissaõ de visitar o Districto Diamantino, no Serro do do Frio. Um certo Mr. Mawe, e o Dr. Cove, da Inglaterra, obtivéram licença, um para explorar os thesouros mineralogicos deste paiz, a beneficio de seu Governo: o outro o estudo do Reyno Vegetal, para o fim de publicar uma Materia-Medica: outros se propuzeram a supprir as necessidades dos habitantes, pela extraordinaria barateza de suas fazendas; porém posso appellar para todas éstas pessoas; ( o primeiro daquelles sugeitos naõ fez novas descubertas, ao mesmo tempo que o segundo naõ colligio tal Materia-Medica) se ja mais vîram completas as suas expectaçoens: ainda que se naõ póde negar, que o primeiro abusou da confiança do Governo, e clandestinamente comprou diamantes de contrabando e depois disso teve a indelicadeza, naõ somente de se gabar disso, mas até de referir, na narrativa, que publicou de suas viagens (as quaes naõ contêm cousa alguma interessante ás sciencias,) que o negocio do contrabando dos diamantes he feito pelos funccionarios Reaes, naquelles paizes.

He com tudo impossivel naõ causar admiraçaõ a quantidade de ouro e pedras preciosas, que se tem obtido, depois da descuberta da Capitania de Minas Geraes, ha pouco mais de um seculo; especialmente quando consideramos a ignorancia absoluta do processo de minar, que aqui existe: porém éstas riquezas, que até aqui se achavam, para assim dizer, á superficie, tem diminuido muito, naõ por falta de sua parte, mas pela mesma ignorancia a que alludi.

A diminuiçaõ da quantidade de ouro extrahido parece mui notavel, quando se sabe, pelas contas officiaes, que no anno de 1753 o quinto pago a El Rey chegou a 118 arrobas, sendo cada arroba igual a 32 libras, e que presentemente apenas chega a 20 arrobas, ainda que a populaçaõ tem crescido dous terços desde aquelle periodo.

Nas minas de diamantes do Serro do Frio, se empregávam d' antes de 5 a 6 mil escravos, agóra naõ se empregam mais de 2 mil.

Desde a descuberta da Capitania das Minas Geraes, que teve tugar em 1695, até 1814, o quinto do ouro pago a El Rey chegou a 6.933 arrobas, consequentemente a quantidade total obtida foi de 34.665 arrobas, exclusivamente do que saîo do paiz por contrabando; que se póde avaluar em 10.000 arrobas mais. Assim o valor de todo o ouro, obtido durante o periodo de 118 annos, chega a 450 milhoens de cruzados.

Dos diamantes, que se decubrîram pela primeira vez em 1730, se tem achado até o presente 1.400 libras pouco mais ou menos. O seu valor se póde tomar a 20 milhoens de cruzados; e os que fóram tirados por contrabando certamente se podem avaliar em 10 milhoens de cruzados.

O Brazil contém extensas cordilheiras de montanhas, que pela maior parte correm do Norte ao Sul, com uma inclinaçaõ geral de suas camadas para Leste; porém naõ chegam por forma nenhuma á altura das montanhas na America Hespanhola; com tudo, á excepçaõ das planicies na Capitanîa do Rio-Grande, juncto ao Rio-da-Prata; e as da Capitanîa do Pará juncto ao Rio-das-Amazonas, e Rio Tocantins, se póde considerar o Brazil como uma regiáõ elevada, cuja altura media, acima do nivel do mar, se pode calcular de 400 a 450 braças, segundo as elevaçoens, que eu tomei em varios lugares, comparadas com as vertentes de muitos rios, que tem a sua origem no interior, e naõ saõ navegaveis, por causa de suas numerosas caxoeiras.

A ésta situaçaõ geralmente elevada se deve indisputavelmente attribuir a temperatura moderada das provincias do interior; aonde, porém, circumstancias locaes occasionam desvios em varias partes.

A ley, que governa a formaçaõ das montanhas, regula aqui assim como na Europa, o granito forma a base do gneiss, mica, sienite e pedra barrenta.

O gneiss parece ser a formaçaõ geral da cordilheira de montanhas, que corre ao longo de toda a costa do Brazil, desde Pernambuco até quasi ao Rio-Grande, com a largura de 10 até 40 leguas, e mais. Velejando-se ao longo desta costa, pasma o geologista com o grande numero de montes conicos, que fazem esta cordilheira visivel ao navegante, desde grande distancia da praia, e parecem montanhas de basalto, ou vulcanos extinctos, ainda que nnnca encontrei traço algum de basalto ou producçoens vulcanicas no Brazil. Nem tenho ainda achado aqui porphiro, que he tam commum na America Hespanhola, nem tenho ouvido que haja vulcanos ou montanhas, sobre que se observe gêlo. Nestas circumstancias, o terremoto, que aconteceo ha alguns annos no districto da Ilha Grande, na costa do mar, 20 leguas distante do Rio-de-Janeiro, deve ser considerado como um notavel phenomeno; porém foi sentido somente em um circuito de poucas milhas, aonde todas as montanhas vizinhas saõ compostas de granito e gneiss.

A declividade oriental da sobredicta cordilheira acaba quasi imperceptivelmente, até que se une ás partes mais elevadas das provincias do interior, que tem um character externo totalmente differente do espaço de terra, entre as montanhas e o mar. As montanhas primarias de granito, gneiss e sienite, saõ aqui cubertas de bosques densissimos, e habitados, naquellas partes, a que ainda naõ tem chegado a barbara cultura dos novos povoadores, por varias tribus de selvagens. Altas plantas parasiticas ou para melhor dizer arvores ainda naõ descriptas, abraçam aqui centos de differentes especies de altos e direitos troncos, e enlaçando-se, como o massame que segura os mastros dos navios, une as arvores entre si, e as defende da furia dos frequentes tufoens de vento. Tenho notado que as arvores dos matos no Brazil nunca deitam raizes profundas, e facilmente os ventos as deitam abaixo, a menos que naõ estejam ligadas a outras arvores pelos *cipós;* (que he o nome generico, que aqui se dá á estas plantas trepadeiras) e entaõ formam uma massa tam fortemente entrelaçada, que se pódem cortar mais de trinta, sem que alguma dellas cáia.

A fertilidade do terreno nestes bosques he tam grande,

que muitas vezes produz trezentas ou quatro centas vezes a semente.

---

*Sketch of the military and political power of Russia.*

A obra, que annunciamos, intitulada *Esboço do poder militar e politico de Russia*, he attribuida manifestamente a Sir Robert Wilson: e tem causado tal ruido nos circulos politicos, e contém factos tam interessantes, que julgamos dever apresentar a nossos Leitores uma conta algum tanto circumstanciada do objecto deste opusculo.

O A. expôem historicamente os progressos do poder da Russia, desde o periodo em que S. Petersburgo éra somente um campo alagadiço, e deserto; até a epocha presente, em que a Russia he inquestionavelmente olhada, como a primeira potencia da Europa: mostra as principaes circumstancias, que tem contribuido para a elevaçaõ da Russia: os erros de politica do Gabinete Inglez, que favorecêram o estado actual do Imperio Russiano; e os males que a Europa tem a temer, do demaziado poder daquella Potencia.

Em vez de seguir-mos o A. passo a passo, e na ordem em que elle escreveo, escolhemos antes fazer abstractos de porçoens desligadas, que sejam sufficientes para dar ao nosso Leitor uma idea clara desta obra.

Começaremos por observar, que as particularidades historicas, que o A menciona, sobre os ultimos acontecimentos, que conduzîram ao presente estado das cousas na Europa, merecem a maior attençaõ por sua grande importancia. Como o A. pôde obter o conhecimento de muitos factos que refere, e se os seus informantes merecem o mesmo credito, que indisputavelmente todos attribuem á veracidade do A., he questaõ que naõ nos arriscamos a decidir; mas para dar a conhecer a natureza desses factos, a que alludimos damos as seguintes passagens.

" O Ministerio Inglez, (esquecendo-se de que a Russia, com a posse de Aland, Sweaborg, e de todos os golphos de Finlandia e Bothnia, ficava, de facto, senhora de Stockolmo) concordou naquella annexaçaõ, que subjugou um paiz tam importante, por seus recursos maritimos, portos e posiçaõ, á mesma influencia e authoridade. Assignado o tractado, Alexandre, que nunca se esquece, como ja disse, do mal que sem intençaõ fizéra a seu sobrinho, desenvolveo o verdadeiro objecto do arranjamento, dizendo a Bernadotte," Se Napoleaõ falhar no seu ataque contra o meu Imperio, e o throno Francez ficar vago, pelo resultado de sua derrota, eu julgarei que ninguem he tam elegivel como vós para aquelle lugar. " Palavras importantes, que servem de chave para explicar muitos dos futuros mysterios, e que ainda naõ perdêram o seu valor; ainda que Bernadotte naõ goza igual consideraçaõ nos olhos da Russia; visto que elle naõ adquirio os esperados suffragios do povo Francez, e por isso naõ offereceo a desejada opportunidade para restabelicimento da antiga dynastia."

" El Rey de Prussia, que tinha desapprovado o comportamento do General Yorke; e que tinha resolvido conformar-se fielmente aos tractados, que tinha feito com Napoleaõ; assignou por fim o tractado de alliança offensiva e defensiva com a Russia; porém aquiesceo nisto sómente uma hora antes de lhe affixar a sua assignatura: e mesmo entaõ somente em consequencia da suggestaõ de que, no caso de recusar fazéllo, êra possivel que se estabelecesse em seu Reyno um Governo provisional."

" Com 60.000 homens, valorosos e indefatigaveis, Buonaparte frustrou as operaçoeus de 200.000, por mais de seis semanas; obteve victorias, que obrigáram Alexandre a ir ter com o Commandante Austriaco, que estava na cama, ás 4 horas da madrugada; e dizer-lhe que expedisse immediatamente um correio para Chatillon, com ordens para a assignatura do tractado de paz, como tinha accordado o Negociador Francez;" até que se soube, infelizmente para seu amo, Napoleaõ, daquelles mesmos bons successos, que fizéram com que o Imperador de Austria, accompanhado somente de um nobre e um criado, fugisse em um draska Alemaõ nara se por a salvo em Dijon, aonde esteve como prisioneiro por 30 horas, e ficaria de todo prisioneiro, se algum Francez, tivesse feito o seu dever— victorias éstas, que puzéram o Exercito Alliado, entaõ composto sòmente de 120.000 homens, com os soberanos, entre a cidade de Paris e a sua artilheira, sem nenhuma linha de communicaçaõ com o Rheno, nem armazens intermediarios &c. sem alguma communicaçaõ, e sem muniçoens, excepto as que estavam em movimento com o mesmo exercito — victorias, que os puzéram em tal apêrto, se a deserçaõ os naõ desembaraçasse, que naõ podiam segurar o escapar-se, e com tudo estavam obrigados a tentar a retirada. As medidas, que se crîa estavam de longo tempo em preparaçaõ, foram concluidas no mesmo instante em que o bom successo de Napoleaõ parecia estar alem do poder de alguma desgraça! e o movimento de S. Dizier, que mereceo o Imperio, lhe perdeo a corôa."

"A partida da Imperatriz, em consequencia das ordens peremptorias de Buonaparte, foi fatal á sua dynastia.

"Talleyrand, sendo requerido, que nomeasse o Governo e o Governador, que fosse mais do agrado do Senado e Povo Francez, respondeo," Uma monarchia constitucional e Luiz."

"Alexandre tinha sido obrigado, havia algum tempo a abandonar os arranjamentos propostos a favor de Bernadotte, que se tinha demorado inutilmente em Liege, e que, de facto, tinha feito demasiado por seu character em França, e mui pouco para sua inteireza com os Alliados."

"Alexandre, possoalmente, segundo se crê, indisposto contra a familia de Bourbon, acquiesceo com repugnancia á proposiçaõ. El Rey de Prussia naõ objectou á ella; porém Schwartzemberg ficou callado por alguns instantes, e Talleyrand pareceo inquieto, se he que naõ assustado. Schwartzenberg, porém, provavelmente naõ querendo tomar sobre si a responsabilidade da recusaçaõ (pois o seu Soberano e Metternich estávam auzentes) naõ negou finalmente o seu consentimento, e assim foi Luiz escolhido Rey de França, por dous Soberanos estrangeiros, um Marechal estrangeiro, e um Ex-Ministro! Pretensoens de legitimidade, e os direitos e titulos ao throno, que se allegáram subsequentemente, naõ influîram naquella escolha, nem no gráo mais remoto.

Uma obra, pois, em que se descobrem anecdotas de tal importancia, como he a idea de pôr Bernadotte sobre o throno da França; de dispôr d' El Rey de Prussia, nomeando para seu Reyno um Governo Provisorio; a maneira por que Talleyrand decidio da escolha de Rey para a França; o modo por que ésta escolha foi recebida pelos Soberanos ou representantes das Potencias Alliadas; mostram que o A. se attribue naõ pequenas pretençoens á informaçaõ do que se tem passado nas negociaçoens, que conduzîram ao actual estado politico da Europa; quer essas pretençoens sêjam quer naõ bem fundadas. Mas deixando isto ao juizo do publico; passaremos ao ponto mais importante;

e que he o objecto principal da obra—O Poder da Russia.

Para o A. dar a conhecer as suas ideas, sobre o poder da Russia, com toda a clareza; descreve miudamente as fronteiras daquelle Imperio; a influencia da sua linha de limites, nos paizes vizinhos, e as consequencias desta posiçaõ da Russia, no caso que ella emprehenda operaçoens hostis, contra alguma das Potencias com quem confina; ou ainda de outras, que lhe ficam mais remotas.

Alguns escriptores, de partido opposto aos principios politicos do A. tem ridiculizado muito a facilidade com que nesta obra se descrevem as marchas possiveis dos exercitos Russianos; e a maneira por que o A. menciona, como cousa insignificante, a passagem dos exercitos Russianos de uns pontos a outros, em distancias de centos, e de milhares de milhas. Porém o ridiculo, que se tem pretendido lançar nesta parte das observaçoens do A. naõ póde desfazer os argumentos, fundados no conhecimento da geographia do paiz, e dos exemplos passados; porque, verificando as assersoens do A. sobre o mappa se vê bem, que naõ faz elle hypothese alguma, cuja difficuldade de execuçaõ sêja comparavel á marcha de um exercito Russiano desde S. Petersburgo até Paris: e no entanto ésta marcha se verificou ha tres annos.—

Porém ouçamos o A. mesmo, na descripçaõ das actuaes fronteiras de Russia.

"No anno de 1800, a Russia appoiava o seu flanco direito no mar do Norte; a sua linha de fronteiras, atravessando a Laponia Russiana corria 50 milhas além do mar Branco: entaõ subindo á provincia de Olonetz, se aproximava ao Lago Ladoga, em distancia de 20 milhas, e caia sobre o golpho de Finlandia, na distancia de 115 milhas, em linha recta desde Petersburgo: de maneira que, naõ somente a Suecia commandava quasi duas terças partes da costa septentrional no golpho de Finlandia, mas se extendia em sua frente, na distancia de naõ mais de 30 milhas do porto de Revel, situado na provincia de Livonia, que lhe fôra arrancada por Pedro o Grande, e que sempre poderia esperar tornar a occupar, em quanto Conservasse tal contiguidade,"

"A fronteira de Russia, opposta á linha de fronteiras da Prussia, começava juncto a Memel; e chegando ao Niemen, entre Tilsitz e Kovno continuava ao longo daquelle rio, até Grodno, entaõ corria na direcçaõ do Sul para o rio Bug, entre Drogutchin e Brestlitow; e descendo entaõ para o Wlodowa, nas fronteiras da Gallicia Austriaca, continuava ao longo daquella provincia até chegar ao Dniester, juncto a Chotin, seguindo entaõ o curso daquelle rio até o mar Negro.'

" Pelo lado de Asia, a fronteira éra separada das possessoens Turcas, pelo Cuban, pequeno rio, que passa a pouca distancia do mui apertado estreito, que divide a Crimea do Continente d' Asia, e une o mar de Azow com o mar Negro. Continuava entaõ ao longo daquelle rio até as suas vertentes, e passando em frente de Georgiesk, e por de traz ou para o Norte das montanhas do Caucasus, se unía ao rio Terek, e seguia o seu curso até o Caspio."

" No anno de 1817, a direita das fronteiras ainda se apoiava no Oceano Septentrional, porém avançando-se 160 milhas, tocava a fronteira de Norwega, e a rodeáva por 190 milhas, até que chegáva á linha tirada ao Norte de Torneo, entaõ descia por aquelle rio, e continuáva a ir parallela a elle até que caía no golpho de Bothnia, intersectando um paiz por onde as tropas Suecas sempre passáram para a Finlandia, porém aonde, pela serveridade do clima, e pobreza do terreno, ninguem se pode mover, sem arranjamentos previos,"

" Na verdade a difficuldade de communicaçaõ contribuio para a perca das provincias Suecas, visto que a Suecia naõ podia manter, com uma populaçaõ de pouco mais de dous milhoens de habitantes, e rendimento pouco maior de um milhaõ, a pezada despeza de gente e dinheiro.* Estas difficuldades, porém seraõ menos sentidas pela Russia, visto que o commando dos golphos de Filandia e de Bothnia facilitaríam as operaçoens."

" Tira-se entaõ uma linha pelo golpho de Bothnia, que, rodeando Aland, torna a ganhar o continente na provincia de Livonia, dando assim á Russia os portos de Abo e Sweaborg, que éra o grande estabelicimento naval dos Suecos na costa de Finlandia, e todas as numerosos ilhas, que se acham accumuladas entre Aland e a terra firme, e que saõ habitadas por uma populaçaõ rica e feliz. Porém a ilha de Aland dista da costa de Suecia somente 24 milhas; desde o archipelago das ilhas em frente de Stockholmo, naõ mais de 30; e naõ mais do que 70 de Stockholmo: ao mesmo tempo que o mar intermediario frequentemente está gelado, de maneira que pódem passar por cima delle carruagens."

---

* Antes da separaçaõ da Finlandia, o rendimento naõ exedia milhaõ e meio a divida éra consideravel. Toda a força militar montava a 50.000 homens.

"Assim tem a Russia mudado completamente a sua posiçaõ relativa com a Suecia. Em vez de sua antiga posiçaõ defensiva vulneravel e humilhante, naõ somente ella ameaça, mas atérra; e naõ somente aterra; mas, por varias circumstancias contingentes, todas favoraveis á sua authoridade; *commanda.*

" Sobre o Niemen, conserva-se a fronteira *in statu quo*, pela distancia de quasi cem milhas: entaõ atravessa o Memel ou rio Niemen, e corre ao longo da Prussia Oriental, toca o Vistula juncto a Thorn, de que Dantzic dista somente 70 milhas, e Berlin 170."

" A linha cruza entaõ o Vistula e se dirige a Kalish; ponto quasi equidistante de Dresden e Berlin, daqui tomando a direcçaõ do Sul, e passando a 30 milhas do Oder, se inclina em rumo oriental ao longo do districto de Cracow, que respeita: porém, neste ponto, a sua distancia de outra e terceira capital, Vienna, he outravez somente 170 milhas, a fronteira de Gallicia he rodeada, quando a linha atravessa o Dniester, e costéa a fronteira do Bukovine,* até que chega ao Rio Pruth: assim fica cercada a Polonia por todas as partes, excepto o ducado de Posen, que ficou pertencendo á Prussia, pelos tractados de partiçaõ.

" Naõ obstante a posse das fortalezas de Dantzic, Graudentz e Colberg a Prussia nunca tentou defender territorio algum ao Norte do Oder, e a sua linha de fortalezas juncto áquelle rio he agóra o unico antemural da Alemanha, antemural porêm que naõ he de grande valor, se naõ houverem exercitos auxiliadores no campo, iguaes, ou quasi iguaes á força invasora, e especialmente na arma de cavallaria, o que he quasi impossivel; visto que a Russia, sem esforços extraordinarios, póde por em campo 120.000 (regulares e irregulares) homens de cavallaria, para obrar na fronteira de Russia."

" Naõ he portanto de admirar, que a Prussia entrelace a murta com a oliveira, a fim de poder preservar o terreno para os louros que tem ganhado Se ella tivesse cem filhas, e a Russia outros tantos filhos, voluntariamente os teria unido todos."

" Da parte da fronteira, desde Cracow até o Pruth, o Reyno de Polonia descança em uma populaçaõ amiga, e naõ só amiga, mas tal que nella está a aguia branca construindo para assim dizer um natural ninho: territorio que em tempo de paz occasiona zelos ao presente possuidor, e que se a desaffeiçaõ do povo fosse menos inequivoca, naõ podia ser defendido em tempo de guerra; naõ obstante que consideraçoens politicas fazem com que

---

* O Bokovine he um pequeno districto, que existe entre a Transilvania e Moldavia, e que tinha pertencido a ambas estas provincias: contém cerca de 130.000 habitantes: está agóra debaixo do Governo Austriaco.

sêja perigóso á monarchia Austriaca o contacto da Esclavonia com as montanhas de Carpatz." •

" A fronteira Russsiana, havendo chegado ao Pruth, continua ao longo daquelle rio (tam desastroso em sua historia)até a sua confluencia com o Danubio; entaõ ésta grande arteria da Austria, e principal apoio da fronteira de Turquia, leva a sua torrente, agóra tambem tributaria á bandeira de Russia, para as aguas do Mar Negro.

" Nesta posiçaõ dista a Russia da Transilvania somente cem milhas, e cerca de 250 de Constantinopla, por agoa, e 303 por terra, em linha directa, ao mesmo tempo que as duas provincias entrejacentes de Moldavia e Wallachia, saõ de facto reguladas por sua politica, aindaque a Porta retem a Soberania nominal.

" A Russia se tinha esforçado por obter a linha de Sereth, quando achou que a Austria se oppunha a que a Russia occupasse todas as provincias de Moldavia e Wallachia e adiantasse as suas fronteiras até Illiria e alto Danubio: linha ésta de limites, que, de facto, teria descoberto naõ somente a Illiria, mas o Banat, Transilvania, e Hungria; e a traria á distancia de pouco mais de 200 milhas de Constantinopla."

Os preparativos de Napoleaõ induzîram a Russia a accelerar a assignatura da paz. A chegada de Andreosi, para embaraçar as negociaçoens tinha felizmente sido demorada, e os Ministros Turcos assignáram as condiçoens de um tractado, pelo qual perdêram depois as suas cabeças sendo accusados de haverem recebido peitas da Russia.

" He provavel, que a Russia, nas circumstancias da subsequente invasaõ, poderia ser persuadida a voltar para o Dniester."

" A recuperaçaõ da Bessarabia éra um grande objecto para a Porta, por causa da linha do Danubio; e éra tambem desejavel para a humanidade; visto que a Moldavia bem como a Saxonia, cortada em duas partes, vê a sua populaçaõ dividida; e sugeita a Governos que tem interesses oppostos, padecem todos os soffrimentos, que tal politica he calculada a infligir, e que El Rey de Saxonia tam bem descreveo no seu protesto, quando observou," que naõ tinha por base outro principio mais do que a conveniencia de repartir Potencias, sem attençaõ ao bem ou relaçoens internas do Povo."

" Estas consideraçoens junctas á importancia das relaçoens pacificas com a Turquia (em virtude das quaes o exercito da Moldavia ficou desembaraçado para o mesmo serviço, que ao depois se executou, podia talvez ter obtido uma restituiçaõ voluntaria da acquisiçaõ da Moldavia, se a segurança futura da Turquia tivesse entaõ attrahido sufficientemente a attençaõ de seus alliados, ou se elles tivessem tido a previdencia de Alexandre em Abo: porém perdeo-se a occasiaõ; e a fortuna, como as mulheres, geralmente se resente do deprezo de favores offerecidos."

" Aqui, pois, a Russia ja naõ está ameaçada de flanco, nem em suas communicaçoens, pelos Ullanos da Polonia; mas sim sustentando a sua postura com os soldados, populaçaõ, e recursos daquelle rico e guerreiro paiz! Ja naõ teme uma diversaõ de algum exercito Sueco, aonde laços de parentesco podiam ainda favorecer as operaçoens do invasor. Em quanto a Turquia privada destes auxiliares, abandonada a seus meios, de defensa, que se empobrecem de dia em dia, vê aproximar-se um perigo aînda maior, n' uma fronteira, até aqui inacessivel a algum *Giaour** inimigo."

" Depois da acquisiçaõ da Crimea, em 1791, o rio Cuban, como se observou a cima, separou a fronteira Turca da Russiana. O rio em si naõ he de importancia: porém daqui se forma um estreito isthmo, por meio de um pequeno golpho, (pelo qual correm as aguas do Cuban) e o Mar Negro, e corre por cerca de 20 milhas, até o ponto de Anapa, aonde as montanhas do Caucasus se approxîmam á praia, e contra he a linha de defensa a um ponto.

" Agora, em vez do *Crescente* tremular sobre as baterias do Cuban, a bandeira Mahometana foi substituida pelas *Aguias Russianas*, foi expellida atravessando, e mesmo além do Phasis navegavel, e se naõ acha até chegar ao rio Bathus, na Armenia, que apresenta fraca barreira; ao mesmo tempo que a fronteira Russiana adiantada, defendida pela linha de montanhas que unem a Georgia com a sua nova posiçaõ, assegura uma soberania indisputavel sobre o paiz adquirido, e desafia qualquer ataque."

" Assim aqui, bem como nas fronteiras Sueca, Polaca, e Moldavia, invulneravel em si mesmo, está prompta a bater e ferir; e a transmittir o seu rayo sobre Asia, logo que a sua politica achar o momento conveninete; porque os seus caminhos de marcha para todos os pontos, que a attrahem, saõ agóra somente marchas de poucos dias."

" A distancia para Trebisonda he de 80 milhas: para a margem occidental do Euphrates, naõ mais de 90; para Arzroum, 100; para Sinope 270; para Scutari, em frente de Constantinopla pouco mais de 500; cruzando o isthmo de Asia Menor para Alexandreta† (porto de mar em frente Cypre no Mediterraneo), e somente 60 milhas de Aleppo, pouco mais de 400, e dali ao Mar Vermelho naõ mais de 500."

" Alem disto, fica ella aqui postada em perfeita communicaçaõ com uma via maritima, para o transporte de seus petrechos e muniçoens, esperando o signal de avançar e fazer-se senhora das communicaçoens, pelas quaes os Turcos na Europa devem receber os seus reforços Asi-

---

* Palavra Turca de desprezo, applicada aos infieis.

† Juncto a ésta cidade ganhou Daro victoria, na batalha de Isssus.

aticos. Aqui está postada para lançar o fogo Grego, desde as praias do Bosphorus até as torres do Serralho, se o Sultaõ naõ obedecer os *ukases* Russianos."

" As peças de Napoleaõ em Acre abaláram o Imperio Russiano até os fundamentos. Se os exercitos Francezes se tivessem alojado, como os Russianos estaõ agóra, no Danubio e na Armenia, com o Mar Negro em seu dominio: ou se um só exercito pudesse ter chegado á Asia Menor, isolado como aquelle exercito entaõ estaria, e privado das vantagens que a Russia possue, pela sua connexaõ Religiosa com os Gregos, pouca duvida póde haver de que a Armenia outra vez teria visto um punhado de soldados" em demasiado numero para uma embaixada, e mui poucos para á peleja," desbaratarem antes do pôr do sol as multidoens indisciplinadas; e a bandeira tricolor haveria tremulado nas muralhas de Byzancio."

Póde dizer-se, porém, que a Persia marcharia em soccorro dos Musulmanos, ainda que as disputas Religiosas entre aquellas duas naçoens os fazem inimigos mortaes, quando os Christaõs naõ ameaçam a ruina de ambos; porém a Persia, pelo ultimo tractado, feito *debaixo dos auspicios da Inglaterra,* se acha prostrada aos pés de Russia.*

" A Russia tem descido das montanhas! Ella ja naõ tem de lutar contra as hostilidades da natureza, e de Barbaros, nas regioens do Caucasus; ella se adianta nas planicies, e corre com a sua fronteira em torno da Georgia, absorvendo as provincias Persas de Daughistan e Shirvan, de maneira que consolida e liga todas as suas possessoens: tem ella levantado um pilar de seu Imperio na embocadura do rio Kur; e para completar o seu triumpho, remover seus rivaes, e monopolizar o commercio, tem ella estipulado, que a sua bandeira, e só a sua bandeira, tremule no mar Caspio.

Deste modo he humilhada a Persia até o pó da terra, e a sua bandeira está em dependencia e escravidaõ oriental. He verdade que a Persia, livre dos prejuizos dos Turcos, tem por longo tempo solicitado e por fim obtido, a instrucçaõ de officiaes Europeos, Francezes, e alguns do exerctio de Napoleaõ, proscriptos por Luiz; e naõ he provavel, que elles tenham levado com sigo sentimentos de ma-vontade contra a Russia, tam violentos como os que tem contra Inglaterra, nem que assaltaraõ antes o gelado Caucaso, do que se uniraõ a uma expediçaõ para participar dos despojos da Asia, e vingar no Oriente as suas humiliaçoẽns na Europa."

" Para chegar a Tchiran, capital de Shah, tem as columnas de mar-

---

* O Embaixador Britannico obteve os melhores termos que pôde; porém a sua inabilidade em procurar ainda melhores, corrobora a asserçaõ do texto a respeito da presente desamparada situaçaõ da Persia.

char somente 300 milhas e pela navegaçaõ do Caspio pódem desembarcar na distancia de 100 milhas. Assim póde um exercito dar á véla do Baltico, por uma navegaçaõ interna, desde Petersburgo até Astracan, e desembarcando na praia meridional do Caspio, postar os seus arrayaes na distancia de 400 milhas, do Golpho Persico, d' onde a viagem até Bombaim he somente de 24 ou 30 dias, em ambas as monçoens, e para Madras 8 ou 10 dias mais, na monçaõ de Sudoeste.*

O Leitor verá pelos extractos acima, que o A. Está bem informado da topographia da Russia; e conhece bem o partido, que ella póde tirar de sua situaçaõ phisica, nas relaçoens com as demais potencias Europeas ou Asiaticas. Vejamos agora, as forças que o A. suppoem na Russia, e a facilidade com que o Governo Russiano póde usar dellas.

"Depois de postar 30.000 homens, com artilheria, &c. na Finlandia: 80.000 homens na fronteira da Gallicia: 60.000 na Moldavia: 30.000 na fronteira da Armenia; e outros tantos na Persia, e deixando 100.000 homens para sustentar estes exercitos, a Russia possue ainda uma força disponivel de mais de 200.000 infantes, 80.000 cavallos, e 1.200 peças, commelhores cavallos para o serviço do que nenhuma outra cavallaria do mundo: nenhum exercito he mais valente, nem póde marchar melhor, nem soffrer a fome, e outras privaçoens phicicas ou inclemencias naturaes."

" As communicaçoens da Russia estaõ obertas em todas as direcçoens, mesmo até Kamtchatka, e forte de S. Pedro e S. Paulo, na distancia (por Okotsk no mar Pacifico) de 8.730 milhas de Moscow."

" Recebem regularmente as participaçoens de todos os Governos, e chegam geralmente no dia prescripto, e dos mais delles na mesma hora."

" Em nenhum paiz do mundo se viaja tam barato, nem com tanta segurança contra os ladroens; e durante os ultimos doze annos se tem edificado varias estalagens, por ordem do Imperador, em todas as principaes estaçoens Europeas,"

" Tem-se estabelecldo fabricas de todas as descripçoens, principalmente de ferro, o qual se trabalha com tal delicadeza, que rivaliza o de outro qualquer paiz."

" As carruagens, que dantes se importavam da Inglaterra, saõ agora ali construidas segundo as instrucçoens originaes de artistas Alemaens e Inglezes, com materiaes tam bons e baratos, que fazem que se naõ lamente a prohibiçaõ da importaçaõ."

---

* Nearco capitaõ da frota de Alexandre Magno, pela ignorancia da agulha de marear, foi obrigado a ir costa a costa; e actualmente empregou desde o Indo sómente 61 dias.

" As fabricas de panos, recebem grande patrocinio do Governo, e os ultimos acontecimentos do Continente tem feito crescer muito a populaçaõ de fabricantes e mechanicos."

" Os portos de Cronstadt, Riga e Revel naõ somente estaõ abertos outra vez ao commercio de toda a Europa, perém até a America se tem feito competidora de tal importancia, que faz a Russia independente do mercado Inglez; e assim a preferencia que Pedro o Grande prometteo, quando fallou a Guilherme III na Hollanda, no anno de 1697, e os privilegios, que ao depois se concedêram, tem sido revogados, pelos allegados principios da justiça geral."

" Ao mesmo tempo se naõ tem desprezado na Russia as doutrinas inculcadas por La Harpe. Naõ sómente se tem despido a Escravidaõ de muitas de suas peiores qualidades, mas se tem feito grandes progressos para a sua total aboliçaõ, tanto pelas ordens como pelo exemplo do Imperador."

" Os nobres de Esthonia declarâram ultimamente, que dentro em poucos annos, necessarios para os aranjamentos intermediarios, uteis aos paizanos, assim como aos proprietarios, naõ existirá mais escravidaõ na sua provincia; e ha toda a razaõ para esperar que se naõ demorará por muito tempo uma extensaõ mais geral desta politica,"

He preciso confessar, que se os calculos do A. saõ de alguma sorte proximamente correctos, o poder da Russia he capaz de assustar a Europa. Mas poderá dizer-se, que se a Russia mostrasse disposiçoens hostîs e injustas para com as de mais Potencias, éstas se armarîam contra o Imperio Russiano, e previnirîam as suas usurpaçoens.—O A. naõ se esqueceo desta questaõ; e exaqui as suas ideas a este respeito.

"Que temos nós, portanto, para oppor a uma Potencia, que possue tam superior situaçaõ, e tam irresistivel força?"

" Naturalmente nos voltamos primeiro para a Naçaõ, que ultimamente encheo de temor toda a Europa. A França. Porém ali achamos um Soberano, que se naõ attreve a confiar-se em uma força do paiz, para sua defensa; antes he protegido por uma coaliçaõ contra seus subditos. No presente systema Europeo a França he uma potencia extincta.

" No caso de guerra com a Russia¿ poderaõ 360.000 homens, que he o mais, que a Austria póde apresentar; formar um antemural sufficiente, para a protecçaõ de suas fronteiras contra o invasor, e guardar-se contra os seus subditos no Sul? Até que a França possa outra vez estar em connexaõ com a linha de defensa, até que as montanhas de Crapatz estêjam ligadas com os Alpes por paizes e Governos amigos, naõ póde ella prover á sua segurança, e muito menos encarregar-se de manter a balança do poder Europeo.

" Inglaterra! Esta tem ja perdido a homenagem do mundo; ja naõ he estimada como amiga dos opprimidos; as suas promessas saõ ludibriadas e passam em proverbio; élla tem allienado a boa vontade mesmo daquelles a quem auxiliou em suas usurpaçoens; e aonde a sua causa outróra acharia milhares de campeoens voluntarios, naõ acha agora um só defensor.—Naõ ha um Inglez no Continente, que naõ tenha sido objecto de insulto, se naõ de execraçaõ. A Inglaterra he uma ilha, e deve adoptar uma politica insular, e um systema verdadeiramente Britannico: se ella esperar a sua preservaçaõ de suas connexoens com a França, no seu estado actual, ou de operaçoens Continentaes, que a involvam em guerra com a Russia, bem depressa se ouviraõ os seus tiros de pedir socorro, em todas as suas possessoens, e em todas as partes do globo."

" A Prussia se sente em completo estado de dependencia da Russia, e pela posse de Aland, Sweaborg, e todos os golphos de Finlandia e Bothnia, a Russia he tambem, de facto, Senhora de Stockholmo."

" A guerra para o restabelicimento da *balança do poder* acabou assim com a destruiçaõ de toda a balança, na substituiçaõ de um dominio solido por uma authoridade momentanea; em uma supremacia nacional em vez da supremacia de um homem extraordinario, sugeito a todas as vicissitudes da fortuna e enfermidades da humanidade, e em quanto a França naõ for reunida á Europa, nunca ella poderá contribuir para um systema geral de defensa; todos os Monarchas e naçoens do Continente deveraõ a sua existencia á tolerancia d' Alexandre."

Resta agóra considerar os resultados, que se devem esperar da concentraçaõ de tam grande poder nas maõs de um só Governo; e exporemos o que o A. pensa sobre isto com um extracto seu; mas antes disto, devemos dizer, que o A. mesmo se naõ attreve a negar, que o actual Imperador de Russia tem vistas extensas de uma potitica illuminada, e desejos de introduzir no seu Imperio consideraveis melhoramentos do Governo Interno: o que se vé da seguinte passagem.

" O Imperador tem manifestado a disposiçaõ de introduzir medidas preliminares, para o estabelicimento de um Governo Constitucional; mas o Senado regeitou ésta idea, e declarou-se pela manutençaõ da autocracia.—Porém se o Senado tivesse disposiçoens tam liberaes como o Soberano, quando lhe fez a proposiçaõ, poder-se-hia ter formado um Governo Representativo, que fosse passo a passo com os progressos da educaçaõ."

Naõ obstante isto o A. mostra as mais vivas apprehensoens de que o poder da Russia absorva a independencia das demais naçoens Europeas, e se avánce até á India. Concluiremos pois estes extractos com a passagem em que o A. expoem as suas conjecturas, sobre as vistas de engrandecimento, que o Imperio Russiano póde ter em contemplaçaõ, e que se pódem considerar em abstracto, sêja o Imperador Alexandre ou sêja algum seu successor, que deseje realizar os planos que o A. attribue á politica daquelle Governo.

" Agóra ¿ como empregará a Russia as vastas forças, que tem á sua disposiçaõ, he certamente uma questaõ importantissima. Se tomará para si a linha do Vistula, ou mesmo a do Oder; e puchará a Prussia para a Hollanda; se instigará a França a imitar a Inglaterra, e completar e terminar a sua revoluçaõ pela eleiçaõ de um Soberano da familia de Nassau; ou se entrará em negociaçoens com a Austria para novo arranjamento da Europa, que possa restabelecer a balança; saõ especulaçoens, que tem excitado as reflexoens e os temores de muita gente. Se se aproveitará das posiçoens, e presente superioridade da Russia, para completar outros projectos de longo tempo attribuidos ao seu systema de politica,—deve interessar a todos os Governos, sem exceptuar os das Indias Orientaes; cuja attençaõ se deve excitar mais pela noticia do General Yermoloff, Governador do Caucaso, que provavelmente a este momento tem chegado á Capital de Persia com sua Embaixada: he elle um official do maior merecimento e capacidade, como administrador e como soldado, e foi accompanhado naõ somente de officiaes Francezes empregados por Napoleaõ como Gardane na Persia, e que Alexandre com a expediçaõ de tres, ajustou para o serviço Russiano, más com as relaçoens e mappas mandados a Napoleaõ por aquella missaõ, e que sendo levados á Russia, ao tempo da invasaõ, se acharam , durante a retirada, em dous carros manchegos abandonados."

" Estas relaçoens e planos convencêram Napoleaõ, de que a expediçaõ á India éra practicavel, e he um facto positivo, que elle tinha resolvido mandar uma força unida Rusiana e Franceza, no caso em que a Russia tivesse sido obrigada a fazer a paz, conforme á seus termos."

## Economia Politica de Mr. Simonde.

(Continuada de p.183.)

Por muito que cresça a riqueza nacional, nunca fará levantar os salarios aos jornaleiros, a ponto de naõ deixarem lucro aos que os empregam. Desde o momento em que os jornaleiros, ensoberbecidos pela concurrencia dos empresarios de manufacturas, formarem a pretençaõ desarrazoada de privar os capitalistas de todo ou quasi todo o lucro das suas manufacturas, tomaraõ estes o partido de empregar os seus capitaes no commercio estrangeiro, de sorte que faraõ tamanha falta no seu paiz, que os jornaleiros a sentiraõ na falta de emprego, e naõ teraõ remedio senaõ abaixar o preço do seo trabalho.

De outro lado estes obreiros, uma vez que o commercio e as manufacturas sejam livres (supposiçaõ de que sempre partimos) poderaõ ter a certeza de que, se o paiz for rico, e elles forem moderados nas suas soldadas, se ha de conservar sempre nelle uma massa de capitaes, sufficiente para animar a sua industria.

Quando os capitaes d' uma naçaõ occupam todos os seus Artifices, enchem todos os canaes da sua industria, da sua agricultura, do seo commercio, e ainda sobram, entaõ os Capitalistas, que naõ os podem deixar ociosos sem lhes perderem a renda, buscam fora do paiz o meio de empregar as sobras com utilidade. No principio da prosperidade da naçaõ (cujo desenvolvimento seguimos) os negociantes estrangeiros traziam aos seos mercados as producções estrangeiras de que ella tinha necessidade, e levavam-lhe em troco as que ella destinava para a exportaçaõ.

O capital destes negociantes, como ia substituir o do productor nacional, redobrava a sua actividade, mas em breve tempo os capitalistas nacionaes, naõ achando já emprego dentro do seo paiz, começam a querer participar no ganho dos importadores, e em logar de esperarem que os negociantes da America e da India lhe tragam as mercadorias a casa, vaõ elles lá buscallas, e levam-lhes as suas em troco: e estando situados no seo paiz, mais vantajosamente que nenhum estrangeiro, para comprar e vender nos seos proprios mercados, se o seo capital lhes chegar para fazerem todo o seo commercio de exportaçaõ, podem estar certos que o haõ de attrahir todo a si.

Suppomos sempre uma Sociedade cujos capitaes crescendo incessantemente pela economia, em breve encheraõ todos os canaes por onde correm. A agricultura, as Manufacturas, o commercio interior e o de exportaçaõ, depois de embeberem quantos lhes saõ bastantes, deixaraõ sem emprego todos os demais: mas os seos proprietarios certamente os naõ deixaraõ ociosos, e o que logo fazem he empregallos de meias com negociantes estrangeiros, e dallos a juros aos proprietarios e fabricantes das regiões mais distantes: estaraõ promptos com elles para quantos emprestimos quizerem todos os Governos do mundo; e finalmente elles mesmo emprehenderaõ o commercio de transporte de todas as outras naçoens; abasteceraõ umas à custa d'outras, e feitos corretores do universo poraõ os seos capitaes ao serviço de todo o mundo.

O seo paiz apenas receberá o lucro, em quanto o uso ficará todo aos estranhos.

Os Hollandezes tinham chegado a este cume de prosperidade, assim como alguns povos mais pequenos, e cuja historia he menos brilhante; taes como os Genebrinos, os Neuchatelezes, os Basileanos: a revoluçaõ engolio os capitaes d'uns e dos outros; mas se elles tivessem continuado a multiplicar, teriam constantemente achado emprego e dado lucro a seos donos. Porque os intresses dos capitalistas nunca poderaõ parar, senaõ quando toda a superfice do globo tiver chegado ao maior grao de cultura de que he susceptivel; e os seos productos houverem recebido do trabalho do homem todo o aperfeiçoamento, que podem receber; e a povoaçaõ para os consumir tîver chegado ao maior ponto a que pode chegar. Até entaõ sempre o fazer bem ha de render alguma cousa, e os capitaes que, tam pouco como os capitalistas, naõ estaõ amarrados ao paiz que os vio nascer, iraõ constantamente procurar a vántagem do publico e a sua, até que este bem se tenha conseguido. Ora, como esta prosperidade de toda terra naõ poderia sustentarse senaõ pela paz de todo o universo, aboliçaõ da ignorancia e da barbaridade e de todos os maos Governos do mundo, ainda está mais distante no paiz das quimeras doque a paz universal do Abade de St. Pierre. Emquanto houver despotas sobre a terra para destruir o fructo dos esforços dos capitalistas, naõ se pode arrecear que à força de fazer bem naõ achem estes mais bem que fazer.

Mas tornando ao crescimento progressivo dos capitaes, bem se vê que a sua marcha, quando vaõ buscar emprego lucrativo em outro paiz, deve alterar a balança das importaçoens e exportaçoens. A naçaõ que emprehende um commercio estrangeiro, que naõ tinha d'antes, faz-se credora, e para saldar o balanço, recebe em troco d'um capital que lhe sobra, naõ mercadorias d'um valor ignal, porem tilulos de creditos. Quando emprehende o commercio de dentro para fora, empresta de uma vez por todas o valor das suas exportaçoens. Naõ he que no fim do anno lhe naõ pagem a mesma importancia; mas a esse tempo ja ella tem feito outro emprestimo de tanto valor como o primeiro; de sorte que sempre está no desembolço da mesma somma, para com a naçaõ estrangeira com quem trafica. Assim he que a Inglaterra he credora da França pelo valor de todas as suas exportaçoẽs annuacs; e que faz entrar por contrabando capitaes destinados a por em actividade o commercio da sua rival; e nesta lucta singular os Inglezes acham interesse em nos fazer bem contra nossa vontade, e nòs por outra banda a fazer todos os esforços pelos impedir.

Um Fancez, que absolutamente naõ tem fundos, se pode obter credito, com os Fabricantes e Banqueiros Inglezes, naõ hesita em emprehender o commercio de mercadorias

Inglezas, compra no decurso do anno 10.000 libras esterlinas pagaveis em 4 ou 6 mezes; e paga uma remessa por outra saccando sobre o seo Banqueiro de Londres: este da-lhe credito pelo menos por outro tanto tempo; e o Francez; á proporçaõ que vai fazendo dinheiro pela venda das mercadorias faz remessas ao seo Banqueiro; mas ao mesmo tempo torna a sacar sobre elle, e dá novas ordens ao fabricante; de sorte que parece que paga regularmente, e pode negociar toda a sua vida sem ter outro capital senaõ o emprestimo que em principio obtivèra por um anno. A regularidade dos seos pagamentos augmentará o seo credito, e poderá deixar os seos primeiros correspondentes, e dirigir-se a outros, que certamente naõ haõ de deixar de o attender. Os lucros do seo commercio seraõ sempre proporcionados a este capital que naõ he seo, e que parece naõ possuir senaõ por um anno; emquanto de facto o primeiro credito he um emprestimo perpetuo, que naõ satisfará, senaõ quando inteiramente se deixar de commercio e houver realmente pago a dinheiro corrente todas as remessas seguintes. Os seos lucros naõ saõ a unica vantagem, que delle tirará a naçaõ, porque de facto haverá adquirido mais 10,000lb de mercadorias doque tinha d'antes. Estas mercadorias naõ seraõ dadas ao consumidor senaõ por um valor real; e como, verdadeiramente, só o segundo credito do Inglez he que he pago, e o primeiro nunca o he, o valor deste primeiro forma, independente do lucro do Negociante, um capital de 10.000 lb sterlinas que entre as maõs d'um negociante Francez he necessariamente empregado em pôr em actividade a industria Franceza, com a qual possa pagar ao Inglez.

O mesmo Commercio, que os Inglezes fazem com os francezes, fizeram-o muito tempo os Genebrinos com os canquilheiros do Reyno de Napoles. A pouca vergonha destes ultimos, que nunca consentiam em pagar o primeiro credito senaõ depois de terem o segundo na maõ, naõ deixa duvida sobre o modo por que elles davam ordem aos seos fundos. Por isso mesmo os Negociantes relojoeiros, que queriam retirar os seos fundos daquelle paiz, viam-se na necessidade de usar de manha, acceitarem commissões, que naõ faziam tençaõ de executar.

Um commercio assim pode, como todo outro, ser vantajoso para as duas nações que o fazem, mas naõ o he para a naçaõ que empresta, senaõ quando tem superabundancia de capitaes, e que pode emprestar uma parte a credito demorado, ou perpetuo, e este fica sempre e em todos os casos para a naçaõ que o recebe O vendedor de cada naçaõ naõ tira da venda senaõ o lucro acostumado, e a mercadoria, que naõ podia chegar ao consumidor senaõ pelo movimento simultaneo de varios capitaes, naõ traz o seo custo augmentado senaõ dos lucros que deve legitimamente deixar, de sorte que lhe chega pelo seo preço natural. Portanto ganha neste commercio da mesma sorte que os dous negociantes, porque a mercadoria vem-lhe a sair mais barata que se fôra manufacturada no seo proprio paiz. Se assim naõ fosse, ver-se-hiam estabelecer logo manufacturas, que fariam decahir o commercio estrangeiro. He deste modo que, deixando-se o commercio livre, os capitaes tomam naturalmente a direcçaõ mais vantajosa á naçaõ que os possue, e depois de a terem servido, ainda vaõ ser uteis a todas as outras que tem relações com ella. Em tal naçaõ a direcçaõ dos capitaes he, como vimos de ver, no principio de fora para dentro: as naçoens estrangeiras emprestam-lhe, quasi sem o saberem, os que lhe saõ necessarios para animar a sua industria, mas quando esta augmenta, o primeiro movimento dos capitaes pára, já o commercio tem embebido quanto lhe saõ necessarios, e logo commeçam a tomar a direcçaõ contraria, e quanto mais a prosperidade cresce, mais rapidamente correm de dentro para fora.

(Continuar-se-ha.)

# MISCELLANEA.

## Revoluçaõ de Pernambuco.

*Ordem do dia, pelo Governador da Bahia.*

POR noticias chegadas hontem á noite do Quartel-General do Marechal Mello consta, que nossos camaradas tivéram a ventura de desfazer totalmente no dia 15 o exercito denominado dos soldados insurgentes, ficando prisioneiro o chamado General Domingos Jozé Martins, e muitos outros chamados officiaes, que ja estaõ na cadeia, passando a nosso poder a caixa militar, seis peças de artilheria, muitas muniçoens de boca e de guerra, e 1 bandeira revolucionaria, ficando outro sim sobre o terreno quasi todos os cadaveres dos infames, que compunham tam monstruoso exercito.

Cumprindo-me pois annunciar, sem perda de tempo, aos militares, que óra estaõ por ventura minha, debaixo do meu commando, tanta gloria obtida por nossos irmaõs d'armas, he no mesmo momento do meu essencial dever convidallos para irmos todos junctos render graças ao Deus dos Exercitos, o que terá lugar hoje ao meio dia na Igreja do Collegio.

He tambem mui doce obrigaçaõ minha fazer publico, que os dous majores, Salvador e Gordilho, commandáram as duas columnas do ataque com tanta intelligencia e valor, que merecem as mais honrosas recommendaçoens do

Marechal Commandante em Chefe, merecendo iguaes expressoens o Capitaõ de Milicias do regimento do Penedo, *Antonio* Jozé dos Santos, que o referido Marechal graduou no campo da batalha em Surgento-Mor; e tendo merecido, pelo que se sabe até agóra, especial consideraçaõ o Major da Legiaõ D. Luiz, e Capitaens Paula, Hermogenes, Manuel Duarte, Argolo, e Jozé Feliz.

Com a rubrica do Illmo. e Exmo. Senhor Conde General.

ANTONIO FRUCTUOSO DE MENEZES DORIA.
Ajudante d' Ordens de Semana,

Bahia 29 de Maio de 1817.

---

*Noticias da Revoluçaõ de Pernambuco; publicadas na Gazeta do Rio-de-Janeiro, de* 16 *de Junho* 1817.

Temos o maior prazer em publicarmos as agradaveis noticias, que jà tem feito objecto do regozijo geral, e das mais evidentes demonstraçoens de affecto á Sagrada Pessoa de Sua Majestade.

Sendo chegado da Bahia o Capitaõ Francisco Vicente de Azvedeo Souto-maior, Ajudante das Ordens do Illustrissimo Marechal de Campo Luiz do Rego; por elle se recebeo um officio do Excellentissimo Conde dos Arcos; Governador e Capitaõ General daquella capitania, de que nos apressamos a dar uma copia, assim como de uma Gazeta daquella cidade, em que se descrevem as Brilhantes operaçoens das tropas de S. M., e a derrota e prisaõ dos faccinorosos.

---

Illustrissimo e Excellentissimo Senhor.—Antes de hontem chegou a expediçaõ, de que he commandante o

Governador e Capitas General Luiz do Rego Barreto; e porque constava que as tropas e forças navaes de Sua Majestade já estavam dentro da Villa do Recife nada havia a conferir sobre operaçoens militares, para que assim se observassem as Reaes Ordens, que a tal respeito tenho recebido; determinando aquelle, que mui habil General me parece, a sua partida na quarta feira 4 do corrente, com o destino de entrar directamente no Recife.

A mui agradavel noticia da rendiçaõ daquella Capitania naõ me consta ainda official por cartas, que tenha recebido do exercito; consta porém em geral por embarcaçoes vindas de varios portos da costa, que ella tivera lugar no dia 20 do mez passado havendo eu todavia recebido o Officio juncto da Camara de Massaió, que quasi a confirma.—Deos guarde a V. Ex.—Bahia 1°. de Junho de 1817.—

(*Assignado*) CONDE DOS ARCOS.

Illustrissimo e Excellentissimo Senhor Conde da Barca.—

---

Illustrissimo e Excellentissimo Senhor Conde dos Arcos, Governador e Capitaõ General desta capitania. — Temos a honra de levarmos á presença de V. Ex. nossos parabens, pela inteira restauraçaõ da Praça de Pernambuco; pois hontem pelas cinco horas da tarde recebemos noticias, por pessoas fidedignas, de que se tinha instaurado a Real Bandeira de Sua Majestade Fidelissima, Nosso Augusto Rey e Senhor; devendo-se o bom exito e felicidade á benigna pessoa de V. Exa. por taõ sabias disposiçoes e providencias que souberam livrar do perigo a todos os fieis vassallos de Sua Majestade Fidelissima. Elle e o Ceo saibam remunerar a V. Ex. taõ consideravel bem. Tambem nos consta ser prezo o patriota Martins, e outros mais complices da rebelliaõ. Deos guarde a V. Ex. por muitos annos. Villa de Massaió 26 de Maio de 1817.

O Juiz Ordinario, JOSE ELIAS PEREIRA.
O Vereador, ANTONIO JOSE GONÇALVES BRANCO.
O Vereador, FRANCISCO DIAS DA COSTA:
O Procurador, ANTONIO MARIA DE AGUIAR.

*Rio de Janeiro* 16 *de Julho.*

Ja he sabido que a primeira providencia, que teve effeito, depois do execrando crime desse punhado de faccinorosos em Pernambuco, foi o prompto bloqueio daquelle porto: e os officios referem, que o commandante do mesmo bloqueio protegeo as villas e lugares maritimos, ja mandando a corveta Mercurio com soldados, espingardas, espadas, polvora e balla parra o Rio-Formoso, ja despedindo para a recente villa de Porto-de-Pedras uma galera, denominada Feliz-Ventura, com similhantes muniçoens, e duas caronadas de 24; e fornecendo de mantimentos a fortaleza de Tamandaré. O grande numero de navios, que îam entrar naquelle porto, e contramandados para a Bahia, privâram os rebeldes de reforços, e mantimentos com que loucamente contávam.

Em quanto por mar se arrostavam os ventos e tempos rigorosos, se desenvolvia por terra a maior actividade.—Tropas, postas em marcha subitamente, vencîam difficuldades extraordinorias, por estradas apenas practicaveis, rios engrossados, montanhas despenhadas, e embaraços de todo o genero, em quanto seus companheiros procuravam pelas ondas pontos de communicaçaõ e de uniaõ. O Major Gordilho, que commandava a guarda avançada, partio com effeito de Maçaió a 21 de Abril, com 1.000

homens de milicias e ordenanças, a encontrar o rebelde Victoriano, que atacava a Villa das Pedras com 60 homens de cavalleria, 430 de infanteria, 4 peças de calibre 1; porém ouvindo estes insurgentes, que os habitantes de Porto Calvo, Barra-Grande, Abreu, Una, Fortaleza de Tamandaré, Serinhaem, e Rio-Formoso tinham abraçado a boa causa, fugîram tam desatinados, que uns se embrenháram pelos mattos, outros demandáram em jangadas o porto de Galinhas. A 24 se achava o referido Major em Porto-de-Pedras donde saîndo a 27 entrou a 29 na Fortaleza de Tamandaré.

Entretanto o Marechal Joaquim de Mello avançava com o corpo do exercito, composto de perto de 5.000 homens, assim de linha como de milicias e ordenanças, e depois de laboriosas marchas entrou a 3 de Maio em Porto-de-Pedras, e a 5 em Tamandaré. Reuniram-se entaõ as forças, ficando o Major Gordilho com as funcçoens de Major General do Exercito, e commandante da vanguarda; e o Major Engenheiro Salvador Jozé Mariel, servindo de Ajudante General. Partiram no dia 8 para a villa de Serinhaem; e porque ali soubéram, que em distancia de 4 leguas, os inimigos assolavam engenhos e propriedades daquelles que se vinham refugiar ao Quartel General, no dia 9 de madrugada, marcháram direitos a elles, e occupáram os engenhos Pindoba, grande e pequeno, havendo-se retirado os revoltosos para o engenho Trapiche.

Feitas as disposiçoens convenientes, o Major Salvador, com mais de 1.000 homens, e 2 peças de campanha, passou a occupar a povoaçaõ Ipojuca, que lhe ficava fronteira, em quanto o Marechal com a maior força e 6 peças fazia um rodeio de mais de 4 legu s para occupar uma eminencia no engenho Guerra, a qual dominava os inimigos. O Major, havendo chegado ao seu destino antes das 3 horas, e sendo descuberto, teve de entreter o inimigo até que a vanguarda, com as 6 peças, depois de vencer meia legua de pantanos continuados, occupou a eminencia. Rompêram o fogo os dous corpos, e meia hora depois, chegando o Marechal, e conhecendo o máo estado dos inimigos, mandou occupar as estradas para lhes cortar a retirada. Todavia os rebeldes fizéram um vivo fogo de artilherìa. A's 7 horas cessou e fogo: e, dando elles muitos tiros de mosqueterìa pela meia noite, se concluio que se retirávam, abandonando 6 peças de artilherìa, de diversos calibres, 1 caronada, toda a bagagem, muniçoens de guerra, e boca. Pela madrugada mandáram-se bater os matos e ficáram prisioneiros todos os officiaes, capelaens, e perto de 300 soldados, incluindo-se o Chefe Martins, que commandava em segundo, e que fôra mandado com 400 homens cortar a communicaçaõ entre o Exercito e Serinhaem: escapou sómente o Commandante em Chefe Francisco de Paula Cavalcante e Albuquerque, que depois foi prezo na Cidade. O bravo Antonio Jozé dos Santos, Capitaõ de Milicias da Villa do Penedo foi quem prendeo o rebelde no dia 15, em que foi a total derrota dos insurgeutes. Muitos dos mortos fôram lançados no rio, e dos prisioneiros muitos éram feridos. Esta gloriosa acçaõ custou ás tropas de S. M. 3 mortos e 12 feridos.

Para naõ interromper-mos ésta narraçaõ preterimos o ataque de Serinhaem a 2 de Maio, aonde os insurgentes, a pezar de terem que arrostar tropas bisonhas, perdêram muita gente e 2 bandeiras. O Campo de batalha foi no engenho Utinga, frequezia do Cabo.

Do Diario do rebelde Martins consta, que este marchara com o Exercito chamado Patriotico no dia 30 d' Abril, que no dia 2 de Maio fôra destacado o corpo de guerrilhas commandadas pelo Padre Souto, em soccorro do Exercito de Cavalcante, e outras particularidades de marchas, passagens de rios, &c. até que no dia 6 se unio ao do Commandante em Chefe.

---

*Insinuaçoens ou condiçoens offerecidas ao Commandante do bloqueio.*

Os Patriotas á testa do partido da Independencia entregaraõ ao Commandante do bloqueio por parte de S. M. F. os cofres publicos, muniçoens, e mais effeitos, pertencentes outrora á Corôa no estado em que actualmente se acharem. A villa do Recife, Sto Antonio, e Boa Vista, naõ soffreraõ damno algum, por parte do partido independente. Os prisioneiros, que se acham por ordem das authoridades actuaes, em razaõ de suas opinioens politicas, naõ soffrêraõ damno algum ou insulto, antes seraõ relaxados da prizaõ. S. M. F. concederá amnestia geral a todos os implicados na presente revoluçaõ, e haverá perfeito esquecimento de todos os actos perpetrados até hoje, como se nunca tivessem existido, e naõ poderá ninguem ser por elles perseguido. Será permittido a qualquer que se quizer retirar deste porto, o fazêllo com sua familia, dando-se-lhe o preciso passaporte, e podendo dispôr livremente de todos os bens, que possuem, quer de raiz quer moveis. Para verificaçaõ e entrega, que deve fazer o partido da independencia, mandará o bloqueio um Commissario seu, que á vista dos respectivos livros do cofre será entregue do que existir. Feita a entrega, levantará o Commandante o bloqueio, a fim de deixar passar o vaso ou vasos neutros, que levárem os que se quizerem retirar. Deverá o Commandante do bloqueio expedir incontinente ordens ao Commandante do Exercito de S. M. F. para que naõ avance contra ésta praça, em quanto se naõ ultimar a presente negociaçaõ.

DOMINGOS THEOTONIO JORGE. Governador das Armas.
FRANCISCO DE PAULA CAVALCANTE E ALBUQUERQUE. General de Divisaõ.
O PADRE JOAÕ RIBEIRO PESSOA, Governador Provisorio,
MANUEL JOZE PEREIRA CALDAS, Conselheiro.
MIGUEL JOAQUIM DE ALMEIDA, Secretario do Interior.
PEDRO DE SOUZA TENORIO. Secretario Ajudante.

---

*Condiçoens do Commandante do bloqueio para entrar em Pernambuco.*

Eu tenho em meu favor a razaõ, a ley, e a força armada, tanto terrestre como maritima, para poder entrar no Recife com a espada na maõ, a fim de castigar muito á minha vontade a todo e qualquer patriota, ou infiel vassallo, que saõ synonimos, por terem atropelado o sagrado das leys d' El Rey N. S., portanto, eu naõ posso admittir condiçoens indignas, como as que se me propôem, e só sim mandando á terra um ou mais officiaes e tropas para tomar o commando das fortalezas, retirando-se as suas guarniçoens, e entrar aquellas, que eu eleger, e da mesma forma as embarcaçoens armadas, arvorando-se logo as Reaes bandeiras, em toda a parte, salvando as dictas fortalezas, gritando-se sette vezes *viva El Rey N. S., e toda a familia Real,* e os corpos militares em armas dando tres descargas, e no fim dellas, dando os mesmos vivas, a que deverá responder a minha esquadra e entaõ saltar eu em terra, a tomar o governo de toda a Capitanía, ficando em custodia os membros do Governo e os chefes dos corpos e commandantes das fortalezas, até que S. M. haja por bem determinar da sua conducta, sobre a revolta acontecida em Pernambuco (devendo eu segurar debaixo da minha palavra a todos os senhores referidos que pedirei ao nosso amavel Soberano a segurança de suas vidas) devendo eu mandar por terra um official participar ao General das tropas, que marcha até entrar no Recife, e devendo retirar-se os povos, que a mim me parecer, para suas habitaçoens, e quando eu saltar em terra estar no cáes a nobreza e corpo do commercio, com as authoridades civis e militares, para se gritar em voz alta *viva El Rey N. S. e toda a Familia Real*, e dali marcharmos para darmos as devidas graças ao Deus dos Exercitos por tam feliz restauraçaõ de tornar aos seus limites o sagrado das leys, com que somos regidos pelo melhor dos Soberanos, e depois recolher-me á casa da habitaçaõ dos Governadores, aonde estará a guarda que me pertence, como Capitaõ General, e continuarei dali por diante a felicidade dos povos e fieis vassallos d' El Rey N. S.

A bordo do fragata Thetis, surta em franquia, de fronte de Pernambuco, 18 de Maio, de 1817.

*(Assignado.)* RODRIGO JOZE FERREIRA LOBO.
Chefe de Divisaõ e Commandante.

---

*Intimaçaõ ultima ao Commandante do bloqueio de S. M. F. de fronte de Pernambuco.*

Eu abaixo assignado, Governador Civil e Militar do partido da Independencia, em Pernambuco, pela dissoluçaõ do Governo Provisorio; em resposta ás condiçoens referidas pelo Commandante das forças navaes &c. de S. M. F. estacionadas de fronte de Pernambuco respondo, que saõ irreceptiveis no todo as dictas condiçoens, como declaráram os Povos e Exercito junctos para esse effeito.

Agradeço ao dicto Commandante a palavra que dá de segurança de vida dos dictos membros do Governo Provisorio, que naõ pedîram e nem aceitam; e declaro, que tomo a Deus por testemunha de que elle he responsavel por todos os horrores, que se vám a practicar. A manhaã 19 do corrente, assim que naõ chegar resposta do dicto commandante até ao meio dia, seraõ passados á espada todos os prezos tanto officiaes generaes no serviço de S. M. F. como os mais prisioneiros por opinioens Realistas. O Recife, St. Antonio e Boa Vista, seraõ arrazados e incendiados, e todos os Europeos de nascimento seraõ passados á espada. Estas promessas seraõ executadas a pezar da repugnancia, que tenho em usar de medidas rigorosas. O Governo de Pernambuco, que óra eu só represento, creio tem dado sobejas provas da sua generosidade, salvando os seus mais encarniçados inimigos, como melhor póde dizer o mesmo Agente empregado nesta missaõ. Este he o meu ultimatum, se o Commandante do bloqueio naõ accordar ás justas condiçoens offerecidas e apontadas hontem.

Quartel do Governo Civil e das Armas, 18 de Maio, de 1817.

O Governador, DOMINGOS THEOTONIO JORGE.

---

*Ultimatum do Commandante do bloqueio.*

Tendo-me sido apresentada a determinaçaõ em que diz estar o Governador óra existente no Recife, tenho a participar-lhe, que em nada me atemorîzam as suas ameaças, porém rogado pelo fiel vassallo de S. M. o Senhor Desembargador Jozé da Cruz Ferreira, nomeado Ouvidor da Comarca do Sertaõ, convenho em que haja um armisicio até que o dicto Senhor Desembargador possa chegar ao Rio-de-Janeiro, a rogar a S. M. que perdoe aos rebeldes, que atropeláram o sagrado das suas sabias leys; pois que naõ he possivel que um vassallo estêja authorizado para perdoar tam atrozes delictos, e nem he do meu modo de pensar; portanto póde o Governador aprompt ar uma das embarcaçoens, que tem o porto, para o sobredicto Desembargador îr orar a El Rey N. S. por todo o povo do Recife. Esta embarcaçaõ sairá em lastro, que sêja bastante pará reger a véla, e logo que saîr para a esquadra eu lhe porei um commandante e parte da guarniçaõ, trazendo aquella com que sáia os mantimentos para a viagem; e pelo que pertence ao Exercito de terra, naõ posso embaraçar que elle se aproxime ao Recife; pois que obra debaixo de outras ordens; e o mais que posso fazer he o de participar-lhe ésta minha determinaçaõ, que naõ duvido acceite. Com tudo naõ fico pelo resultado; e caso que o Governador com a sua mobilia se queira retirar á Côrte do Rio-de-Janeiro, convenho que o faça, e lhe seguro desde ja a sua vida; comtanto que naõ haja a menor vingança com os desgraçados em prizaõ, e eu tome o commando da Capitanîa, como ja disse.

A bordo da Fragata Thetis, surta de fronte de Pernambuco, 19 de Maio, de 1817.

(*Assignado*) RODRIGO JOZE FERREIRA LOBO.
Chefe d'Divisaõ, e Commandante.

## GUERRA DO RIO-DA-PRATA.

***Carta do Commandante Interino de Monte-Video ao Marechal de Campo Sebastiaõ Pinto de Araujo Correia.***

ILL^mo^ E EX^mo^ SENHOR.—Tenho aproveitado todas as occasioens, que se tem offerecido, e navios que vám para essa Côrte, para lhe dar noticias minhas, e de tudo o que está ao meu alcance, e agóra com o maior prazer do mundo, certificando a V. Exa. que seu mano, o Senhor Jacinto, já está em nosso poder, assim como os dous subalternos, Silva e Brandaõ, da acçaõ de Mataoga, officiaes inferiores, soldados e piaens, que la estávam prisioneiros. Naõ ha nada mais bonito, do que o que elles practicáram, nem mais digno de louvor; porque naõ so se salváram elles, mas tomáram ao inimigo um barco, que os conduzio de S. Domnigos Soriano, mais 2 peças de calibre 18, muitas balas, e lanternetas deste calibre, 400 armas, 22 mil cartuchos, 24 mil pederneiras, 200 lanças ou chuços e aqui tem V. Exa. que ha muitas e grandes batalhas, em que se naõ colhem tantos despojos; e por este motivo, aceite V. Exa os meus sinceros e cordeaes parabens, e os de meu irmaõ, que até nisto o he, desejando a V. Exa. muitos de consolaçaõ e prazer.

Tem chegado algum trigo de Buenos-Ayres, porem a carne he ja um artigo de consideraçaõ, e eu naõ sei como passaraõ os nossos doentes, que saõ bastantes.

Deus guarde a V. Exa &c.

FRANCISCO HOMEM de MAGALHAENS QUEVEDO PIZARRO

Monte-Video, 1 de Junho de 1817.

## COLONIAS HESPANHOLAS.

### *Officio do General Belgrano ao Director Supremo.*

Apresento a V. Exa. o primeiro ensaio do exercito confiado a meu cargo, na participaçaõ juncta, do distincto commandante dos hussares de Tucuman, e divisaõ da vanguarda, D. Gregorio Araoz de la Madrid.

A sua marcha pelos vales de S. Carlos, Cachi, Poma, Cuesta de Acay, e desertos a travez dos montes de Tarija, até que chegon ás portas de Gallinaro sem ser percebido pelo inimigo, lhe dá direito assim como a seus officiaes, á consideraçaõ de V. Exa. que bem sabe as grandes difficuldades e privaçoens, que elles tinham de encontrar.

Sirva-se V. Exa. permittir-me que recommende á sua attençaõ tam digno Commandante, o qual na sua carreira militar naõ tem dado um passo que o naõ tenha cuberto de honra: assim como o seu segundo em commando, o major d'artilheria D. Antonio Giles, e os demais officiaes.

*(Assignado)* MANUEL BELGRANO.

Quartel General de Tucuman 3 de Maio, 1817.

---

*Participaçaõ do Commandante Madrid.*

Tarija, 18 de Abril, 1817.

Aos 14 pela tarde, appareci diante das portas de Gallinazo, ao poente desta cidade, tendo completamente surprehendido o inimigo, que nunca se apercebeo da nossa marcha. Uma legua antes de chegar ao dicto ponto, mandei a diante o capitaõ Toro, com a sua companhia, e os capitaens Colet e Carrasco com as suas respectivas companhias de Dragoens de Tucuman, e capitáõ Ruiz dos Gauchos de Santa Victoria, com 40 homens, dando-lhe ordens de se postarem nos campos de Carreras, para o fim de prevenir a juncçaõ da cavallaria do inimigo, postado no vale da Conceiçaõ; 5 leguas distante da cidade Logo que o inimigo percebeo a minha chegada, com duas peças d'artilheria, fez uma saida a meu encontro com 200 homens, e eu ordenei no mesmo instante que se occupassem por uma das nossas partidas os outeiros de S. Joaõ. Seguio-se uma renhida contenda, cujo resultado foi a retirada dos Realistas para os seus entrincheiramentos, que tinham previamente bem fortificado, segundo as ordens que lhes fôram transmittidas pelo commandante em chefe Hespanhol, o General Serna, deixando ficar tres mortos. Logo que montamos a nossa artilheria, abrimos o nosso fogo contra elles, e em breve tempo fomos assaz felizes para desalojar o inimigo da margem opposta do rio, que nos separava. Mandei entaõ uma intimaçaõ ao Commandante da cidade, para que se rendesse ; e agora incluo as copias da intimaçaõ e da resposta. Tendo lido a carta, ordenei ao capitaõ Garcia, do 2o. de Hussares, que marchasse para as alturas de S. Joaõ, e formasse a sua juncçaõ com a partida, que ja ali estava postada, a fim de a sustentar por todos os meios possiveis. O capitaõ Otero teve ordem para desmontar e se appoderar da margem do Rio, ao mesmo tempo que outra partida, com uma peça de artilheria, sob o commando do capitaõ Segovia, avançou para os Suburbios do poente. Estes movimentos fôram todos bem executados de maneira rapida e brilhante ; e o inimigo foi bem depressa forçado a abandonar os seus entrincheiramentos da frente, e retirar-se para a praça principal, para onde os seguîram as nossas partidas. Havendo chegado a noite ; e sabendo da posiçaõ demasiado avançada que occupavam as nossas tropas, marchei com o meu pequeno corpo de reserva, até o Campo das Carreras. Temendo alguma confusaõ durante a noite, ordenei ás avançadas que se retirassem, até que fosse dia, e occupassem a nossa primeira posiçaõ nas portas de Gallinazo. Ao romper do dia ordenei ao capitaõ Otero, que occupasse outravez as alturas do S. Joaõ, e puchasse a sua avançada até ás ruas de S. Francisco, e S. Agustin, tudo o que foi mui bem succedido. Eu marchei entaõ em pessoa para a posiçaõ que occupara o capitaõ Otero, e dali despachei duas companhias para desalojar o inimigo das fortificaçoens, que tinha levantado na capella de S. Roque; e a posiçaõ mais forte que tinha. A carga foi tam denodada e rapida, que, naõ obstante o pezado fogo, que tinham de encontrar as nossas tropas, effectuaram um alojamento entre algumas das casas de fóra, dez ou doze varas distante das dictas fortificaçoens. A nossa artilheria foi entaõ dirigida contra a Capela e Casa da Cidade, com o melhor successo; porém quando, ás 9 hóras, eu estava fazendo os meus preparativos, para atacar o inimigo em seus entrincheiramentos, á ponta da bayoneta, appareceo na planicie de Tablada, na nossa direita, uma partida da cavallaria inimiga, com uma divisaõ de infantaria. Como a minha intençaõ foi chamada para este inesperado movimento, arrangei-as minhas tropas disponiveis, e marchei a seu encontro, ao momento em que elles carregávam sobre nós, a cuberto de um vivò fogo. Eu mandei igualmente tocar a degolar, e fiz signal para que se naõ desse quartel; seguindo-se uma aspéra refrega. O inimigo deixou 60 homens no campo, entre elles dous officiaes; 40 prisioneiros caîram tambem em nossas maõs, todo o seu armamento, e consideravel nnmuro de cavallos. Logo que se obteve este objecto, voltei para a minha antiga posiçaõ, e mandei ao commandante da cidade quatro dos prisoneiros que acabava de tomar, a fim de que elles o pudessem informar da sorte da sua cavallaria, assim como da valorosa maneira porque os nossos defensores da patria a tinham encontrado e combatido. Fiz-lhe entaõ segunda intimaçaõ por meio do capitaõ Garcia, e elle julgou ser o mais prudente naõ arriscar as consequencias de um assalto. Portanto determinou marchar para fóra com todas as forças que lhe restávam: a saber, 334 homens, 3 Tenente-coroneis, incluindo o commandante, 3 capitaens,

2 ajudantes, 4 tenentes e 8 alferes; os quaes todos depuzeram as armas, e se entregáram como prisioneiros. Tomamos alem disto 400 espingardas.

(*Assignado*) GREGORIO ARAOZ DE MADRID.

Tarija, 18 de Abril, 1817.

---

*Participaçaõ do General Heras ao Supremo Governo de Chili.*

Hoje, pelas 4 horas da manhaã recebi informaçaõ por um pequeno corpo avançado de observaçaõ, que eu tinha postado em Penco, de que o inimigo tinha feito um ataque naval contra aquelle lugar. A's seis, se observou que a sua primeira divisaõ avançava das alturas de Chepe, com 800 fuzileiros, e 3 peças de 4; e ás 8 hóras se descubrio a segunda divisaõ, composta de 600 homens, e 2 peças de artilheria.

Eu tinha tomado a minha posiçaõ nas alturas do Gavilan, em cuja margem direita, na direcçaõ de Chepe, havia estabelecido uma bateria de 3 peças d'artilheria e um obuz, e nas fortificaçoens conrespondentes para a direita, na direcçaõ dos areáes da conceiçaõ, montei outra peça d'artilheria, e um obuz.

Logo que se descubrio a primeira dîvisaõ do inimigo, começou o ataque com alguma vivacidade, e durou até ás dez horas, quando foi repulsado por nossa artilheria. O inimigo porém se tornou logo a formar, e voltou ao ataque, levando os caçadores á frente da columna, e uma peça d'artilheria no centro. As outras duas peças fôram montadas nas alturas de Chepe, d'onde ficamos expostos a um fogo ruinoso. Este movimento da parte do inimigo indicou-me plenamente, que a sua intençaõ éra avançar para a cidade pelo flanco esquerdo da minha linha, áqual ordenei, que fizesse uma uma conversaõ sobre elle, em tanto quanto permittisse a irregularidade do terreno; ordenando ao mesmo tempo aos granadeiros montados, que carregassem á espada os caçadares do inimigo. Este ataque foi executado com grande dexteridade, e bom successo, e obrigou o inimigo a retirar-se para o pé dos outeiros de Chepe. Elle com tudo fez segunda tentativa, e outra vez os granadeiros montados carregáram; e sustentados pela 4a. companhia do Regimento 11o. o fizéram retroceder para a declividade dos dictos outeiros d'onde se lhe impedio a descida. Neste estado das cousas, destaquei 50 homens do 3o. para incommodar o flanco esquerdo da sua linha, para onde elle tinha trazido a sua peça d'artilheria; e foi isto bem executado. A cavallaria teve entaõ ordem de sustentar este destacamento, e mudar a sua posiçaõ; por este meio se vio o inimigo na necessidade ou de retirar-se ou de ser cortado: preferio a primeira alternativa.

No entanto a divisaõ de Penco, acima mencionada, atacou as fortificaçoens no nosso flanco esquerdo com sua mosqueteria e artilheria. Esta posiçaõ éra commandada pelo valente Tenente Coronel Freyre, que, com 100 homens do. 7o. e 8o. que tinha traizdo com sigo de Mendonça, fez uma sortida para receber o inimigo, e foi ao depois reforçado por duas companhias de granadeiros do 11o. Atacou elle o inimigo á ponta da bayonêta, tomou-lhe as duas peças d'artilheria, derrotou-o completamente uma hora antes que a outra divisaõ tivesse acabado a sua contenda.

Na combinaçaõ dos planos de ataque do inimigo, confiava elle com as forçass que tinha da outra parte do Rio Biobio, postadas na fortaleza de S. Pedro. Em conformidade destes arranjamentos, durante a acçaõ, saîram tres lanchas e igual numero de jangadas, com uma peça d'artilheria, e avançaram dous terços da largura do rio, indubitavalmente para o fim de desembarcar gente, a tempo opportuno; porém quando viram a derrota de seus companheiros estimáram poder retirar-se.

A acçaõ durou até as dez horas; quando o inimigo fugio, da maneira mais vergonhosa, e foi perseguido até a quinta de Menzano, por nossos intrepidos granadeiros de cavallo. Tomamos uma peça d'artilheria, da divisaõ, que atacou sobre a estrada de Chepe. O inimigo perdeo 112 mortos, e 80 prisioneiros. Tomamos 3 peças d'artilheria, seis parelhas de mulas, com arreios, &c. 20 caixas de muniçoens, 20.000 cartuchos de espingarda, e 203 espingardas, além de outros artigos.

(*Assignado*) JOAÕ GREGORIO DE LAS HERAS.

Conceiçaõ, 5 de Maio, de 1817.

---

*Occurrencias precedentes á tomada das Provincias de Guyana pelos Patriotas.*

Logo que as tropas destinadas contra Angustura, sob o General Cedeno, fôram reforçadas com 1.500 infantes, commandados pelo General Piar, o primeiro movimento do Exercito Libertador foi para o interior da Provincia, em consequencia do que fôram tomados, com admiravel rapidez, todos os lugares em ambas as margens do rio Caroni, conquistando-se e desalojando-se o inimigo de posto em posto, e obrigando-o por fim a encerrar-se nas duas Guyanas. A ultima batalha commandada pelo General Ceruti, um dos officiaes d'El Rey e o General Piar do Exercito Republicano, foi o preludio da queda das fortalezas ou chaves do paiz. Nas planicies de S. Feliz, aonde se pelesejou a acçaõ, fôram completamente derrotadas as tropas Realistas, e as melhores, que a Hespanha tem mandado para o hemispherio occidental. Os assedios das duas capitaes da Velha e Nova Guyana fôram tam apertados, que os sitiados se vîram inteiramente privados de todos os suprimentos exteriores.

Os patriotas, construindo e tomando vasos, pudéram em fim formar uma flotilha de barcas canhoneiras, e *flecheras*, tam superior, que em breve se fizéram senhores de todo o Orinoko. Tomaram muitos navios grandes mercantes, e vasos d'El Rey. Os Realistas fizéram todos os esforços para soccorer os sitiados, porém os patriotas estávam continuamente á lerta. Tomáram estes dous comboys, que vinham de S. Fernando de Apure, e o official segundo em commando das forças navaes Hespanholas, D. Pedro Eachinique, que commandava uma esquadra de barcas canhoneiras. Depois obtivéram os patriotas interceptar toda a conrespondencia entre as duas Guyanas e a cidade de S. Fernando de Apure.

O cerco de Angustura foi ainda mais apertado, quando chegou o Chefe supremo, o General Bolivar; a fome obrigou por fim os Hespanhoes a evacuarem a praça com tal precipitaçaõ, e desordem, que naõ puderam levar com sigo a artilheria, nem alguns petrechos militares. Assim aos 17 de Julho se apossáram os patriotas da cidade de Angustura, e os Hespanhoes se refufgiáram nas fortalezas edificadas com immensa despeza, depois das successivas invasoens dos Inglezes, Hollandezes, e Francezes. Na sua retirada da cidade para as fortalezas perdêram varios vasos, que os Patríotas interceptáram.

Aos 6, cinco das maiores barcas canhoneiras, pertencentes á Ilha de Margarita, commandadas por seu valente chefe, Antonio Diaz, tivéram uma acçaõ no rio, com 16 vasos do inimigo, pertencentes a Guyana, e, depois do mais sanguinario encontro, retiráram-se os Realistas, deixando ficar tres vasos, que caîram nas maõs dos Patriotas. Nesta occasiaõ perdêram tambem os Realistas quatro vasos, que fôram mettidos a pique, e cerca de 200 homens mortos ou feridos.

O Almirante Brion, que teve longa passagem pelo rio acima, anchorou aos 12 de Julho em Cabrian, duas leguas da capital da Velha Guyana. A sua esquadra consistia em 16 vasos de guerra, que fôram immediatamente postados debaixo de tres baterias, construidas para este fim, com artilheria pezada. A chegada deste reforço naval espalhou a maior consternaçaõ entre os Realistas; por que assim ficava completamente cortada a sua retirada. Era evidente, que devîam caîr nas maõs de um inimigo insultado, e provocado. Fez-se um conselho de guerra, em que se determinou, embarcar todas as suas riquezas a bordo de 25 vasos, que ainda tinham, e esforçar-se em abrir caminho por meio da linha dos Patriotas, e proceder pelo rio abaixo.

Feitos os seus arranjamentos, aos 3 do corrente (Agosto) saîram dos castellos, e se aproximaram á linha dos Patrioas, que achâram bem fortificadas. Puchados para baixo pela rapidez da corrente e vento favoravel, julgâram os Realistas, que nada lhes faltava para se escaparem; e os Patriotas estávam somente applicados a esperar a occasiaõ de vir ás maõs com um inimigo que îa em completa fugida. Foram tomados os vasos inimigos, pela maior parte, ao tempo de passarem a linha: os poucos que escapâram, foram perseguidos pelos vasos ligeiros dos Patriotas, e alguns delles tomados: porém ainda se naõ fez lista delles, nem se publicou bulletim, em consequencia da immensa distancia, a que se tem extendido as operaçoens.

Pela caîda das duas Guyanas, e tomada da frota, se devolveo aos Patriotas immensa propriedade. Em consequencia dos acontecimentos da guerra, o negocio de exportaçaõ do Orinoko estava quasi estagnado. Tinham-se depositado em Angustura grandes quantidades de productos; assim como em S. Fernando de Apure: naõ menos do que tres successivas colheitas de tabaco, cacao, &c. se acharam nos armazens. Os padres e frades embarcáram toda a sua propriedade particular e prata das igrejas, a bordo da frota; os negociantes Realistas todas as suas patacas, que tinham nos seus cofres; e os officiaes todos os seus mal-adquiridos ganhos, tirados principálmente das pilhagens e contribuiçoens arbitrarias. Assim os agentes de Fernando VII. tem preparado para os Patriotas todos os elementos necessarios para formar uma respeitavel marinha e exercito. O General Bolivar, que tinha applicado aqui toda a sua attençaõ, e feito todos os sacrificios pelo importante objecto da tomada das duas Guyanas, ficou assim liberto nesta parte, e ía com um exercito de 6.000 homens, formar a juncçaõ com os outros chefes, e marchar para as provincias ocidentaes, contra as capitaes, aonde ja obravam as suas vanguardas. As provincias de Casanare, Varinas, e todo o Apure baixo estaõ livres, e o General Paez, com o Exercito de Sante Fé, está igualmente obrando no interior para ocidente.

---

*Proclamaçaõ do General Morilho em Margarita.*

Habitantes de Margarita!—De Ocana, no mez de Abril do anno passado, vos prometti, que voltaria a estas costas, a fim de castigar os sediciosos, e restabelecer a ordem, que elles tinham perturbado. O hypocrita e desprezivel Arismendi disse, que eu vos tinha enganado, e que a presumpçaõ e o orgulho dirigiam a minha vóz: desde as margens do Magdalena tendes ja visto que a minha promessa se cumprio, depois de ter subjugado o Reyno de Nova Granada, aquellas bellas provincias, que gozam de sua primitiva felicidade. Julgai agora do meu comportamento, e vede a vossa situaçaõ.

Habitantes de Margarita! Eu sei todas as circumstancias da vossa revoluçaõ, conheço os homens infames, que a causáram: a maior parte delles vos tem abandonado á vossa sorte, como covardes que saõ, no momento em que eu me aproximei, e fugîram só pela idea do perigo que os ameaça. Arismendi, que nasceo para vossa infelicidade, e he tam covarde como despresivel, naõ virá em vosso soccorro, naõ mais do que aquella multidaõ de malvados, que blazonam quando o perigo naõ está perto: agora emigraram todos, e vos abandonáram com diversos pretextos: e o pirata Brion conclue roubando a Ilha, e fugindo com os seus vasos. Neste estado das cousas, eu outra vez vos convido com a clemencia de nosso amado Rey Fernando VII, cujo coraçaõ augusto e magnanimo somente se deleita no bem e felicidade de seus vassallos. Aproveitai-vos pois disso, e descançai no perdaõ, se vos submettereis immediatamente: vós sabeis por experiencia que as minhas promessas se cumprem, e que a minha palavra he inviolavel: a vossa sorte naõ póde ser duvidosa: quando se sabe que, além da divisaõ expedicionaria que acaba de chegar da Peninsula, tenho debaixo do meu commando as divisoens do exercito, cujo valor e decisaõ saõ bem conhecidos. Se depois deste passo, que dou por amor da humanidade, e na conformidade dos principios, que sempre me tem servido de guia, vós ainda persistis na vossa rebeliaõ, como tendes manifestado desde o momento do meu desembarque, nada fará parar os meus procedimentos, e, falhando todas as esperanças da vossa submissaõ, marcharei contra vós com as respeitaveis forças debaixo do meu commando e ante ellas iraõ a desolaçaõ e o terror: e se os traidores de Barcelona terminarem a sua miseravel existencia, nesta desleal ilha, naõ ficaraõ nem as cinzas, nem mesmo memoria daquelles rebeldes, que, desprezando a misericordia de seu Soberano, resolvêram a sua propria exterminaçaõ.

Quartel General de Barales, 27 de Julho 1817.

PABLO MORILLO, General em Chefe
RUIZ, Secretario.

---

*Ao Commandante da Força Armada na Ilha de Margarita.*

As tropas de S. M. Fernando VII, debaixo do meu commando, tem outra vez pizado nesta ilha, e eu espero que bem depressa toda ella se metta na submissaõ e dominio de seu legitimo Soberano. Eu conheço mui bem o a que vos tendes obrigado; e estou persuadido de que a massa geral dos hahitantes naõ deseja sugeitar-se a tam grandes e desastròsos males. A vossa desgraça he a obra de um homem perverso, e o sangue que tem corrido, e os disturbios e miserias, que tem trazido sobre nós, he o mais digno presente que seu detestavel coraçaõ vos podia fazer. Todos vós me conheceis; e ninguem póde duvidar da minha linguagem e dos meus sentimentos. Eu estou preparado para emprehender uma campanha, cujo resultado he evidente: vós sabeis muito bem os meios que tenho á minha disposiçaõ: mais que sufficientes para realizar os meus planos. Naõ obstante, como amigo da humanidade, e sempre disposto a fazer bem, tenho determinado mandar-vós ésta intimaçaõ, junctamente com uma proclamaçaõ aos habitantes de Margarita, em que, com a franqueza de um soldado, manifesto os meus sentimentos. A sorte vos tem posto em situaçaõ de alcançar a verdadeira felicidade de vosso paiz dando; o unico passo que a razaõ e o dever vos indicam. Se desarmáres os habitantes, e vos submetteres com elles á obediencia de nosso amado Soberano Fernando VII, cessaraõ todas as hostilidades; esquecer-se-haõ os acontecimentos passados, e vós podereis descançar na protecçaõ do Governo de S. M. Os chefes ou pessoas leaes, que se associarem com vosco neste importante serviço, seraõ tambem attendidos e remunerados, cada um conforme o seu merecimento. A pessoa, encarregada de vos apresentar ésta intimaçaõ, vos informará immediatamente de tudo quanto desejareis saber, relativamente ao vosso comportamento. Eu naõ posso daqui em diante ser accusado dos desastres, que se poderaõ seguir, se a obstinaçaõ e a infidelidade formam a vossa determinaçaõ: assegurando-vos, sem fazer vaãs ameaças ou ostentaçaõ do meu poder, que o castigo desta ilha será tam exemplar, que naõ ficará ninguem sem o castigo de seus crimes, nem alguem que conserve a memoria dos sanguinolentos e terriveis soffrimentos, que elles e suas familias experimentaraõ.

PABLO MORILLO.
RUIZ, Secretario.

Quartel General de Barales, 17 de Julho, 1817.

---

O General em Chefe do Exercito Libertador da Ilha de Margarita, a S. Exa. o General em Chefe das tropas d'El Rey.

Senhor!—Os Espartanos de Columbia tem visto com grande admiraçaõ, o inesperado cartel que V. Exa. lhes mandou: elles se admîram com o barbaro estylo por que se exige o rendimento desta Ilha, depois de vós teres o atrevimento de commetter hostilidades nas suas costas, sem alguma notificaçaõ previa, e estîmam ver, que V. Exa. tem conhecido o seu erro, quando elles estaõ ja irritados e induidos das nobres insignias de valor, para vingar os novos ultragens que tem recebido. As tropas d'El Rey, debaixo do commando de V. Exª. naõ tem adiantado o seu objecto, por terem outravez pizado nas estereis praias de Margarita: esperar que, em consequencia disso, nós voltemos ao tyrannico dominio da Hespanha he tam difficil, como haver V. Exª. de cumprir com as promessas que faz, debaixo da falsa phrase que a sua palavra he inviolavel. Se V. Exª. sabe as obrigaçoens da massa geral desta Ilha, deve consequentemente saber que naõ he a causa de um individuo a que nós defendemos; e que o General Arismendi, a quem V. Exª. attribue a origem de nossas desgraças, longe de nos causar os suppostos males, pôz em nossas maõs os preciosos dons da liberdade, e sabe como conduzir-nos ao pinaculo da gloria deixando-nos á despedida, preciosas liçoens para nos defendermos, e fieis exemplos para conquistarmos os Hespanhoes. O sangue, que se tem derramado, e o que se houver de derramar, emana do impulso interno, que todo o homens tem de defender-se de seus inimigos; do implacavel odio, que os Margaritanos professam contra seus oppressores, e naõ de perversas ideas em nosso heroe; do enthusiasmo, que nos anima a todos de nos enterrar debaixo das ruinas da nossa patria, com tudo quanto nos he charo, antes do que transmittir á posteridade as apparencias de uma nodoa de humilliaçaõ e sugeiçaõ, no meio de nossas gloriosas victorias. He verdade que nós conhecemos bem a V. Exª.; e o povo de Margarita nunca se esquecerá da ephemera observancia de vossas promessas passadas: males de todo o genero caîram sobre nós, em vez de beneficios; ouvio-se um grito geral por toda a Ilha, e ésta lamentavel voz foi a que instigou o povo a usar do direito da insurreiçaõ que lhe pertence. Desde aquelle periodo, Margarita ratificou o juramento de conquistar ou morrer, obliterando para sempre a palavra *perdaõ*, e *esquecimento do passado*, com que os chefes Hespanhoes mantinham as suas conhecidas intençoens, e designio de nos sacrificar. Portanto éra inutil repetir um passo, que V. Exa. ja teve a bondade dar a favor da humanidade, ao mesmo tempo que nos ameaça com a total desolaçaõ da Ilha. Por estas expressoens de V. Exa. e pela nossa final determinaçaõ podeis conhecer os unanimes sentimentos dos hábitantes Se V. Exa. for conquistador, será o senhor das ruinas, cinzas e tristes restos de nossa constancia e valor: com isto, ou com o chaõ da Ilha de Margarita podereis aprazer á vossa tyrannica ambiçaõ—porém naõ com seus illustres defensores.

FRANCISCO ESTEBAN GOMEZ.

Verdadeira copia. RUIZ, Secretario.

Quartel General, Sabana Grande, 18 de Julho, 1817.

---

*Proclamaçaõ do General Gomes, depois de haver expulsado os Hespanhoes de Margarita.*

Compatriotas!

O dia da vossa liberdade foi sanccionado pelo valor de vossas invenciveis armas.

O General Morillo desembarcou, esperando exterminar-vos, e nas batalhas de Barales, Pedrera, e Juan-Griego, vós o enchestes de tal terror, que na sua amedrentada fugida abandonou o chaõ de Margarita. A vossa gloria e vossos immortaes triumphos seraõ celebrados até nos confins do universo.

Honra ao nome Americano, e opprobrio ao covarde Hespanhol, que vos opprimio.

Corpos mililares, chefes subalternos e soldados, todos vos tendes conduzido com honra.

O triumpho he vosso, e eu naõ tenho merecido outra gloria, que a de vos ter acompanhádo nesta lucta em que rabalhei por me sacrificar pelos filhos da minha patria.

Naõ tenho outra honra, senaõ a de haver nascido nesta valorosissima ilha; se ella for outravez invadida pelos tyrannos, eu outra vez me porei á frente do seu exercito, até que sélle com a minha morte a liberdade de minha patria.

Quartel-General, na cidade da Assumpçaõ, 13 de Agosto de 1817.

FRANCISCO ESTEBAN GOMEZ, General.
EUGENIO RUIZ. Secretario de guerra.

*Papeis officiaes, relativos aos Regulamentos dos Catholicos Romanos, nàs Colonias Britannicas das Indias Orientaes; publicados por ordem da Casa dos Communs de 13 de Julho,* 1814.

---

*Extracto do relatorio, feito pelo Reverendo Dr. Kerr, primeiro Capelaõ do Forte de S. George, ao Mto. Honr. Lord Guilherme Bentick: datado de Madras, aos* 3 *de Novembro de* 1806.

Catholicos Romanos Latinos.

Nas provincias de Travancor e Cochin ha um arcebispo e dous bispos, — o arcebispo de Cranganore, e os bispos os Chochim e Verapoli. Os dous primeiros tem Sés, o ultimo he titular. O Arcebispo de Cranganor e o bispo de Cochim saõ nomeados pela Raynha de Portugal na seguinte maneira: quando alguma daquellas sés vaga, manda o Soberano de Portugal tres nomes ao Papa, e o Pontifice Romano he obrigado a escolher o nome, que vai primeiro na lista, e expedir o breve nessa conformidade.

Em todas as materias espirituaes saõ elles sugeitos ao Primaz de Goa, que tem tambem o poder, quando a sé està vaga, de mandar um lugar tenente do bispo, com o titulo de *Padre Governador*. Ambas aquellas sés se acham presentemente governadas por taes sugeitos.

O bispo titular, que reside no collegio de Verapoli, he nomeado directamente pelo Papa, e naõ he sugeito a jurisdicçaõ alguma senaõ á de S. Sanctidade, ou á *Propaganda* de Roma. Sendo ésta missaõ mais susceptivel de governo e regulamentos do que as outras, tem ella sido favorecida pela Honr. Companhia; como se mostra pela seguinte copia de uma proclamaçaõ expedida pelo Governo de Bombaim.

*Proclamaçaõ*

A Honr. Côrte de Directores da Honr. Compahia Ingleza das Indias Orientaes foi servida ordenar que a jurisdicçaõ ecclesiastica das Igrejas Catholicas Romanas, neste Governo, sêjam subtrahidas do arcebispado de Goa, e restituidas aos bispos Carmelitas da missaõ apostolica. Em consequencia disto tem resolvido o Presidente em Conselho, que a dicta restituiçaõ tenha lugar no 1º. do mez que vem; de cujo tempo em diante, ordena a todos os Catholicos habitantes de Bombaim, assim como differentes feitorias e estabelicimentos, que lhe saõ subordinados, que prestem a devida obediencia, nas materias espirituaes, aos dictos bispos, sob pena de incorrêrem no alto desagrado do Governo.

Por ordem do Honr. Governador, em Conselho.

*(Assignado)* GUILHERME PAGE. Secretario.

Os padres pertencentes ao collegio de Verapoli saõ todos Carmelitas, unidos á Missaõ Apostolica em Bombaim, mas naõ sugeitos a ella. A jurisdicçaõ de cada bispo naõ está marcada por limites distinctos, achando-se as parochias e igrejas taõ mixturadas, que he dificil formar uma noçaõ justa de sua extençaõ. O bispo de Cochim, porém, se póde dizer que tem superintendencia sobre todas as igrejas Romanas, situadas na costa do mar immediatamente (com poucas excepçoens) desde Cochim até Ramnad, e dali em redor de toda a ilha de Ceylaõ. As igrejas saõ numerosas, porem saõ geralmente pobres, e obrigadas a serem suppridas com clerigos de Goa; parece que um vigario tem de ordinario cinco ou seis igrejas: o numero de Christaõs, que compôem éstas igrejas deve ser grande; porque todos os pescadores saõ catholicos Romanos. O bispo de Cochim reside usualmente em Quilaõ. Ha poucos clerigos Europeos; naõ pássam de sette ou oito, nas tres jurisdicçoens e nenhum delles he homem de educaçaõ; e naõ se pode esperar que os padres naturaes do paiz, que tem sido educados em Goa, ou no seminario de Verapoli saibam nada além do seu missal e ritual.

Os communicantes Latinos, na diocese de Verapoli se calculam em 35.000. Os cathecumenos naõ soffrem perseguiçaõ, por causa da religiaõ, uma vez que saõ convertidos; porem os governos do paiz saõ excessivamente zelosos neste ponto, e fazem tudo quanto pódem para desanimar as conversoens.

Os convertidos saõ de varias castas; a saber, Chegas ou Seers, Mucuas, e Pullers; e naõ ha duvida de que muitos das classes altas se baptizarîam, se naõ fosse o temor de desagradar aos governos.

He bem sabido que a religiaõ Romana foi introduzida pelos Portuguezes, no seculo sexto; o numero dos convertidos, cada anno, chega, por termo medio, a 300. Este numero naturalmente diminue. A moralidade dos convertidos he mui dissoluta, e geralmente saõ, a este respeito, inferiores aos pagaõs do paiz.

(Continuar-se-ha.)

## *Reflexoens sobre as novidades deste mes.*

## REYNO UNIDO DE PORTUGAL BRAZIL E ALGARVES.

### *Revoluçaõ de Pernambuco.*

O Leitor achará ainda neste No. de p. 399 em diante, algumas noticias relativas, á passada revoluçaõ de Pernambuco, noticias que, naõ obstante serem antiquadas, saõ de importancia; por fazerem parte da tremenda liçaõ, que se deve registrar nas paginas da historia do Brazil.

---

### *Restituiçaõ da Guyana.*

O tractado entre Portugal e França, relativo á cessaõ da Guyana Franceza, he datado de 28 de Agosto, p. p. e por elle se obriga S. M. Fidelissima a entregar a Guyana, dentro em tres mezes, ou antes se for possivel.

O Leitor achará este documento na divisaõ de Politica, debaixo do artigo *França*, a p. 359. Naõ damos mais do que uma traducçaõ do abstracto ; porque só isso se fez publico, por via dos Francezes. Quando nos chegar á maõ a integra em Portuguez, teremos o cuidado de a publicar tambem, porque saõ estes papeis de grande importancia, no direito publico de qualquer naçaõ.

Com tudo assas se diz neste abstracto que publicamos, para se dar a conhecer, a natureza das estipulaçoens do tractado. Contém elle uma cessaõ incondicional e absoluta da Guyana Franceza, sem que por ésta cessaõ se prometta equivalente algum a Portugal; nem ainda se mencione cousa alguma sobre Olivença, ou sobre a integridade de Portugal, tantas vezes garantida e promettida por varios dos Alliados.

He certo, que o Gabinete do Rio-de-Janeiro recusou ratificar a estipulaçaõ desta entrega de Guyana, na qual agora convem. E para ser alguma cousa consequente deveria dar a saber ao mundo, que tinham cessado agora as razoens, porque entaõ fez aquella recusaçaõ.

O que Portugal temia entaõ perder com a entrega da Guyana, e o que tem agora de ganhar com ésta entrega, ainda naõ está explicado; mas a esquadra Franceza, que vaf tomar posse daquella colonia, ja partio, como apontamos ao nosso No. passado.

## *Discussaõ com a Hespanha.*

Repete-se outravez, que as disputas entre Hespanha e Portugal fôram submettidas á decisaõ das Potencias Alliàdas, para o fim de serem ajustadas por seu arbitrio. Dizem que El Rey de Portugal está prompto a ceder á Hespanha o territorio de Monte-Video, com tanto que se lhe assegurem as suas possessoens transatlanticas, contra as invasoens dos Independentes da America Meredional. Este rumor, dizem os Jornaes publicos, parece tanto mais provavel; porque os disturbios de Monte-Video, e o perigo que resulta de uma fronteira em commoçaõ, éram as causas que assignava o Governo Portuguez, para a occupaçaõ de Monte-Video.

Estas noticias fôram publicadas em Londres, em uma das gazetas do partido ministerial, e quasi em forma official, nos seguintes termos.

" Tem-se excitado grande inquietaçaõ no espirito publico, pelos rumores. que chegáram de Hespanha e Portugal, a respeito da marcha das tropas para as fronteiras daquelles Reynos. He bem sabido, que por longo tempo tem havido discussoens pouco amigaveis entre as duas Côrtes, occasionadas pela marcha das forças Portuguezas na margem esquerda do Rio-da-Prata; porém estamos seguros que será de grande satisfacçaõ ao publico o saber, por informaçaõ em que se pode inteiramente descançar, que ambos aquelles Governos concordáram em aceitar a mediaçaõ das cinco Potencias, que saõ compartes na grande Alliança, e podemos, portanto, esperar confiadamente na prompta e amigavel terminaçaõ das differenças, que tendem a desuniaõ entre as corôas de Hespanha e Portugal. He com peculiar satisfacçaõ que nos sentimos habilitados a fazer esta asserçaõ, que certamente removerá muita inquietaçaõ na materia."

Isto será assim, porém os Hespanhoes fazem marchar tropas para as fronteiras de Portugal, e dizem que o numero de gente, que leva este destino passa de 35.000 homens; e na noticias de Madrid achamos o seguinte, publicado pelas gazetas Francezas ·—

"O General O'Donnel ajunctou na Andaluzia um bem organizado corpo de tropas, a cuja frente se devia embarcar, em Outubro, para a America Meredional. Nova disposiçaõ mudou depois o seu destino, e estas tropas se tem dirigido para as fronteiras da Extremadura, sem que se saiba a verdadeira causa desta determinaçaõ. Por outra parte os Portuguezes tem mandado algumas forças para Elvas, e para as vizinhanças daquella forte praça. O Marechal Beresford, commandante em chefe em Portugal, mandou um de seus Ajudantes de Campo a Madrid, para pedır explicaçaõ deste procedimento. Chegaram tambem ao Reyno de Leon dous batalhoens das guardas Wallonas, e guardas Hespanholas; e asseguram-nos que marcham para ali outros corpos. Estas disposiçoens dam lugar a conjecturas, que só o tempo póde aclarar."

Os ameaços de guerra da parte de Hespanha, naõ pódem assustar Portugal, no estado actual das cousas, a menos que as Potencias Alliadas se naõ intromêttam; porque a guerra das colonias, o exhausto estado das finanças de Hespanha; e a pequenhez de seus recursos, juncto ao grande descontentamento da naçaõ, dam a Portugal superioridade no caso da guerra se declarar, entre ambas as naçoens. Mas a alternativa naõ he a da guerra, quaesquer que sêjam as apparencias, mas sim a da referencia ás Potencias Alliadas: e nisto está o maior perigo.

O ajuste das discussoens entre Hespanha e Portugal, he referido à decisaõ das Potencias Alliadas; e he bem para temer, que o resultado sêja de mui perniciosas consequencias a S. M. Fidelissima, se o territorio de Monte-Video for entregue à Hespanha, como ésta pretende

As tropas do Brazil atacaram Monte-Video; porque Artigas Governador Supremo daquelle territorio, éra um vizinho inquieto, atrevido, e injusto. Este acto, portanto, da invasaõ de Montevideo naõ éra contrario à neutralida de, que a Côrte do Rio-de-Janeiro tinha determinado observar, para com as Colonias Hespanholas em revoluçaõ contra sua Metropole. E com effeito assim o considerou, em grande parte, o Governo Revolucionario de Buenos Ayres,

Se, porém, as Potencias Alliadas decidirem, que S. M. entregue a El Rey de Hespanha o territorio de Monte-Video a invasaõ dos Portuguezes toma um aspecto directamente hostil aos Insurgentes; porque, nesse caso, faz S. M. Fidelissima conquistas para El Rey de Hespanha; com o que rompe a neutralidade em que se achava; e terá de encontrar as hostilidades directas dos Insurgentes,

Se, com effeito, assim se declararem as hostilidades, entre os Insurgentes e os Portuguezes, naõ estará no alcance das Potencias Alliadas o proteger o Commercio Portuguez, que será atacado em todos os pontos pelos corsarios dos Insurgentes. A Hespanha naõ poderá garantir nenhuma segurança a este respeito; porque evidentemente se naõ pode proteger a si. As demais Potencias tambem naõ faraõ nisto cousa alguma efficaz, sem que se armem contra os Insurgentes, e naõ he de esperar tal armamento, em quanto a Inglaterra insistir no systema em que procede de ficar neutral, na guerra da Hespanha com suas colonias.

Nestes termos, se os Alliados conseguirem fazer com que S. M. Fidelisima entregue Monte-Video a El Rey de Hespanha, metteraõ a Côrte do Rio-de-Janeiro em difficuldades de que naõ pódem, e talvez naõ queiram ao depois livralla.

Mas perguntar-se-ha aqui ¿ que remedio tem a Corte do Rio-de-Janeiro, senaõ submetter-se, se os Alliados assim o decidirem?

Os Governos devem obrar, em taes casos, com promptidaõ e firmeza. Se o Gabinete do Rio-de-Janeiro vio, que naõ podia resistir ás ameaças combinadas das Potencias Alliadas, deverîa logo concluir um armisticio com Artigas e abandonar o paiz á sua sorte; pois he menor mal o incommodo, que resulta daquelle máo vizinho, do que a guerra com todos os insurgentes. Mas esperando, que os Alliados obriguem a fazer a restituiçaõ daquella conquista a S. M. Catholica, sem duvida se expôem Portugal ás terriveis consequencias, que dahi se devem seguir.

Os Plenipotenciarios Portuguezes, com tudo, poderaõ alegar

estes argumentos, ante os Juizes Arbitros, com algum effeito; mas se a Hespanha for melhor succedida em suas representaçoens, o novo Ministerio do Brazil entrarà nas suas funcçoens com um bico d' obra, que lhe dará bem que fazer para o futuro.

Quanto á consideraçaõ da entrega de Monte-Video, ser comparada com a restituiçaõ de Olivença: os dous casos saõ tam diversos, que a uniaõ delles em uma disputa, pelos Alliados, basta para provar quam temivel sêja deixar á sua decisaõ tal contenda.

As Potencias Alliadas ajustaram com Portugal a restîtuiçaõ de Olivença, no congresso de Vienna. Devîam pois cumprir primeiro as promessas; antes de entrar na discussaõ de mateira diversa, e de data mui posterior, como he invasaõ de Monte-Video.

---

## *Novo Ministerio do Brazil.*

Verificáram-se os despachos, que o rumor tinha annunciado ha dous mezes, de se haverem nomeado Ministros, que compuzessem um Ministerio na Corte do Rio-de-Janeiro: a saber.

Presidente do Real Erario Joaõ Paulo Bezerra. Ministro e Secretario de Estado dos Negocios Estrangeiros e da Guerra, o Conde de Palmella. Ministro e Secretario de Estado dos Negocios da Marinha e Dominios Ultramarinos, o Conde dos Arcos. Ministro e Secretario de Estado dos Negocios do Reyno e Caza de Bragança, o Desembargador do Paço Thomaz Antonio de Villanova Portugal. Conselheiro de Estado, o Conde de de Funchal.

Entre outros despachos se acham tambem os seguintes, de maior importancia.

Chanceller Mor do Reyno, Monsenhor Miranda!!!

Governador de Matto-Grosso, o Marechal de Campo Francisco de Paula Magessi!!

Governador, da Bahia, o Conde da Palma.

Governador do Pará, o Conde de Villaflor.

Governador de S. Paulo, Joaõ Carlos Augusto Oeynhausen, que éra Governador de Matto Grosso.

A morte do Principal Souza, um dos Governadores de Portugal, que recentemente acontecêo, exigirá tambem novo arranjamento no Governo daquelle Reyno; pois actualmeute só existem tres Governadores; um Ecclesiastico e dous Seculares.

---

O casamento do Principe Real do Reyno Unido causou grande contentamento na Familia Real, no Rio-de-Janeiro, o que se conhece bem, pela maneira com que S. M. annunciou este acontecimento no seguinte decreto:

"Achando-se felizmente ajustado o casamento do Principe Real D. Pedro, meu sobre todos muito amado e prezado Filho com a Serenissima Archiduqueza de Austria, Carolina Josefa Leopoldina, Filha do muito Alto, e muito Poderoso Principe Francisco I., Imperador de Austria, Rey de Hungria e de Bohemia, Meu Bom Irmaõ e Primo, Hei por bem em demonstraçaõ de meu justo contentamento por taõ fausto motivo, que sêja de grande gala na Corte o dia Segunda feira vinte e seis do corrente, que tenho destinado para receber as felicitaçoens do corpo Diplomatico, e dos meus Fieis Vassallos; e determino que as fortalezas e navios da guerra, surtos neste porto, estejam embandeirados nesse dia, e dem as salvas Reaes do estylo em similhantes occasioens. O (*nome do Tribunal*) o tenha assim entendido, e o faça observar pelo que lhe pertence. Palacio do Rio-de-Janeiro, vinte e tres de Maio de 1817—Com a Rubrica de S. M."

Fizeram-se igualmente participaçoens ao Corpo Diplomatico, á Corte, e ao General das Armas.

## CONFEDERAÇAÕ GERMANICA.

A Dieta, na sua sessaõ, que deve começar no mez de Novembro, se occupará com a organizaçaõ militar da Confederaçaõ Germanica, fixará a força permanente das tropas, que devem formar as guarniçoens das fortalezas federaes de Mentz e Luxemburgo. Esta ultima praça tem presentemente 4.000 Prussianos; porém ha toda a razaõ para crer, que a guarniçaõ será augmentada por 2.000 homens do Exercito dos Paizes Baixos.

## Estados Unidos.

A populaçaõ Americana continûa a augmentar-se com a emigraçaõ da Europa, tanto quanto o Governo cuida em augmentar os meios de defeza, para o caso de guerra.

Uma gazeta de Philadelphia contem a seguinte conta dos emigrantes, que tem chegado da Europa áquelle porto, desde 31 de Agosto, 1816, até 31 de Agosto 1817.

| | |
|---|---|
| Da Inglaterra, Irlanda e Escocia - | 2.018 |
| Hollanda - - - - - - - - - | 2.190 |
| França - - - - - - - - - - | 128 |
| Hamburgo e Bremen - - - - | 60 |
| Total | 4.396 |

## França.

Pela publiaçaõ das operaçoens commerciaes, nos portos de França em 1816 achamos que o commercio daquelle paiz vai melhorando, naõ obstante as importaçoens daquelle anno chegáram a 42:151.511 francos, e 58 cent. , das exportaçoens 20:104.926 francos, 21 cent. O balanço por tanto a favor das importaçoens he a cima de 22 milhoens de francos; o que prova que a França ainda se acha em estado de dependencia commercial de paizes estrangeiros; a pezar dos melhoramentos que tem tido.

Houve em França, no mez passado, um interessante processo criminal, contra varias pessoas accusadas de conspirar contra o Governo, e que se dizia terem por divisa um *alfinete negro* — O Presidente do tribunal propoz a questaõ ao *Jurados* por tal maneira, que devîam dar a sua decisaõ separadamente, em cada um dos factos allegados contra os reos; e assim, ainda que julgassem naõ haver conspiraçaõ, podiam achar verdadeiro algum facto, e isto bastaria para justificar o tribunal em impôr os castigos que quizesse aos reos. Os *Jurados* porém conhecendo a astucia da cilada, que se lhes armava, declararam a todos os nove réos innocentes in toto, e portanto fôram logo postos em liberdade.

O Governo Francez, depois de ter feito tanta bulha com ésta conspiraçaõ do alfinete negro, blazona agóra que nunca houve tal conjuraçaõ. A verdade he que a accusaçaõ naõ tinha fundamento solido; pois além da principal testemunha ser um agente assalariado da Policia, e outra um condemnado á morte, que para salvar a vida pretendeo revelar esta conspiraçaõ, naõ se narrou facto algum ao tribunal, que naõ fosse cheio das mais palpaveis contradicçoens.

## HESPANHA.

El Rey d' Hespanha ratificou finalmente os tractados com as Potencias Alliadas, e que se referem aos Ducados de Parma, Placencia, e Guastalla, possuidos agóra pela Ex-Imperatriz Maria Luiza. As negociaçoens sobre este ponto fôram começadas por M. Gomez Labrador, Plenipotenciario por Hespanha, no Congresso de Vienna, e andáram em discussaõ desde aquelle periodo até Junho passado, quando o Duque Conde Fernam Nunes, Embaixador Hespanhol em Paris, trouxe o negocio á conclusaõ. Por estes tractados se assegura ao Infante D. Carlos Luiz, filho da Raynha de Etruria, irmaã d' El Rey de Hespanha, a posse daquelles Ducados depois da morte da Ex-Imperatriz: e no entanto receberá a Raynha de Etruria o Ducado de Luca, com certas consignaçoens.—Estas circumstancias fôram anunciadas no seguinte artigo official da gazeta de Madrid.

" El Rey, quando foi restituido ao throno de seus antepassados, naõ podia deixar de tomar o mais vivo interesse na gloira de uma corôa, que a Providencia tinha preservado para elle, como premio dos generosos esforços e heroica constancia de seus vassallos. Os seus cuidados fôram constantemente dirigidos para o restabelicimento da ordem, e para o fim de reparar os males de uma guerra devastadora. E comtudo S. M. naõ podia ficar satisfeito, a menos que naõ cooperasse plenamente com as outras Potencias d Europa, em fixar as bases de uma paz geral, destinada, daqui em diante, a segurar o seu descanço, e a sagrada immunidade de seus direitos. Esta grande obra, que se esperava fosse o resultado dos trabalhos do Congresso, reunido para aquelle fim, apresentou na sua execuçaõ aquelles obstaculos, que éram effeito immediato da confusaõ geral em que a tyrannîa e o poder tinham lançado os interesses das differentes naçoens, e a sorte da Infanta, a Raynha de Etruria, estava ligada com estes interesses. El Rey seu Augusto irmaõ, naõ podîa, portanto, olhar com indifferença para um objecto tam essencial e tam digno da sua politica."

"D. Pedro Gomez Labrador, Plenipotenciario de S. M. no Congresso, trabalhou, segundo suas instrucçoens, em fixar a sorte da Raynha de Etruria, e regular outros pontos connexos com os direitos de S, M. , esforçando-se para este effeito com seus talentos e saber, em tanto quanto as circumstancias o permittîam. Finalmente o Duque de Casa Fernan Nunes, Embaixador de S. M em Paris, teve ordem de continuar ésta importante negociaçaõ, e obteve trazêlla a uma feliz terminaçaõ. A sua activade e zélo pela honra d'El Rey alcançaram para S. M, a satisfacçaõ de ver este negocio concluido por tractados solemnes, convencionados com as dictas grandes Potencias, e assignados em Paris aos 7, 8, 9, e 10 de Junho passado. Por um destes tractados accede S. M. aos Actos do celebre Congresso de Vienna, e a Hespanha he incorporada com a Grande Confederaçaõ Europea. Outro tractado sancciona a volta dos Ducados de Parma, Placencia, a Guastalha, para S. A. Serenissima o Infante D. Carlos Luiz; e a entrega dos Estados de Luca, com as consignaçoens estipuladas, até que a dicta volta tenha lugar, a favor de S M a Serenissima Infanta de Hespanha, Raynha de Etruria, e Mãy do Infante D. Carlos Luiz,"

" Assim se terminou um negocio igualmente complicado, e essencial a alta politica de S. M, e que tem occupado a sua solicitude paternal, desde o anno de 1814."

O plano de finanças de D. Martin Garay tem encontrado muitas difficuldades, e até he possivel que se naõ realize; mas elle ja obteve o introduzir na Hespanha o principio de impôr tributos ao clero, obtendo prevîamente uma bulla do Papa.

Cartas de Madrid de 2 do Corrente dizem, que o plano de finanças de D. Martin Garay, se póde considerar como posto de parte por em quanto; e isto por duas razoens. A primeira he, que a sua realizaçaõ he difficil na maior parte da Hespanha, em consequencia da grande opposiçaõ, que se experimenta: a segunda he, que materias de grande importaucia divertem a attençaõ do Governo para outra parte. O Conselho de Arbitrios tem feito varias sessoens sem que se adopte nenhum resultado final. Isto tem obrado consideravelmente contra o credito do Governo, e os vales Reaes perdem 74 por cento.

O Conselho da Fazenda, porém, aprovou o plano de receceita e despeza para este anno, e que parece providenciar aos gastos do Erario, pelos seguintes items.

1. O producto dos effeitos, que se acham agora em confisco, ou para o diante fôrem confiscados.

2. Dous annos dos rendimentos de todos os beneficios ecclesiasticos, que vagarem.

3. Um novo imposto sobre as aguas ardentes.

4. Certos fundos, que se suppoem poderem ser obtidos das colonias.

5. Direitos cobraveis na transmissaõ dos titulos e dignidades pela morte dos successores hereditarios.

6. Um direito addicional, sobre os que ja se pagam na renovaçaõ dos titulos. recebendo-se os vales-reales em pagamento deste tributo.

7. O quinto do producto das alfandegas reaes, que de facto ja se applicou este anno para o serviço do Estado.

8. Haverá uma reducçaõ geral da divida publica, sem exceptuar as pensoens vitalicias.

9. As acçoens do banco de S. Carlos perderaõ definitivamente a metade do seu valor nominal. Os gremios soffreraõ a mesma reducçaõ.

10. Propôem-se vender a beneficio do Thesouro os bens das corporaçoens, e as terras baldias de lugares inhabitados.

11. Ultimamente os atrazados das contribuiçoens de guerra seraõ providenciados pelos *vales reales,* recebidos pelo pleno valor que representam. Isto monta a uma abdicaçaõ de mais de duas terças partes da somma total devida: porém a terça-parte fica ainda por pagar.

El Rey quiz mostrar a sua imparcialidade, em sugeitar á contribuiçaõ todas as propriedades do Reyno, ordenando que os seus mesmos bens patrimoniaes pagassem a conrespondente quota. Este estratagema naõ pode illudir a ninguem; porque todos sabem que El Rey póde tirar do Erario, sem que ninguem lhe vá á maõ, ás sommas que lhe parecer; assim pouco importa que de suas rendas pague dez de contribuiçaõ, quando póde mandar logo tirar vinte para seu uso. Com tudo expedîram-se as seguintes ordens,

## *Real Ordem communicada pela Secretaria da Fazenda a Direcçaõ Geral de Rendas.*

"Usando El Rey nosso Senhor de beneficencia e generosidade sem limites, e querendo dar um claro e illustre exemplo a todos os seus Povos e Vassallos, de que nenhuma propriedade absolutamente, qualquer que ella seja, deve estar nem está isenta da Contribuiçaõ Geral do Reyno, á excepçaõ dos Dizimos possuidos pelos Ecclesiasticos Seculares e Regulares, e dos direitos de Estola ou Pé de altar, em conformidade do Real Decreto de 30 de Maio ultimo, para que deste modo seja aquella mais leve, igual, e correspondente com a possivel exactidaõ á riqueza de cada contribuente, á proporçaõ que esta seja mais conhecida; foi S. M. servido resolver que os Bens do Patrimonio Real, sem prejuizo de seus privilegios, entrem na Contribuiçaõ Geral, e paguem a sua respectiva parte os Administradores ou Thesoureiros do mesmo, levando o seu importe á noticia do Senhor Mordomo Môr de S. M. assim como o deveraõ fazer VV. SS. a esta Secretaria do meu cargo, dispondo que se figure e manifeste nos mappas pe cada Povoaçaõ ou Provincia o que se lhes repartir. O que communico a VV. SS. por ordem Regia, para sua noticia, publicaçaõ, e cumprimenio. Palacio 21 de Agosto de 1817."

## Colonias Hespanholas.

Publicamos de p. em diante algumas noticias officiaes, sobre a guerra civil nas Colonias Hespanholas. O theor destas noticias he sempre favoravel aos Insurgentes; porque pela maior parte se recebem por via de seus partidistas. Porém fazendo todos os descontos necessarios, ainda assim achamos, que a causa d'El Rey d'Hespanha nas suas colonias perde continuadamente terreno, e que os Insurgentes vam dando passos mui agigantados para o estabelicimento de seus governos independentes

Os officios, que publicamos a p. 410, mostram, que no Governo de Buenos-Ayres os realistas saõ batidos systematicamente; ao mesmo tempo que as tropas Portuguezas em Monte Video saõ olhadas como inimigas, tanto pelos Insurgentes como por El Rey d'Hespanha.

As relaçoens, que damos a p. 416, mostram as operaçoens dos exercitos nas provincias de Venezuela, aonde as forças dos Insurgentes se acham da maneira seguinte:—Os Generaes Bolivar. Piar, Arismendi, Bermudez e Cedeno, fôram os officiaes empregados contra Guyana. As suas forças chegávam a 6 000 homens; e estando agora desembaraçadas, marcham para a costa do Atlantico. Marino está em Cumanacoa, com 2 000 homens, e Roxas, em Maturin. Monagas e Zaraza, com a sua cavallaria estaõ nas planicies de Barcelona. Paez, o chefe de Sancta Fê, occupa todo o paiz, desde Varina até Calabozo. Nonato Perez occupa Casanare na Nova Granada.

Os planos dos patriotas parece que se realizam mui promptamente. Tinham elles determinado obter posse de todo o interior do paiz, a fim de segurar os seus recursos, e privar o inimigo de provimentos. Os effeitos deste plano ja se tem sentido, nas cidades, que os Hespanhoes occupam na costa do Atlantico, Em Caracas se padece grande fome. Segundo as cartas de La Guira, datadas de 21 de Junho, a Juncta de *Abastos*, nomeada para formar armazems de viveres, tinha grande difficuldade em procurar mantimentos.

O General Morillo appareceo em frente de Pompatar, na noite de 13 de Julho, com uma frota de 20 velas, e effectuou o desembarque de todas as suas forças no dia seguinte ás 10 horas da manhaã; levando com sigo os reforços, que ultimamente recebêra de Hespanha, com uma divisaõ de Laguira, excedendo o numero de 4.000 homens. A força dos Insurgentes naõ chegava a 2000 homens, mas recebeo os invasores com valor, e pelejou com desesperaçaõ. Ao meio dia se abandonáram e destruìram os vasos que estavam no porto. Entaõ se fez geral e encarniçada a contenda, até ás 3 horas da tarde, quando Morilho tomou os Insurgentes de flanco, e mandou uma divisaõ pela retaguarda, o que os obrigou a retirar, mas fizéram isto em boa ordem, refugiando-se nas montanhas; aonde Morillo naõ julgou prudente perseguillos.— Nesta acçaõ foi consideravel a perca de ambas as partes. A de Morilho conserva-se em segredo; a dos Patriotas se computa em 300 ou 400 homens. Naõ se tomaram prisioneiros de uma nem d' outra parte. Depois da retirada dos Patriotas, Morilho, com sua usual barbaridade, mandou matar a todos os feridos, que se acháram no campo de batalha.

Depois desta acçaõ parece que Morillo se vio obrigado a abandonar Margarita, como se vê da proclamaçaõ, que copiamos a p 424, Naturalmente as forças dos Insurgentes destinadas contra Caracas deviam induzir o General Morillo a deixar a pequena ilha de Margarita, naõ obstante as apertadas ordens, que tivera de Hespanha, a fim de acudir aos importantes postos da Terra Firme, e principalmente a Capital de Caracas,

O encarniçamento, com que os differentes partidos se fazem mutuamente a guerra, se póde conhecer das proclamaçoens do General Morillo, que publicamos a p. 419, e da reposta que a ella se lhe deo. Disto ha innumeraveis exemplos.

Uma escuma Realista, que chegou a Laguira, vindo de Cumana, trouxe varios prezos homens e mulheres: entre estas uma linda donzella, que foi condemnada a ter ambas as maõs cortadas; por que foi apanhada no acto de fazer uma *bandeira Patriotica*.

As ultimas noticias chegadas da America produzíram grande susto no Conselho das Indias, em Hespanha. Tem havido frequentes deliberaçoens sobre a materia, tem-se traçado e decretado varias expediçoens em papel, mas quando se refere a sua execuçaõ ao Conselho da Fazenda, a reposta he, que os Cofres estaõ exhaustos.

A emigraçaõ de officiaes militares e soldados, de varias partes da Europa, para irem servir na causa dos Insurgentes das Colonias Hespanholas, tem com justo motivo causado grande inquietaçaõ á côrte de Madrid, e entre outras medidas, que tem adoptado para embaraçar este mal, achamos a seguinte intimaçaõ publica, do Consul Hespanhol em Rouen

"O Consul de S. M. Catholica nos Departamentos Septentrionaes da França, residente em Rouen; informado das ocultas tramas de alguns agentes dos Insurgeutes Americanos, destinadas ao fim de attrahir a seu partido alguns valorosos militares Francezes: notifica ao publico, que se tem adoptado as medias mais efficazes, para desconcertar, os seus sinistros projectos; e que nos casos em que a authoridade legitima naõ possa prevenir, que estes aventureiros estrangeiros, se unam ás bandeiras dos rebeldes, elles devem esperar, se fôrem apanhados com armas na maõ, o serem tractados como rebeldes."

Ao consul Geral de S. M. Catholica no Reino de Napoles foi communicado pelo Secretario d'Estado dos Nogocios Estrangoires de S. M. El Rey das Duas Sicilias ter este Soberano determinado, para evitar a introducçaõ de pessoas suspeitas nos seus dominios, que todas as pessoas que por mar apportarem àquelle Reyno, para serem admittidas, devem apresentar passaportes das Authoridades dos lugares da sua procedencia, reconhecidos pelos consules ou outros Agentes do mesmo Soberano, onde os houver.

O Imperador de Austria prohibio, que de seus dominios se exportassem muniçoens de guerra para os Insurgentes da America. El Rey de Dinamarca, fez a mesma prohibiçaõ a respeito da sua colonia que tem, na Ilha de S. Thomaz; porque dali passavam os armamentos, para os Insurgentes da terra firme.

Tornou-se a renovar o rumor, de que a Russia trabalha por obter que as differentes Potencias da Europa entrem em uma convençaõ formal, para prohibir que os subditos de qualquer Estado auxiliem os insurgentes da America Meredional, com gente, ou armas, muniçoens, &c. Dizem que a Inglaterra naõ quer acceder a éstas proposiçoens, havendo adoptado a determinaçaõ de manter uma estricta neutralidade, entre Hespanha e suas provincias.

He mui natural, que fosse em consequencia desta determinaçaõ, que se publicou em Londres no principio deste mez a seguinte circular:—

*Circular.* Secretaria da Guerra 30 de Septembro 1817.—Senhor! Havendo sido resolvido, que o regulamento, pelo qual se excluem os officiaes de receber meio soldo, em quanto exercem officios ou empregos no serviço de S. M. se extenda aos que occupem similhantes officios ou empregos debaixo d' outros Governos, sem permissaõ de S. A. R. o Principe Regente; tenho de vos informar, para que o communiqueis aos officiaes que recebem meio soldo, e de quem sois agente, que a extensaõ deste regulamento terá effeito desde os 25 de Dezembro proximo futuro em diante. Tenho de accrescentar, que todas as petiçoens de officiaes para execerem officios ou empregos sob outros Governos, junctamente com o seu meio soldo, devem ser dirigidas ao Secretario de Guerra, para á consideraçaõ de S. A. R. sou, Senhor, vosso humilde e obediente criado.

(*Assignado.*) PALMERSTON.

---

Naõ obstante isto he immenso o numero de officiaes, que se embarca constantemente para a America Hespanhola. A maior parte saõ Inglezes; mas ha tambem grande numero de Alemaens, e de Francezes, que se destinam ao mesmo lugar.

O brigue Gladwin, e a escuna Morgan-Rattler, fôram aprestados em Portsmouth, para o fim de tomar passageiros, que se vam unir aos insurgentes da America Meredional, e partirá para S. Thomaz. O Gladwin tem 35 passageiros, e o Morgan-Rattler 20. Consistem principalmente de mancebos, que occuparam baixos empregos do Governo, e que naõ tem direito a meio soldo.

Elles págam 30 guineos por sua passagem até S. Thomaz. O navio Dowson de 500 toneladas destinado ao mesmo lugar, sairá do Thames para Portsmouth em poucos dias.

## INGLATERRA.

Rendimentos da Gram Bretahha nos dous annos de 1816 e 1817.

| *Fundo Consolidado.* | 1816. | 1817. |
|---|---|---|
| Alfandega . . . . . . . | 4:789.892 | 5:748.728 |
| Excisa . . . , . . . . | 18:326.328 | 16:150 220 |
| Sêllo . . . . . . . . . | 6:024.775 | 6:232.213 |
| Correio . . . . . . . . | 1:450.000 | 1:349.600 |
| Taxas (assessed) ou pessoaes | 6:170.181 | 6:001.996 |
| Taxas das terras . . . . | 1:123.402 | 1:197.848 |
| Miscellaneas . . . . . | 335.179 | 293.639 |
| Taxas de guerra naõ propriadas | | 1:429.878 |
| Total do Fundo consolidado | 38:219.757 | 38:413.523 |
| *Direitos annunces.* | | |
| Alfandega . . . . . . . | 2:105.455 | 3:183.339 |
| Excisa . . . . . . . . | 541.547 | 558.787 |
| Pensoens, &c. . . . . . | 16 | 4 016 |
| Total direitos annuaes . . | 2:647.018 | 3:746.142 |
| Direitos permanentes . . | 40:866.775 | 42:159.566 |
| *Taxas de guerra* | | |
| Alfandega . . . . . . . | 1:77.310 | 525 |
| Excisa . . . . . . . . | 5:504.715 | 3:109.814 |
| Taxas sobre propriedades . | 11:990.063 | 2:171.615 |
| Total das taxas de guerra | 19:272.088 | 5:281 954 |
| Total liquido das rendas. . | 60:138.863 | 47:441.919 |

As rendas publicas da Inglaterra, durante o espaço de 20 annos desde 5 de Janeiro, 1797, até 5 de Janeiro, 1817, fôram 1:292:180:592 libras esterlinas, 5 shillings, e 1½ peniques. Alem disto, 600 milhoens accrescentados á divida publica.

As ultimas noticias recebidas da India, informáram o Governo Inglez, de que os Mahrattas tinham repentinamente começado hostilidades contra as possessoens Inglezas naquella parte da India O mesmo official que trouxe estes officios, foi tambem portador de cartas do Governador de Madras, segundo os quaes se havia declarado a guerra, naquelle ponto, pelos dominios do Peshwa. Assim se temia muito na India, que o ataque contra as possessoens Inglezas fosse de natureza muito extensa; e portanto o Governador General e o Governador de Madras estávam pondo em campo todas as forças de que podîam dispôr,

Achamos em um Jornal Inglez a seguinte noticia do commercio de lanificios na Inglaterra.

"Neste momento 1.000.000 de tropas Tartaras do Imperador de Russia obtem o seu vestuario de laã dos nossos excellentes panos brancos na Vale de Gloucester, por menos de 4s. 6p. por yarda; e os Sepoys do Indostan trazem as suas vestias encarnadas de pano de Yorkshire, que custa 4s 8p por yarda; e ambas éstas vendas saõ consideradas de grande proveito para nós. O panos das casacas, que nós aqui usamos de commum, he feito de laã de Merino, ou de outra laa estrangeira, em todo ou em parte, e custanos de 28s. a 30s. por yarda. Assim vendemos o nosso pano aos estrangeiros, que o acham muito bom, ao mesmo tempo que nos cubrimos com panos da Bohemia, Saxonia, e Segovia, cuja laã nos custa de 5 a 9 shillings por libra.

## PAIZES BAIXOS.

Começou a sessaõ annual dos Estados Geraes aos 20 de Outubro, com as solemnidades do costume El Rey fez a sua falla, expondo o estado da Naçaõ; assegura a continuaçaõ da paz; expôem a diminuaçaõ das rendas publicas, e augmento, que tem havido nas despezas, em consequencia da fortificaçaõ das fronteiras; e promette que fara educar o filho do Principe d'Orange, nos verdadeiros sentimentos de seus deveres.

### POTENCIAS ALIADAS.

Os Commissarios das tres Cortes, authorizados com plenos poderes, para a organizaçaõ da Cidade livre de Cracovia trocáram aos 2 de Septembro, as ratificaçoens de uma Convençaõ, em virtude da qual as tres Cortes consentem na alteraçaõ do artigo 13 da Constituiçaõ da cidade de Cracovia.

Asseguram agóra alguns jornaes de Almanha, que os Monarchas Alliados se ajunctaraõ em conferencia no decurso do anno que vem, para o fim de adoptar uma resoluçaõ final á cerca do Exercito de occupaçaõ em Franca. O lugar desta conferencia he diversamente indicado; e se menciona Frankfort, e Aix-la-Chapelle; o mais provavel he que sêja Manheim.

O Consul Russiano em Hamburgo communicou officialmente aos capitaens dos navios Russianos, que S. M. Imperial tinha ja resolvido, de concerto com as Potencias Alliadas, adoptar medidas efficazes para pôr termo ás piraterîas dos corsarios da Barbaria; porém que, como as negociaçoens se naõ poderîam finalizar com assas brevidade, serîa no entanto conveniente, que os navios Russianos destinados ao Mediterraneo se munissem de passaportes Turcos.

Um artigo do Baixo Elbe refere, como rumor, que o Senado de Hamburgo se propôem pagar á Inglaterra a somma de 300:000 marco banco annualmente; para que seu commercio sêja protegido no Mediterraneo.

Dizem que os Senados das cidades Hanseaticas tem dirigido a algumas das grandes Potencias queixas contra a Regencia de Argel, a qual condemnou um vaso Hamburguez, capturado sem a menor razaõ por um corsario Argelino na costa de Portugal.

Uma gazeta Alemaã contem o seguinte artigo, que póde dar occasiaõ a reflexoens, naturalmente fortalecidas pelos ultimos acontecimentos em Tunis.

Por algum tempo temos prestado grande attençaõ aos preparativos militares do Baxa Mahomet Ali Vice Rey do Egypto; seus esforcos em communicar com varias Potencias da Europa: as grandes compras de artilheria, e muniçoens de guerra, que tem feito por meio de seus agentes; e aos contractos com negociantes Suecos para maiores supprimentos. Dizem que a intençaõ do Baxa he fazer-se soberano independente do Egypto, e apossar-se de Tunes, Argel, e Tripoli. Este acontecimento porá fim ás piraterîas das Potencias da Barbaria. Asseguram-nos, que elles tem feito aberturas directas, para este fim, as côrtes de Londres, Stockholmo e outras."

## PRUSSIA.

O Governo Prussiano tem obtido estabelecer algumas medidas contra a liberdade da impressa, e fez com que o Governo de Hesse Darmstad revogasse a permissaõ, que havia dado, ao Edictor do *Mercurio do Rheno.* Daqui em diante será este Jornal publicado em Jena, nos territorios de Saxe-Weimar.

El Rey de Prussia dirigio uma longa circular aos Consístorios, Synodos e Superintendencias Ecclesiasticas da Monarchia, para o fim de promover a uniaõ entre as igrejas chamadas Reformadas e Lutheranas, em uma só igreja, que se denomine *Evangelica,* Espera-se que ésta uniaõ tenha lugar, na festividade, que se vai a celebrar, em commemoraçaõ da Reforma.

## RUSSIA.

A má intelligencia, que reyna agóra entre a Russia e a Turquia, tem dado occasiaõ a rumores mui desvantajosos ao Gabineto Russiano, e accusaçoens de vistas ambiciosas contra o Imperador. He verdade que todas as naçoens tem o direito de se acautellar contra as possiveis usurpaçoens de outros povos mais poderosos: porém muitas vezes estas accusaçoens naõ tem mais fundamento que a inveja dos pobres contra os ricos. A cautella com tudo naõ faz mal a ninguem.

Que a morte de Czerni George naõ he mero pretexto, sem fundamento, para que a Russia se arme contra a Porta, se conhece mui bem da circumstancia, naõ so de que Czerni George, éra official no serviço da Russia, mas ésta Potencia estipulou em tractado com a Porta, quando lhe cedeo a Servia, a garantia da segurança pessoal do Czerni. Ora he claro que se a Russia naõ obrigar a Turquia a que lhe cumpra taes estipulaçoens, perderá toda a consideraçaõ, que tem nas provincias Turcas da Europa, e as vantagens que se lhe seguem dessa consideraçaõ e influencia.

O Juiz Grego Voitza foi quem mandou decapitar Czerny Georges, na aldea de Hassanyr, juncto a Semendria. Voitza gozava da particular confianca de Czerny, o quâl, quando chegou a Servia, residia em sua casa. Voitza mandou a cabeçà do Czerny ao Bacha de Belgrado, como testemunho de sua fidelidade.

Logo que chegou a S. Petersburgo a noticia da morte de Czerny George, se despachou um correio ao Embaixador Russiano em Constantinopla. Disse-se que as ordens, expedidas ao Embaixador, por este correio, fôram, que pedisse á Porta, cathegoricamente, e dentro do termo de 14 dias, uma declaraçaõ ou desapprovaçaõ deste acto, e o castigo exemplar dos seus perpetradores; e se e Porta naõ conviesse nisto, que o Embaixador saîsse immediatamente de Constantinopla. O mesmo Correio levou ordens, para suspender o edificio do novo Palacio da Embaixada Russiana em Constantinopla.—Expedio-se ao mesmo tempo outro correio ao General Benningsen.

O Czerny éra Tenente General no serviço Russiano, e Cavaleiro da Ordem de Sancta Anna da Primeira Classe.

Em consequencia disto o Imperador de Russia tomou medidas para obter por meio das armas a satisfacçaõ pedida; caso lhe seja negada em negociaçaõ.

O General Benningsen, que tem o commando do exercito Russiano de observaçaõ nas fronteiras de Turquia, recebeo ordem para suspender a reducçaõ, que se intentava fazer naquelle exercito e de augmentar immediatamente até o numero de 80.000 homens effectivos, unindo-lhe varios corpos: municiar as fortalezas das ronteiras, e tomar todas as medidas necessarias para obrar offensivamente contra a Turquia, no caso em que isso seja assim necessario. O Imperador na sua viagem para o Sul intenta passár revista, em pessoa, ao exercito de Benningsen,

Naõ obstante isto, achamos em contradicçaõ, em uma carta de Constantinopla, datada de 10 de Septembro, o seguinte:—

"As negociaçoens com a Russia, tem tomado um geito favoravel, porque na conferencia, que a 2 deste mez teve o Baraõ Strogonoff com o Ministro da Porta, aceitou ésta e approvou a nova demarcaçaõ da Bessarabia, proposta pelo Imperador Alexandre. A linha, que, para o futuro dividira os dous imperios por esta parte, corre pela margem direita do braço do Danubio conhecido pelo nome de Sulina e segue o seu curso até o lugar em que elle se une ao Kili, acima de Ismael. O coronel Bogdansvick, Commissario de demarcaçaõ Russiano, voltou já para S. Petersburgo."

Parece que os Russianos contam com que a Inglaterra naõ se incumbirá de proteger a Turquia, nesta contenda com a Russia, e sem dvida he com estas vistas, que se publicou o seguinte paragrapho de Petersburgo.

"Corrìa de plano que os arranjos definitivos entre a Inglaterra e a Porta tem sido demorados por duas razoens; 1a. pelas apprehensoens que tem excitado a dominaçaõ Britannica na vizinhança da Grecia; e 2a. pelainimiza de de Ali, Bacha do Epiro, que se tem feito formidavel á Porta. Em consequencia insiste a Porta na cessaõ das possessoens continentaes, que até qui formavam parte do territorio das Sette Ilhas, e principalmente na cessaõ da fortaleza de Parga. Ali Bacha naõ se póde esquecer de que a Ingtaterra foi quem obstou, que elle se apossasse desta praça; porque as tropas Inglezas a occupáram. Desde aquelle periodo tem Ali jurado profundo odio á Inglaterra, e faz uso de seu poder e influencia, para frustrar as vistas daquella Potencia em Constantinopla. Sabe-se que Ali Bacha tem intimas connexoens com o actual Gram Vizir. Elle obteve, em grande parte, a independencia das provincias, que estaõ debaixo de seu governo. Tem ajunctado varios officiaes Europeos, que lhe tem organizado o seu exercito, assas consideravel, e no mesmo pé dos das grandes Potencias da Europa. O Gram Senhor, a quem este Bacha se tem feito perigoso, porta-se com elle com grande precauçaõ — Além disto sabe-se que o mesmo Gram Senhor tem organizado muitas tropas, no mesmo pé das dos outros Estados da Europa, e que tem ha muito tempo empregado varios officiaes estrangeiros. He verdade que estes corpos ainda naõ estaõ bem disciplinados, e presentemente naõ podem fazer os mesmos serviços de outras tropas boas. E com tudo ellas daraõ á Porta nova força contra os seus inimigos externos, e poderaõ, em certas circumstancias, influir na sua politica, principalmente se puder contar com o auxilio do poderoso Ali Bacha."

"O convite, que o nosso Gabinete fez a todas as Potencias da Europa, relativamente ás medidas, que se deseja adoptar contra os piratas e corsarios de todas as descripçoens, recebeo a assignatura do Imperador antes da sua partida, e sera transmittido aos nossos Ministros nas Cortes estrangeiras "

A festa, em honra de S. M. O. Imperador e Rey, foi celebrada em Warsaw aos 11 de Septembro. Na vasta planicie juncto ao Volga, da parte de fóra da cidade, se levantou um altar, aonde o Bispo Golaszewsky celebrou missa, a qual foi seguida de um Te Deum, e descarga d' artilheria: ajunctáram-se quasi 300.000 homens de tropas.

O Gram Duque fez depois desfilar 80 batalhoens de infanteria e 4 esquadroens de cavallaria, com um trem de 100 peças d'artilheria. A'noite illuminou-se toda a cidade.

Por um ukase do Imperador se decide, que naõ he necessarîo recrutamento este anno, em consequencia da paz, que pela bençaõ do Todo Poderoso reyna na Europa," O Imperador intenta, segundo se diz, diminuir o numero de suas tropas; a pezar da guerra que ameaça pela parte da Turquia.

O *Observador Austriaco* contradiz de um modo quasi official os rumores das desavenças entre Russia e Turquia; e diz que o Imperador de Russia naõ tomou como offensa, que lhe fosse dirigida, a morte de Czerni George, e que pelo contrario este tinha faltado á sua palavra retirando-se do Imperio Russiane para viver na Servia.

Naõ obstante isto a Russia he accusada de ter ambiciosas vistas de conquista na Asia, e mesmo de dirigir-se ás possessoens, que muitas naçoens Europeas tem na India. Parece que he para dar a conhecer ao mundo estas vistas da Russia, que se tem publicado em quasi todos os Jornaes da Europa o seguinte artigo, que achamos tambem inserido na obra de Sir Robert Wilson, de que fizemos mençaõ acima na repartiçaõ de Literatura: o artigo a que alludimos he o seguinte:——

"O General Yermoloff, Governador Russiano do Caucaso, partio como Embaixador para a capital da Persia. Será acompanhado nesta embaixada pelos officiaes Francezes, que Napoleaõ havia em outro tempo mandado á Persia, e entraram depois no serviço Russiano: leva comsigo as relaçoens e mappas, que a Embaixada Franceza na Persia enviou a Napoleaõ, e que se acharam em dous coches desamparados na retirada do Exercito Francez da Russia. Estas relaçoens e planos convencêram Napoleaõ da possibilidade de marchar um exercito para as Indias Orientaes; e está provado, que se elle pudesse ter obrigado a Russia a fazer a paz como elle desejava tinha determinado emprehender ésta expediçaõ com um exercito Russiano. Os seguintes saõ os nomes dos officiaes, que acompanham Yermoloff.—O General Gardane; Coussain; primeiro Secretario, Layard, segundo Secretario, Joanini, interprete, Salvater medico, Lami, Bontems, Verdier, Fabrice, d' Adad, Robert, Mariad, Guidard, estes saõ habeis engenheiros, e officiaes d' artilheria. Dizem que alguns delles depois de breve residencia eu Terahen, procederaõ em commissaõ a outras Potencias da India."

Sahio do porto de Revel uma esquadra Russiana, que tem dado muito que fallar no mundo. Consiste em Sette navios de linha, pretendem algums, que traz a bordo 10.000 homens. Uns querem que se destine contra os piratas da Barbaria: outros que vai auxiliar Hespanha contra Portugal: outros por fim, que se destina ás Americas Hespanholas.

O ultimo rumor assevéra que ésta esquadra fôra vendida pela Russia á Hespanha, que a empregará em conduzir tropas para a America Meridional, mas que nella se naõ embarcaraõ tropas Russianas

## SUECIA.

Por consulta dos Revisores dos Estados do Reyno mandou o Governo fechar o Banco de Desconto em Malmoe; e fazer publico, que se tinham produzido taes queixas contra os Directores, que foi necessario demittillos dos seus lugares, e adoptar medidas capazes de sustentar o credito publico, e preencher as obrigaçoens do dicto Banco de desconto; e que para este importante fim naõ pouparia S. M. sacrificos alguns. Com estas vistas se nomearam tres Directores novos, os quaes, junctamente com um dos Plenipotenciarios dos Estados, ordenaram que se fizesse um inventario do Banco de Descento em Malmoe, e que se administrasse assim, até que se fizesse um arranjamento com os Accionistas, que seraõ convocados para esse fim: a meza de administraçaõ será mudada para o Banco, e se tornará a abrir immediatamente. A demissaõ dos Direçtàres accusados de má administraçaõ, comprehende os Conselheiros de Commercio Nordlindt e Bjorkman, e M. S. Falkman, os quaes todos vivîam em Malmoe.

Os outros Bancos de Desconto em Gottenburgo e Canal de Gotha, que recebîam dinheiro a 3 por cento de juros e descontavam letras a 6 por cento de juros, tambem parâram pagamento o que causou grande confusaõ, entre os capitalistas e negociantes Assim desappareceo a moeda da circulaçaõ, e faltou o credito, com o que abaixou muito o cambio estrangeiro.

Uma proclamaçaõ Real chamou os Estados do Reyno, para se convocarem em Dieta aos 20 de Novembro.

O Principe Oscar vai ser apossado do seu lugar Vice-Rey da Norwega e depois começará as suas viagens pelos paizes estrangeiros, a aprender as differentes formas de Governo: intenta-se que elle resida por algum tempo em Paris, na supposiçaõ de que El Rey de França, reconhecerá antes disso a nova Dynastia Sueca.

# CONRESPONDENCIA.

## *Carta ao Redactor sobre o Conservador do Commercio em Lisboa.*

Senhor Redactor do Correio Braziliense.

Manda a verdade, que eu lhe note o mal fundado de sua informaçaõ, sobre o conservador da Juncta do Commercio, menoscabado em seu No. de Agosto a f. 209. Este Ministro, longe de se aproveitar do calor do parente Governador, he o mgis recto, que tem a Juncta; e a muitos tem servido a sua rectidaõ. Os lugares em que servio ainda chóram por elle, e Acursio das Neves muito desejaria expulsallo, em vez de se consbinar com elle como V. Mc. suppôem. Serîa portanto mui louvavel, que V. Mc. emendasse aquella asserçaõ naõ merecida por este individuo, satisfazendo a verdade.

Sou De V, Mc.
&c.
N.——

## *Reposta a Conrespondentes.*

T. G. A sua elaborada e bem escripta carta he sem fundamento, em ponto de Direito, e por tanto todos os seus racionios e accusaçoens cáem por si mesmos. Vêja a Ley de 18 de Agosto de 1769, no § 14; e achará que o seu trabalho éra desnecessario.

# CORREIO BRAZILIENSE

DE NOVEMBRO, 1817.

Na quarta parte nova os campos ára
E se mais mundo houvéra la chegára.

CAMOENS, C. VII. e. 14.

## POLITICA.

### REYNO UNIDO DE PORTUGAL, BRAZIL, E ALGARVES.

*Sentença contra varios reos accusados de Alta Traiçaõ.*

*LUIZ GOMES LEITAÕ DE MOURA, Cavalleiro Professo na Ordem de Christo, Desembargador da Relaçaõ do Porto, com exercicio de Corregedor do Crime do Bairro da Rua Nova, e Escrivaõ nomeado para o Juizo da Inconfidencia, etc. Certifico que nos Autos Crimes, processados no mesmo Juizo da Inconfidencia, na conformidade das Reaes Ordens de Sua Majestade Fidelissima, contra os Reos de alta traiçaõ José Joaquim Pinto da Silva, e outros, se acha proferida a folhas cento e cincoenta e sete verso a Sentença do theor seguinte,*

ACCORDAÕ em Relaçaõ, etc. Vistos estes Autos, que em execuçaõ das Reaes Ordens do dicto Senhor se fizeram Summarios aos Réos José Joaquim Pinto da Silva Alferes do Regimento de Infantaria No. 4 José Campello de Miranda, José Ribeiro Pinto, Alferes do Regimento de Infantaria No. 16, Manoel Monteiro de Carvalho Coronel de Milicias reformado, Gomes Freire de Andrade, Tenente General, Francisco Antonio de Sousa, Architecto Civil, Pedro Ricardo de Figueiró, Capitaõ do Regimento de Infantaria No. 13, José Francisco das Neves, Major do Batalhaõ de Atiradores de Lisboa Occidental, Henrique José Garcia de Moraes, Antonio Cabral Calheiros Furtado e Lémos, Manoel de Jesus Monteiro, Capítaõ do Regimento de Artilharia No. 3, Manoel Ignacio de Figueiredo, Maximiano Dias Ribeiro, Antonio Pinto da Fonseca Neves, Segundo Tenente do Regimento de Artilharia No. 4, Federico Baraõ d'Eben, Verissimo Antonio Ferreira da Costa, Christovaõ da Costa, Alferes do Regimento de Cavallaria No. 10, e Francisco Leite Sudré da Gama; Denuncias em segredo folhas seis verso, e folhas quarenta e duas verso, que precedêraõ á Devassa appensa; averiguações a que se procedeo, documentos junctos, interrogatorios, com que foram perguntados os mesmos Réos nas suas respectivas prizões, e a sua defeza pelo Advogado, que para esse fim lhes foi nomeado pelo Accordaõ folhas sette: Mostra-se, que alguns dos mesmos Réos, esquecidos da fidelidade devida ao nosso Legitimo Soberano, e que tem feito em todos os tempos o caracter dos Vassallos do mesmo Senhor, conceberam o detestavel e horroroso designio de uma sublevaçaõ, para o fim de mudar o Governo estabelecido pelo mesmo Senhor, substituindo-lhe outro revolucionario, com o fingido titulo de Conselho Regenerador, preparando-se para esse fim com Diplomas em pergaminho, com a denominaçaõ de Carta Credencial, de umas Instrucçoens, e methodo para a adquisiçaõ de Socios, de Proclamaçõens impressas com a assignatura de Conselho Regenerador, cheias de expressoens infames, e sediciosas, de uns pequeninos Mappas em citavo para nelles se indicar o número das pessoas convocadas para a dicta infame conspiraçaõ, assim como dos donativos, que para isso se dessem, e de quartos de papel, que eraõ os modellos para a fórma da correspondencia, cujos papeis se destinavam para a authorizaçaõ dos Emissarios, que deviaõ ser mandados ás Provincias para a aliciaçaõ de Socios, e que chegáram a ser entregues a dous Emissarios pouco antes do dia vinte de Maio deste anno, em que se deo a primeira denúncia com a appresentaçaõ de um dos dictos pergaminhos com a dicta denominaçaõ de Carta Credencial, com sello de lácar verde pendente de uma fita gredelem, e branca, e datada em treze de Maio deste anno, de vinte e quatro Proclamaçõens impressas, e dos mais papeis referidos, que formam o corpo de delicto para a Devassa, tendo alguns dos mesmos Réos comprado uma Imprensa Ingleza para a impressaõ das sobredictas Proclamaçõens, a qual foi apprehendida em quatorze de Junho deste anno, na fórma que consta pelo appenso N°. 4, mostrando-se por tudo, que uns dos mesmos Réos foraõ os instaladores da infame Conjuraçaõ, outros cooperadores e influentes, outros associados, uns com juramento, e outros sem essa formalidade, outros sabedores della, mais ou menos circumstanciadamente, e outros indicados em differentes circumstancias, como se passa a especificar relativamente a cada um delles.

Mostra-se quanto ao Réo José Joaquim Pinto da Silva nos seus Interrogatorios do appenso N°. 7, confessar este nas respostas ás segundas perguntas, e declarar, debaixo de juramento pelo que respeitava a terceiro, a existencia da Sociedade Conspiradora na maneira seguinte: que visitando o Coronel Manoel Monteiro de Carvalho, quando estava doente, conversára sobre os Planos, e Regulamentos novos para o Exercito, discorrendo o dicto em absurda politica na divisaõ de Portugal em tres partes, e influencias de Naçoẽs Estrangeiras, e da Ingleza em Lisboa, declarando o mesmo Monteiro, que era necessario fazer-se opposiçaõ a este Plano: que retirando-se elle Réo, e voltindo passados poucos dias á casa do mesmo Coronel Monteiro, este lhe propuzera quizesse associar-se para o fim proposto, e que conferisse com José Ribeiro Pinto que acceitára a associaçaõ, e que lhe dera a conhecer os Socios José Campello de Miranda, o Major José Francisco das Neves, Antonio Cabral Calheiros, e Henrique José Garcia de Moraes;e que o dicto Coronel Monteiro, e Josê Ribeiro Pinto lhe declaráram, que Gomes Freire estava á testa da Sociedade: que vira na casa do dicto Henrique José Garcia Proclamaçoens impressas, iguaes á que lhe foi mostrada, e confessa que assistira na casa do dicto Henrique á recepçaõ de dous Socios apprcsentados pelo referido Cabral com assistencia do dicto Henrique, e de José Ribeiro Pinto: que propuzera ao Coronel Monteiro, e José Ribeiro Pinto para a Sociedade a Manoel de Jesus Monteiro, e que convindo este, fôra por elle appresentado na casa No. 51 da rua de Saõ Bento, do dicto Henrique, presente este, e José Ribeiro Pinto, servindo elle Réo de Secretario no acto do juramento, no qual o mesmo Manoel de Jesus Monteiro offereceo a sua vida á Sociedade para o estabelecimento de Rey Constitucional, e naõ Republica: que elle Réo sabia de sciencia certa serem Socios o Coronel Monteiro, José Ribeiro Pinto Major José Francisco das Neves, José Campello, Antonio Cabral Calheiros, Henrique José Garcia, Manoel de Jesus Monteiro, e mais dous: que pedira ao Coronel Monteiro, e a José Ribeiro Pinto o ser elle Réo appresentado a Gomes Freire, mas que naõ o conseguio: declara que a Imprensa fora comprada por Antonio Cabral Calheiros com dinheiro recebido de José Ribeiro Pinto, e que este trabalhára nella com o dicto Henrique na casa deste,

Nº. 51 da rua de Saõ Bento: que elle Réo vira mais de cem Proclamaçõens impressas para serem remettidas para as Provincias, e se espalharem na occasiaõ da explosaõ: declara mais, que foram tres os Commissarios, Antonio Cabral Calheiros para Santarém, outro para a Provincia da Beira, e José Ribeiro Pinto para o Porto, e sua Provincia; o qual dissera a elle Réo, que hia estabelecer novas Commissoens: e nas terceiras perguntas declara, e confessa, que os pasquins manuscriptos contra o Marechal General, por que perguntado era, foram feitos por José Ribeiro Pinto, e affixados por Josè Campello de Miranda, e um por elle Réo na Igrega de Saõ Paulo; dizendo elle Réo nas suas respostas ás quartas perguntas, que a Sociedade tivera principio no Mez de Fevereiro deste anno, e que elle Réo tivera della noticia nos principios de Março.

Mostra-se; quanto ao Réo José Campello de Miranda, confessar nas repostas ás primeiras perguntas do appenso Nº. 8, depois de negar ao principio, que no dia seis de Maio deste anno estivera em casa de José Ribeiro Pinto para a recepçaõ de dous Socios, que nessa occasiaõ se naõ verificou; e declara debaixo de juramento, pelo que respeita a terceiro, que na Pascoa deste anno recebêra um recado do Coronel Monteiro, participado por José Joaquim Pinto da Silva, Alferes do Regimento do Infantaria N. 4, em consequencia do qual, vindo a casa do dicto Coronel Monteiro, rolou a conversaçaõ contra o Marechal General, contra o Regulamento Militar, concluindo o mesmo Coronel Monteiro as suas costumadas absurdas declamaçoens com dizer, que era necessario matar, e desfazer-se do dicto Marechal General, e que para isso formára uma Sociedade de amigos, denominada Conselho Provisorio, o qual trabalhava com o maior esforço para aquelle fim, e que por seus esforços contava com a Tropa, e propoz a elle Réo o entrar na Sociedade; destruindo as objecçoens, que elle Réo lhe fizera, que elle Reo tornara outra vez a casa do mesmo Coronel Monteiro persuadido por José Ribeiro Pinto; e repetindo terceira visita á mesma casa, estando presentes o mesmo Coronel Monteiro, José Ribeiro Pinto, e Major José Francisco das Neves, elle Réo se associou, naõ se ligando com juramento, promettendo porém segredo, e adquirir Socios, e acceitando a missaõ para a sua Provincia; que naõ convidára pessoa alguma nesta Cidade; e declara serem Socios o dicto Coronel Monteiro, José Ribeiro Pinto, Major Neves, José Joaquim Pinto da Silva, e Antonio Cabral Calheiros. Declara nas suas respostas ás segundas perguntas, e de ouvida aos referidos nas primeiras perguntas, que o Architecto, e outros, sabia eram Socios, mas que ignorava quaes fossem os Membros do Senado Regenerador, a naõ serem os Socios, que já disse de sciencia certa: que víra na maõ de José Ribeiro Pinto a Proclamaçaõ, e na de Antonio Cabral varios papeis, e que estes recebéram papeis para commissõens, que haviam Proclamaçõens impressas, que elle víra: que existia a Imprensa comprada pelos dictos Cabral, e Ribeiro Pinto: que naõ havia local certo para se ajunctarem; mas que no Passeio público, e no Rocio se ajunctavaõ ordinariamente: que o fim da Sociedade era a morte do Marechal General, e a mudança do Governo, surprehendendo com Tropa o dicto Marechal General, os Governadores do Reyno, e Authoridades constituidas: que o Coronel Monteiro lhe disséra, que em Hespanha havia revoluçaõ prompta, que esperava pela de Portugal para se declarar, porém que elle Réo naõ sabia que houvesse correspondencia de Portugal com Hespanha: que para commandar a Tropa na falta do Marechal General se lembravam de Gomes Freire: que seu parente Antonio Pi to da Fonseca Neves naõ era da Sociedade mas que sabia della; e reconhecia elle Réo nas suas respostas as terceiras perguntas as Proclamações impressas, por ter visto outra identica na maõ do dicto Antonio Cabral, que sabia da existencia dos pasquins, porque fora perguntado, feitos por Ribeiro Pinto, que elle Réo affixou no Rocio, e outros lugares, na companhia de José Joaquim Pinto da Silva, que affixou um na Igreja de Saõ Paulo; e declara nas respostas ás quartas perguntas, que a primeira pessoa, que lhe fallou na Sociedade, fôra Jose Joaquim Pinto da Silva, ao qual, a José Ribeiro Pinto, e ao Coronel Monteiro considera como instaladores della; e que José Ribeiro Pinto lhe dissera, que Gomes Freire queria figurar, quando o fossem buscar a sua casa, no caso que a Naçaõ estivesse em perigo.

Mostra-se quanto ao Réo José Ribeiro Pinto, declarar este, debaixo de juramento, pelo que respeitava a terceiro, e confessar nas suas respostas ás primeiras perguntas do appenso No. 10, que suspeitava ser a causa da sua prizaõ a Sociedade de Maçon, em que entrára, e a outra da sublevaçaõ: que esta ultima tivera principio em Abril deste anno, e que fôra instalado nella por José Joaquim Pinto da Silva, pelo Coronel Monteiro, e por José Campello, aos quaes depois se reunio para diligenciar a extensaõ da Sociedade; entrando nella Antonio Cabral Calheiros, o Major José Francisco das Neves, Francisco Antonio Architecto, Pedro Ricardo de Figueiró, Henrique José Garcia, Manoel de Jesus Monteiro, Manoel Ignacio de Figueiredo, e outros: que Antonio Pinto da Fonseca Neves soubéra disto mas que naõ era associado, que os Membros do Conselho Regenerador fôra ficçaõ delle Réo, e de seu primo José Joaquim Pinto da Silva, do Coronel Monteiro, e de José Campello, para darem mais crédito á Sociedade, e illudirem aos que nella entrassem, sendo debaixo da mesma ficçaõ fabricados por elle Réo, e pelo dicto Antonio Cabral, e segundo as idéas dos sobredictos as Instrucções, Credenciaes, Proclamações, e todos os mais papeis, que se organizáram tendentes á mesma Sociedade, a qual contava com Gomes Freire para figurar á sua frente, que tinha todo o conhecimento della, e que só appareceria á sua frente quando houvesse um grande Partido, e o fossem buscar a sua casa: que foram impressas as Proclamações por elle Réo, e por Henrique José Garcia, na casa deste, na rua de Saõ Bento. que a Imprensa fora comprada por elle Réo, e Antonio Cabral com o dinheiro que elle Réo déra, e o Major José Francisco das Neves. Declara e confessa mais nas suas respostas as segundas perguntas, que tivera duas intervistas com o Tenente General Gomes Freire, sendo appresentado a primeira vez pelo Coronel Monteiro: que na segunda, que teve lugar na presença do dicto Coronel Monteiro, e do Major Neves, se fallou sobre o objecto, e fim da Sociedade, lendo-se entaõ a Proclamaçaõ, que depois veio a imprimir-se com alguma alteraçaõ; e depois da sua leitura o mesmo Tenente General confirmou a todos, que sómente no caso de grande partido formado, e de o irem buscar a sua casa, elle figuraria á frente da Sociedade, de cuja existencia já estava anteriormente instruido pelo Coronel Monteiro, e se deo a todos por sabedor naquelle momento: que nenhuma outra pessoa, além das por elle já nomeadas entrou na conspiraçaõ, sendo uma ficçaõ a lembrança do Conselho Regenerador que reconhecia os papeis todos, que lhe foram appresentados, e referidos no Auto, serem os mesmos, e identicos, e que a letra da Credencial era do seu proprio punho, disfarçada de proposito: que a nota do registo della fôra feita por Cabral, e que as rubricas, e nomes, que nella se acham, saõ apócrifos: que a fita fôra comprada por elle Réo, o pelo seu Camarada: que um *G* de ponto azul, que se acha no alto da mesma fita, quer dizer Governo, e fôra igualmente feito por elle Réo, bem como por elle foram abertas em um páo tres ou quatro letras, que se acham gravadas no sello de lácar verde, e que, segundo a sua lembrança, eraõ *C. A. P.* as quaes naõ tinham significaçaõ alguma, vindo sómente a indicar, que era um sello particular: que as Instrucçoens foram redigidas por elle Réo, pelo dicto Cabral Coronel Monteiro, Major Neves, José Joaquim Pinto da Silva, e José Campello, parecendo-lhe serem escritas as que se appresentavam por letra do Major Neves: que as Proclamaçoens impressas, saõ identicas no formato, e contexto áquellas, que elle Réo imprimio com Henrique José Garcia, sendo todas redigidas debaixo das vistas de todos os nomeados: que o pequeno Mappa, que se lh apresentava, fôra feito por elle Réo, e que as duas formulas de correspondencia as reconhecia como escriptas pela propria letra do dicto Cabral: que o resto do número das cento e oitenta, ou duzentas e oitenta Proclamaçoens impressas, deviam estar em poder, e casa do dicto Henrique José Garcia, onde ficáram, tendo-se tirado dellas sómente o número das que se entregaram ao dicto Cabral, e a outro: que elle Réo naõ levou comsigo papeis, quando saîo de Lisboa; mas que ajustára com o Major Neves, e Coronel Monteiro, o mandarem-lhe Proclamaçoens, e mais papeis, quando os pedisse: que naõ havia dia assignado para affixar as Proclamaçoens, nem o podia ser taõ cedo, porque faltava número bastante de Socios para a explosaõ da conspiraçaõ: que Antonio Pinto da Fonseca Neves naõ fôra associado por palavra, nem por juramento, mas sim era sabedor. Nas respostas ás terceiras perguntas declara, que dissera ao referido Cabral, que Gomes Freire, e Baraõ d' Eben, entravam na Sociedade, e outros, mas que isto fôra para illudir o mesmo Cabral, pois que somente sabia que era Socio Gomes Freire; porque outros, e mesmo o Baraõ d' Eben, era ficçaõ delle Réo, e que era calúmnia, e falso o que dizia o dicto Cabral: que o dicto Cabral fôra o que redigio a Proclamaçaõ, que depois se imprimio com algumas alteraçoens feitas por elle Réo, de accordo com o Coronel Monteiro, e Major Neves, assim como o praticára nas Instrucçõens, e que a referida Proclamaçaõ combinava com a que se lhe mostrava manuscripta, que elle Réo mostrou a Gomes Freire: que concorrêra para as despezas da Impressaõ o Major Neves; e que as Commissoens sómente foram conferidas ao dicto Cabral, e a outro. Nas suas respostas ás quartas perguntas relativamente ás respostas de Cabral nos seus interrogatorios, declara que o dicto Cabral só queria confundir a verdade, dizendo affirmativas, que eram falsas, e calumniosas, com inversaõ da verdade: que as duas Instrucçõens, que lhe eram mostradas, naõ eram do Major Neves como em duvida tinha declarado, mas sim da letra do Socio Manoel Ignacio de Figuiredo, que extraîra tres copias, a rogo delle Réo, de um orriginal que para isso lhe dera, sendo as duas, que se lhe appresentavam as identicas que foram tiradas, havendo elle Réo inutilizado a terceira, por ser imperfeita: que a casa de Henrique José Garcia servia de depósito dos juramentos, e mais papeis; e que elle Réo fôra o Author dos cinco, ou seis pasquins, que fez affixar por José Campello, e José Joaquim Pinto da Silva, e os referio nos seus contextos no appenso Num. 11. Nas quintas perguntas, e suas respostas declarou, que o Baraõ d' Eben naõ teve contacto com elle Réo, nem com outro algum da Sociedade, e que só poderia ter noticia por Gomes Freire, que no dia da recepçaõ de Manoel Ignacio de Figueiredo fôra admittido outro, que poderia ser, o que se lhe aponta, Maximiano Dias Ribeiro; mas que isso poderia ser declarado pelo Coronel Monteiro, e pelo Major Neves: que Antonio Pinto da Fonseca Neves só teve conhecimento da Sociedade por uma communicaçaõ pouco circumstanciada dada por elle Réo, e por lhe ter mostrado o referido Cabral algumas Proclamaçoens: que os que tiveram menos influencia, e que pouco ou nada cooperaram, foram Francisco Antonio de Sousa, Architecto, e Pedro Ricardo de Figueiró; e sendo acareado com o sobredicto Cabral, ficou firme nas suas respostas, o que naõ succedeo assim ao dicto Cabral em algumas cousas.

Mostra-se quanto ao Réo Manoel Monteiro de Carvalho, confessar elle por ultimo, e declarar debaixo de juramento, pelo que respeitava a terceiro, nas suas respostas ás primeiras perguntas do appenso No. 12, a existencia da Sociedade, e ser delle Réo conhecida, e á mesma associado, por ter sido arrastado pelo Alferes José Ribeiro Pinto: que a Sociedade principiára no fim de Fevereiro deste anno, e que o dicto Ribeiro Pinto fôra o que lhe pintára o Plano em conversaçaõ para a mudança de Governo, e que elle Réo se ligára sem juramento, e só por palavra de honra, sendo o principal Author o dicto Ribeiro Pinto; e que faziam parte dos associados Francisco Antonio de Sousa, Architecto, convocado por elle Réo tambem sem juramento; o Major José Francisco das Neves, associado pelo dicto Ribeiro Pinto, e por elle Réo, tambem sem fôrmula alguma; José Joaquîm Pinto da Silva, convocado por Ribeiro Pinto; Henrique José Garçia, associado por elle Réo, e pelo dicto José Ribeiro Pinto, o qual se prestou com a casa que tinha de sua maõ, na rua de Saõ Bento, para as unioens dos Socios, e para a imprensa; sendo certo, que na dicta casa se trabalhou, e que tambem era associado José Campello, e um individuo Manoel, convocado por José Ribeiro Pinto, que foi ajuramentado, sendo presente ao juramento elle Réo, o dicto Ribeiro Pinto, o Major Neves, sendo Orador o mesmo Ribeiro Pinto, e Secretario Henrique José Garcia, dono da casa: que tambem foram associados Antonio Cabral Calheiros, e outro, expedidos em Commissaõ, o primeiro para Santarém, e o segundo para a Provincia da Beira, aos quaes se entregáram na livraria de Francisco Antonio de Sousa, Architecto, em duas differentes noites, as suas Credenciaes, Instrucçoens, Mappas, e mais papeis, sendo presentes á entrega elle Réo, o dono da casa, José Ribeiro Pinto, que os trazia comsigo, de cuja maõ passáram para a delle Réo: que naõ havia Presidente daSociedade; e que era ficçaõ a denominaçaõ de Conselho Regenerador, sendo José Ribeiro Pinto author de todos os papeis, que serviam para impor: que o dicto Architecto conveio com elle Réo em que a entrega das Credenciaes fosse feita na sua casa, por ser mais nobre do que a delle Réo: que o Conselho Regenerador nunca existio, mas sómente na imaginaçaõ do dicto José Ribeiro Pinto: que o Plano éra surprehender os Governadores do Reyno, e o MarechalGeneral, e na manhaã seguinte parte da Tropa espalhada, e parte reunida, pederia General, o qual nomearia um Governo Provisorio, e evitaria as desordens, cujo Governo cuidaria na Administraçaõ, em quanto se naõ convocassem Côrtes, nas quaes se nomearia um Rey Constitucional: que o General lembrado era Gomes Freire, ou outro, por vontade ou por força, sendo que nenhum delles sabia do Plano: que a Imprensa fora arranjada pelos dictos Antonio Cabral, e JoséRibeiroPinto; e que na casa de Henrique José Garcia, na rua de Saõ Bento, se imprimíram cento e oitenta, ou duzentas e oitenta Proclamaçoens. Nas respostas ás segundas perguntas declara, que naõ fôra José Ribeiro Pinto o primeiro, que lhe noticiára a Sociedade, mas sim José Joaquim Pinto da Silva, depois José Campello, e em terceiro lugar o dicto

José Ribeiro Pinto; que a primeira intervista com o Alferes José Joaquim Pinto da Silva fôra em Janeiro deste anno, estando elle Réo doente; negando ser elle Réo o primeiro que fallára aos dictos dous Pintos, e a Campello, mas que estes foram, como já dissera, os que fallâram na Sociedade, e os que o arrastáram a ella: que era verdade ter elle Réo communicado ao Tenente General Gomes Freire o Plano da mudança do Governo. e a Sociedade, ao que elle respondêra ser necessaria prudencia, e madureza nisto; e que elle se naõ offerecêra para ella: que appresentára ao mesmo Gomes Freire, depois da Pascoa deste anno, o Major José Francisco das Neves, e o dicto José Ribeiro Pinto, como associados; e que este lêra na presença de todos uma Proclamaçaõ, que comsigo levava, que depois foi impressa com alguma alteraçaõ, acontecendo que o mesmo Gomes Freire deo a sua approvaçaõ, particularmente pelo que respeitava ao Marechal General, a respeito do qual era bem feita qualquer maquinaçáõ, por ser um Despota, que se arrojava a disputar Authoridade com o Governo; e que communicára ao mesmo Gomes Freire a missaõ dos dous Emissarios para Santarém, e Provincia da Beira, o qual dissera a elle Réo, que a missaõ com taes papeis era arriscada, uma vez que naõ houvesse confiança nas pessoas, a quem eram entregues.— Nas suas respostas ás terceiras perguntas declara ter convocado a Pedro Ricardo de Figueiró, que naõ fôra ajuramentado, mas que teve conhecimento, se naõ de todos ao menos de parte dos papeis da Sociedade: que a uniaõ para as conversaçõens era no Passeio, Rocio, e em outros lugares públicos; e para a recepçaõ dos Socios servia a casa de Henrique José Garcia, na rua de Saõ Bento: que a imprensa, antes de passar para a dicta casa na rua de Saõ Bento, estivera na delle Réo dous dias, e uma noite, mandada para alli por José Ribeiro Pinto. Nas suas respostas ás quartas perguntas declara; que Gomes Freire sabia de tudo, mas que naõ era associado, e nisto concordou com José Francisco das Neves na sua accareaçaõ; e por elle Reó foi desmentido Antonio Cabral na accareaçaõ com este, por ser fantastico o Conselho denominado Regenerador, e falsa a enumeraçaõ de outras pessoas, pelo dicto Cabral apontadas; declarando ultimamente nas suas respostas ás quintas perguntas, que alem dos Socios jà por elle apontados, havia um Official da Artilharia montada, convocado por José Joaquim Pinto da Silva, e que elle fora diminuto nas respostas ao primeiro Interrogatorio em naõ declarar, que na occasiaõ em que fôra recebido Manoel Ignacio de Figueiredo, fora tambem recebido Maximiano Dias Ribeiro, por elle Réo convocado, a quem patenteára o objecto da Sociedade, o qual se prestou a tudo, offerecendo logo quatro moedas, que lhe naõ foram acceita; e que a desesperaçaõ, em que elle Réo se via por falta de meios de subsistencia, como Official reformado pelo despotismo do Marechal General, devendo-se-lhe trinta mezes de soldo, e onerado com familia de mulher, e filhos menores, lhe déra forças para conceber projectos contra o Author de tantos males; e que o Architecto, e Pedro Ricardo, apenas eram sabedores da Sociedade.

Mostra-se quanto ao Réo Gomes Freire de Andrade, confessar, e declarar debaixo de juramento pelo que respeitava a terceiro, nas suas respostas ás perguntas que formam o appenso No. 15, em que se notam contradicçoens e icoherencias, dizendo, que conhecia o Coronel Manoel Monteiro de Carvalho, com quem se visitava mutuamente sem nenhuma familiaridade, e que conversavam sobre objectos Militares, e contra Inglezes, e sobre o regulamento: que conhecia o Alferes José Ribeiro Pinto Francisco Antonio de Sousa, Architecto, e o Baraõ d'Eben com familiaridade: que naõ conhecia a existencia da

Sociedade da conjuraçaõ, naõ obstante ser Maçon, ou Pedreiro Livre: que naõ tivera noticia de papeis alguns; e que evitava apparecer em publico, e particularmente em ajunctamento Militar, porque temia que algum Soldado clamasse, dizendo: Alli está o nosso General; e passa a dizér nas suas respostas ás segundas perguntas, que fôra visitado em Abril deste anno pelo Coronel Monteiro, que lhe appresentou o Major José Francisco das Neves, e o Alferes José Ribeiro Pinto, e os recebêra no seu particular gabinete: que o dicto Ribeiro Pinto era a segunda vez que hia a sua casa, e que o Coronel Monteiro, e dicto Ribeiro Pinto lhe fôraõ fallar sobre os Planos, que elle Réo vío na sua propria casa, assim como a Proclamaçaõ manuscrita, que levava o dicto Ribeiro Pinto, em um dos dias do mez de Abril, em que os acima fôram a sua casa, e lhe falláram na desgraça da Patria, dizendo, que haviam bons Portuguezes, que queriam obstar á ruina de Portugal, que contavam com elle Réo na occasiaõ, ao que elle Réo respondêra, que a empreza era muito difficultosa, e arriscada, e que era preciso andar com cuidado; porem fazendo logo tençaõ de conhecer a fundo o de que se tractava para no caso de que houvesse uma subita explosaõ, elle Réo poder dar, mediante a sua popularidade, a precisa direcçaõ a ella, para conservar o Reyno ao Soberano, evitar a anarchia, e salvar a Patria delle Réo; que conhecia mais outros Conspiradores contra a Authoridade Real, segurança e tranquilidade publica, como fez constante, nomeando-os ao Marechal General, para ser presente o protesto que fizéra, junctamente com as provas, a Sua Magestade: que até agora naõ tinha immediatamente declarado o que se lhe tinha dicto a este respeito, talvez por demasiada delicadeza, e humanidade, vendo que os Réos estavam prezos, e ja naõ podiam fazer mal; e que naõ denunciára, porque tendo adherido ás propostas dos sobredictos para melhor saber o numero das pessoas, que entravam,e a sua qualidade por isso esperava obter melhor informaçaõ, sendo os sobredictos os unicos que lhe falláram sobre este facto: que o Baraõ d'Eben nada sabia, o que elle Réo sabe de sciencia certa, e que víra uma Proclamaçaõ impressa na maõ do Coronel Monteiro, ignorando quem a imprimíra; que naõ sabia que houvesse Plano determinado até ao dia de sua prizaõ, nem elle Réo o tinha dado para se effeituar motim, ou sediçaõ popular; porém que os dictos Conspiradores andavaõ tratando dos arranjamentos necessarios, encarregando-se o Alferes José Ribeiro Pinto, como com effeito se encarregou para marchar as Provincias, e nellas dar os passos necessarios para a referida sediçaõ; e que ignora o nome do Conselho Regenerador, mas que suspeita que a raiz detudo isto provém dos liberaes Hespanhoes, por ter visto, e observado muitas revoluçõesHespanholas: passou depois nas respostas ás teirceiras perguntas a dizer, que o Coronel Monteiro depois do dia, em que com o Major Neves, e Ribeiro Pinto, estiveram em sua casa para o convocarem para a rebeliaõ, lhe certificou, que o Commandante do Regimento de Infantaria Nº.16, chamára a Ribeiro Pinto para lhe perguntar pelo motivo da sua demora nesta Cidade: que a Proclamaçaõ impressa julgava ser a mesma, que Ribeiro Pinto lhe mostrou em má letra, que lhe custára a ler, com pouca differença: que víra o pergaminho, que lhe apresentou o Coronel Monteiro com sello pendente, e fita, que era a Credencial, na qual elle Réo reprovou o titulo de Vingança, e Uniaõ: que quanto aos Planos, que elle Réo disse tinha visto em sua casa, declara agora, que ja mais vîra estes Planos, e que respondera na persuaçaõ dos Planos, que elles tinhaõ em projecto para em geral revoltarem a Naçaõ, e para o que tinhaõ ido convidar a elle Réo, naõ tendo visto nunhum parcial, nem Instrucçoens algumas de Constituiçaõ, ou arranjamentos da Sociedade relativos ao mesmo Plano, até mesmo, porque exigindo delle Réo o Coronel Monteiro para que na vespera da explosaõ comparecesse para dar as suas ordens, como fosse conveniente, elle Réo lhe dísse, que naõ precisava comparecer, que fossem elles Socios buscallo a sua casa, para o que elle se promptificaria, porque semelhantes disposições eram como uma batalha, que por mais bem concertadas que fossem, podiam ser falliveis, sendo necessario dispollas de modo, que se pudesse dar segunda, ignorando com tudo elle Réo o dia, e hora da explosaõ, apezar de estar persuadido, que poderia ser muito proxima; e tanto que elle Réo muitas vezes de noite, ouvindo qualquer bulha, se punha alerta a esperar qualquer successo, porque estava duvidoso se os dictos Socios o tinham ido convocar, tendo já tudo prompto, e faltando só a pessoa delle Réo: que o Coronel Monteiro fôra o primeiro, que fallára a elle Réo na sobredicta Conspiraçaõ no principio de Abril; e os sobredictos no dia seis do mesmo mez deste anno, e que o dicto Coronel Monteiro era escolhido pelos Socios como canal para com elle Réo; sendo o projecto delle Réo, que succedendo a explosaõ de repente, e vindo os associados buscallo a sua casa para comparecer, como lhes tinha promettido, cujo successo esperava a ausencia do Marechal General, que se dizia havia de partir depois do dia seis de Abril; neste caso projectava elle Réo o vêr por meio da sua popularidade se se punha á testa da força armada, para assim fazer alguns arranjamentos Politicos, como convidando Bispos, Grandes do Reyno, e Nobreza, fazendo uma especie de Juncta de Tres Estados para regular os Negocios deste Reino, se o Governo existente tivesse sido anniquillado pelos Conspiradores, e depois dar parte a Sua Majestade deste successo; tendo igualmente meditado, para obstar á anarchia das Provincias, o propôr neste Conselho, creado provisoriamente, que cada uma das Provincias mandasse um Deputado, que a representasse, para desta fórma evitar a creaçaõ de Junctas parciaes nas Povoações principaes do Reino, como perigosas para o bom regimen; porém que tendo-se demorado o Marechal General, e naõ sendo possivel obter com promptidaõ, e brevidade a adhesaõ da necessaria força armada para se verificar a explosaõ premeditada, tinhaõ elles Conspiradores communicado a elle Réo, que se fazia necessaria a medida de prender todas as Authoridades Civís, e Militares desta Côrte, ao que elle Réo annuio, assim como fez a todas as suas propostas, para melhor conhecer os seus projectos; e verificadas que fossem as dictas prizoens, e tumulto,que suppunha elles promoveriam neste segundo caso compareceria elle Réo para fazer iguaes arranjamentos sobre a organizaçaõ deste Reino, como referio no primeiro caso; e sendo-lhe perguntado se naõ seria mais facil soltar, e libertar os Governadores do Reino, e Authoridades constituidas, das prizões, e maleficios projectados,do que instaurar um novo Governo a seu arbitrio, respondeo, que sobre este objecto havia elle Réo consultar as circumstancias, e o espirito Nacional: se o Povo por descontente recusasse a continuaçaõ do Governo actual deveria verificar o projecto da creaçaõ da nova Juncta; se com tudo o Povo insistisse pela continuaçaõ do actual Governo, e naõ se oppuzesse a esta medida, ver-se-ia elle Réo talvez obrigado a estabelecello do mesmo modo, que anteriormente se achava estabelecido: que a sua consciencia lhe dictava naõ ser crime neste caso a mudança do Governo, por julgar que era o unico meio de acalmar a sediçaõ popular: que naõ fôra violentado para entrar nesta trama, que a naõ communicou, nem convocou pessoa alguma, e que naõ tinha noticia certa de que fossem Conspiradores, senaõ o Coronel Monteiro, o Major Neves, e

Ribeiro Pinto; e que presumia que o seria o Arquitecto por ser amigo do dicto Coronel Monteiro. Nas suas respostas ás quartas perguntas declara, que o Baraõ d'Eben lhe communicára, na casa delle Reó, ter recebido pelo Correio uma carta anonyma com uma Proclamaçaõ sediciosa; mas naõ lha mostrando, segundo lhe parece, logo lhe aconselhou, que a naõ deixasse ver a pessoa alguma, e a queimasse; porque do contrario lhe podia resultar crime: que o memo Baraõ lhe naõ mostrára outro papel, e só lhe fallou em pasquins, que tinhaõ apparecido, que lhe parece se podem imputar aos Conspiradores: que elle Réo occupa na Sociedade Maçonica os primeiros lugares: e que os principaes membros desta Sociedade estavam no Brazil; declarando ultimamente nas suas respostas ás quintas perguntas, que o Baraõ d'Eben perguntára a elle Réo, se era verdadeira a existencia da Sociedade conspiradora, o que elle Réo negára ao mesmo Baraõ.

Mostra-se quanto ao Réo Henrique José Garcia de Moraes, que foi Sargento do Regimento de Infantaria No. 4, confessar, depois de negar no principio, e declarar debaixo de juramento, pelo que respeitava a terceiro, no appenso No. 22, que fôra arrastado ao seu crime pelo Coronel Manoel Monteiro de Carvalho, cuja casa frequentava, e lhe ouvia declamar contra a falta, que experimentava do pagamento do seu soldo, e contra os desperdicios com a sustentaçaõ de um Estado Maior taõ numeroso, como era o que tinha o General em Chefe, e com os avultadissimos soldos, que a este se faziam, cuja avultada despeza seria bastante para o pagamento dos Officiaes reformados, do Monte Pio, e para accudir a outras despezas indispensaveis: que na occasiaõ da Pascoa proxima passada, quando se tractou de dar execuçaõ ao novo Plano de Recrutamento, se exacerbou mais o azedume do mesmo Coronel Monteiro; e fallando em particular com elle Réo, lhe dissera, que os males, que deviam seguir-se da execuçaõ do dicto Plano eram tam prejudiciaes á Naçaõ, e a todas as classes de individuos, que a compôem, que era necessario que houvesse algum rasgo da providencia, que a salvasse da miseria, e opprobrio, que a esperava, sem que nesta occasiaõ se lhe declarasse mais: que passados pouco mais de quinze dias, achando-se elle Réo em casa do dicto Coronel Monteiro, este, chamando-o de parte, e pintando-lhe novamente os males da Naçaõ, indicando sempre, como causa delles, o Marechal General, lhe communicára a existencia de uma Sociedade de Amigos, que estavam determinados a surprehender, em occasiaõ opportuna, o mesmo Marechal, e Officiaes Inglezes empregados nos Corpos, e dar nova fórma ao Exercito, fazendo occupar os dictos postos por Officiaes benemeritos Portuguezes, que se achavam em desgraça; e que em consequencia convidára a elle Réo para entrar na mesma Sociedade, no que elle Réo conveio, compromettendo-se a guardar segredo inviolavel, porém sem fórmula alguma de juramento; e que logo depois disto, sabendo o dicto Coronel Monteiro da casa N°. 51, que elle Réo tinha de sua maõ na Rua de Saõ Bento, lhe dissera, que aquella casa havia de ser necessaria para alli ir com alguns sujeitos, ao que elle Réo deo tambem o seu consentimento, acontecendo que logo no dia seguinte depois de noite, estando elle Réo na dicta casa, appareceo alli o dicto Coronel Monteiro, acompanhado de José Ribeiro Pinto, que desde entaõ conheceo pessoalmente, apparecendo logo depois José Joaquim Pinto da Silva, conhecido antigo delle Réo; e como este dissesse aos sobredictos, que naquella noite já naõ podia vir quem esperavam, se retiráram todos, ficando advertido elle Réo para alli estar no dia seguinte, conhecendo nesta occasiaõ, que o dicto José Joaquim Pinto da Silva era tambem dos associados; e que na noite do dia seguinte, que naõ póde datar, mas que foi depois dos primeiros dias de Maio, seriam oito horas da noite, apparecêram os dictos dous Alferes Pinto, e pouco depois entrá-ram mais tres sujeitos, dos quaes um tinha farda de Militar, sendo o terceiro, que os conduzia, o que figurava de Padrinho, e a fórma da recepçaõ foi da maneîra seguinte: Havia uma só véla acceza em cima de uma banca, com uma bandeira de papel para fazer sombra, do lado da qual estavam assentados elle Réo, dando a direita ao Alferes José Joaquim Pinto da Silva, ao qual se seguia o dicto Ribeiro Pinto, estando do lado opposto assentados com as caras voltadas para a luz os dictos, Militar, e outro, e proximo destes, chegado a uma pequena banca, estava o Individuo, cujo nome ignora, e que servíra de introductor, que assim collocados, passou o Alferes José Ribeiro Pinto a perguntar ao Militar o seu nome, ao que elle satisfez; perguntando-lhe depois se era Portuguez, respondeo, que sim, e como tal esperava acabar; perguntando-lhe depois o que pensava do estado, em que se achava a sua Patria, e quaes julgava serem os seus deveres como Portuguez, respondeo, que via a sua Patria muito ameaçada, e na maior desgraça; e que os seus deveres como Portuguez, eram concorrer da sua parte por todos os modos possiveis para a minoraçaõ desta desgraça; perguntando-lhe mais se desejava cumprir com estes deveres, unindo-se á uma Sociedade destinada a morrer pela satisfacçaõ delles respondeo, que sim; e perguntando-lhe mais, que meios, ou recursos tinha para cooperar aos fins desta Sociedade, respondeo, que concorreria com todos os meios; que fysica, e moralmente tivesse á sua disposiçaõ; e mais lhe perguntou, se estava disposto a ratificar as declarações, que fazia debaixo do juramento dos Santos Evangélhos, ao que respondeo, que nada de juramento, e que bastava a sua palavra de honra debaixo da qual se bem recorda elle Reó, tendo a maõ em umas horas, assignou o seo nome em duas partes em ratificaçaõ do que dissera: que as mesmas formalidades se praticáram com o outro Individuo, que saõ identicas com as escriptas nas Instrucçoes folhas onze do Corpo do delicto; e que depois se retiráram todos: que passados dous, ou tres dias fôra avisado pelo Coronel Monteiro, para se achar na dicta casa numero cincoenta e um; e indo, seriam oito horas, appareceo José Ribeiro Pinto, e depois José Joaquim Pinto da Silva, com Manoel de Jesus Monteiro, tractando-se logo da recepçaõ deste; o que se fez com a mesma formalidade, admittindo-se pelos dictos dous Alferes Pinto e elle Réo servindo de Padrinho, e Secretario José Joaquim Pinto da Silva; que passados alguns dias fôra elle Réo avisado pelo Coronel Monteiro para outra recepçaõ, que se verificou em Manoel Ignacio de Figueiredo com a sobredicta formalidade; sendo Membros da recepçaõ o Coronel Monteiro, Major Neves, Ribeiro Pinto, e elle Réo; e que estas saõ as recepções, que se fizeram na sua dicta casa, e que naõ constava, que em outra casa se fizessem semelhantes recepções: que naõ sabia da existencia do Conselho Regenerador; porém que sabia de sciencia certa, e por uma Proclamaçaõ manuscripta, que Josè Ribeiro Pinto levára a sua casa na rua de Saõ Bento, se imprimíram na mesma casa uns duzentos e oitenta, ou trezentos exemplares, a cujo trabalho assistiram sómente elle Réo, e o dicto Ribeiro Pinto, que tinha feito conduzir pelo seu Camarada em um sacco a Imprensa para a casa delle Réo, dizendo-lhe que se tinha comprado, e escarnecendo, que se permittisse a venda de semelhantes officinas; accrescentando, que eram uns bellos presentes, que aqui nos introduziaõ os nossos amigos Inglezes, sendo certo, que no dia seguinte, ao em que a Imprensa foi para sua casa, que seria no dia treze, ou quatorze de Maio, o mesmo AlferesRibeiroPinto, serîam sette horas da manhaã, fôra para a dicta casa delle Réo, e levára na algibeira maior porçaõ de letras, e principiára a trabalhar na impressaõ, ajudado por elle Réo; e que consumíram seis, ou sette horas em imprimir os referidos exemplares, que ficáram na casa delle Réo, á excepçaõ de alguns, que levou o dicto Alferes Ribeiro Pinto, que dias depois levou a maior parte, deixando ficar uns trinta, ou quarenta; e que reconhecia o exemplar, que era appresentado, ser identico aos que se imprimíram; que no dia seguinte ao da prizaõ do Coronel Monteiro, fora avisado por um parente do mesmo Coronel da dicta sua prizaõ, e que se acautelasse, em consequencia do que fôra elle Réo á dicta casa, e queimára na sua cozinha, dentro de um vaso de barro, as Proclamaçoens, e juramentos prestados, que na referida casa tinham ficado; e nas respostas ás terceiras perguntas reconhece na qualidade de alliciadores, e Socios da Conjuraçaõ a José Ribeiro Pinto, o Coronel Monteiro, que convocou a elle Réo José Joaquim Pinto da Silva, o Major José Francisco das Neves, e Antonio Cabral Calheiros; e por associados os que prestáram os referidos juramentos.

Mostra-se quanto ao Réo Antonio Cabral Calheiros Furtado e Lemos, Alferes dimittido do Regimento de Infantaria Núm. 3, pelas Testemunhas da Devassa números terceiro, quarto, sexto, e setimo, que o Réo lhes lera um papel, que lhes parecia revoltoso, e uma Proclamaçaõ, sendo esta lida na presença da Testemunha número settimo, no Passeio Público, e pelas respostas do mesmo Réo, e suas declaraçoens debaixo de juramento, pelo que respeitava a terceiro, ás perguntas do appenso Número vinte e tres, posto que cheias de contradiçoens, e falsidades, quanto a terceiras pessoas, chegando a nomear algumas, que naõ existiam tanto nesta Capital, como na Provincia do Alem-Tejo, como se demonstrou pelas diligencias, e averiguaçoens, que constam pelos appensos numeros vinte e quatro, e vinte cinco, confessar o mesmo Réo, que naõ ignorava o motivo da sua prizaõ, e que se deixára arrastar, e seduzir para formar parte de uma Sociedade, que tinha por objecto o transtorno da ordem pública, a dissoluçaõ do actual Governo, e a installaçaõ de outro debaixo de formulas constitucionaes; e declara receber a primeira noticia da Sociedade por Antonio Pinto da Fonseca Neves, dizendo ao mesmo tempo ter mostrado ao mesmo Fonseca Neves a Proclamaçaõ, que elle Réo levava na algibeira, e que por aquelle fôra introduzido com José Ribeiro Pinto, ao qual mostrára a mesma Proclamaçaõ; que sendo-lhe mostrada a do appenso número primeiro, a reconhece de sua letra, negando que a tivesse feito, e que Ribeiro Pinto ficára com ella, ignorando quem fôra o seu Author, e que a achára no Rocio juncto ao Botequim da Madre de Deos em uma madrugada, escripta em boa letra, mas em papel muito mal tractado; e por lhe parecer bem feita a copiára, fazendo-a passar por sua, e a lêra a differentes pessoas, emprestando-a por ultimo a quem lha naõ restituio: que conhecia por associados Ribeiro Pinto, Coronel Monteiro, Major Neves, José Joaquim Pinto da Silva, José Campello, o Arquitecto Francisco Antonio, Henrique José Garcia; e pelo ter ouvido a Ribeiro Pinto, lhe parece serem Membros outros; que naõ tinha certeza da existencia do Conselho Regenerador; mas que inferia que existia, e que Ribeiro Pinto lhe dissera, que eraõ Membros do tal Conselho Gomes Freire, Baraõ d'Eben, e outros; e que só o dicto Ribeiro Pinto, Coronel Monteiro, e Major Neves eram os que estavam em circumstancias de poderem fazer as declaraçoens necessarias a estes respeitos. Nas respostas ás segundas perguntas repete o que tinha dicto de Fonseca Neves, accrescentando que este lhe dissera, que Gomes Freire estava á testa da Sociedade, e que o Baraõ d'Eben tambem era Socio; naõ reconhecendo por Socio ao dicto Fonseca Neves, naõ obstante ter conhecimento da Sociedade: que sabia que se imprimíram as Proclamaçõens, e que parte dellas lhe foi entregue, quando elle Réo foi mandado em commissaõ para Santarem: que elle Réo, e Ribeîro Pinto foram tractar da compra da Imprensa, e passados dous dias Ribeiro Pinto lhe dera no Passeio Publico cinco moedas menos um cruzado novo, para a compra della, e utensis, e a fez conduzir para a casa do dicto Ribeiro Pinto no dia da Acclamaçaõ, e que naõ bastando a letra, comprou mais, para o que lhe dera o mesmo Ribeiro Pinto outras cinco moedas em papel moeda, que recebeo do Major Neves, que estava presente, e no Terreiro do Paço: que os papeis por elle Réo recebidos para a commissaõ, éram uma Credencial, umas Instrucçoens, um masso de Proclamaçoens impressas, que poderia conter nove, ou dez exemplares, um Mappa indicativo da correspondencia, outro das forças, e meios, com que a Sociedade podia contar, e que existem em Santarem em poder de seu Cunhado Francisco Leite Sudré da Gama, e que formavam a Commissaõ, de quem elle Réo recebeo os papeis, o Coronel Monteiro, José Ribeiro Pinto, e Arquitecto, em casa do qual, e na sua livraria, lhe foram entregues por maõ do Coronel Monteiro, tendo a dicta entrega por objecto o partir elle Réo em commissaõ para a Villa de Santarem, sua Patria, com o fim de alliciar, e atrahir para Socios todos aquelles, que parecessem habeis para a Sociedade; e que naõ chegára a alliciar pessoa alguma, mas que recebêra juramentos de dous Officiaes, sendo um delles Christovaõ da Costa, sendo notavel esta contradicçaõ de naõ alliciar, e receber juramentos. Nas respostas ás terceiras perguntas naõ reconhece a Verissimo

Antonio Ferreira da Costa por associado, naõ obstante ter elle feito a Analise sobre o Regulamento, chamando Proclamaçaõ a um extracto, ou resumo da mesma Analise em duas folhas de papel, que elle Réo diz pedíra, e de que tirou copia, que perdeo, ou se lhe sumio: que tinha certeza de terem ido em commissõens, Ribeiro Pinto para Traz dos Montes, e girar por outras Provincias, elle Réo para Santarem, e outro para a Provincia da Beira. Nas respostas ás quartas perguntas reconheceo os papeis do appenso número tres, achados na cloaca da casa de seu Cunhado Francisco Leite Sudré da Gama por identicos aos que tinha recebido, e dera a guardar em Santarem ao dicto seu Cunhado, declarando que os naõ tinha aberto, e que a elles naõ estavam junctos os referídos juramentos, porque no dia seguinte ao da entrega a seu Cunhado os tinha mettido em uma gaveta, em que tinha guardado os mesmos papeis em occasiaõ de naõ estar em casa o mesmo seu Cunhado. Na accareaçaõ com Antonio Pinto da Fonseca Neves declara este, que tivera a primeira noticia desta Sociedade, e previamente no dia dez de Março deste anno, por seu primo José Ribeiro Pinto, e naõ pelo Réo Cabral, a quem a transmittíra passados dias; sendo depois disto que o Réo lhe mostrára as Proclamaçõens em número de quatro ou cinco; e muitos dias depois outra, que naõ tinha certeza se era a que se lhe appresentava, tendo depois proporcionado ao Réo uma intervista com seu primo Ribeiro Pinto, e isto porque o Réo lhe mostrou desejos de o conhecer; e em todas estas circumstancias conveio o Réo accareado, accrescentando que as primeiras Proclamaçoens, que Fonseca Neves diz, que elle Réo lhe mostrára, saõ as que copiára do papel, que lhe confiára Verissimo Antonio Ferreira, o qual sendo um só, a differença dos objectos sobre que versava, o fazia parecer diverso: e que a segunda Proclamaçaõ, que fórma o appenso número primeiro, he a propria, que mostrára ao dicto Fonseca Neves.

Mostra-se quanto ao Réo José Francisco das Neves, confessar em suas respostas ás primeiras perguntas, no appenso número vinte e um, depois de ter negado no princípio, declarando debaixo de juramento, no que respeitava a terceiro, que se deixara fascinar pela pintura, que o Coronel Monteiro lhe fizera do estado da Naçaõ, e seu Governo; e que em consequencia das suas persuasõens assentíra em associar-se ao Partido, que já existia formado, e que cuidava sériamente em reparar os males, e occultando-lhe os Socios, que a seu tempo lhe declararia; sendo as animosidades, e vehemencia dos discursos do dicto Coronel Monteiro, naquella occasiaõ, contra o Marechal General, e naõ contra o Governo: que elle Réo fôra convocado, e admittido á Sociedade precisamente pela Pascoa, e que naõ concorréra pouco para acceder ás susggestoens, que se lhe fizeram, a indisposiçaõ geral, que nessa occasiaõ a Naçaõ toda manifestou contra o Marechal General, e contra a execuçaõ do novo plano do Exercito, e que elle Réo fóra admittido á Sociedade sem outras fórmulas mais, do que ter dado a sua palavra ao dicto Coronel Monteiro, offerecendo-lhe, e aos associados, a sua pessoa para o que fosse necessario, sem que se juramentasse, como depois vio practicar com alguns outros: que elle Réo conheceo por principal dos associados o Alferes José Ribeiro Pinto, o qual, segundo lhe disse o Coronel Monteiro, fazia todos os papeis; e depois deste conhecia como tal o Coronel Monteiro, que foi quem convocára a elle Réo, e bem assim ao individuo Manoel Ignacio, que foi recebido com outro, Henrique José Garcia, dono da casa, número cincoenta e um, na rua de Saõ Bento, o Alferes José Joaquim Pinto da Silva; e que tambem lhe parecia ser da Sociedade o parente deste ultimo, chamado Campello, um sujeito de Santarém, chamado Cabral; e que ignorava quaes eram as pessoas que formavam o Conselho Regenerador, e se este existia; e que víra uma Proclamaçaõ manuscripta na maõ de Ribeiro Pinto. Nas respostas ás segundas perguntas declara elle Réo, que a Proclamacaõ, que vira na maõ do dicto Ribeiro Pinto, era toda contra o Marechal General e que com toda a certeza eram Socios José Campello, e Antonio Cabral; e que elle Réo associou outro, a cuja recepçaõ assistíra: que conhecia Christovaõ da Costa, mas que naõ o convocára; e que era falsa a asserçaõ de Antonio Cabral a este respeito: que o Coronel Monteiro lhe disséra, que Gomes Freire estava á testa de tudo, e entrava na associaçaõ, e que elle Réo fòra appresentado pelo Coronel Monteiro ao mesmo Gomes Freire, para o persuadir de que isto naõ era illusaõ; e que naquella época faziam parte da Sociedade o dicto Coronel Monteiro, Ribeiro Pinto, José Joaquim Pinto da Silva, José Campello, Antonio Cabral, e Henrique Jose Garcia: que fòra appresentado a Gomes Freire no meado de Abril, entre as dez, e onze horas da manhã, entrando na casa deste junctamente com o Coronel Monteiro, e Ribeiro Pinto: que foram recebidos pelo dicto Gomes Freire na sua livraria, conversando sobre politica, e tratando-se por Despota o Marechal General entre todos, e attribuindo-se-lhe a audacia de tratar os Governadores do Reyno pela denominaçaõ de Senhores do Rocio: que Gomes Freire dissera entaõ, que elle recusára o convite, que lhe fizera o Marechal General para o baile, que entaõ déra por occasiaõ de se festejar a Acclamaçaõ; e que Ribeiro Pinto puxára da algibeira uma Proclamaçaõ, que lêra contra o Marechal General; surrindo-se o mesmo Gomes Freire, quando se lia a mesma. Nas suas respostas ás terceiras perguntas declara, que Verissimo Antonio Ferreira naõ he Socio, mas sim Author de uma Analise sobre o novo Plano do Exercito, e que he inimigo do Marechal; que se persuadia que Pedro Ricardo era Socio, em razaõ da sua amizade com o Coronel Monteiro; e que se persuadia que Campello, e Ribeiro Pinto, eram Authores dos pasquins, de que o Marechal já naõ fazia caso. Nas respostas ás quartas perguntas, e na accareação com Antonio Cabral, néga as affirmativas deste, e ambos ficaram firmes nos seus dictos, convencendo com tudo elle Réo ao dicto Cabral; e declára que o Author dos pasquins fôra o dicto Ribeiro Pinto, e que Campello fôra quem os affixára; cuja declaraçaõ fez nas suas respostas ás quintas perguntas, addicionando-as em dous de Agosto, que por esquecimento, e naõ por malicia deixou de especificar a Maximiano Dias Ribeiro, como recebido na Sociedade, e convocado pelo Coronel Monteiro, cuja recepçaõ se praticára na casa número cincoenta e um, da rua de Saõ Bento, no dia vinte e um, ou vinte e dois de Maio, na occasiaõ em que foraõ admittidos Manoel Ignacio de Figueiredo, e outro! offerecendo o mesmo Maximiano Dias Ribeiro dezenove mil e duzentos, e Manoel Ignacio de Figueiredo, a sua pessoa, e prestimo pessoal. Por todo o referido se prova com a maior evidencia, que os sobredictos Réos foram os Instaladores influentes, e cooperadores do louco, e infame projecto da horrorosa sublevaçaõ, que felizmente se descubrio, e naõ chegou a ter o detestavel effeito que imaginavam; sendo verosimil, que a naõ estar o Réo Gomes Freire de Andrade possuido dos detestaveis sentimentos revolucionarios, naõ annuiria ás infames propostas, que lhe fizeram uns individuos destituidos de meios, e de alguma representaçaõ attendivel do Público da Naçaõ, e naõ passariam os outros Réos, confiados no apoio, que nelle consideravam, pela representaçaõ da sua qualificada Nobreza, e da pre-eminente Patente de Tenente General, a progredir no seu criminoso, e abominavel projecto.

Mostra-se quanto ao Réo Francisco Antonio de Sousa, declarar elle em trinta e um de Maio deste anno, debaixo de juramento, no que respeitava a terceiro, no termo de declaraçaõ espontanea, e denuncia no appenso numero dezesete, que inferia das prizões do Coronel Manoel Monteiro de Carvalho, o de Gomes Freire, ser motivo da sua, e da daquelles, a desconfiança, que poderia ter o Governo da existencia de uma Sociedade, ou trama; pois que em uma tarde nos fins de Fevereiro andando elle Réo passeando no seu Jardim com o Coronel Monteiro, este dissera em desesperaçaõ, que era já tempo de se abrirem os olhos, convidando a elle Réo para entrar em uma Sociedade, e partido, do qual poderiam provir a ambos felicidades e melhorar de circumstancia: que a semelhante proposta retorquira elle Réo, que queria saber, quaes eram a natureza, e fins dessa Sociedade; ao que o mesmo respondeo, que só podia conhecellos depois de ter entrado nella, ao que elle Réo replicou dizendo, que nesse caso naõ annuia á sua proposta, porque estava contente, com o que tinha e naõ queria ligar-se a Sociedades, que naõ conhecia: que depois deste facto viera no conhecimento por pessoas da familia do dicto Coronel Monteiro, que frequentavaõ a casa deste as mais das noites Officiaes Reformados, e alguns que tinham vindo de França, Gomes Freire, Henrique José Garcia, José Ribeiro Pinto, e outros, e combinando estes factos com o convite feito a elle Réo pelo dicto Monteiro, suspeitou que estes seriam da Sociedade; que o dicto Monteiro lhe mostrára em um dia um papel manuscrito, que continha uma Proclamaçaõ sediciosa, que o mesmo Monteiro tornou a guardar: que em outra tarde o mesmo Monteiro lhe appresentára José Ribeiro Pinto, pedindo-lhe licença para o levar a casa delle Réo, para lhe mostrar a sua livraria, e pinturas; e passados dias, em uma noîte do Mez de Maio, pouco mais, ou menos pelo meio deste Mez, apparecêram na sua casa o Coronel Monteiro, Ribeiro Pinto, e outro Individuo vestido de preto, que se disse ser um Bacharel; e entaõ Ribeiro Pinto, tirára da algibeira um masso de papeis, que entregàra ao Bacharel, retirando-se todos depois, sem que elle Réo ficásse sabendo a natureza de taes papeis: que no dia dezenove, ou vinte do mesmo Mez, entráram outra vez em sua casa os mesmos Monteiro, e Ribeiro Pinto, acompanhados de outro Individuo, que elle naõ conhecia ao qual o dicto Ribeiro Pinto entregára dous, ou tres massos de papeis, que elle Réo pelo formato do papel presumio serem papeis impressos; e que tambem o Coronel Monteiro entregára ao sobredicto outro papel dobrado, que pelo seu formato pareceo a elle Réo ser em papel imperial, ou pergaminho; e que ouvira entaõ dizer ao tal Individuo, que hia para Vizeu; e que na casa delle Réo nada se trabalhou para tam criminosa Sociedade. Em tres de Junho addicionou o referido termo, declarando, que o dicto Monteiro o entretivera em uma occasiaõ com um Plano meditado para sublevaçaõ deste Reyno, e que o Individuo, que elle Réo disse no primeiro termo ser um Bacharel, era Antonio Cabral Calheiros: declarou mais, que na occasiaõ, em que na sua livraria o individuo, que já referio, recebeo de Ribeiro Pinto as Proclamações, e da maõ de Monteiro o Diploma, abrio este o dicto Individuo, e o leo para sî, e guardou, e depois abrio um dos massos das Proclamaçõens impressas, o entaõ he que elle Réo vio o que eram os dictos massos, de que Ribeiro Pinto lhe fizera entrega: e na mesma occasiaõ vio um papel em maneira de Mappa e as Instrucçõens, de que ouvira lêr o terceiro artigo, mas que lhe naõ lembrava o que elle continha, e que o dicto Monteiro lhe dissera que havia uma Imprensa. Nas respostas ás primeiras perguntas ratificou as antecedentes declaraçõens, e que vira, e lêra parte da Proclamaçaõ, que o dicto Monteiro lhe mostrára em sua casa, como já declaràra, e que era sediciosa, e que a manuscrita, que se lhe mostrava lhe parecia ser a mesma que elle vira: que os papeis que se lhe mostravam, pareciam pelo seu formato serem os mesmos que se entregaram a um Individuo, que já referio, mas naõ assim os que foram entregues a Antonio Cabral, porque este os naõ abrio na sua presença: que elle Rêo naõ tivera positivo conhecimente da existencia da Sociedade, e só sabia o que lhe dissera o dicto Monteiro, e o que dicto tem; porém que nada soubera mais do que vêr a entrega dos papeis em sua casa a Cabral, e referido Individuo, e o convite, a que naõ annuira: que naõ participára a Authoridade constituida estes factos, porque mediáram poucos dias até á sua prizaõ; e nas respostas ás segundas perguntas disse, que ajuizava agora, que faziam parte desta Sociedade o Coronel Monteiro, os Alferes Ribeiro Pinto, José Joaquim Pinto, um Tio deste, o Major Neves, Pedro Ricardo, Henrique José Garcia, Cabral, e o já referido Individo, e isto pelo que ouvia ás pessoas da familia do Coronel Monteiro, na maõ do qual vira copias de pasquins attribuidos a Ribeiro Pinto.

Mostra-se quanto ao Réo Pedro Ricardo de Figueiró, que posto negasse nas suas respostas ás primeiras perguntas no appenso numero dezoito, veio nas segundas a confessar, que se adherio á proposta do Coronel Monteiro, foi porque o mesmo Monteiro lhe figurou, para o persuadir, serem os fins, que o partido tinha em vistas, mais licitos e louvaveis, do que depois veio a conhecer: confessa, que a sua adhesaõ fora no fim de Janeiro, ou principio de Fevereiro, que nunca prestára juramento, nem assistira em Assemblea formal, mas que dissera, que podiam contar com o seu prestimo, e serviço: que reconhecia por Socios José Ribeiro Pinto, José Joaquim Pinto, Major Neves, José Campello, Francisco Antonio de Sousa, Architecto, e Henrique José Garcia; e isto porque o ouvira ao Coronel Monteiro, e tambem o conheceo em alguns, mas muito poucos encontros, que teve com os sobredictos: que desvanecido o projecto da Invasaõ da Hespanha neste Reyno, com que a principio illudiram a elle Réo, mudáram de systema, e se viráram para principios ambiciosos, e pretextos differentes, para mudar a fórma do Governo; e que Ribeiro Pinto era o principal cabeça da trama; e que elle Réo esperava a partida deste para a sua Patria para dissuadir o Coronel Monteiro, o que naõ conseguio pela influencia, que nelle tinha o mesmo Ribeiro Pinto: que quanto ao numero de Socios, que se referia ao que ouvíra ao Coronel Monteiro; que naõ communicou á Authoridade estes projectos por tres principios, primeiro por medo de ser morto pelos Socios, segundo porque devendo envolver o dicto Monteiro, que ainda esperava desviar da Sociedade se condoera de o fazer, e terceiro porque separando-se, e convencendo o Monteiro, esperava acabar tudo: que só vira uma Proclamaçaõ manuscripta, e pasquins contra o Marechal, na maõ do dicto Monteiro, e que tambem vira na maõ do mesmo a Credencial destinada para Antonio Cabral, que reconhecia ser a mesma. Nas respostas ás terceiras perguntas declarou, debaixo do mesmo juramento pelo que respeitava a terceiro, que Francisco Antonio de Sousa, Architecto, tinha, pelo conhecimento do dicto Monteiro, parte pouco activa na Sociedade, segundo elle Réo estava persuadido, e que naõ convocára pessoa alguma, nem cencorrêra para mais diligencias, que respeitassem á Sociedade.

Mostra-se quanto ao Réo Manoel de Jesus Monteiro, confessar elle, e declarar debaixo de juramento pelo que respeitava a terceiro, nas suas respostas ás segundas perguntas no appenso numero vinte e seis, depois de estar negativo, nas primeiras, que achando-se no mez de Maio deste anno em o Botequim na rua dos Capellistas, onde costumava concorrer, alli casualmente fizera conhecimento com o Alferes José Joaquim Pinto da Silva, por occasiaõ de fazeren observaçõens sobre a Gazeta: que no dia seguinte concorrêra tambem no mesmo Botequim, onde o dicto Pinto lhe dissera, que haviam muitas associaçoens e amizades, e que o introduziria em uma Sociedade, se elle quizesse, sem com tudo lhe declarar mais: que passados tres dias, encontrando-se no mesmo sitio, lhe foram dadas pelo referido Pinto da Silva as primeiras idéas de que havia um Plano formado, para se dar remedio a algumas calamidades publicas, que tinham origem na influencia desmedida dos Inglezes sobre a Naçaõ, deixando-lhe entrever, que os Individuos, que tinham concebido o referido Plano, estavam de accordo com o Governo, para destruir os effeitos daquella mesma influencia, sendo dos dictos Individuos o que mais figurava nisso o Tenente General Gomes Freire de Andrade, e que se elle Réo quizesse, o conduziria a uma casa, onde lhe seriam mostrados os sobredictos Planos, para dizer a sua opiniaõ sobre elles, e seria appresentado ao dicto Tenente General: que elle Réo, hesitando como se conduziria em tal proposta, e instado pelas razões apontadas pelo mesmo Pinto da Silva, que consistiam na influencia dos Inglezes, e tambem em se tomar algum partido no caso de Sua Majestade naõ voltar a este Reyno, conveio em ir á tal casa, que era a do Nº. 51 na Rua de S. Bento, onde tendo entrado; e sendo instado, que era necessario associar-se, aterrado conveio, e prestou juramento com as formalidades, que já fôram referidas a respeito de outros: que naõ conhecia por associado mais, que o referido Pinto da Silva, e que naõ vira papeis, nem lhe foram appresentados, nem communicou o que passára a pessoa alguma antes das prizões dos Réos nesta Cidade; concluindo nas respostas ás terceiras perguntas, que recusára encarregar-se de communicaçoens.

Mostra-se quanto ao Réo Manoel Ignacio de Figueiredo confessar, e declarar debaixo de juramento pelo que respeditava a terceiro, no appenso vinte e sette, que fôra arrastado por José Ribeiro Pinto, que o seduzíra com observaçoens sobre a mudança de circumstancias, e que no principio de Maio fôra pelo mesmo Ribeiro Pinto convidado para assignar um papel em branco, dando-lhe a certeza de o naõ comprometter, ao que elle Réo annuio assignando-o em uma loja de bebidas antes delle Réo partir para Punhete; e que depois de voltar, o convidára o mesmo Ribeiro Pinto para ir a uma casa, onde o queria dar a conhecer a varios amigos, insinuando-lhe que no dia dezoito ou dezenove de Maio á noite se achasse no largo de S. Bento, aonde o iria buscar. ou mandaria, o que elle Réo assim praticára, e na noite desse dia, perto das oito horas, o fôra chamar um sujeito, que depois soube ser Henrique José Garcia, que o conduzio á casa número cincoenta e um da Rua de S. Bento. onde estavam o Coronel Monteiro, Ribeiro Pinto, Major Neves, e mais dous individuos, e logo se tractou das suas recepçoens com as formalidades costumadas, prestando todos tres juramentos, servindo de Orador o dicto Ribeiro Pinto, e prestando-se elle Réo com a sua pessoa para canal de correspondencia para Abrantes: que o fim da Sociedade, segundo se dizia, era a regeneraçaõ da Patria, reconhecendo por associados os acima referidos; e tendo dicto que naõ vira papeis, declara elle Rêo nas suas respostas ás segundas perguntas ter visto as Instrucçoens, que sendo-lhe entregues por Ribeiro Pinto no mesmo dia da sua recepçaõ, lhe fôra por este rogado o tirar tres copias das mesmas, o que elle Réo fez, e as mandára depois ao mesmo Ribeiro Pinto pelo Camarada deste debaixo de sobrescripto fechado; e que reconhecia serem as Instrucções, que lhe mostráram, uma das copias, que elle Réo escrevêra, á excepçaõ do que se acha no verso das mesmas, assim como tambem reconhecia a outra cópia escripta em papel de Hollanda; e que tendo recommendaçaõ de todos os Socios, que assistíram á sua recepçaõ, para convocar Socios, a nenhum convocára, nem communicou o referido a pessoa alguma, e que ignorava os fins da Sociedade; porque se os tivesse conhecido, naõ cahiria neste laço.

Mostra-se quanto ao Réo Maximiano Dias Ribeiro, que tendo sido negativo nas suas respostas ás primeiras perguntas no appenso N°. 28, confessar o mesmo Réo, e declarar debaixo de juramento pelo que respeitava a térceiro, que sendo o Coronel Monteiro da sua intimidade, continuadamente se lhe lastimava da sua situaçaõ por falta de pagamentos; e que perguntando-lhe elle Réo em uma occasiaõ se tinha em vista algum projecto, elle Monteiro lhe respondêra, que alguma cousa havia, sem lha dizer, ao que elle Réo lhe assegurou, que contasse com a sua pessoa, naõ suppondo que o dicto Monteiro abusasse desta offerta para fins sinistros; que passados dias víra que o dicto Coronel Monteiro se esgotava em imprecações contra o Marechal General, que considerava o movel de seus males, até que em certo dia lhe disse, que era chegada a época de o acompanhar, e que o seguisse, o que elle particou, acompanhando-o até á Travessa de Santo Antoninho, onde lhe disse, que fosse para o largo de S. Bento, aonde o mandaría buscar, o que elle Réo cumprio, e donde foi conduzido por Henrique José Garcia para casa deste, N°. 51, na Rua de S. Bento, onde achou o dicto Coronel Monteiro, o Major Neves, outro sujeito, e um individuo, que pensa ser o Alferes Ribeiro Pinto, e mais outro, que talvez será Manoel Ignacio de Figuiredo, e alli se passou ao acto da sua recepçaõ, da do outro sujeito, e da de Manoel Ignacio de Figueiredo, com as já referidas formalidades a respeito de outros, e todos tres prestáram juramento, offerecendo elle Réo dezenove mil e duzentos réis, que naõ chegou a entregar, ignorando os fins da Sociedade, e entendendo que era mais Maçonica, do que de outra natureza.

Mostra-se quanto ao Réo Antonio Pinto da Fonseca Neves, confessar este Réo, e declarar debaixo de juramento no que respeitava a terceiro, nas suas respostas ás primeiras perguntas no appenso N°. 29, que pela primeira vez soube da Sociedade, no Rocio, pela communicaçaõ, que lhe fizera Antonio Cabral na presença de outros, o qual lhe mostrára duas, ou tres Proclamações sediciosas, em uma casa, para onde todos foram, das quaes elle Réo se desgostou tanto, que disse, que Cabral merecia ser deitado pela janella fóra, a que outro accrescentára: até para nossa segurança: que perguntado por Cabral sobre a morada de seu parente José Ribeiro Pinto, elle Réo o acompanhou a ella, e alli o deixou, ignorando o que tractáram: que reconhecia ter feito mal em naõ denunciar os papies que víra, tendentes á subversaõ da Sociedade — Nas respostas ás segundas perguntas declarou, que o dicto Cabral lhe dissera, que Gomes Freire, e outro, estavam á frente da Sociedade, e que os dictos Cabral, e Ribeiro lhe disseram, que nella tambem entrava o Baraõ d'Eben; e como elle tinha com elle amizade, e frequentava a sua casa, se deliberou a perguntar-lhe se sabia de alguma conspiraçaõ contra o Governo; ao que o Baraõ respondêra, que nada sabia, ao que elle Réo replicára — por ahí se falla, em que se tracta em conspirar contra o Governo, e que vós entrais nisto, como tambem Gomes Freire, ao que o Baraõ respondeo, que quanto a elle, era falso; mas que a respeito de Gomes Freire, no dia seguinte lhe havia de fallar, e investigallo para saber se havia alguma cousa, e com effeito no dia seguinte o mesmo Baraõ dissera a elle Réo, que tudo era falso; depois do que increpára elle ao dicto Cabral de o ter enganado, ao que elle Cabral satisfez, dizendo, que a sublevaçaõ era verdadeira, mas que era segredo o participar, e investigar quem entrava na Sociedade: que Ribeiro Pinto pedîra a Cabral, que tivesse cautela com elle Réo, e que tres dias antes da sua prizaõ lhe dissera o Baraõ d'Eben indo elle Réo a sua casa — Sabei Neves, que he verdade haver conspiraçaõ, e contavam comigo em terceiro, ou quarto lugar, no qual estava meu nome em uma lista sem o meu consentimento, que o punha em risco de ir prezo para o Santo Officio, e elle Réo para o Limoeiro, — que Ribeiro Pinto no dia dez de Março dissera a elle Réo em sua casa, que havia a dicta Sociedade, que tinha á testa Gomes Freire, e Baraõ d' Eben; reconhecendo elle Réo ter delinquido em ter guardado segredo, naõ communicando o que tinha ouvido. Nas respostas ás terceiras perguntas disse, que no dia dez de Março teve a primeira noticia da Sociedade por seu parente Ribeiro Pinto, como veio a declarar na accareaçaõ com o dicto Cabral, tendo dicto ao seu Parente Ribeiro Pinto que aquillo era um despropositо, elle passados dias lhe dissera, que mais bem considerado, largára o tal negocio da Sociedade, para a qual elle Réo naõ foi convocado: que sabe por lho dizer o Baraõ d' Eben ter este recebido uma Proclamaçaõ debaixo de um sobrescripto pelo Correio de Lisboa, cuja Proclamaçaõ lhe mostrára o mesmo Baraõ, o qual naõ sabia quem lha remettêra, e se recorda, que o mesmo Baraõ, lhe dissera, mostrando-lhe a pagina de um papel principiado a escrever de sua letra, que estava compondo uma carta para ser dirigida ao Marechal General, a fim de o intimidar, e ver se por esse modo se conseguia o partir elle para Inglaterra; concluindo elle Réo as suas respostas dizendo, que naõ denunciára por naõ ter documento.

Mostra-se quanto ao Réo Federico, Baraõ d' Eben, confessar, e declarar debaixo de juramento no que respeitava a terceiro, nas suas respostas ás primeiras, e segundas perguntas do appenso número trinta, que conhecia a Gomes Freire, cuja casa frequentava, e que igualmente conhecia a Antonio Pinto da Fonseca Neves, a quem encommendára a descripçaõ de uma Fortificaçaõ chamada Camponíer, que ignorava a existencia de Conspiraçaõ, que naõ conhecia o Coronel Monteiro, nem Ribeiro Pinto; mas que era possivel que visse o dicto Monteîro alguma vez em casa de Gomes Freire, que lhe disse ser seu visinho. Nas respostas ás terceiras perguntas confessa, que em uma das intervistas ultimas com o dicto Fonseca Neves, este lhe fallára em uma sublevaçaõ, que se andava tractando nesta Capital, e Reyno, accrescentando que se dizia figurar tambem na mesma Gomes Freire, outro, e elle Réo, ao que elle Réo reepondêra, que era isto cousa nova para elle, mas que perguntaria a Gomes Freire se merecia credito tal noticia vista a intimidade, que com elle tinha, e que fallando ao dicto Gomes Freire, este lhe dîssera; *Meu Baraõ, tu naõ conheces Lisboa, nem o Povo Portuguez, pois este quando naõ tem em que fallar sonha sempre com conspiraçõens, e já assim era antes d' El Rey, e sua Familia partir para o Brazil, naõ des por tanto crédito a taes novidades, que saõ levantadas no Cáes do Sudré, e outras Praças publicas;* e que commudicando esta resposta a Fonseca Neves, certificando-o de que nada existia de real a este respeito, porque assim lho tinha asseverado o mesmo Gomes Freire, que elle Neves figurára estár ao facto de semelhante sublevaçaõ; e reconheceo elle Réo os papeis, que lhe foram apprehendidos, que fórmam o appenso número trinta e dous; confessando que recebêra a Proclamaçaõ número vinte e tres, dentro de uma carta, pelo Correio de Lisboa, quinze, ou vinte dias antes de ser prezo (quando no Diario se indica recebida em onze de Abril) com cujo contexto ficou tam perturbado, por êr que ella se encaminhava a chamar o povo á revolta: que hesitando sobre o que devia praticar a semelhante respeito, se dirigio a Gomes Freire, para tomar conselho, o qual, tendo-lhe mostrado a dicta Proclamaçaõ, e sendo por elle vista, lhe aconselhou, que a naõ mostrasse a pessoa alguma, pois que disso se lhe podia fazer um crime; que quanto ao Papel número vinte e quatro, que he um caderno pequeno de quatro folhas, com expressoens sacrílegas, e insidiosas na maior parte contra o Marechal General, disse que reconhecia o dicto papel como escripto da sua propria letra; que com tudo naõ era obra sua, mas que viera á sua maõ da mesma fórma que a dicta Proclamaçaõ, tendo-o recebido pelo Correio dias antes do em que recebêra a mesma Proclamaçaõ; e que do Original tirara esta cópia, remettendo o Original para Inglaterra, pelo Paquete, para dar a conhecer o estado da opiniaõ pública em Portugal, declarando nas suas respostas ás quartas perguntas, que o Original do dicto papel o dirigíra ao Duque de Sussex, e que naõ lançára no Diario a sua recepçaõ, porque nelle naõ lançava a de outras muitas cartas de semelhante natureza; concluindo nas suas respostas ás septimas perguntas, dizendo que mostrára a Fonseca Neves a dicta Proclamaçaõ, numero vinte e tres dos seus papeis, para vêr se elle conhecia a letra, o qual naõ a conhecêra, dizendo, que se havia espalhado noticia de outras Proclamaçõens, confessando tambem elle Réo ter mostrado ao dicto Fonseca Neves o papel número vinte e quatro, que era a cópia do Original, que remettêra para Inglaterra.

Mostra-se quanto ao Réo Francisco Leite Sudré da Gama, confessar este Réo, e declarar debaixo de juramento no que respeitava a terceiro, nas suas respostas ás perguntas do appenso No. 35, que presumia estar prezo por guardar certos papeis entregues por seu Cunhado Antonio Cabral Calheiros, que poucos dias tivera em seu poder, e segundo lhe parece, seriam um ou dous dias antes da prizaõ do dicto seu Cunhado, e que na entrega houveram as circumstancias seguintes: que o dicto seu Cunhado naõ îa a Santarem havia mais de um anno, e que apparecêra alli depois do dia vinte de Maio, e fôra residir para casa de sua mãy viuva, e que em razaõ de parentesco de Cunhados, o mesmo Cabral o visitára por duas vezes, e a terceira vez lhe rogára lhe guardasse aquelles papeis de importancia, que naõ guardára, nem conservava na casa da mãy por causa de um seu irmaõ; e perguntando-lhe elle Réo, que papeis eraõ esses, e principiando o mesmo a fazer uma exposiçaõ resumida do seu contexto, horrorizado elle Réo da loucura de seu Cunhado, por se haver intromettido em um negocio de tanta gravidade, pois conheceo pela exposiçaõ, e pelas reflexoens, com que a acompanhou, que os seus projectos, e a Sociedade de amigos, a que elle pertencia, se encaminhavam ao transtorno de toda a ordem pública deste Reyno; lançando-lhe primeiro maõ dos referidos papeis, como quem se prestava a guardallos, passou depois a reprehendello severamente pela sua loucura, pintando-lhe o horror do crime, em que se envolvia; sendo tal a força das razoens, que elle Réo lhe produzio, que chegou a persuadir-se que o mesmo seu Cunhado estava sinceramente arrependido de ter entrado em similhante projecto, e que nessa idéa se separáram; sendo pouco depois prezo, naõ tendo mediado tempo para conhecer a sinceridade do arrependimento: que reconhecia os papeis, e sua identidade, por serem aquelles, que elle Réo lançára immediatamente em uma cloaca da sua propria casa; logo que seu Cunhado se retirára da mesma casa, na occasiaõ, em que lhos entregou para os guardar: que nunca lêra os dictos papeis, nem os ouvíra ler, mas que assim mesmo os lançára na cloaca em dous pequenos massos, em que estavam embrulhados, e do mesmo modo que os recebêra: que naõ recebêra mais outros alguns papeis, e só por uma vez: que naõ recebêra juramentos separados dos dictos papeis, que jamais estiveram em gaveta alguma, e que se seu Cunhado o diz, he certamente falso, e que nunca por elle fôra convocado para a Sociedade, o qual seu Cunhado na opiniaõ delle Réo era difficil de igualar em má conducta, e perversidade de sentimentos: que guardára silencio pela intima convicçaõ do arrependimento de seu Cunhado, que esperava fizesse denúncia de si mesmo, e de seu crime, e por naõ o sacrificar mais, como elle Réo repetio nas suas respostas ás segnndas perguntas. Este Réo tinha occultado ao Corregedor de Santarem a existencia dos referidos papeis na sua casa, e declarou depois em consequencia da carta do dicto seu Cunhado, que os tinha lançado na cloaca, donde foram extrahidos, como consta pelo appenso N°. 3, que igualmente contém os mesmos papeis.

Mostra-se quanto ao Réo Verissimo Antonio Ferreira da Costa, que foi Tenente Coronel na Tropa da primeira linha, declarar nas respostas ás primeiras perguntas debaixo de juramento no que respeitava a terceiro, no appenso N°. 33, que teve conhecimento de Antonio Cabral sem amizade alguma, do qual disse ter desamparado o Exercito por varias vezes em tempo de guerra: que fôra procurado pelo dictoCabral antes das sette horas da manhãa estando elle Réo ainda na cama, quinze dias pouco mais ou menos antes da sua prizaõ; e principiando o mesmo Cabral a fallar das actuaes circumstancias póliticas, que faziam com que toda a Naçaõ estivesse desgostosa, já pela estada do Soberano na America, já pela estagnaçaõ do Commercio, e isto com discursos compridos, que muito o enfadaram lhe perguntou elle Réo em tom decisivo a que se dirigia tudo aquillo: ao que dissera o dicto Cabral, que o seu objecto era fazer mudar de circumstancias, revolucionando Lisboa, e fazer um Governo Independente; ao que elle Réo lhe ponderou, que era naõ conhecer o caracter Portuguez, nem mesmo as circumstancias em que se achava este Reyno, que entre todos os da Europa era o mais feliz, elogiando a Naçaõ, e Administraçaõ pública: que convencido o dicto Cabral confessou o seu erro, e que se deixava do seu projecto, naõ tendo elle Réo querido ver, nem ler uns papeis, que o mesmo Cabral lhe quizera mostrar, e dos quaes principiára a ler um, cuja continuaçaõ elle Réo evitára, porque era sem pés nem cabeça, julgando que todos seriam da mesma tempera, e que se dizíam ser Proclamaçõens, formando um caderno de papel escripto em letra miuda: que puzera o dictoCabral na rua, depois de lhe prometter que queimaria os papeis, e deixaria o seu plano: que o mesmo Cabral lhe perguntára nesta occasiaõ, qual seria o partido que elle Réo tomaria no caso de Revoluçaõ; ao que dera em resposta, que havendo dez homens, que seguissem o partido d' El Rey, seguiria sempre este mesmo partido; que naõ dera tempo ao dicto Cabral a abrir-se mais, o qual naõ designou pessoas, e só sim por accaso fallou em Gomes Freire, segurando que naõ estava convidado, estando elle Réo persuadido de que o mesmo Gomes Freire naõ seria capaz de unir-se para semelhante fim: que elle Réo naõ denunciára, porque se persuadio ser tudo uma leviandade do dicto Cabral, que lhe protestára queimar todos os papeis e deixar-se de tal mania, e mesmo porque lhe faltavam documentos: mas que assim mesmo se lembrara ser do seu dever fazer uma exposiçaõ do estado da da opiniaõ pública, e das circumstancias em geral da Naçaõ ao Governo, para que este tomasse as providencias que julgasse mais adequadas, para cujo fim tinha feito um papel para o entregar ao Principal Sousa, mas querendo retocar com mais madureza este papel, corrigindo-o, para o copiar passados alguns dias, em que o seu espirito estivesse mais socegado, lhe foi aprehendido na occasiaõ da sua prizaõ, do qual papel se póde conhecer o seu espirito. Nas respostas ás segundas perguntas declara, que a conversaçaõ com o referido Cabral durára hora e meia persuadindo-se elle Réo ter deixado convencido o mesmo Cabral do seu erro, e loucura: que era verdade ter escripto sobre o Plano do Recrutamento do Exercito, cuja obra entregára elle Réo ao principal Sousa, que teria cousa de tres, ou quatro cadernos de papel, e que a mostrára na copia a duas ou tres pessoas: que elle Réo entrára em dez campanhas, e nellas em vinte e tantos combates, e batalhas; que fizera outro papel, que entregára a D. Miguel Pereira Forjaz, e principal Sousa: que fizera tembem uma Collecçaõ de Leys Militares, que se imprimio por ordem do Governo: que principiou a trabalhar no Regulamento para o Exercito, do qual engára a primeira Parte a D. Miguel Pereira Forjaz; e que mostrou mais o seu zelo em varios trabalhos sobre differentes objectos, e principalmente em uma Analise sobre o novo Regulamento, que entregára ao Principal Sousa como tinha dicto,; o que tudo elle Réo confirmou nas suas respostas ás terceiras perguntas, e na accareaçaõ com o referido Cabral, a quem desmentio, e convenceo. Nas respostas ás quartas, e quintas perguntas, e accareaçaõ com a Testemunha N°. 31 da Devassa, confessa o encontro, que tivera com a mesma Testemunha, em Dezembro de mil oitocentos e dezeseis na Praça do Commercio; mas nega a asserçaõ de lhe ter fallado da existencia de uma Sociedade, de que a mesma Testemunha diz naõ suspeitára mal, accrescentando elle Réo, que a mesma Testemunha, a quem tinha convencido, por contemplar o Marechal General, naõ tinha dúvida de o perder.

Mostra-se quanto ao Réo Christovaõ da Costa, declarar este, debaixo de juramento no que respeitava a terceiro, nas suas respostas ás perguntas do appenso N°. 34, que naõ sabia da existencia da Sociedade, e taõ sómente, que em uma das tres vezes, que em Lisboa se encontrára com Antonio Cabral Calheiros, este o convidára para em Santarém lhe communicar certo negocio, o que se passou na maneira seguinte: que estando elle Réo nesta Cidade com licença desde doze até vinte e dous de Maio, no dia quinze do mesmo mez se eccontrára com o dicto Cabral no Rocio, e ahi tambem appareceo outro individuo; todos foram para o Botequim a Santa Justa, e ahi tractáram os dous de investigar delle Réo, a opiniaõ publica em Santarém, particularmente sobre o Marechal, e isto depois de discursos sobre as circumstancias do tempo, lamentando que este Posto, e outros importantes do Exercito fossem occupados por Estrangeiros, o que redundava em discrédito dos Nacionaes, até que por fim termináram a sua conversaçaõ, noticiando a elle Réo, que se achava formado um Partido, ao qual lhe persuadiram, que elle devia reunir-se, pois cooperando para os seus fins, que so lhe disseram ser a destituiçaõ do Merechal General, e Officiaes Inglezes, era esse o modo de ganharem Postos, e poderem adiantar-se: que elle Réo ficando espantado com a tal proposta, e indeciso sobre o que devia responder, lhe disse, que naõ se queria reunir a semelhante Partido, sem que primeiro soubesse a fundamento os verdadeiros fins a que se dirigia; e posto que elles insistissem novamente, em que esses fins lhe seriam conhecidos, logo que estivesse ligado ao referido Partido, para o que tambem lhe propuzeram, que o conduziriam a uma casa nessa mesma noite para ser recebido, ao que elle Réo tambem se recusára, dizendo-lhes sómente, que precisava tempo para pensar, e que depois se deliberaria: que assim ultimada esta intervista tornara a encontrar-se com os sobredictos no dia seguinte, e sendo por Cabral instado novamente para concorrer á dicta casa, que naõ chegou a dizer-lhe qual fosse, como elle Réo se desculpasse, que naõ podía ir por ter negocios seus particulares a tractar, concluio Cabral, dizendo, que visto estar elle Cabral a partir para Santarém em poucos dias, lá concluiriam esse negocio com o outro individuo, estimando elle Réo, que o mesmo Cabral lhe abrisse por este modo o caminho para ver-se livre das suas instancias: que a final partíram para a dicta Villa o referido individuo, e Cabral, porém em differentes dias, e á mesma se recolheo elle Réo no dia vinte e dous de Maio á noite: que no dia vinte e tres naõ víra o dicto individuo, nem Cabral, porém no dia vinte e quatro encontrára um e outro separadamente em um Botequim, sendo neste mesmo lugar que Cabral lhe dissera, que era preciso apparecer em casa delle Cabral das nove para as dez horas da noite, naõ se explicando mais, porque alli estavam mais pessoas: como porém elle Réo desconfiasse, que esta intervista podia ser relativa ao assumpto, em que lhe havia fallado em Lisboa, fez-se desentendido, e naõ compareceo, do que fôra arguido no dia seguinte por Cabral em termos vagos, e geraes, por ser no mesmo Botequim, e por estar mais gente, assignando-lhe igualmente as nove horas dessa noite para concorrer a sua casa: o que elle Réo tambem naõ practicou muito de proposito, por se persuadir que as vitas delle Cabral eram ligallo ao Partido, para que em Lisboa com o outro individuo o tinham convidado; e como acontecesse partir elle Réo no dia vinte e seis para o Deposito da Cavallaria d' Evora em consequencia de Ordens, que para isso recebêra, nunca mais tornou a ver Cabral, e o outro individuo, e que estas saõ as circumstancias todas, que lhe saõ conhecidas sobre tal negocio: sendo falso ter-se ligado a semelhante Partido, nem por palavra, nem por juramento, como malignamente affirma o dicto Cabral, que o naõ poderá sustentar em sua presença, o que o mesmo Réo confirmou nas suas respostas ás terceiras perguntas, e na accareaçaõ com o dicto Cabral; concluindo elle Réo, que naõ era capaz, e tam indiscreto, para se ligar a uma Sociedade com juramento, naõ tendo conhecimento dos seus fins, e que via representada por um individuo tal como Cabral, positivamente sem consideraçaõ, e mesmo de má conducta; continuando elle Réo nas suas respostas ás quartas perguntas, que nunca se tratára com elle senaõ a respeito do Marechal General, e Officiaes Inglezes, e nada mais, resistindo sempre ás suggestões do mesmo Cabral, contra o qual teria procedido; se naõ fosse o justo receio das Leys; e se o mesmo lhe tivesse fallado só por só dos referidos assumptos, que lhe communicou na presença de outro individuo, certamente o teria feito arrepender da sua temeridade, naõ obstante o justo receio das mesmas Leis.

Por tanto, e mais dos Autos haõ por desautorados, e privados de todos os Privilegios, Honras, e Dignidades, de que gozavam neste Reyno, de que igualmente haõ por desnaturalisados os Réos José Joaquim Pinto da Silva, José Campello de Miranda, José Ribeiro Pinto, Manoel Monteiro de Carvalho, Gomes Freire de Andrade, Henrique José Garcia de Moraes, José Francisco das Neves, e Antonio Cabral Calheiros Furtado e Lémos, que se constituíram Réos do horrorosissimo Crime de Lésa Magestade de primeira cabeça, e alta traiçaõ, classificado no paragrafo 5º. do Titulo 6º. da Ordenaçaõ do Livro 5º, e por isso incursos nas penas, que lhes saõ impostas pela mesma Ordenaçaõ no paragrafo 9º, e os condemnam a que com baraço, e pregaõ, sejam levados o Réo Gomes Freire de Andrade á forca, que se ha de levantar fóra da Fortaleza de S. Juliaõ da Barra, onde se acha prêzo, e os mais acima nomeados á forca, que se ha de levantar no Campo de Santa Anna, e nellas padeçam morte de garrote para sempre; e depois decepadas as cabeças, sejaõ com os seus corpos, tudo reduzido pelo fogo a cinzas, que seraõ lançadas ao mar; e outro sim os condemnam em confiscaçaõ, e perdimento de todos os seus bens para o Fisco e Camera Real, com effectiva reversaõ, e incorporaçaõ na Coroa dos de Morgado, Feudo, ou Fôro, constituidos em bens, que sahîssem da mesma Coroa, no caso de os haver, na forma da dicta Ordenaçaõ do Livro 5º Titulo 6º paragrafo 16, e do Alvará de dezesete de Janeiro de mil settecentos e cincoenta e nove.

Nas mesmas penas condemnam os Rèos Pedro Ricardo de Figueiró, Manoel de Jesus Monteiro, Manoel Ignacio de Figueiredo, e Maximiano Dias Ribeiro, que se associáram á infame Sociedade, e criminosa Confederaçaõ, menos quanto a serem os seus corpos, e cabeças, depois de mortos, reduzidos pelo fogo a cinzas.

E condemnam o Réo Francisco Antonio de Sousa em degredo por toda a vida para o Reyno de Angola, e em confiscaçaõ de todos os seus bens na fôrma sobredicta.

Condemnam tambem o Réo Antonio Pinto da Fonseca Neves em dez annos de degredo para Moçambique, e em confiscaçaõ d' ametade dos seus bens para o Fisco e Camera Real, na fórma sobredicta. E ao Réo Francisco Leite Sudré da Gama condemnam em cinco annos de degredo para o Reyno de Angóla.

Condemnam o Réo Federico, Baraõ d'Eben, a que seja expulso do Reyno unido de Portugal, Brazil, e Algarves, sahindo da Cadêa, em que se acha, directamente para bordo do Navio, que o conduzir, depois de assignar termo de naõ entrar mais em qualquer dos Dominios do dicto Senhor, com a comminaçaõ de ser degradado para um dos Presidios de Africa por toda a vida, no caso de contravençaõ. E absolvem os Réos Verissimo Antonio Ferreira da Costa, e Christovaõ da Costa, que julgam sem culpa provada, e mandam, que sejam soltos, e restituidos á sua boa opiniaõ, e fama: e condemnam a todos os Réos nas custas dos Autos. Lisboa quinze de Outubro de mil oitocentos e dezesette.—Gomes Ribeiro—Leite—Doutor Velasques—Doutor Guiaõ—Araujo—Ribeiro Saraiva—Com uma Rubríca do Desembargador Procurador da Coroa.

E outro sim certifico, que nos mesmos Autos se acham proferidos sobre primeiros, e segundos Embargos dos Réos condemnados em pena ultima os Accordaõs folhas duzentas e sette verso, e folhas duzentas e dezeseis do teor seguinte

*Accordaõ sobre os primeiros Embargos.*

Accordaõ em Relaçaõ etc. Sem embargo dos Embargos, que naõ recebem por sua materia, cumpra-se, e execute-se a Sentença embargada, com a declaraçaõ de que os

Réos condemnados a morte de garrote nas forcas, sejaõ nellas enforcados; e paguem as custas accrescidas. Lisboa dezesette de Outubro de mil oitocentos e dezesette.— Gomes Ribeiro — Leite — Doutor Velasques — Doutor Guiaõ — Araujo — Ribeiro Saraiva. — Com uma Rubríca do Desembargador Procurador da Coroa.

*Accordaõ sobre os Embargos de restituiçaõ.*

Accordaõ em Relaçaõ, etc. Sem embargo dos Embargos de restituiçaõ, que naõ recebem, vistos os Autos, cumpra-se, e execute-se a Sentença embargada, e paguem os Réos as custas accrescidas. Lisboa dezesette de Outubro de mil oitocentos e dezesette.—Gomes Ribeiro —Leite—Doutor Valesques—Doutor Guiaõ—Araujo— Ribeiro Saraiva — Com uma Rubrica do Desembargador Procurador da Coroa.

Nada mais se contém nas Sentenças transcriptas, que bem e fielmente vam copiadas na presente Certidaõ passada por Ordem vocal do Desembargador do Paço Antonio Gomes Ribeiro, Juiz da Inconfidencia. Lisboa dezenove de Outubro de mil oitocentos de dezesette.— Eu Luiz Gomes Leitaõ de Moura a fiz escrever, subscrevi, e assignei.

LUIZ GOMES LEITAÕ DE MOURA.

## FRANÇA.

*Falla de S.M. Christianissima ás Camaras, na abertura da Sessaõ, aos 5 de Novembro 1817.*

Messieurs!—Na abertura da sessaõ passada vos fallei das esperanças, que inspirava o casamento do Duque de Berri. Ainda que a Providencia repentinamente nos privou do dom, que nos havia concedido, com tudo vemos nelle seguranças de fuctura satisfacçaõ de nossos desejos.

O tractado com a Sancta Sée, que mencionei o anno passado, foi depois disso concluido. Tenho ordenado aos meus Ministros, que, communicando-o a vós, proponham o projecto de uma ley, necessaria para dar a sancçaõ legislativa áquellas de suas condiçoens, que pódem ser susceptiveis disso, e que as façam concordes com a Charta, leys do Reyno, e privilegios da Igreja Gallicana, preciósa herança de nossos antepassados, de que S. Luiz e todos os seus successores fôram naõ menos zelosos, do que da felicidade de seus subditos.

A colheita de 1816 frustrou pelas suas falhas, em grande gráo, as minhas esperanças. Os soffrimentos do meu povo tem affligido o meu coraçaõ. Tenho porém observado, com emoçaõ, que em quasi toda a parte se tem soffrido com um gráo de notavel fortaleza: e se, em alguns lugares, tem arrebentado em actos sediciosos, brevemente se restabeleceo a ordem. A fim de mitigar as desgraças daquelle periodo, achei que éra necessario fazer grandes esforços e extraordinarios sacrificios pecuniarios. As relaçoens circumstanciadas vos seraõ apresentadas, e o zelo com que vos achais animados pelo bem publico, naõ me permittirá duvidar de que estas infelizes despezas teraõ a vossa sancçaõ. A colheita deste anno he de maior satisçaõ; mas por outra parte, algumas calamidades locaes, a mangra, que deo nas vinhas, excita o meu paternal cuidado, pelas privaçoens, que, sem a vossa cooperaçaõ, naõ posso remediar.

Tenho ordenado, que se vos apresente o calculo de receita e despeza. Se as despezas resultantes dos tractados, e da deploravel guerra, que elles termináram, naõ permittir a immediata diminuiçaõ dos tributos, votados nas sessoens precedentes, ao menos tenho a satisfacçaõ de pensar, que a economia, que tenho prescripto, excluirá a necessidade de algum augmento, e que um voto do credito, infeiior ao da sessaõ passada, será bastante para as exigencias do anno.

As convençoens, que assigneí em 1815, apresentaram resultados, que entaõ se naõ podiam prever: isto fez necessario nova negociaçaõ. Tudo me leva a esperar, que o exito será favoravel, e que condiçoens mui superiores aos nossos meios seraõ substituidas por outras mais conformes á equidade, á moderaçaõ e á possibilidade dos sacrificios, que o meu povo supporta com uma constancia, que naõ póde augmentar o meu amor para com elle, mas que lhe dá novos direitos á minha gratidaõ, e á estima de todas as naçoens.

Assim se diminuiram uma quinta parte, como tive a felicidade de vos annunciar ao decurso da sessaõ passada, as despezas resultantes do exercito de occupaçaõ; e naõ está mui distante o periodo em que me he permittido esperar, graças á sabedoria e energia do meu Governo, ao amor e confiança do meu povo, e á amizade de meus alliados, que aquellas despezas cessaraõ inteiramente: e que o nosso paiz reassumirá entre as naçoens a graduaçaõ e fama devidas ao valor dos Francezes, e ao seu nobre character na adversidade.

Para obter este fim requererei agóra mais do que nunca a unanimidade entre o povo e o throno: aquelle vigor, sem o qual a authoridade he impotente. A' proporçaõ que aquella authoridade for vigorosa, se diminuirá a necessidade de ser austera. A maneira porque os depositarios do meu poder tem usado do que as leys lhes confiáram, justifica a minha confiança. Com tudo sinto grande satisfacçaõ em vos annunciar, que naõ considero necessario o continuar as Cortes *Prevotaes*, além do termo fixado para sua existencia, pela ley que as creou.

Na conformidade da Charta, tenho compilado uma ley

para o recrutamento. Desejo que se naõ procurem privilegios, que o espirito e disposiçoens daquella Charta, nossa verdadeira bussola, que chama todos os Francezes indistinctamente aos officios e empregos, naõ sejam illusorios; e que o soldado naõ ache outros limites á sua carreira honorifica, senaõ os de seus talentos e seus serviços. Se a execuçaõ desta saudavel ley exigir augmento nos calculos do Ministro da Guerra, vós, como interpretes dos sentimentos do meu povo, naõ hesitareis em sanccionar arranjamentos, que asseguram á França aquella independencia e dignidade, sem aqual naõ pode haver Rey nem Naçaõ.

Tenho-vos exposto as nossas difficuldades, e as medidas que ellas requerem: em conclusaõ chamarei a vossa attençsõ para objectos de natureza mais agradavel. Graças á paz restabelecida á Igreja de França, a Religiaõ, aquella hase eterna de toda a felicidade mesmo sobre a terra, sem duvida florecerá entre nós: e começará a apparecer de novo a tranquillidade e a confiança: o credito publico se está restabelecendo; a agricultura, o commercio e a industria tórnam a tomar a sua actividade; novos primores d'obra excitam a admiraçaõ!

Um de meus filhos se acha, a este momento, atravessando uma parte do Reyno; e em retribuiçaõ dos sentimentos tam profundamente gravados em seu coraçaõ, e manifestados por seu comportamento, em toda a parte he saudado com bençaõs; ao mesmo tempo que eu, que só tenho um sentimento, a felicidade do meu povo, desejo, sómente para seu bem, aquella authoridade que defenderei de todos os ataques, de qualquer genero que sêjam. Sei, que elles me ámam, e acho no meu coraçaõ a segurança de que esta consolaçaõ nunca me será negada.

*Projecto de ley, sobre a liberdade da imprensa; apresentado ás Camaras em* 17 *de Novembro* 1817.

Luiz pela Graça de Deus, &c.

Temos ordenado, que o projecto de ley, do seguinte têor sêja apresentado em nosso nome á Camara dos Deputados, pelo nosso Guarda dos Sêllos, Ministro Secretario de Estado, na Repartiçaõ de Justiça, pelo nosso Ministro de Policia Geral, e pelos Sieurs Ravez e Simeon, Conselheiros de Estado.

Artigo 1. Somente o author (conhecido e residente em França) de qual quer obra impressa, he responsavel polo seu conteúdo.

2. O author, conhecido e residente em França, da traducçaõ de alguma obra, he responsavel por ella.

3. O edictor de alguma obra, cujo author morrer antes da publiaçaõ, ou for desconhecido, ou naõ residente em França, he responsavel por ella.

4. O impressor naõ he responsavel, excepto quando o author, o traductor ou edictor naõ forem conhecidos, ou naõ residerem em França: ou quando o author ou traductor naõ tiverem consentido na impressaõ da obra.

5. Se o author, traductor, edíctor ou impressor de qualquer obra naõ forem conhecidos, ou naõ residirem em França, o livreiro, e todos os outros, que venderem ou distribuirem a dicta obra saõ responsaveis por ella.

6. E comtudo, os authores, traductores, edictores, e impressores de qualquer obra, que directamente incitar a crimes, e os livreiros, e todos os mais, que a venderem ou distribuirem, saõ igualmente responsaveis, e pódem ser processados ao mesmo tempo pela dicta obra.

7. O processo poderá ser instituido por cada uma das obras dadas para serem impressas; nos dous seguintes casos:—1º. Se a declaraçaõ prescripta pela ley de 4 de

Outubro, des 1814 se naõ tiver feito: 2°. Se a obra, ainda que se tenha feito a declaraçaõ, contiver excitaçaõ directa ao crime.

8. Excepto nestes dous casos, naõ poderá instituir-se processo por alguma obra impressa, até que tenha tido lugar a publicaçaõ e a distribuiçaõ de toda ou parte da obra; o deposito feito na conformidade do artigo 14 da ley de 21 de Outubro, 1814, se considéra como publicaçaõ.

9. Quando se tiver aprehendido qualquer obra, em virtude do artigo 15 do titulo 2, da ley de 21 de Outubro de 1814; a ordem de aprehensaõ, e o processo verbal seraõ notificados, dentro em 24 horas, sob pena de nullidade, á parte a quem se fizer a apprehensaõ, e transmittida, dentro do mesmo tempo, pelo Procurador d' El Rey, ao Juiz d' Instrucçaõ.

10. Se dentro em 3 dias desde a notificaçaõ do processo verbal, e no caso em que a distribuiçaõ de toda ou parte da obra aprehendida se naõ tenha ainda feito, a pessoa responsavel accusada declarar, que renuncîa á sua publicaçaõ; e se consentir que todos os exemplares sêjam destruidos, o tribunal ordenará a suppressaõ da obra, e a destruiçaõ dos exemplares apprehendidos, e de todos aquelles, que se possam subsequentemente produzir; e se naõ continuará mais o processo; a menos a que a obra tenha directamente provocado ou excitado a crimes.

11. O Juiz de Instrucçaõ he obrigado a fazer o seu relatorio á Camera do Conselho, dentro em 8 dias, a contar da recepçaõ do processo verbal de apprehensaõ.

12. Se a Camara for de opiniaõ, que naõ ha causa para que se faça processo, decretará a suspensaõ da apprehensaõ e a liberdade do accusado, se elle tiver sido prezo. No caso contrario, ordenará, segundo a importancia dos factos, ou que o negocio sêja remettido ao Tribunal

Correccional de Policia, ou que os documentos sêjam transmittidos ao Procurador Geral d' El Rey, na Côrte Real, para se proceder como se determina no capitulo do Codigo d' Instrucçaõ Criminal, institulado *O Processo d' Accusaçoens.*

13. Naõ havendo sentença, que, no espaco de tres dias, desde que se fizer o relatorio pelo Juiz d' Instrucçaõ, ordene a remessa do negocio ao Tribunal de Policia Correccional, ou os documentos ao Procurador Geral; ou naõ havendo citaçaõ da parte apprehendida, ante o Tribunal de Policia Correccional, dentro do mesmo periodo, augmentado por um dia em consequencia de tres *myriametros* de distancia, contando desde a ordem de transmissaõ, a apprehensaõ ficará nulla e de nenhum effeito. Todos os possuidores da obra apprehendida seraõ obrigados a mandálla ao proprietario, pela simples apresentaçaõ de uma certidaõ do registro, explicando, que naõ tem havido sentença ou citaçaõ, dentro do tempo acima mencionado; a qual certidaõ servirá de descarga.

14. A citaçaõ, ante o Tribunal de Policia Correccional; será, em todos os casos, notificada ao Registrador, dentro em tres dias depois da ordem de remissaõ e a causa será processada na primeira audiencia, depois da expiraçaõ das dilaçoens prescriptas pelo artigo 184 do Codigo de Instrucçaõ Criminal.—Se os documentos forem remettidos ao Procurador Geral, e a Côrte Real pronunciar a accusaçaõ, será o caso processado na seguinte Correiçaõ (Assizes.)

15. O acto de accusaçaõ terminará pela seguinte recapitulaçaõ:— "Consequentemente he accusado de ter commettido pela composiçaõ" (traducçaõ ou publicaçaõ) de "(tal escripto)" ou pela venda ou distribuiçaõ (de tal escripto tal e tal crime acompanhado de taes e taes circumstancias.)

16. As perguntas resultantes do acto de accusaçaõ eraõ postas nestes termos:— 1ª ¿ A obra impressa apresenta ou naõ tal ou tal character, expresso na recapitulaçaõ do acto de accusaçaõ, com todas as circumstancias ali comprehendidas?—2ª ¿ He o accusado culpado de ter composto traduzido, ou publicado ésta obra, ou de a ter impresso, ou de a ter vendido ou distribuido?

17. Se a declaraçaõ do jurado for pela affirmativa somente na primeira pergunta, em todo ou em parte, se manterá a apprehensaõ, e a obra será condemnada, e o accusado será somente condemnado nas custas.

18. Os Tribunaes Correccionaes poderaõ, nos casos de abuso da liberdade da imprensa, ordenar, debaixo de fianças, a liberdade provisional do accusado, segundo o artigo 11 do Codigo de Instrucçaõ Criminal. Poderaõ tambem usar da sua discriçaõ, até na condemnaçaõ da obra, e pronunciar somente o pagamento das custas.

19. e 20. (Estes artigos extendem a sentença, de qualquer obra condemnada, a todas as futuras impressoens e publicaçoens da mesma.)

21. Nos casos de crimes ou culpas menores, a annullaçaõ do processo verbal de apprehensaõ, por erros de formalidade, naõ servirá de obstaculo áo ulterior processo contra a obra. Será o mesmo a respeito do accusado, se os factos imputados forem de outro modo provados pelo processo.

22. Qualquer individuo, que se supposer aggravado pelo abuso da liberdade da imprensa, poderá apresentar a sua queixa ante o Procurador Geral d' El Rey, ou Juiz d' Instrucçaõ, ou no lugar de sua residencia, se a obra ali tiver sido vendida ou distribuida, ou no lugar da residencia do accusado, ou de um delles.

23. e 24. (Referem-se á jurisdicçaõ das Cortes.)

25. A acçaõ publica por algum abuso da liberdade da

imprensa he prohibida depois da revolução de um anno, contando desde o dia em que o escripto tiver sido depositado, em conformidade do artigo 14 da ley de 21 de Outubro de 1814. A acçaõ publica, se naõ tiver havido deposito, e a acçaõ civil em todos os casos, naõ he prohibida senaõ depois do tempo determinado pelo codigo de Instrucçaõ Criminal.

26. A ley de 28 de Fevereiro, 1817, relativa a escriptos apprehendidos, e todas as disposiçoens das anteriores, contrarias á presente, saõ e ficam revogadas.

27. Os jornaes e outras obras periodicas, que tractam de materias politicas e novidades, naõ appareceraõ sem authoridade d' El Rey, até o 1º de Janeiro de 1821.

*(Assignado.)* LUIZ.

---

*Projecto de Ley, para execuçaõ da Concordata.*

Luiz, &c.

A todos, os que as presentes virem, saude. Temos ordenado e ordenamos, que o projecto de ley do têor seguinte sêja apresentado á Camara dos Deputados pelos nossos Ministros Secretarios d'Estado da Repartiçaõ dos Negocios Estrangeiros, e do Interior; Sieurs Conde Beugnot, Ministro de Estado, e Conde Portalis, Conselheiro d'Estado, a quem encarregamos de desenvolver os motivos, e sustentar a sua discussaõ.

Art. 1. Na conformidade da Concordata, feita entre Francisco 1. e Joaõ X. El Rey somente nomea, em virtude de um direito inherente á sua corôa, para os Arcebispados e Bispados, em toda a extensaõ deste Reyno. Os Arcebispos e Bispos recorreraõ ao Papa, para obter a instituiçaõ canonica; segundo as formas estabelecidas por uso antigo,

2. A Concordata de 15 de Julho, 1801, céssa de ter os seus effeitos desde este dia, sálvo porém os effeitos, que tem produzido; e a disposiçaõ do artigo 13 daquelle acto, que fica em plena força e vigor. (Aquelle artigo se refere á inviolabilidade das vendas da propriedade das Igrejas.)

3. Erigem-se sette Arcebispados novos, e vinte e cinco novos Bispados. Duas das Sées Episcopaes, que presentemente existem, se erigem em Sées Archiepiscopaes.—Os limites das 50 Sées já existentes, e os das 42 recentemente creadas, saõ determinados segundo ás tabélas annexas á presente ley.

4. A Congrua dos Arcebispados e Bispados será tirada dos fundos postos á disposiçaõ d' El Rey, pelo artigo 143 da ley de 25 de Março passado.

5. As bulas, breves, decretos, e outros actos, que emanarem da Côrte de Roma, ou fôrem produzidos debaixo de sua authoridade, excepto as indulgencias do Tribunal da Penitenciaria, em tanto somente quanto diz respeito ao Foro Interno Ecclesiastico, naõ poderaõ ser recebidos, impressos, publicados ou postos em execuçaõ no Reyno, sem a authoridade d' El Rey.

6. Aquelles actos, que dizem respeito á Igreja Universal, ou aos interesses geráes do Estado, ou á Igreja de frança, suas leys, sua administraçaõ, ou sua doutrina, e que podem fazer necessarias, ou induzir a algumas modificaçoens na legislaçaõ agóra existente, naõ pódem ser recebidos, impressos, publicados, nem postos em execuçaõ, na França, sem que tenham sido devidamente verificados pelas duas Camaras, sobre a proposiçaõ d' El Rey.

7 Os dictos actos seraõ inseridos no Bulletim das leys, com a ley ou ordenança, que authorizar a publicaçaõ.

8. Os casos de abuso especificado no artigo 6º. e os de

disturbio, providenciados no artigo 7º. da ley de 1802, seraõ submettidos directamente ás Côrtes Reaes, primeira Camara Civil, pela informaçaõ dos nossos Procuradores Geraes, ou accusaçaõ das partes interessadas.

As Côrtes Reaes decidiraõ em todos os casos, naõ providenciados pelos Codigos, na conformidade dos regulamentos antigamente observados no Reyno, salva a apellaçaõ para a Côrte de Cassassaõ.

9. Todas as pessoas de ordens sacras, approvadas pelos seus Bispos, que forem accusadas de crimes ou culpas, seja fóra de suas funcçoens, séja no exercicio dellas, seraõ processadas na conformidade das disposiçoens do artigo 10mo. da ley de 20 de Abril, 1810; e dos artigos 479 e 480 do Codigo Criminal de Instrucçaõ.

10. As bulas dadas em Roma aos 19 (1) e 27 (2) de Julho: a primeira contendo a ratificaçaõ da Convençaõ feita aos 11 de Julho, proximo passado, entre El Rey e sua Sanctidade; a segunda relativa aos limites das dioceses do Reyno, saõ recebidas, e seraõ publicadas, sem approvaçaõ das clausulas, formulas e expressoēns, que contem, e que saõ ou possàm ser contrarias ás leys do Reyno, liberdades, franquezas, e maximas da Igreja Galicana.

11. Em nenhum caso as dictas recepçoens e publicaçoens prejudicaraõ as disposiçoens da presente ley, o direito publico dosFrancezes, garantido pela Charta Constitutional, as maximas, franquezas, e liberdades da Igreja Gallicana, as leys e regulamentos relativos aos negocios ecclesasticos, e as leys relativas á administraçaõ das persuasoens religíosas, naõ Catholicas.

Dada no Castello dos Thuilherias, aos 22 de Novembro do anno de Nosso Senhor, 1817, e de nosso reynado 23.

(*Assignado*) LUIZ.

## HESPANHA.

### *Decreto de Perdaõ.*

Pelo Ministerio de Graça e Justiça se expedio o Real Decreto seguinte:

"Sendo taõ proprio do meu paternal amor aos meus vassallos o conferir-lhes as graças e alivios, que permittirem a equidade e a justiça, e tendo devido á Divina Providencia o importante beneficio e singular consolaçaõ do feliz parto da Raynha, minha muito cara e amada Esposa, dando á luz uma robusta Infanta: hei por bem conceder perdaõ geral a todos os prezos, que se acharem nos carceres de *Madrid* e nos outros do Reyno, e que sejam capazes delle; mas com a circumstancia de que naõ se comprehendam neste indulto os Réos, a quem a gravidade de seus crimes faça indignos desta graça, nem os de lesa magestade divina ou humana, de aleivosia, de homicidio de Sacerdote, nem o delicto de fabricar moeda falsa, o de incendiario, o de extracçaõ de cousas prohibidas do Reyno, o de blasfemia, o de Sodomia, o de furto qualificado, o de soborno, o de baratria, o de falsidade, o de resistencia á Justiça, o de desafio, o de descaminho da minha Real Fazenda. E he minha soberana vontade que neste indulto se comprehendam os delictos commettidos antes da sua publicaçaõ, e naõ os posteriores, devendo gozar delle os que estiverem prezos nos carceres, e os condemnados a presidios ou arsenaes, que naõ estiverem ja remittidos, ou em caminho para os seus destinos, com tanto que naõ hajam sido condemnados pelos delictos que ficam exceptuados. Do mesmo modo, usando da minha Real benignidade, hei por bem estender este indulto aos Réos que andam fugitivos, ausentes, ou rebeldes, assignalando-lhes o termo de tres mezes aos que estiverem dentro de Hespanha, e de um anno aos que se acharem fora destes Reynos, para que possam apresentar-se perante quaesquer Justiças, as quaes deveraõ dar conta aos Tribunaes onde penderem as suas causas, para que se proceda á declaraçaõ do indulto. Declaro que nestes delictos em que houver parte aggravada, ainda que se haja procedido de Officio, naõ se concederá o indulto sem que preceda o seu perdaõ; e que nos em que houver interesse ou pena pecuniaria tambem se naõ conceda, sem que preceda a satisfacçaõ ou o perdaõ da parte, que deverá valer para o interesse ou pena correspondente ao Fisco, e mesmo ao denunciante. Assim se tenha entendido na Camara a fim de dispor o seu cumprimento na parte que lhe competir.—Rubricado pela Regia maõ.—Em Palacio a 20 de Septembro de 1817.

AO DUQUE PRESIDENTE DO CONSELHO.

## INGLATERRA.

*Decreto, ou sentença, da Corte de Vice-Almirantado em Halifax; sobre os navios de pesca dos Estados-Unidos, aprezados pelos Inglezes.*

Decreto pronunciado pelo Honr. Miguel Wallace, Juiz da Corte de Vice Almirantado, em sexta feira 29 de Agosto: na causa dos navios de pesca Americanos, aprezados, e detidos, pelos navios de guerra de S. M., nas enseadas e costas da Nova Escocia.

He esta uma questaõ de grande importancia nacional.

Com esta impressaõ, teve o caso, de minha parte, tanta consideraçaõ, quanta os meus humildes talentos lhe podîam prestar.

Convenho inteiramente no principio, que estabelece o Advogado Geral, de que o Governo Americano, quando começou hostilidades contra a Gram Bretanha, cortou o fio porque pendia o seu tractado de 1783 com o nosso

Governo, e por isso dissolveo toda a condiçaõ, obrigaçaõ e privilegio que elle continha. Porém, como os subditos Americanos tem por longo tempo gozado, em virtude daquelle tractado, o privilegio de pescar nas nossas costas; e naõ ha notificaçaõ especifica do nosso Governo, que eu saiba, depois de publicado o tractado de Gante sobre ésta materia, a que eu possa recorrer, naõ posso adoptar tam séria medida como a condemnaçaõ da propriedade de individuos, que parecem geralmente ignorantes das intençoens de nosso Governo a respeito da prohibiçaõ: além disso, naõ apparece na Côrte, que algum delles fosse achado no acto de apanhar ou pescar o pexe, ou commerciar com os habitantes em nenhuma das enseadas ou bahias: mas meramente buscar abrigo dos tempos, ou alguma agua doce, o que nas presentes circumstancias naõ posso considerar como infracçaõ dos nossos direitos.

Independente desta consideraçaõ, se eu me achasse inclinado a pôr em força o principio do direito das gentes neste caso, naõ saberìa que pena devesse impôr aos transgressores.

Em todos os outros casos, em que os estrangeiros saõ aprezados por fazerem trafico illegitimo, ha positivos actos do Parlamento, que impôem pena de perdimento da propriedade, e outras penas a cada delicto.

Será por ventura materia sem controversia, que estes vasos devam ser condemnados, e perdidos para Sua Majestade? Eu naõ posso pensar assim.

Naõ tenho ley, que me guie na minha sentença, nenhuma proclamaçaõ ou Ordem em Conselho, nenhumas instrucçoens de qualquer genero que sejam, pelas quaes possa medir o castigo desta infracçaõ de nossos direitos coloniaes.

He uma questaõ totalmente nova, e tal que eu concebo estar envolvida em grande duvida e difficuldade, em consequencia do silencio do tractado de Gante, sobre esto tam importante objecto.

Naõ ignoro; que tem continuado algumas negociaçoens entre o nosso Governo e o da America, relativamente á questaõ das pescarias; éstas negociaçoens se suspendêram em Janeiro passado, he verdade; mas he igualmente verdade, que ellas se renovátam, e ainda estaõ pendentes.

Em taes circumstancias, portanto, naõ me considero justificado em condemnar ésta propriedade para S. Majestade; porém sim decretarei, que os vasos e propriedade que lhes pertence, sêjam restituidos aos reclamantes, pagando elles as custas; de cujo decreto, se os aprezadores naõ ficarem satisfeitos, tem a liberdade de appellar para uma Côrte superior: aonde he provavel que a materia tenha sido discutida por habeis julgadores: e aonde as intençoens do nosso Governo, a respeito disto, se pódem plenamente averiguar.

# COMMERCIO E ARTES.

## Lisboa.

*Edictal da Juncta do Commercio, sobre a esquadra Argelina empestada.*

A Juncta da Saude Pública, em fiel desempenho da sua Commissaõ, julga do seu dever naõ demorar a publicaçaõ de um Officio, que o louvavel zelo do Consul Geral da Naçaõ Portugueza em Gibraltar, acaba de lhe dirigir, naõ só para que o seu contheudo, chegando ao conhecimento de toda a Naçaõ, haja de prevenir qualquer acontecimento funesto, que a ignorancia de taes circumstancias poderia motivar; mas para que ao mesmo tempo sirva de advertencia para aquelles, que por qualquer motivo se constituirem transgressores dos Regimentos de Saude, e das mais cautélas, e restricçoes, que a mesma Juncta, com approvaçaõ Regia, vai mandar pôr em pratica em todos os Portos do Reyno, particularmente nas Costas do Algarve, e que nas actuaes circumstancias exigem a mais activa, e rigorosa execuçaõ, unico meio de preservar estesReynos do flagello da Peste, que de taõ perto os ameaça.

*Copia.*

Tenho a honra de participar a Vossa Excellencia, por Expresso, que no dia 28 de Septembro sahio de Argel a esquadra Argelina, composta de uma Polacra Corveta, tres Bergantins, e duas Escunas, para o fim de cruzarem contra os Prussianos, e Hamburguezes, indo fazer o seu Cruzeiro até o Cabo de S. Vicente; e naõ padece a menor dúvida o terem a bordo a Peste. No día 16 do corrente fazia a dicta Esquadra seu Cruzeiro entre Cabo de Gata, e Malaga,aonde registava toda aEmbarcaçaõ que encontrava.

Tendo chegado a noticia de Tanger, que no dia 16 pela tarde entráram naquelle Porto uma Escuna, e um Brigue Argelinos, aos quaes naõ se permittio communicar com a terra, e unicamente fazerem aguada, a qual fizeram n'um sitio fóra da Cidade, chamado os Brames, porém com um Cordaõ de Guardas debaixo das Ordens dos Consules alli residentes: depois do que deviam fazer-se de véla.

Este Governo tem ordenado, que todas as Embarcaçöes procedentes de Levante, e Poente façaõ 10 dias de quarentena, de observaçaõ, naõ vindo ellas daquelles Portos, que saõ suspeitosos; porque entaõ devem, ou fazer maior quarentena, ou naõ serem totalmente admittidas.

Vendo eu o muito que interessa a communicaçaõ desta noticia ao bem da Saude Pública, e o expostos que estaõ todos os Reynos a serem sacrificados pela má policia da Regencia de Argel, tem-me parecido conveniente fazer esta participaçaõ a V. Exa. por Expresso, áproveitando-me do mesmo, para fazer outra igual ao Governo do Algarve.

Deos guarde a Exa. Gibraltar 20 de Outubro de 1817, ás 4 horas da tarde.—Illustrissimo e Excellentissimo Senhor Marquez de Tancos. N. B. As noticias de Argel de 28 de Setembro eram de ser regularmente o numero dos mortos de cincoenta diariamente; porém que havia dia do maior numero.

E para que chegue á noticia de todos, e se naõ possa allegar ignorancia, se mandou affixar o presente Edital em todas as Praças Públicas dos Portos do Reyno. Lisboa 30 de Outubro de 1817.

MANOEL CYPRIANO DA COSTA.

---

*Medidas para promover o commercio interno do Reyno Unido de Portugal Brazil e Algarves.*

He com muito prazer, que vêmos em fim adoptadas algumas providentes medidas, para favorecer o commercio de umas provincias dos dominios Portuguezes com outras.

Por uma Carta Regia, dirigida aos Governadores de Portugal, e datada no Rio-de-Janeiro aos 15 de Septembro deste anno, se estabelecem alguns meios de promover o commercio interno da Naçaõ, que julgamos mui dignos de louvor, e saõ mui conformes ás doutrinas, que temos sempre mantido a este respeito.

Por esta Carta Regia se ordena; 1o Que todos os artigos de manufactura de Portugal, que forem necessarios para o uso da Casa Real, para o Exercito ou para a Esquadra, sêjam suppridos em preferencia da Real Fabrica de sedas, e outras Fabricas de Portugal.

2º. Que o mercado dos productos exclusivos á Fazenda Real; isto he, Pao Brazil, Marfim, e Urzela, que até aqui tinha lugar em Londres, se transfira para a capital do Reyno.

Em consequencia disto achamos, que se expedio um Avizo pela Secretaria d' Etado, em data de 15 de Septembro, 1817, assignado por Joaõ Paulo Bezerra, em que se ordena aos capitaens Generaes das differentes Capitanias do Brazil, que se procurem os vestuarîos das tropas das fabricas nacionaes em preferencia; e o Avizo cita o decreto de 28 de Abril, 1809; no qual se ordenava isto mesmo; posto que naõ dîga porque se naõ cumprio, ou porque esta segunda ordem terá melhor cumprimento.

Nós esperamos que éstas ordens, manifestamente uteis á Naçaõ, surtam o seu devido effeito; assim como que o Ministerio do Brazil pense seriamente em um regulamento de alfandegas, que favoreça a importaçaõ dos vinhos e outros artigos de Portugál nos demais Estados da Monarchia, principalmente no Brazil.

Em outro Nº daremos as integras dos documentos que mencionamos acima.

## *Preços Correntes dos principaes Productos do Brazil.*

**LONDRES, 21 *de Novembro, de* 1817.**

| Generos. | Qualidade. | Quantidade. | Preço de | a | Direitos. |
|---|---|---|---|---|---|
| Assucar | Redondo | 112 lib. | 36s. 0p. | 54s. 0p. | Livre de direitos por exportaçaõ. |
| | Batido | | 48s. 0p. | 52s. 0p. | |
| | Mascavado | | 44s. 0p. | 47s. 0p. | |
| Arroz | Brazil | | 35s. 0p. | 38s. 0p. | |
| Caffe | Rio | | 87s. 0p. | 89s. 0p. | |
| Cacao | Pará | | 70s. 0p | 74s. 0p. | |
| Cebo | Rio da Prata | | 58s. 0p. | 60s. 0p. | 3s 2p por 112lb |
| Algodaõ | Pernambuco | libra | 2s. 2p. | 2s. $2\frac{1}{2}$p | |
| | Ceará | | 2s. 1p. | 2s. $1\frac{1}{2}$p | 8s. 7p. por lb. 100 em navio Portuguez ou Inglez. |
| | Bahia | | 1s. $11\frac{1}{2}$p | 2s. $0\frac{1}{2}$p | |
| | Maranhaõ | | 1s. $11\frac{1}{2}$p | 2s. $0\frac{1}{2}$p. | |
| | Pará | | 1s. 10p. | 1s. $10\frac{1}{2}$p | |
| | Minas novas | | | | |
| | Capitania | | | | |
| Annil | Rio | | 3s. 0p. | 3s. 6p. | $4\frac{3}{4}$p. por lb. |
| Ipecacuanha | Brazil | | 7s. 0p. | 7s. 6p. | 3.$6\frac{3}{4}$p. |
| Salsa Parrilha | Pará | | 3s. 0p. | 3s. 6p. | 1s. $2\frac{1}{4}$p. |
| Oleo de cupaiba | | | 1s. 3p. | 1s. 7p. | 1s. $11\frac{3}{4}$p. |
| Tapioca | Brazil | | 0s. 4p. | 0s. 6p. | 4 p. |
| Ourocu | | | 3s. 3p. | 3s 6p. | direitos pagos pelo comprador |
| Tabaco | em rolo | | | | Livre de direitos por exportaçaõ. |
| | em folha | | | | |
| Couros | Rio da Prata, pilha A | | $7\frac{3}{4}$p | $9\frac{3}{4}$p | |
| | Rio da Prata, pilha B | | $7\frac{3}{4}$p | $9\frac{3}{4}$p | $9\frac{1}{2}$p. por couro em navio Portuguez ou Inglez. |
| | Rio da Prata, pilha C | | $7\frac{3}{4}$p | $9\frac{3}{4}$p | |
| | Rio Grande A | | $6\frac{3}{4}$p | $8\frac{3}{4}$p | |
| | Rio Grande B | | $6\frac{3}{4}$p | $8\frac{3}{4}$p | |
| | Rio Grande C | | $6\frac{3}{4}$p | $8\frac{3}{4}$p | |
| | Pernambuco, salgados | | $3\frac{1}{2}$p | 5p | |
| | Rio Grande, de cavallo | Couro | 4s 6p. | 6s. 0p. | |
| Chifres. | Rio Grande | 123 | | | 5s. $6\frac{1}{2}$p. por 100 |
| Páo Brazil | Pernambuco | Tonelada | 140l. | | direitos pagos pelo comprado |
| Páo amarello | Brazil | | 7l. | 9l. | |

### *Especie.*

| | | | | |
|---|---|---|---|---|
| Ouro em barra | £0 | 0 | 0 | por onça. |
| Peças de 6400 reis | 4 | 0 | 6 | |
| Dobroens Hespanhoes | 0 | 0 | 0 | |
| Pezos dictos | 0 | 5 | 3 | |
| Prata em barra | 0 | 0 | 0 | |

### *Cambios.*

| | | | | |
|---|---|---|---|---|
| Rio de Janeiro | 62 | | Hamburgo | 34 |
| Lisboa | 59 | | Cadiz | $37\frac{1}{4}$ |
| Porto | 59 | | Gibraltar | 32 |
| Paris | 24 | 60 | Genova | $46\frac{3}{4}$ |
| Amsterdam | 11 | 10 | Malta | 48 |

### *Premios de Seguros*

| | | | |
|---|---|---|---|
| Brazil | Hida 40s. | Guineos | Vinda 40s |
| Lisboa | 35 | | 35 |
| Porto | 40 | | 40 |
| Madeira | 40 | | 40 |
| Açores | 50 | | 60 |
| Rio da Prata | 0 | | 0 |
| Bengalá | $3\frac{1}{2}$Gs. | | $3\frac{1}{2}$Gs. |

# LITERATURA E SCIENCIAS

## Novas Publicaçoens em Inglaterra.

*BARTON on the labouring classes.*—8vo. preço 3s. 6d. Observaçoens sobre as circumstancias, que influem na condiçaõ das classes trabalhadoras da Sociedade. Por Joaõ Barton.

*Stevenson's Scripture Portraits,* 2 vol. 12mo, preço 8s. Retratos da Escriptura; ou Memorias Biographicas dos mais distinctos Characteres, ou personagens, mencionados no Testamento Velho: com uma narrativa historica dos principaes acontecimentos, acompanhada de reflexoens sérias, moraes, e practicas, adaptadas a leitores de pouca idade. A cada retrato se affixa uma legenda appropriada. Pelo Rev. Roberto Stevenson, de Castle Hedingham.

*Davidson's Mathematics,* 8vo. preço 12s. Systema de Mathematicas practicas; contendo problemas Geometricos, Trignometria Plana, Mensuraçaõ de alturas e distancias, de superfiicies e solidos, Secçoens Conicas, Gravidade Especifica, mediçoens de artifices, de terras, de liquidos, Artilheria, e Trigonometria Espherica. Com a sua applicaçaõ á soluçaõ de alguns problemas uteis de Geographia, Geodesia, e Astronomia. Ao que se ajunctam

Taboadas dos Logarithmos dos Numeros, e os Senos, Tangentes, e Secantes. Por Joaõ Davidson, A. M.

---

*The Sacred Edict*, 8vo. preço 7s. 6d. O Edicto Sagrado; contendo dezesseis maximas do Imperador Kang-he ampliadas por seu filho o Imperador Yoong-Ching; juncto com uma paraphrase sobre tudo por um Mandarin. Traduzido do original Chinez; e illustrado por notas do Rev. Guilherme Milner, Missionario Protestante em Malacca.

---

*Robertson's Romaic Grammar;* 12mo. preço 4s. 6d. Grammatica concisa da lingua Romaica, ou Grego Moderno; com Phrases e Dialogos, sobre os objectos mais familiares; compilada por H. Robertson, M. D. durante a residencia de alguns annos nas Ilhas Ionias.

---

*Taylor's Plotinus*, 8vo. preço 18s. Obras escolhidas dePlotinus, o grande restuarador da Philosophia de Plataõ; e extractos de Sinesio sobre a Providencia, traduzidos do Grego; com uma introducçaõ, contendo o resumo da vida de Plotino por Porphiro. Tudo traduzido por T. Taylor.

---

*Sinclair's Code of Agriculture*, 8vo. preço 1*l*. 1s. O Codigo de Agricultura; incluindo observaçoens sobre or jardins, pomares, bosques, e plantaçoens. Pelo Muito Honrado Sir Joaõ Sinclair, Baronete.

Consideram-se neste volume. 1. Os pontos preliminares, que um lavrador deve averiguar, antes que emprehenda occupar alguma extensaõ de terra. 2. Os meios de cultura, que saõ essenciaes, para assegurar o bom successo. 3. Os varios modos de melhorar a terra. 4. Os varios modos de occupar a terra. 5. Os meios de melhorar qualquer paiz.

---

*Barlow's Essay on Timber*, 8vo, preço 18s. Ensaio sobre a fortaleza e tenacidade da madeira: fundado em experiencias feitas no Arsenal Real, e Estaleiro de S. M. em Woolwich: precedido de uma Revista Historica das theorias e experiencias passadas. Com numerosas estampas e taboadas; e um appendiz sobre a fortaleza do ferro e outros materiaes. Por Pedro Barlow da Academica Real Militar.

---

*Brown's Northern Courts*, 2 vol. 8vo. preço 1 *l.* 1s.—Côrtes do Norte; contendo Memorias Originaes dos Soberanos de Suecia e Dinamarca, desde 1766; incluindo as extraordinarias vicissitudes das vidas dos netos de George Segundo. Por Joaõ Brown, Esc.

---

*Fearn's Letter to Stewart*, 4to. preço 5s. Carta ao Professor Stewart, sobre os objectos dos termos geraes, e leys axiomaticas da Visaõ. Por J. Fearn, Esc.

---

*History of Modern Europe to* 1815, 8vo. preço 12s.—Historia da Europa desde o tractado de Amiens em 1802, até a pacificaçaõ de Paris em 1815. Por Carlos Coote, L.D.

PORTUGAL.

Saîo á luz: *Lindoro e Palmira*, ou os amantes perseguidos, Novella Portugueza, offerecida ás Senhoras Portuguezas, por D. Maria Clara Junior. Preço 200 reis.

---

Signaes evidentes da vinda do Anti-Christo, sua vida, seus progressos, sua decadencia, sua queda, &c. com o tractado do Juizo Universal, e fim do Mundo: Preço 160 reis.

---

Segunda Parte do Novo Methodo de ensinar a aprender a pronunciaçaõ e leitura da linguagem Portugueza, para uso das Escolas Militares do Exercito.

---

*Demonstraçaõ Theologica*, colligida dos melhores authores, com muitas notas: breve, util e apropriada ao verdadeiro conhecimento da verdade da Religiaõ Catholica, e a confutaçaõ dos erros do seculo presente. 1 vol. em 8vo.

---

Collecçaõ Chronologica dos Assentos das casas da Supplicaçaõ e do Civel, segunda ediçaõ, augmentada com 37 assentos, e diligentemente emendada dos frequentes erros e faltas da primeira, cujá maior e mais notavel parte se refere ao relatorio que no fim della vai estampado.

---

*Aguas mineraes de Araxá, no Brazil.*

(Extracto da Gazeta do Rio de Janeiro, de 21 de Junho.)

Havendo annunciado a remessa das aguas mineraes de Araxá, daremos agóra o seu resultado, constante da seguinte carta, dirigida ao Exmo. Conde da Barca, Ministro e Secretario d' Estado dos Negocios da Marinha, interinamente encarregado das outras Repartiçoens:—

"Illmo. e Exmo. Senhor.—O resultado que obtive do sal, qui foi extrahido das aguas mineraes, que ha em muitas partes nos julgados de Araxá, e desemboque de Minas Geraes, segundo o testemunho do Tenente Coronel Engenheiro Baraõ de Eschwege, que foi quem primeiro chamou a attençaõ de V. Exa. a este respeito, (como ja se publicou em a Gazeta No. 102 do anno passado) he ser o dicto sal carbonato de potassa com excesso da Alkali, tendo em mixtura, pouco mais ou menos, duas centesimas partes de materias estranhas, as quaes achei ser argilla na sua maioridade, terra siliciosa em pequenos graõs, e quantidade; tudo em mixtura com residuos, que me parecêram ser de substancias vegetaes, ou animaes, ou de ambos. Este sal, que tem sido conhecido debaixo das denominaçoens de alkali vegetal doce, alkali fixo e fervente, alkali fixo aerado, greda alkalina, tartaro alkalino, mephito de potassa, sal fixo de nitro, sal de tartaro, &c. &c. obtido no estado da amostra, sobre que fiz o ensaio, póde servir para um numero extensissimo de usos nas artes, como sêjam vidraria, tincturaria, saboaria, fabricas de assucar, &c: e, sendo apurado, tem muitos usos em Medicina e Chimica, segundo as proporçoens ulteriores, a que elle se submette, quando se tem de fazer delle usos particulares: elle custumà ser raro na natureza em estado mineral, e a maior quantia, que se consome nas artes, he obtido ordinariamente da lixiviaçaõ das cinzas do maior numero de vegetaes, e entaõ custuma ser ordinariamente mais impuro do que o de que se tracta, ou tambem do tartaro cru. Havendo pois um grande numero de fontes de aguas mineraes, em que este sal existe mineralisante em quantidades consideraveis, e consistindo o processo para o obter simplesmente em fazer evaporar aquellas aguas, ou pela acçaõ do fogo, ou pelo modo das salinas, para se obter em grande; considero isto como um objecto de bastante importancia, tanto para o consumo interior de fabricas &c. como mesmo para o commercio, onde elle deve ter grande e prompto consumo, vista a grande extensaõ de usos, para que elle serve, Tenho a honra de ser, &c.—Fr. Leandro do Sacramento.

## Economia Politica de Mr. Simonde.

(Continuada de p. 398)

### *Livro II, dos Preços.*

### Capitulo Primeiro,

*Qual he a Origem dos preços de cada cousa.*

Depois da formaçaõ e progredimento dos Capitaes, a parte da economia politica que parece exigir da banda do Legislador do Commercio conhecimentos mais profundos, he a que ensina a distinguir a origem do preço das cousas, e as causas que o determinam. De uma parte, com efeito, o preço, como base de todos as trocas, a que se deve a accumulaçaõ da riqueza nacional, influe singularmente sobre o resultado destas trocas; da outra, o Legislador pode, mesmo sem querer, deminuir os preços de differentes modos, mas quasi sempre com deterimento da Sociedade.

Neste Livro Segundo examinaremos qual he a origem dos differentes preços de cada cousa; como se pode avaliallos de duas maneiras, comparando-se ao numerario, ou ao trabalho: quaes elles devem ser para vantajem da naçaõ, e como em fim a ley influe nos preços, já por regulamentos de finanças, cujo fim he augmentar as rendas do Governo, já por disposições geraes dictadas por algum systema, e destinadas a augmentar a rigueza de toda a Naçaõ.

O preço he, em geral, a quantidade d' uma especie de riquezas, à qual se julga que outra especie de riquezas he igual.

Desde que se introduzio o numerario nas trocas, ganhou este um valor quasi uniforme no mundo commerciante, e foi geralmente escolhido para termo de comparaçaõ. No capitulo seguinte examinaremos as vantagens e os inconvenientes desta comparaçaõ; mas neste servir-nos-hemos della para acharmos os pontos fixos d' onde se parte para determinar cada preço.

Qual deve ser o preço do vendedor quando propoem uma uma troca? certamente naõ he arbitrario, e deve depender d' um certo valor intrinseco da cousa que deseja ceder. Já temos dicto, que he ao trabalho do homens que devemos todas as cousas em que reconhecemos algum valor; e se buscarmos desde a sua origem o valor da cousa de que desejemos examinar o preço, veremos a que trabalho ella se deve, e que trabalho se ha direito a exigír em troco della.

Nas materias primas he que se deve buscar o valor original das cousas manufacturadas, antes de o ir seguindo polos differentes degraos por que elle augmenta. Ora as producções da natureza saõ sempre as materias primas de todas as possessões do homem: o seu valor nasce igualmente do seo trabalho, mas sem a ajuda da natureza este trabalho seria impossivel.

Toda a materia prima, que o homem possue, ou elle a colha da superficie da terra, ou lha tire do seio, ou do meio das aguas, comprehende realmente em si, 1°. o salario tanto necessario como superfluo dos obreiros, que a produziram ou adaptaram para o uso do homem, tal qual o empresario lho pagou; 2°. a renda dos capitaes fixos empregados na sua producçaõ, e que pela sua accumulaçaõ facilitaram o trabalho do artifice. A relaçaõ que ha desta renda ao capital que a produzio, he determinada pela proporçaõ media entre o lucro do commercio e o capital circulante; naõ tendo o capitalista mais interesse em fazer girar o seo capital doque em o fixar, ou, *vice versa*, escolhe entre estes dous empregos aquelle que mais lucro lhe promette. Ora a concurrencia livre entre os Capitalistas deve necessariamente produzir o equilibrio entre os lucros de todos os capitaes; 3º. o lucro que o empresario deve fazer proporcionado à massa de riqueza movel, que houver adiantado aos jornaleiros, e à duraçaõ deste avanço. A proporçaõ entre este lucro e o capital, sobre que elle se adquire, he fixado pela concurrencia, em um tempo dado. Como os capitalistas naõ tem mais predilecçaõ por um genero de producçaõ que por outro, entregam-se àquelle que rende mais, e estabelecem o equilibrio; como vimos no livro precedente quando fallámos do lucro medio.

Quando o salario pago he regulado pela taxa media do que se paga no mesmo tempo e no mesmo logar; quando o lucro e a renda saõ avaliados pelo mesmo modo: e tanto o trabalho como o capital foram empregados de uma maneira taõ industriosa e vantajosa, como ordinariamente se practìca em um tempo e logar dado; o preço da materia prima, fixado por estas tres bases, he taõ baixo como pode ser; naõ pode abaixar-se mais sem causar prejuizo aos productores e aos empresarios, e por conseguinte sem que estes se desgostem e larguem o trabalho. Preço necessario de uma materia prima chamaremos aquelle, que naõ exceder esta proporçaõ: sendo o mais baixo possivel, naõ causa perda ao comprador, e todavia procura aos productores as tres especies de renda, lucro, renda e salario superfluo.

Importa muito convencer-se de que estas tres rendas

podem existir sem occasionar perda alguma aos que as pagam.

Devemos lembrar-nos que o trabalho dos homens, antes da sua civilisaçaõ e da accumulaçaõ da riqueza nacional naõ produzia senaõ justamente o que era necessario para sua subsistencia, e que à proporçaõ que um capital mais consideravel lhes forneceo melhores ferramentas, e um mercado mais extenso se lhe abrio, novos capitaes os puseram em estado de dividir e subdividir as profissoens, tambem a sua obra foi sempre muita máis, comparativamente àquella que as suas simples forças physicas lhes permittiriam que fizessem antes da accumulaçaõ dos capitaes. Existe portanto um excesso de producçaõ sobre o reembolço do salario necessario do artifice, a quem ella se deva.

Este excesso póde ser avaliado em si mesmo, ou em relaçaõ á renda que elle produz; e estas duas avaliações saõ mui differentes. Em si mesmo, he igual à differença entre o trabalho que teria custado a mesma producçaõ a um homem, que naõ tivesse sido assistido pela accumulaçaõ do trabalho anterior dos seos similhantes, e o trabalho que ella custou ao obreiro productivo; ex aqui que a differença he igual á quantídade de riqueza que proveio à sociedade do aperfeiçoamento do trabalho. Mas em relaçaõ á renda que elle produz, naõ se deve avaliar assim: porque nunca se acharia consumidor que encommendasse um trabalho taõ enorme, ou que consentisse em o reembolçar como se na realidade se houvesse feito. Por exemplo, nunca se mandariam fazer alfinetes, se o comprador, para os obter houvesse de dar por elles os fructos de um trabalho taõ grande como o que teria um artifice selvagem para os fazer. Portanto he necessario que este superfluo se reparta entre os consumidores e os productores, que estes ultimos effereçam aos primeiros sufficiente conveniencia para os resolver a tomarem-lhes os fructos da sua industria, e que os primeiros cedam aos ultimos sufficiente ganho para os decidir a empregarem efficazmente a sua industria, e a accumalaçaõ dos seos capitaes, neste genero de producçoens: faz-se portanto livremente a repartiçaõ do superfluo do trabalho. A parte mais consideravel he sempre a do consumidor, he o accrescimo de abundancia, que a naçaõ adquire do aperfeiçoamento da sua riqueza.— A parte deste superfluo, com que fica o productor, forma de outro lado a renda nacional.

Se o consumidor recusasse abandonar ao productor uma parte do superfluo do trabalho, naõ teria este interesse nenhum em empregar os seos capitaes accumulados para augmentar as suas producçoens, e naõ se faria mais na naçaõ doque aquella especie de trabalho bruto, que faziam os homens na origem das sociedades, e que naõ deixa superfluo algum. Portanto, longe do consumidor ganhar pelo seo poupar, perderia toda aquella parte do superfluo, que elle ganha nas trocas ou compras. De sorte que o seo interesse he pagar sempre bastante salario superfluo, de lucro, e de renda, para patrocinar o aperfeicoamento do trabalho. Este trabalho, que tanto beneficio lhe procura, naõ existiria se naõ recompensasse aquelles que augmentam os seos effeitos polo emprego dos seos capitaes, e quando elle regatea com elles, e lhes naõ quer dar senaõ o menos por que elles poderem trabalhar, he claro que naõ lhes paga senaõ um preço absolutamente necessario, sem o qual a producçaõ pararia, e que por consequencia, naõ lhes dá perda

Nenhuma materia prima pode ser reduzida ao seo preço necessario, senaõ quando a terra ou porçaõ de terra que a produz naõ pertence a ninguem, porque, se esta porçaõ de terra depender de um proprietario, este naõ abandonará gratuitamente o seo direito sobre uma parte dos productos da sua possessaõ, e o fabricante dever-lhe-ha pagar a obra da natureza na producçaõ da materia prima, no que entrará tambem o lucro dos avanços que elle houver feito. Mas se a petiçaõ do proprietario da terra de uma retribuiçaõ, (a que temos dado o nome de renda das terras) naõ for fundada sobre trabalho, que elle tenha feito ou dará fazer, entaõ esta retribuiçaõ naõ se regula pelo que a elle faz conta, mas sim pelo que faz conta aos outros com quem tracta. A sua petiçaõ he proporcionada á necessidade que se tem delle, e á concurrencia, que lhe fazem os seos îrmaõs proprietarios de terras. Por pouco que elle obtenha nunca perderá, mas como a sua terra pode produzir materias primas de natureza differente, applicalla-ha às que lhe derem mais proveito.

Esta retribuiçaõ, que o producto he obrigado a pagar ao proprietario de terras, eleva o preço necessario. Mas como ella he uma consequencia indispensavel da apropriaçaõ das terras, e como sem esta apropriaçaõ jamais haveria capitaes fixos para a sua cultura, acha-se por isso ligada á melhor ordem de cousas possivel, a uma ordem que facilita mais o trabalho, doque lhe encarece o producto. De sorte que mesmo depois de ao preço necessario estar juncta a renda da terra, o comprador obtem o genero pelo menor preço possivel. E ainda que este preço contenha renda da terra, renda de capitaes fixos, lucro, e salario superfluo, todos estes ramos de renda, regulados pela taxa commum do mercado, naõ accasionam perda alguma ao consumidor. O preço que assim he composto chamar-lhe-hemos preço intrinseco.

[Continuar-se-ha.]

# MISCELLANEA.

## Guerra Civil na America Hespanhola.

---

### *Noticias Officiaes do Exercito Auxiliar no Peru.*

Quartel General de Tucuman; de 15 até 31 de Maio.

Depois que o inimigo abandonou a cidade de Salta, foi obrigado, como natural consequencia, a saîr tambem de Jujuy. Aos 18, um regimento, com duas peças d'artilheria, marchou para Comedero; porém sendo repulsado pelos commandantes Gorriti e Corte, foi obrigado a voltar outravez para Jujuy com alguma perda. No seguinte se retirou, a cuberto de algumas peças daquella praça, deixando ficar muita bagagem e gado. As divisoens, que tinham tomado a estrada superior, levâram com sigo 11 carros cheios de mortos e feridos; fôram perseguidos de perto pelo intrepido Major Ropas, sem que tivessemos soffrido outra perca mais do que a do capitaõ Mariano Morales, cinco gauchos feridos, e um morto. O capitaõ Joaõ Joseph Goyechea tambem, com seu inimitavel valor, os obrigou a abondonar a pequena boyada que tinham roubado. Em consequencia disto, e da resistencia que lhes fez o Tenente Coronel Arias, em Tilcará, foram obrigados a voltar muitas familias, e o hospital, que tinha ficado em Jujuy.

Aos 22 tinha todo o exercito evacuado a praça, e tomou logo posse della o commandante Joseph Freo Goriti, com tal ordem que terîa feito honra ás mais disciplinadas tropas; provando assim, que estes valentes soldados sómente pelejam pela liberdade do seu paiz. Aos

26, se naõ tinha o inimigo retirado mais de tres leguas e meia; cercado por todos os lados dos heroes que defendem o seu paiz natal; e fôram compellidos a queimar e destruir as suas barracas, muniçoens, armamento, e outros petrechos de guerra; naõ tendo em que os levar, tendo perdido os seus animaes e bagagem, além de muitos homens. Aos 29 seguîram a sua marcha para Tumbega, queimando tudo, que encontravam no caminho, e perseguidos de perto pelo Major Roxas e Saravia, que, sendo reforçado pela divisaõ do commandante Quintana, lhes causou tam grande perda, que o inimigo se vio na necessidade de fazer halto, e dar uma carga; no que se retirou a nossa partida, perdendo um official superior, prisioneiro e um inferior morto. Passáram-se a nós do inimigo 22 cabos e soldados, os quaes, junctamente com os que ja tinham vindo nos dias antecedenses, fazem o numero de 82: os mais delles Hespanhoes.

A sua vanguarda naõ soffreo menos, visto que o Tn. Coronel Eduardo Arias nos informa, que alem dos mortos e feridos lhe tomára 21 prisioneiros, com suas armas, 80 bestas de carga, e grande numero de burros.

FRANCISCO DE LA CRUZ.

---

*Carta de S. Exa. o Supremo Director e Commandante em Chefe das forças do Sul, a S. Exa. o Delegado.*

O inimigo está agora circumscripto á Peninsula de Talcahuano. A forteleza de Arauco, unica praça que tambem possuîa, foi tomada pelo intrepido Tn. Coronel Romaõ Freyre, e sua valente divisaõ; contra todos os obstaculos da natureza e da arte, como vereis pela participaçaõ, que tenho a honra de vos remetter. Deus vos guarde, &c.

BERNARDO O' HIGGINS.

Quartel General, da Conceiçaõ; 30 de Maio, 1817.

Senhor,

Estando de posse do forte Colcura, como informei a V. Exa. aos 26; accelerei a minha marcha, a fim de vir ao encontro do inimigo. Porém os caminhos éram tam máos, ainda mesmo para os cavalhos, que sómente pude chegar a Laraquete, aonde apanhei tam pezada pancada de chuva, que apenas pude achar abrigo para as armas.—Convencido de que as tropas podiam tam bem continuar a sua marcha como ficar em tal lugar: e sabendo que o rio Carampagne distava somente tres leguas, d' onde os rebeldes tinham escolhido a sua posiçaõ, determinei puchar a diante. Assim aconteceo; porque duas horas depois da minha partida, á uma e meia hora da tarde, os ataquei, deixando parte da minha força para observar as suas fortalzas. Ainda que ésta manobra occasionou o fogo da artilheria e mosqueteria até que chegou a noite, eu naõ experimentei outra desgraça mais do que a perda da maõ de um dragaõ. A noite continuou tormentosa; e as mui vantajosas posiçoens do inimigo se naõ podiam tomar sem grande denodo e intrepidez, naõ dando o rio váo em parte alguma: mas em fim determinei passar a todo o risco, confiando na custumada valentia dos soldados, que preferem a morte á escravidaõ. Eu mudei a minha posiçaõ, e deixei uma pequena partida, sob o commando do capitaõ Francisco Espeja para attrahir a attençaõ do inimigo, em quanto eu atacàva pelo rio, que passei a nado, acompanhado pelos valentes officiaes Lino Ramirez de Arellano, Joaõ Apostol Martinez, Joséph Cienfuegós, Joseph Maria Boil, e Manoel Rencoret, e os grandeiros de cavallo com 50 homens livres na grarupa expostos ao fogo da infanteria e artilheria do inimigo. Trabalháram os inimigos, com o seu constante e rapido fogo, para impedir que nos aproximassemos da bateria; porém a nossa infanteria, na esquerda da nossa posiçaõ, conservou um fogo tam bem dirigido, que os pôz em fugida, deixando ficar no campo 30 homens. Estando de posse daquelle posto, passou o rio o resto da infantaria, e ao romper do dia os persegui sem a menor difficuldade. As 7 horas da manhaã entrei na fortaleza de Arauco, que foi evacuada, porque o inimigo fugitivo se embarcou, sem attender ás tropas, artilheria, armazens e muniçoens, como V. Exa. verá pela lista annexa. A nossa perca consiste sómente em 2 soldados do 7mo regimento, 1 cabo e 1 soldado dos granadeiros de cavallo, e 10 dragoens, que presumo fôram afogados na passagem do rio: ao que devemos accrescentar a grande perca do official D. Vicente Munoz. O inimigo teve 30 mortos, e 40 prisioneiros, e entre elles o Tenente Coronel graduado Pascual Villagran.

Asseguro a V. Exa. que o merecimento da divisaõ, sob meu commando, por sua constancia, enthusiasmo e valor, he digno da maior recommendaçaõ, e vos dou o parabem por tam importante triumpho.

Deus guarde a V. Exa.

(*Assignado*) RAMON FREYRE.

Fortaleza de Arauco, 28 de Maio, 1817.

A S. Exa o Supremo Director do Estado e General em Chefe do Exercito dos Andes.

---

Artilheria &c. tomada aos inimigos.

| | | | |
|---|---|---|---|
| 5 | peças de ferro, de 8, | 8 | barris de polvora. |
| 2 | Do. , de 4. | 80 | granadas. |
| 4 | Do. de bronze, de 2. | 100 | libras de mechas. |
| 400 | cartuchos de peça. | 90 | espingardas. |
| 400 | Do. de metralha. | 8000 | cartuchos de espingarda |
| 300 | Do. sem balla. | 500 | pederneiras. |
| 130 | balas avulsas. | 2 | carretas de peça. |

Verdadeira copia. ZENTENO. Sec.

Buletin, No. 24

Exercito do Peru: do 1º até 15 de Junho, 1817.

Quartel General de Tucuman.

O General Serna tem todos os dias motivos de arrependimento, por ter penetrado nestas provincias, e temos a gloria de dar a conhecer ao mundo os impotentes esforços de um tyranno, contra homens, que pelejam por sua liberdade. Vinte e seis dias se tem passado, depois que elle saìo de Jujuy, com todo o seu exercìto, e somente se retirou para a distancia de 24 leguas, naõ obstante, que todos os dias movia o seu campo para aquelle fim. Os valentes soldados, que o cèrcam por todos os lados, naõ lhe permittem mover-se, sem derramar muito sangue, e o apertam de tal maneira quanto aos mantimentos, que soffre indiziveis difficuldades. Os burros, que compráram, ou roubáram, saõ para comer; e os inimigos até disputam com a espada e espingarda, sobre quem ha de ter os couros frescos das poucas rezes que mátam.

O capitaõ Manuel Alvares Prado, nos informa, em data de 7 do Corrente, de Durasno; que uma divisaõ de 200 homens do inimigo havia feito uma sortida para roubar gado, e que elle, em companhia da partida do tenente Ximenes, tomára uma posiçaõ vantajosa, e sustentára uma renhida escaramuça, até que, faltando-lhe a muniçaõ, se valeo pas pedras dos montes, que atirou pelo monte abaixo e obrigou o inimigo a retirar-se; deixando atraz de si o despojo, além de 10 mortos, e 5 prisioneiros com suas armas.

Recebemos tambem officios do digno Coronel Gregorio Araoz de la Madrid, o qual depois de muitas e penosas marchas por montanhas elevadas e quasi intransitaveis, sendo obrigado em muitos lugares a levar a artilheria ás costas de homens, illudio completamente o inimigo, que o esperava emCotagaita e Potosi; e chegou aos 20 do passado ás vizinhanças de Chuquizaca, aonde por um estratagema militar fez prisioneiros 50 soldados de cavallo, armados com suas carabinas e espadas, além de 5 officiaes, incluindo um Tenente Coronel. Daqui avançou para a cidade e chegou ali pela noite sem ser percebido. Ao romper do dia 21 atacou elle em seis divisoens, e entrou até poucas braças da praça principal; naõ obstante o vivo fogo da artilheria e mosqueteria dos entrincheiramentos, casas, janellas, e telhados, tendo o inimigo obrigado muitos dos habitantes a pegar em armas, misturando-os com as tropas concebendo mui prudentemente, que, ainda que pudesse alcançar bom exito em sua empreza, seria com o sacrificio de muitos de seus valorosos sequazes, e esperando óbter o seu fim com maior facilidade, e sem derramamento de sangue, unindo-se-lhe a divisaõ do Commandante Fernandez, que se esperava a todas as horas, retirou-se pela estrada de Tarabuco, com perda de 19 homens, e 21 feridos, incluindo o Tenente Thomaz Obligado do regimento 9; e o inimigo teve mais de 40 mortos, nas suas differentes sortidas, nas ruas, além dos feridos, que se pódem computar em outros tantos.

Segundo o que ao depois soube, havia em Tarabuco 400 homens, e marchou a atacallos encontrou-os mui inesperadamente na estrada, pela meia noite; e, naõ obstante a surpreza, foram carregados com inimitavel valentia, e completamente dispersos, deixando 20 mortos, 2 prisioneiros, e 28 espingardas, e alguns cavallos. A nossa perda consistio em o capitaõ Alexo Cotet, do regimento Nº. 2, e 4 soldados mortos, o Tenente Manuel Rico, dos Hussares e Sub-tenente Fermin Suarez do regimente Nº. 9, e cinco soldados feridos.

O mesmo coronel tambem informa, de Tarabuco que alguma gente de seu corpo tinha tomado 15 prisioneiros e uma trombeta de prata, pertenente ao corpo do coronel la Era; que outra partida tomára ao inimigo em Mojotoro, cinco cargas de muniçoens, e outros artigos; e que aos 29 se lhe tinha unido o commandante Fernandez, por quem esperava para ir contra Chuquizaca, que, naõ obtante ter sido reforçado por 600 homens de Potosi, foi pelas suas forças unidas totalmente cortado de toda a communicaçaõ.

FRANCISCO DE LA CRUZ.

## VENEZUELA.

*Acto do General Paez, commandante do excito do Baiaõ Apure; pelo qual reconhece ao General Bolivar Chefe supremo da Republica de Venezuela.*

Jozéph Antonio Paes, Membro da Ordem dos Libertadores de Venezuela, Brigadeiro General dos Exercitos da Republica, e Commandante em Chefe da divisaõ, que obra no Baixo Apure,

Por quanto S. Exª. o Supremo Chefe da Republica, mandou os seus Ajudantes Generaes, osCoroneisFrancisco Parejo, e Manuel Henrique, que viessem ter comigo, para o fim de arranjarem negocios importantes ao Estado; e entre outros, o de constituir uma Authoridade Suprema, que, preservando a ordem devida á Naçaõ e a dignidade que lhe pertence, possa ao mesmo tempo fazer com que o Estado adquira aquelle character e consideraçaõ a que tem direito. E por quanto, depois de haver tido varias conferencias sobre asta materia; e considerado, tambem, que S. Exª. o General Simaõ Bolivar foi nomeado pelos exercitos do Oriente Chefe Supremo da Republica, posto este que lhe foi dignamente confiado, em premio dos sacrificios, que, com a maior constancia e heroismo, tem feito a bem de nossa de patria; e além disto, que foi elevado a esta graduaçaõ pela unanime vontade de todos.

Portanto, como eu sou agora o unico Chefe, que ainda falta para lhe apresentar reconhecimento e obediencia, Eu, por este acto, e desde este momento, com toda a solemnidade, por mim, e em nome do exercito, que tenho a honra de commandar, presto a dicta obediencia: notificando e ordenando outrosim aos Governadores das Provincias de Varinas e Cassanare, aos Generaes e Commandantes das divisoens, que se acham agora ausentes deste Quartel General, e a todas as authoridades dependentes deste exercito, que reconheçam e prestem formalmente obediencia a S. Exª. o Supremo Chefe da Republica, D. Simaõ Bolivar; fazendo o mesmo as tropas, que pertencem a estes acantonamentos, para cujo fim se tem expedido as ordens necessarias; e tirado copias authenticas deste Decreto; em ordem a que o mesmo sêja transmittido ao sobredicto Supremo Chefe.

Dada no Quartel-General de Yagual, aos 26 de Junho de 1817 e 7mo da Republica.

(*Assignado.*) T. A. Paez.

Nicolao Pumar, Sec.

Immediatamente depois o batalhaõ da guarniçaõ destes acantonamentos, e o corpo de cavallaria aqui estacionado, se formáram em parada; e sendo publicado o dicto Decreto junctamente com uma proclamaçaõ do Commandante em Chefe, dirigida a este Exercito, S. Exa. na presença dos dictos corpos e de um numeroso concurso de povo, prestou o juramento de obediencia e reconhecimento ao Supremo Chefe da Republica Simaõ Bolivar, administrando o juramento o Reverendo Dr. Romaõ Ignacio Mendez.— O Governador da Provincia fez o mesmo, assim como o

Major da Praça, e todos os officiaes e tropa presentes; concluindo-se este solemne acto com uma descarga de mosqueteria, em demonstraçaõ de sua alegria.

(*Assignado*) PUMAR, Sec.

Yagual 27 da Junho, 1817.

---

*Bulletim do Exercito Oriental de Venezuela.*

S. Exa o General Marino, convencido de que Morillo tinha procedido contra a ilha de Margarita, e tinha jurado exterminar os seus valorosos habitantes, ordenou, aos 28 do passado, a sua marcha sobre Cariaco, para o fim de chamar a attençaõ dos Hespanhoes para aquella parte, e obrigar o seu General a dividir as suas forças invasóras. Para mais effectivamente alcançar o seu objecto, mandou previamente ordens á divisaõ de Guyria para que avançasse para o rio Caribes. Se estas operacoens combinadas fossem punctualmente executadas, nos teriamos feito senhores da cadêa de montanhas para barlavento, desconcertado o inimigo e frustrado os seus planos: porém infelizmente a divisaõ de Guyria naõ se conformou ás ordens que tinha. As forças do inimigo fôram inteiramente dirigidas contra S Exa. que foi assim obrigado a pelejar contra o triplo de seu numero. Aos 29 a campamos em Pozo Azul. S. Exa. informado de que estava na fazenda de Oxeda um destacamento do inimigo mandou surprendêllo e o Tenente Jozé Castillo, dos dragoens de Honra, com os campeadores do General, foi encarregado desta operaçaõ, e teve o mais completo bom successo. Todo o destacamento ficou ou morto ou ferido, ou prisioneiro. Aos 30, ás 10 horas da manhaã entramos em Cariaco, aonde o inimigo em numero de 80 se tinha entrincheirado na Igreja. Na mesma noite ás 8 horas, fomos atacados em tres pontos pelas forças de Carupano, e por isto nos convencemos de que a divisaõ de Guyria naõ tinha cooperado com nosco. S. Ex[a]. deo ordens para que se naõ fizesse fogo, até chegar á distancia de tiro de pistola, e os nossos valorosos soldados sustentáram o choque com valor inconcebivel. O valente Ten. Coronel Domingo Montes, que commandava a nossa guarda avançada, foi o primeiro atacado, e o fogo durou nesta parte por 30 minutos, na distancia de tiro de pistola. Déram-se ordens para carregar á bayoneta, e o inimigo foi rompido em todas as partes. A escuridaõ da noite nos impedio de colhermos os fructos daquella victoria; porque éra impossivel seguir os fugitivos. Naõ obstante tomamos 30 prisioneiros e duas caixas de muniçoens deixando muitos mortos no campo de batalha. Os da Igreja que tentáram uma sortida, fôram repulsados por duas companhias, que se deixáram para as cercar, debaixo do commando do Capitaõ Aguilar e Tenente José Castillo: estes officiaes cumpríram exactamente com o seu dever: mas sobre tudo o Commandante Domingo- Montes, e Tenente Coronel Brito com os Granadeiros de Honra, merecem a consideraçaõ da sua Patria.

O cerco da Igreja continuou até os 2 do corrente, quando S. Ex[a]. sabendo que o Segundo official em commando, juncto ao General Morillo, vinha em soccorro destes com as tropas de Barcelona, e parte das que fôram para Margarita determinou dar um assalto naquella noite. Antes de o por em execuçaõ mandou a seguinte intimaçaõ:—

"Commandante.— Desejando poupar a effusaõ de sangue, que vai a correr, offereço aos Hespenhoes de nascimento, que estaõ dentro do forte, as suas vidas e passaporte livre. A vós e aos demais crioulos, meus irmaõs, offereço a protecçaõ da patria e o coraçaõ de um patricio. Escolhei entre éstas proposiçoens e um assalto. Deus vos guarde &c. Quartel General de Cariáco, em 2 de Agosto de 1817— Santiago Marino.— Ao commandante das Forças d' El Rey, Jozé Maria Fuentes."

A resposta foi verbal e pela negativa. A columna de granadeiros preparou para o assalto, sustentada pelos caçadores. A's 11 horas da noite foi atacada porta da sacristia: o inimigo resistio, conservando um terrivel fogo; porém nada pôde impedir que os granadeiros entrassem. O commandante Fuentes, com oito soldados; escapou-se por uma das janellas, favoreeido pela obscuridade da noite A maior parte das tropas d' El Rey, com muitos officiaes de importancia, expiáram os seus crimes nas bayonetas dos nossos granadeiros. Somente alguns creoulos se salváram pela intercessaõ de S. Exa. que aconteceo estar presente. A nossa perda foi de dous officiaes e cinco soldados mortos.

Aos 3, pelas 9 horas da manhaã, a guarda avançada do Segundo official em commando no exercito de Morillo, consistindo em 250 Hespanhoes dos regimentos de Barbastro e Navarra, estava nas margens do rio Cariaco.— O inimigo foi assas nescio para mandar ésta divisaõ duas leguas em avançada do corpo principal. A's 10, S. Exa. deo ordens para passar o rio em Pedregal, e marchou a seu encontro. A's 11 principiáram os campeadores a escaramuçar, e ás 11 e meia os nossos granadeiros, tendo á sua frente o commandante Montes, estávam pelejando com a vanguarda Hespanhola. O inimigo occupou o desfiladeiro de Puentesilla, que éra uma posiçaõ mui favoravel, e a defendeo com muita obstinaçaõ, S. Exa. deo ordens aos granadeiros para que carregassem á bayoneta: a matança foi grande de ambas as partes: porém a perseverança e intrepidez de nossos granadeiros forçou a passagem. O inimigo foi derrotado e confuso em um instante; e mais de 150 Hespanhoes fôram mortos. Duas caixas de municoens, e toda a sua equipagem caîo em nossas maõs; nós perdemos 27 granadeiros. O resto do exercito do inimigo; que vinha em seu apoio, vendo a sorte de seus camaradas, tocou a retirada, até que chegaram á Casa de Carlos Lopez, no golpho de Cariaco, que se computa a 3 leguas de distancia; a estrada estava cuberta de corpos mortos. Tendo-se fortificado nestas casas, ambos os exercitos estavam em pleno combate ás 3 horas da tarde. Os nossos soldados por sestte vezes chegáram ás casas, aonde os assustados Hespanhoes se tinham fechado; porém infelizmente no ultimo ataque, ás 5 horas e meia da tarde, S. Exª. o General Marino foi ferido na maõ esquerda por uma bala de espingarda, quando capitaneava a columna de granadeiros do assalto. Este acontecimento junctamente coma falta de muniçoens, naõ havendo mais de dous cartuchos em cada cartucheira, obrigou S. Exª. a parar o fogo, e occupar os entrincheiramentos, quc havia tomado, e ajunctar 70 feridos, que tinha no campo de batalha. O inimigo fez o mesmo, carregando 4 lanchas com os seus feridos; e ás 7 horas, pela noite, se retirou para Cumana.—Ja mais houve batalha tam honrosa para as armas da Republica: as nossas tropas voltaram para Cariaco.—A força do inimigo consistia em 100 tropas de linha: a sua perda, pelo numero de mortos que ficaram ao campo de batalha, e pelas melhores informaçoens, excede a 400 homens A nossa força consistia em 500 fuzileiros, e 100 dragoens; e a nossa perda em mortos a feridos foi de 180 a 150: entre os primeiros lamentamos mencionar os valentes officiaes, Major Lesama, Capitaõ Sans, Tenentes Justiniano e Bachaquirico, os Alferes Mendoza, Santos e Piquirico. O resto de nossos officiaes ficou quasi todo ferido.

Os nossos soldados nunca pelejarem com maior enthusiasmo. A gratidaõ da Patria lhes he justamente devida, particularmente ao coronel Ysaba, tenente-coronel Basa, Capitaõ Joseph Maria Canas, sargentos Joze Ruiz, Francisco Canas, e Cruz Guerra; e os soldados Marcos Velasques, Santiago, Rodrigues, e Joseph Dionisio Rodrigues, que se distinguîram de maneira extraordinaria.

A falta de muniçoens de guerra fez que fosse impossivel ficar em Cariaco. S. Exa. ordenou uma contra marcha, paraCumanacoa, até se que se provesse destes necessarios.

Quartel General de Cumanacoa, aos 8 de Agosto de 1817..

RAFAEL DE GUEVARA, Chefe do Estado Maior.

---

*Proclamaçaõ do General Mc. Gregor.*

O cidadaõ Mc Gregor, General de Brigada dos Exercitos de Nova-Granada e Venezuela, e General em Chefe dos Exercitos das Floridas, com Commissaõ dos Governos de Mexico e America Meredional.

Soldados! Naõ perco um momento em expressar-vos a satisfacçaõ e prazer, que me tem causado o vosso corportamento militar ultimamente: e os progressos, que tendes feito na disciplina e subordinaçaõ militar. Este he o fundamento de todas as emprezas militares, e faz com que o numero superior do iminigo naõ lhe sêja de proveito nas acçoens. Continuai a seguir a exemplar linha de comportamento, que tam nobremente tendes começado; ella naõ sómente inspira em vosso chefe sentimentos da maior confiança, mas tambem encherá de terror os renques de escravos de Fernando VII.

Tem-se adoptado as mais activas medidas para o prompto movimento do Exercito, e espero em breve tempo, á frente de taes tropas, plantar a cruz verde das Flaridas nas orgulhosas muralhas de S. Agostinho.

Realistas! Guardai-vos. O exercito republicano das Floridas peleja em uma justa, grande e sancta causa: a sua divisa he, *Victoria ou a Morte.*

GREGORIO MACGREGOR.

JOSEPH DD YRIBARREN, Secr.

---

Gregorio Mac Gregor, Brigadeiro General dos exercitos das Provincias Unidas de Nova Granada, e Venezuela, e General em Chefe do destinado a emancipar as provincias de ambas as Floridas, com Commissaõ do Supremo Governo de Mexico e America Meredional &c.

Sendo necessario, pela ordem das operaçôens hostis, que tenho emprehendido contra as possessoens d' El Rey d' Hespanha, nas Floridas Oriental e Ocidental; e tendo as forças maritimas indispensaveis para pôr em vigor um bloquio formal. Faço saber a todos que as presentes virem, que desde o dia 15 de Septembro em diante, todos os portos rios, bahias, e enseadas nas costas de ambas as Florîdas, principiando na parte do Sul desta ilha, até o rio Perdido, saõ considerados em estado de estricto bloqueio rigoroso. Portanto por esta notifico a todas as naçoens assim neutraes, como amigas dos Governos da America Meredional, Mexico, e das Floridas livres, que os sobredictos portos seraõ bloqueados, conforme a practica e uso das outras naçoens; e que sendo necessario tal bloqueio para o bom successo da empreza que me foi encarregada, pelos sobredictos Governos Republicanos, para a emancîpaçaõ das Floridas Oriental e Ocidental, espero que os mercadores de taes Potencias, interessados no commercio das possessoens Hespanholas das Floridas, naõ arriscaraõ a sua propriedade mandando-a para ali: pois desde o dia 15 de Septembro em diante todos os vasos destinados aos dictos portos bloqueados seraõ intimados o que se retirem; e no caso em que sêjam refractarios, tractando de ter communicaçaõ com o inimigo, todos os que se acharem violando o bloqueio, pela segunda vez, seraõ considerados como boa e legitima preza.

Dada no Quartel-General de Fernandina, (Ilha de Amelia) aos 21 de Agosto, de 1817.

GREGORICO MAC GREGOR,

JOSEPH DE YRIBARREN, Sec.

*Reflexoens sobre as novidades deste mez.*

REYNO UNIDO DE PORTUGAL BRAZIL E ALGARVES.

*Condemnaçaõ dos Reos por alta traiçaõ em Portugal.*

Começamos este Nº. pela sentença proferida em Lisboa; contra certos réos acusados de alta traîçaõ. Facto importante, quer se considere a natureza do crime, quer se ponderem as circumstancias do processo, e da sentença.

Como o processo dos réos se naõ fez publico, naõ temos outro modo de ajuizar dos factos, senaõ pelo que se refere na sentença, publicada depois da execuçaõ dos sentenciados; he segundo a asserçaõ dos Desembargadores, que lançaram o accordaõ, que podemos raciocinar de tam importante procedimento.

A sentença, propondo-se a fazer uma recapitulaçaõ das provas, naõ alega com nenhuma testemunha, que depuzesse contra o réos: naõ declara facto algum provado, que induza a evidencia do crime, senaõ uma proclamaçaõ achada, cujas palavras se naõ especificam e refere contra cada um dos accusados as suas mesmas deposiçoens.

Isto posto, apparece da sentença, que os juizes conndemáram e réos, sem mais prova do que a confissaõ dos mesmos réos, da maneira que alega a sentença; o que naõ he prova em direito: e se tinham outras provas, naõ as allegando na sentença, dam-nos o lugar para raciocinar, como se as naõ tivessem.

As confissoens dos réos fôram extorquidas nos exames feitos nos segredos; estando os prezos evidentemente atemorizados e desejosos de se subtrahir ao tormento, fosse porque meios fosse. O réo que mais confessou, que foi Antonio Cabral Calheiros, e contra o qual se diz na sentença haver testemunhas, sem alegar o que éssas testemunhas disséram; éra homem de muito má conducta, como; decláram o réo Jozé Campello de Miranda, que lhe chama perjuro o réo Jozé Ribeiro Pinto; e o cunhado do mesmo Cabral, Francisco Leite Cabral da Gama, o qual, diz a sentença, que na acareaçaõ com Cabral o desmentio e convenceo: acontecendo o mesmo na acareaçaõ com Joze Ribeiro Pinto, que desmentindo a Cabral, diz a sentença ficou firme no seu dicto, o que naõ succedeo a Cabral.

Com effeîto he mui natural, que um homem estouvado e de máo comportamento, julgando que lhe seria util o recriminar outras pessoas, dissesse quantas falsidades lhe viessem â cabeça; e pelo que respeita a este Cabral, tanto éra a sua deposiçaõ indigna de credito, que a mesma sentença confessa, que as suas deposiçoens éram cheias de contradicçoens, chegando a nomear pessoas que naõ existiam.

Por tanto, ainda que este homem naõ fosse um dos réos accusados, interessado em implicar muita gente, para se livrar a si, as suas mesmas contradicçoens, e reconhecidas falsidades o tornavam indigno de credito em qualquer tribunal de justiça.

Porém ha ainda outras razoens mui ponderaveis: porque as deposiçoens dos réos examinados no segredo, naõ podem ser prova concludente. Saõ éstas as circumstancias em que se acham os prezos, quando saõ perguntados, e o modo porque se fazem os interrogatorios, e se escrevem as respostas.

Paschoal Jezé de Mello, nas suas Instituiçoens de Direito Portuguez Liv. 5º. tit. 17. § 11, naõ somente estabelece, que o fim das perguntas aos réos, naõ he para os opprimir, mas sim para ellucidar a verdade; e que portanto se deve evitar todo o dolo, artificio, suggestaõ, concussaõ, ou promessa; mas até se queixa de que alguns juizes isso pratiquem, fazendo as perguntas no segredo; com promessas ou ameaças.

O mesmo illustre Author, na nota ao citado §. naõ hesita a chamar ao processo em segredo, *iniquidade publica*; pelos abusos a que está sugeito; e quaudo naõ houvesse nisso outro mal; bastava a suspeita que deixa no espirito publico, de que pode ter havido fraude.

Nos crimes politicos, como saõ os crimes de Lesa Majestade, requer-se ainda maior prova do que nos outros: a razaõ he breve e elegantemente explicada por Blackstone, Liv. IV ch. 27 §. 5 e he para segurar" que o vassallo naõ sêja sacrificado a *conspiraçoens ficticias*, que tem sido em todos os tempos o eugenho de malvados e astutos politicos." He por isto que, admittindo-se nas leys Inglezas a prova por uma testemunha, nos casos ordinarios, nos crimes de Lesa Majestade, se requerem duas, e contestes no mesmo acto.

Em Portugal he preciso sempre as duas testemunhas, maiores de toda a excepçaõ, contestes na cousa, lugar e tempo.

Agóra, perguntamos aos Desembargadores, que lavráram o accordaõ ¿ aonde estaõ as deposiçoens de duas testemunhas contestes, que asseverem ter algum dos réos commettido algum acto, que sêja crime de alta traiçaõ?

Ao depois veremos a natureza das deposiçoens dos réos. Consideramos agóra somente o credito, que essas deposiçoens merecem. Nenhum testemunho póde ser mais suspeito, que o dos réos em tam perigosa situaçaõ; porque a probabilidade he, que elles accusarîam meio mundo, para se verem livres do perigo em que se achávam.

Ora a asseveraçaõ de testemunhas suspeitas naõ fazem prova, nem ainda nos crimes mais leves, muito menos nos crimes atrozes, como elegantemente exprime o dicto Mello, no § 9 do tit. 71, do seu liv. 5º das Instituiçoens.

Acha-se mais nesta sentença, ainda suppondo que fosse de algum pezo o testemunho dos correos em taes circumstancias, uma omissaõ terrivel, que he o naõ declarar, que as testemunhas se fizéram judiciaes, sendo juradas e reperguntadas na presença do réo. Sem ésta circumstancia, o processo fica com uma nullidade insanavel, como he expresso na Ordenaçaõ do Liv. I. tt. 86, in pr. " *O qual Juramento lhe sera dado perante a parte, contra quem he cha-*

*mada.*" e liv. 2o. tt. 62. § 1. *Perguntando as testemunhas outra vez e vendo a parte como juram.*"

Se as provas, que alega a sentença nos parecem defectivas, as conclusoens, que dellas deduzem os julgadores, nos parecem de todo inconcludentes.

Começa a sentença asseverando, que os réos querîam abolir o Governo estabelecido pelo Soberano, e substituir-lhe outro com o fingido titulo de *Conselho Regenerador.* E porém todas as testemunhas depoem, sem que appareça um só dicto em contrario; que tal Conselho Regenerador nunca existîra, e fôra mera ficçaõ de alguns dos réos. Pasma ver em uma sentença publica uma asserçaõ contraria ao dicto de todas as testemunhas!

Tractando do réo Gomes Freire d'Andrada diz a sentença; que he verosimil que, a naõ estar este réo possuido dos detestaveis sentimentos revolucionarios, naõ annuirîa ás infames propostas.

Assim julgam os desembargadores ser *verosimil,* que o reo tivesse sentimentos revolucionarios; e o condemnam pela *verosimilhança.* Porém verisimilhança de que? Naõ de ter commettido algum facto criminoso; mas simplemente verosimilhança de ter sentimentos revolucionarios! Quem dirá que tal modo de raciocinar seja legal?

A historia porêm nos refere outros exemplos. No tempo de Dionisio o Tyranno foi um dos que tinha a infelicidade de ser seu subdito condemnado á morte, por ter sonhado que havia morto a El Rey: o que se suppos prova bastante de que, estando acordado, havia pensado em matar o tal Rey.

Mas estes factos atrozes, que a historia refere, naõ fazem nunca direito.

Supponhamos agóra, que o processo naõ tinha a nullidade insanavel, que apontamos, e que as testemunhas éram idoneas para provar os seus dictos, vejamos a que montam as suas deposiçoens.

O primeiro reo, José Joaquim Pinto do Silva, diz que havîam determinado fazer uma opposiçaõ á influencia Ingleza, e que querîam que houvesse um rey constitucional, e naõ Republica.

O reo Jozé Campêllo de Miranda diz, que as conversas éram destinadas a desfazer-se do Marechal Beresford, pelo odio que todos lhe tinham, até a matállo: e que os fins da Sociedade, (cujos fins aliás, diz que ignorava) éram a morte do dicto Marechal, e a mudança do Governo (isto he, de Lisboa; porque El Rey estava no Brazil.)

O réo Jozé Ribeiro Pinto naõ dìz nada do fim da associaçaõ; mas assevéra, assim como todos os mais, que disto sabíam ou pretendiam saber, que o denominado Conselho Regenerador naõ existia, e fôra uma ficçaõ delle reo, para poder attrahir socios; que as letras do sêllo naõ tinham significaçaõ.

O réo Manoel Monteiro de Carvalho, diz tambem, que o tal Conselho Regenerador éra uma ficçaõ para impôr aos que se associassem; e este réo accrescenta, que o plano éra "Surprehender os Governadores do Reyno e o Marechal Beresford, nomeando um Governo Provisorio &c." e este réo diz, que fôra induzido a pensar em tal plano, pela desesperaçaõ em que se achava de pobreza, occasionada pelo Marechal, concebendo assim projectos, contra o author de tantos males.

O reo Gomez Freire d'Andrada, diz que naõ conhecia a existencia da Sociedade; no que concorda o Réo Jozé Ribeiro Pinto, o qual diz, que nomeáram Gomez Freire para impôr aos outros; e illudir Cabral; e o réo Manuel Monteiro de Carvalho diz, que Freire approvára o que se lhe propoz, quanto ao Marechal. Este réo Freire declara, que queria conservar o Reyno ao Soberano, e faz outras declaraçoens, e um protesto da que fallaremos ao depois.

Henrique Jozé Garcia de Moraes naõ diz que soubesse nada do plano.

Antonio Cabral Calheiros Furtado e Lemos, unico contra quem se diz haver testemunhas, sem se explicar o que ellas depuzeram; fez os seus depoimentos incriveis por serem cheios contradicçoens; pois até nomeou pessoas que naõ existiam.

O réo Joze Francisco das Neves, so falla contra o Marechal; asseverando que toda a Naçaõ estava indisposta contra elle. E aqui achamos de alguma forma o que continha a proclamaçaõ, que faz o unico corpo de delicto, a qual éra toda contra o marechal Beresford; que até tractava de bagatella os Governodores do Reyno, chamando-lhe os Senhores do Rocio.

O mesmo, de ser a combinaçaõ contra o Marechal, disse o réo Pedro Ricardo de Figueiró. O mesmo diz o réo Maximiano Dias Ribeiro.

E para se provar, que as vistas destes individuos éram contra o Marechal, se produz o testemunho do reo Verissimo Antonio Ferreira da Costa, o qual acareado com a testemunha Nº.31 da devassa, confessa um encontro com a dicta testemunha em 1816, na Praça do Commercio (tempo em que tal conspiraçaõ naõ existia) e naõ só nega que fallara em Sociedade alguma; mas accrescenta havendo convencido a testemunha, que *por contemplar o Marechal naõ tinha duvida de o perder.* A sentença porém oculta o nome e circumstancias desta testemunha falsa. E naõ obstante naõ pôde deixar de *absolver e declarar inocente* ao réo Verissimo Antonio Ferreira da Costa.

O Baraõ d'Eben, e o resto dos réos nada absolutamente dizem que soubessem dos planos de tal sociedade.

Visto este resumo, que os nossos Leitores pódem averiguar se he ou naõ correcto, comparando a integra da sentença, perguntamos nos ¿ aonde se acha aqui uma conspiraçaõ contra El Rey, que constitua crime de Lesa Majestade?

Ninguem poderá ler com imparcialidade o que refere ésta sentença, sem tirar estas duas conclusoens: 1a. que o motivo de descontamento éra o odio universal contra o Marechal General: 2a que os fins éram descubrir algum meio de se ver livre do Marechal.

Agora, se o meio de que se lembraram éra illegal, como por exemplo a atroz medida de o querer matar; isso he crime e crime muito grande; mas contendemos, que naõ he crime d'alta traiçaõ.

Vejamos quaes saõ os crimes d'alta traiçaõ, pois as leys os especificam mui clara e designadamente.

Os crimes de Lesa Majestade vem especificados no ttº. 6º. do Liv. 5º. das Ordenaçoens do Reyno, por ésta forma.

1. "Os casos em que se commette a traiçaõ saõ estes. O primeiro se algum tractasse a morte de seu Rey, ou da Raynha sua

mulher, ou de algum de seus filhos ou filhas legitimos, ou a isso desse ajuda, conselho e favor."

2. "O segundo he se o que tiver Castello, ou Fortaleza do Rey, elle ou aquelle, que da sua maõ a tiver, se levantar com ella, e a naõ entregar logo à pessoa do Rey, ou a quem para seu special mandado tiver, ou a perder por sua culpa."

3. "O terceiro se em tempo de guerra algum se fosse para os inimigos do Rey, para fazer guerra aos lugares de seus Reynos."

4. "O quarto se alguem der conselho aos inimigos do Rey, por carta, ou por qualquer outro avizo em seu desserviço, ou de seu Real Stado."

5. "O quinto se algum fizesse conselho, e confederaçaõ contra o Rey, e seu Stado, ou tractasse de se levantar contra elle ou para isso desse ajuda, conselho, e favor."

6. "O sexto se ao que fosse prezo por qualquer dos sobredictos casos de traiçaõ algum desse ajuda, ou ordenasse como de feito fugisse, ou fosse tirado da prizaõ."

7. "O septimo se algum matasse ou ferisse de proposito em presença do Rey alguma pessoa, que stivesse em sua companhia."

8. "O oitavo se algum em desprezo do Rey quebrasse, ou derribasse alguma imagem de sua similhança, ou armas Reaes postos por sua honra e memoria."

Temos logo, que uma conspiraçaõ para se livrarem do Marechal porque lhes éra odioso e a toda a naçaõ; por mais criminosa que tal conspiraçaõ fosse, naõ éra crime de lesa-majestade.

Os Desembargadores, que lavráram o Accordaõ estribam-se, e citam o 5o. caso dos crimes d'alta traiçaõ, enumerado na Ordenaçaõ citada: mas isto naõ vem por forma nenhuma ao caso; porque conspirar para a morte do Marechal, ou dos Governadores, ou de qualquer Magistrado naõ he crime d'alta traiçaõ; visto que naõ vem especificado; e ninguem tem direito de dar interpretaçaõ extensiva a uma Ley criminal.

O 5o. caso tracta de fazer conselho contra El Rey ou seu Estado; óra nem o Marechal, nem os Governadores do Reyno saõ El Rey, nem saõ o Estado; érgo a conspiraçaõ contra estes naõ está incluida naquella enumeraçaõ de crimes de alta traiçaõ.

Por um decreto publicado em Lisboa, aos 20 de Março, de 1809 (Veja-se o Corr. Braz. Vol. II. p. 295) mandáram os Governadores do Reyno, fallando em primeira pessoa, como o Soberano, que fosse considerado como delicto contra a Real Pessoa, *macular de qualquer modo o credito dos Gabinetes e leaes vassallos de Suas Majestades Britannica e Catholica,* Eis aqui novo caso de LesaMajestade, creado pela simples authoridade dos Governadores do Reyno, porém que nenhum juiz, que estime a sua honra e boa fama, se atrevería a executar; pois os Governadores de Portugal naõ pódem ter direito de promulgar tal ley. Com effeito os Desembargadores, que lavráram o accordaõ, naõ se estribam nem citam tal Decreto.

Se fosse permittido aos Juizes dar ésta interpretaçaõ extensiva ás determinaçoens das leys criminaes, ninguem estaria seguro no Estado, porque estes Desembargadores argumentam, que uma conspiraçaõ contra o Marechal he crime d'alta traiçaõ, naõ porque elle seja o Rey mas porque o Rey o nomeou para o lugar que occupa, e de sua morte se póde seguir o desacato a El Rey e dahi a anarchia.

Mas uma vez admittido este principio de extender a significaçaõ das leys a arbitrio dos Julgadores, tal Desembargador haverá que chame crime d'alta traiçaõ machinar contra o çapateiro d'El Rey, pois Sua Majestadade o nomeou; e fazer contra o tal çapateiro alguma conspiraçaõ he desacato a El Rey que o escolheo, e desse desacato se póde seguir o menos cabo da Realeza, e desse menos cabo a anarchia, &c.

Nem supponham os nossos Leytores, que tal raciocinio nunca se usou, pois da historia consta, que juizes corruptos, em tempos revoltosos, quando se permittiram taes interpretaçoens extensivas, fizeram taes argumentos, que chamaram legaes, em casos tanto ou mais ridiculos, do que o do çapateiro, que trouxemos por exemplo.

Assim no tempo dos mais tyrannicos Imperadores Romanos se chamou alta traiçaõ o conspirar contra pessoas illustres, sem se dizer quem éram os *Illustres*; o que o Imperador declararia. Tal he uma ley, (se ley se deve chamar), de Arcadio e Honorio que vem no Codigo 9. 8. 5. "*Qui de nece virorum illustrium cogitaverit.*"

As leys Portuguezas tem sido tam escrupulosas, em enumerar os crimes d' alta traiçaõ, que achamos nas Ordenaçoens do Reyno o seguinte notavel exemplo desta precauçaõ.

Nas Ordenaçoens Affonsinas se enumerou nos crimes de lesa Majestade os crimes contra os Conselheiros e Ministros d' El Rey, tirando-se êsta ley das leys das 7 Partidas, aonde fôra introduzida, á imitaçaõ da ley de Arcadio acima citada. Na promulgaçaõ das ordenaçoens Philipinas essa clausula foi ommittida de proposito, por ser vaga e indeterminada.

Logo as leys Portuguezas naõ admittem outros crimes de alta traiçaõ, senaõ os que se enumeram verbalmente, e sem interpretaçaõ extensiva; e pedimos que se nos mostre aonde vem, naquelle § 5º, que citaram os Desembargadores, o ser crime d' alta traiçaõ pensar em matar o General Beresford.

A sentença, fallando da proclamaçaõ, que parece fazer o maior vulto no corpo de delicto, diz, que continha expressoens *sacrilegas* contra o Marechal Beresford, (veja-se a p. 432, linha 21).

Ora ¿ quando se applicou a palavra *sacrilego* para characterizar expressoens offensivas contra algum individuo, neste mundo, que naõ fosse El Rey ?

He neste sentido que reprovamos as expressoens da sentença; porque julgamos improprio, indecente, e até affrontoso, comparar as offensas, que se fazem contra qualquer individuo, por mais elevada, que seja sua graduaçaõ, com os attentados dirigidos contra a pessoa do Soberano, a respeito do qual unicamente se tinha por ampliaçaõ applicado até aqui a denominaçaõ de *sacrilego*; que originariamente so pertencia aos desacatos contra a divindade

A baixeza de usar da expressaõ *sacrilego*, como incenso ao marechal Beresford, ficou reserverda ao Escrivaõ, que copiou tal sentença. Naõ nos podemos persuadir, que houvesse um magistrado Portuguez, que se aviltasse a este ponto de adulaçaõ ao Marechal, que chamasse *sacrilegio*, alguma expressaõ de insulto contra aquelle individuo. *Sacrilegio*, o insulto a um official estrangeiro no serviço de Portugal; *sacrilegio* palavra até aqui applicada ás offensas contra Deus, e só por analogia ampliada aos Reys. *Sacrilegio!*

Em fim paremos aqui:—isto he culpa do escrivaõ, que copiou a sentença: em Portugal naõ póde haver um juiz superior, um Desembargador, tam vil e adulador, que empregasse tal expressaõ para designar as offensas contra o Marechal Beresford,

Os Desembargadores passáram ainda mais adiante; porque naõ só extendêram o Crime d'alta traiçaõ da Pessoa d' El Rey ao Marechal, mas déram ainda outra interpretaçaõ extensiva dessa extensaõ, porque ao fallar ou tractar da materia chamaram acto; quando na verdade naõ houve acto algum practicado, nem ainda contra o Marechal; pois, pelo que se vê da sentença, tudo ficou em fallar, nada se executou, nem se quer se formou plano para execuçaõ de cousa alguma. Em uma palavra só se acha o desejo dos réos, de se verem livres do Marechal, fosse pelos meios que fosse; sem que taes desejes fossem postos em pratica, nem se attentasse se quer no modo ou plano de os pôr em practica,

Nós dissemos acima, que em todo o processo criminal o primeiro passo he o corpo de delicto.

Naõ apparece desta sentença que houvesse nenhum corpo de delicto, a naõ se chamar corpo de delicto a achada da tal Proclamaçaõ.

A sentença naõ declára o que dizia a proclamaçaõ, e somente um dos réos diz que a proclamaçaõ *éra toda contra o Marechal.* Logo o crime naõ éra contra El Rey, mas contra o Marechal, e por tanto naõ he alta traiçaõ.

A proclamaçaõ, os pasquins, e credencial, formam o corpo de delicto, segundo diz a sentença, no entanto as testemunhas dizem que esses papeis éram contra o Marechal, logo a sentença devia produzir ao menos em summa esses documentos, que formavam o corpo de delicto, a fim de provar com elles, que o crime éra contra El Rey, e naõ contra o Marechal. Produzidos esses documentos daria todo o mundo os réos por convencidos d' alta traiçaõ.

Individuemos agóra o réo Gomez Freire de Andrade; porque nos parece que aqui achamos a *origo malorum*.

Logo que se fizeram as prisoens dos reos, em Lisboa, encheram-se todas a gazetas Inglezas com relaçoens da conspiraçaõ, em que se disse que Freire éra o cabeça; que elle éra contra a naçaõ Ingleza; que haviam de ser mortos, em Lisboa, os officiaes Inglezes; que em casa de Freire se acháram as imprensas e as proclamaçoens para revoluçaõ; &c. &c.

Observe-se que tudo isto appareceo nas gazetas Inglezas que mais se lem em Portugal; e logo depois se prohibio o Correio Braziliense; que éra quem se temia, que expuzesse estes factos.

Apparece por fim a sentença, depois da morte dos accusados, e depois de elles se terem assim feito odiosos ao publico; e patentea-se por essa mesma sentença, que tudo quanto as gazetas tinham espalhado contra Gomez Freire éra pura calumnia, e que nem um só daquelles factos se provou, nem ainda mencionou na sentença.

Pouco se provarìa contra o Governo Portuguez; pelo que disséram as Gazetas Inglezas; mas a Gazeta Officíal de Lisboa, com um escandalo inaudito nos annaes da Jurisprudencia ou de Governos Regulares, publicou que a conspiraçaõ estava provada antes do processo ter começado, e o Principal Sousa, um dos Governadores do Reyno, fez que se expedisse uma pastoral pela Patriarchal, declarando os crimes provados; antes de haver processo algum judicial.

Gomes Freire de Andrade era descendente de familias illustres. Por parte de seu pay pertencia á familia dos Condes de Bobadela; por sua mãy ao nomeado General Daun, que tantas proezas fez na Alemanha. Neste paiz foi educado Gomez Freire: servio na Russia com os maiores creditos; sendo o primeiro que subio a brecha na tomada de Ockzakow; o que lhe mereceo da Imperatriz Catherina a Ordem do Merito. De volta a Portugal teve o commando de um regimento, com o qual servio no Roussillon. Quando a Familia Real sahio de Portugal o mandaram os Governadores do Reyno servir em França com o exercito Portuguez; e porque elle sempre recusou vir com as tropas destinadas contra Portugal, o mandou Napoleaõ servir em outros paizes, e entrou nas desastradas campanhas contra a Russia. Feita a paz voltou logo que pôde para Portugal; aonde, naõ obstante sua manifesta boa conducta, o fizéram passar pela humilliaçaõ de se justificar. Militar de fama, estimado da tropa, popular na naçaõ, Gomes Freire éra homem demasiado conspicuo para que deiaxse de ter invejosos, e inimigos.

Assim achamos na sentença misterios a respeito deste réo, que naõ podemos bem comprehender; e que por isso que contém *exposiçaõ confusa,* por naõ dizer outra cousa, julgamos esta parte da sentença incompativel com a franqueza e dignidade de um tribunal de justiça; principalmente quando se tracta da vida e da morte de individuos, e de crimes de tal magnitude e consequencias.

Pelas declaraçoens de Freire, citadas na sentença, se vê, que elle naõ éra o Author da conspiraçaõ, mas que lhe fôra communicada, e ainda por outros dos réos se prova, que Freire só a approvaría pelo que respeita o Marechal Beresford.

¿ Aonde está aqui o crime de alta traiçaõ?

Mas o misterio consiste nestas palavras da sentença, dizendo que Freire declarára;

" Que conhecia mais outros conspiradores contra a Authoridade Real, e tranquillidade publica, como fez constante, nomeando-os ao Marechal General: para ser presente o protesto que fizéra, junctamente com as provas a S, M."

A sentença tracta este ponto perfunctoriamente, desta maneira, o que induz a falta de clareza, ou a misterio, em materia da mais alta importancia para o réo, de summa consequencia para o Estado, e de algum pezo para a reputaçaõ do mesmo Marechal.

Um dos requisitos, que se exigem nas perguntas feitas aos réos; he que naõ se use de persuasoens dolosas, nem ameaças, nem promessas de impunidade; nem perguntas capciosas &c. (Veja-se Pasch. Liv. 5. tt. 13. § 25.)

Perguntamos pois ¿ quando fez Gomez Freire essas declaraçoens, de que reza a sentença, ao Marechal Beresford?

¿ Foi antes de ser prezo, ou depois de estar prezo de segredo?

Se foi antes de ser prezo; entaõ estas declaraçoens e protesto, apresentado ao Marechal, o livrávam de toda a culpa e penas como he expresso na Ordenaçaõ do Liv. 5º ttº. 6. § 12. ibid." E quanto ao que fizer conselho e confederaçaõ contra o Rey, se logo sem algum spaço e antes que por outrem sêja descuberto, elle a descobrir, merece perdaõ. E ainda por isso lhe deve ser feita mercê, segundo o caso merecer, se elle naõ foi o principal tractador desse conselho e confederaçaõ."

Se foi isto feito depois de ser prezo, perguntamos ¿ e que foi Marechal General Lord Beresford, Marquez de Campo Maior, fazer á prizaõ, aonde estava prezo de segredo, e incommunicavel o réo Gomez Freire d' Andrada.

¿ A que fim foi o Marechal fallar com o prezo? ¿ quem o mandou lá? ¿ ou quem lhe deo permissaõ para lá ir? Com que motîvo lhe fez Gomez Freire as descubertas, a que allude a sentença?

Estas perguntas merecem respostas. E naõ lhes valerá mandar escrever pelo defensor dos Governadores de Lisboa, o Padre Energumeno, que o Correio Braziliense he jacobino: isso naõ basta; isto naõ resolve as duvidas legaes, que temos produzido.

Uma vez que a sentença assevéra, que o réo Gomez Freire fizéra declaraçoens ao Marechal, e lhe apresentara um protesto, éra essencial o declarar tambem a sentença a epocha dessas declaraçoens; porque depende dessa epocha, segundo a ordenaçaõ citada, a soltura ou condemnaçaõ do réo.

E de saber os motivos da conferencia do Marechal com o réo depende a salvaçaõ do credito do mesmo Marechal.

O naõ se mencionar pois a epocha destas declaraçoens, constitue o misterio, de que o publico sempre se queixará, principalmente em caso de crime politico, em que o espirito de partido pode ter tanta influencia.

Supponhamos que alguem diz, que as declaraçoens de que se tracta naõ podiam aproveitar ao réo por serem feitas depois d' elle prezo. Resta ainda a pergunta, ¿ porque fez elle as declaraçoens ao Marechal, e naõ ao Juiz Inquiridor? ¿ E que lhe dîsse, ou lhe prometteo o Marechal, para o induzir a fazer essas declaraçoens?

Estas duvidas acclararìa a sentença, se estabelecesse a epocha; porque dahi resultava naõ somente a clara applicaçaõ da ley; mas a remoçaõ de todas as duvidas no espirito publico.

Por fim até nos parece misteriosa a indicaçaõ da pena, porque o primeiro accordaõ condemna os reos a morrerem de garrote; o segundo accordaõ varia a pena, mandando que morram enforcados; sem que dê nenhuma razaõ de terem os Desembaagadores alterado o seu juizo, na qualidade da pena.

---

### *Expiraçaõ da Tregoa com Argel.*

A Gazeta de Lisboa, em data de 7 de Outubro, traz a seguinte laconica noticia:—

De ordem superior se previne o Commercio deste Reyno, que a Tregoa ultimamente prorogada entre Portugal e a Regencia de Tunes, expîra a 11 de Novembro proximo futuro."

Ora, Senhor Gazeteiro de Lisboa, naõ valeria a pena de dizer tambem, se por ordem superior se tractava de renovar a Tregoa, ou se havia preparativos para dar Comboys, ou fazer alguma resistencia ás hostilidades; que naturalmente se devem temer com a expiraçaõ da Tregoa?

Nada disto: laconicamente, expira a tregoa, e cada um cuide de salvar-se como puder.

---

### *Ministros Diplomaticos.*

As noticias do Rio-de-Janeiro referem a nomeaçaõ de varias pessoas para empregos de Diplomacia, entre as quaes as seguintes.

Embaixador Extraordinario em Madrid—Conde de Funchal.

Enviado e Ministro Plenipotenciario em Londres—D. Jozé Luiz de Souza.

Do. em Turin—Conde de Linhares.

Do. em Napoles—Visconde de Torre Bella.

Do. em Vienna—Rodrigo Navarro d' Andrada.

Ministro Residente em Hamburgo—Jozé Anselmo Correia,

Do em Florença—Joaõ Pedro Quinn.

Do. em Suecia—R. C. Guerreiro.

Nestes despachos achamos alguma galanteria, em ver nomeados o Conde de Funchal, e Jozé Anselmo Correa, depois das scenas ridiculas, que aqui em Londres tivéram um com outro tractando-se mutuamente por doudos, e concluindo, com pedir o Conde de Funchal ao Governo Inglez que mandasse saîr daqui como com effeito saîo debaixo da prizaõ de um official de policia, o dicto José Anselmo; sendo depois mandado sair para Roma o mesmo Conde de Funchal, por um Avizo da Corte do Rio-de-Janeiro, que se publicou no Correio Braziliense.

Depois desta escolha vem o Conde de Linhares. He um rapaz que nunca entrou em nenhum emprego Diplomatico: porém a Condessa sua mãy he de Turin; e assim aquelle Ministro será agradavel á Côrte de Sardenha, aonde seu Pay éra tambem Ministro, quando ali casou. Como aquella Côrte naõ he de grande importancia para os negocios politicos de Portugal, talvez se mandasse para ali o Conde de Linhares para aprender Diplomacia.—Lá custa ver que se escolhem pessoas para os lugares, que nelles tem de aprender o seu officio; porque nos faz lembrar o dictado de que na barba do tolo aprende o barbeiro novo. Porém como o actual Presidente do Erarîo no Rio-de-Janeiro foi protegido por aquella familia, bem parece, que a ella torne alguma parte da protecçaõ que recebêra.

---

## *Governador da Bahia.*

He bem sabido, que se formam facilmente combinaçoens no Brazil, para dar aos Governadores certidoens de bom comportamento, que elles nunca merecêram; porém ou o caso sêja assim no exemplo de que tractamos, ou seja, como nós suppomos, effeito voluntario da convicçaõ em que se acham os habitantes, do bom Governo que ali fez o Conde dos Arcos; he do nosso dever publicar o seguinte documento, que tanta honra lhe faz.

Petiçaõ a El Rey.

"Senhor!—Pedro Rodriguez Bandeira, Jozé Ignacio Accioli, Antonio da Silva Paranhos, e Francisco Martins da Costa; como Deputados Procuradores de seus Concidadaõs, em virtude do documento juncto, vem aos pés do Throno pedir a V. M. a graça de approvar a offerta que os Habitantes da Bahia resolvêram fazer ao Exmo Conde dos Arcos, a cujo eminente talento e exemplar justiça saõ elles devedores da honra sem par, que nesta occasiaõ ganhàram, dando a V. M. mais um authentico testemunho da sua fidelidade e amor, qualidades que V. M. ja pessoalmente reconheceo, quando para a salvaçaõ de Europa e futuro engrandecimento do Brazil felizmente aportou á Bahia; mas que naõ podîam ter tam brilhante desenvolvimento, nem ser coroados de tam feliz successo, sem a direcçaõ do sobre dicto General; pelo que os Supplicantes, por si e por seus Constituintes, submissamente se apresentam a V. M. e—Pedem que haja por bem approvar a instituiçaõ de um vinculo; a beneficio do Exmo Conde dos Arccs, e seus descendentes, no valor cem contos de reis, em acçoens do Banco do Brazil, accumulanho-se esta somma ao fundo que o mesmo Banco ja tem, na caixa dos descontos da Cidade de Bahia."

Com a assignatura dos acima dictos.

Naõ entramos na questaõ, porque naõ sabemos os factos, se isto foi ou naõ promovido pela parcialidade de algum amigo do Governador; mas parece-nos que temos o direito de concluir daqui, que o comportamento deste Governador foi agradavel aos Governados. Tal presente ou demonstraçaõ de aprazimento nunca se propos ao Cabrinha Governador do Maranhaõ, nem a outros escalafavaes, que para desgraça da humanidade, e tormento dos povos, tem sido revestido do immenso poder de Governadores no Brazil. Se taes presentes se propuzessem para taes homens naõ serîam approvados; posto que pudessem ser forçados, e se forçados, alguem o mandaria publicar assim ao Mundo: d' onde concluimos, que o cumprimento e civilidade dos Bahianos a seu Governador, serve a este de honra e de credito; e he prova de bom senso nos mesmos que presenteáram o Governador; porque ésta distincçaõ aos bons Governadores, serve e ao mesmo tempo de reproche áos máos; e induz os futuros a olhar por si.

## Austria.

O rumor tem dicto, que se concluio uma alliança entre as córtes de Londres e Vienna. Quaes os motivos, quaes as estipulaçoeus, quaes os objectos do tractado, he ainda materia de conjectura.

Segundo as antigas relaçoens da Europa, a Austria éra naturalmente alliada da Inglaterra; porque a França éra objecto do zêlo de ambas aquellas potencias.

Agóra he a Russia quem póde intimidar a Austria por terra, assim como he a Russia quem póde oppôr maiores obstaculos ao poder naval e commercial da Inglaterra. Nestes termos a alliança entre Austria e Inglaterra he tam natural agóra, como éra no tempo em que a França se considerava centro de acçaõ na Europa.

Além disto o commando da Austria no Adriatico, e a influencia da Inglaterra nas Ilhas Ionicas, pôem estas duas naçoens em interesses communs naquella parte do Mediterraneo. Esta circumstaucia, portanto, requer boa intelligencia e tractados, para que os seus interesses e planos vam de accordo; e naõ dem á Porta occasiaõ e aberta para se aprovcitar das dissençoens daquellas duas Potencias.

He alem dîsto provavel, que a negociaçaõ tenha por fim o pagamento de um emprestimo, que a Inglaterra fez a Austria, em 1801: e que tinha até agóra ficado no esquecimento. Entaõ se ajustou, que parte do pagamento serîa feito em Madeira, tirada dos bosques da Dalmacia. O rumor diz que o Governo Inglez despachára Mr. Smith, um dos Secretarios da Meza da Marinha, para averiguar a qualidade da madeira e os gastos provaveis de sua conducçaõ, dos matos até os portos de embarque.

## França.

El Rey abrio a sessaõ das Camaras, coma falla que publicamos a p- 502. aos 5 de Novembro; tendo á direita do throno Monsieur, á esquerda o Duque de Berri, e além de Monsieur o Duque de Orleans. Em uma tribuna em frente do throno se achavam a Duqueza d' Orleans, o Duque de Chartres, e Madamoiselle d' Orleans. Acabada a falla prestáram os novos Deputados o juramento, na presença d' El Rey.

Naõ copiamos as respostas das Camaras: por que e las somente contém o cumprimento do custume, tocando os mesmos pontos da falla d' El Rey. E com tudo, ellas dam a entender a esperança, de que os Soberanos Alliados relaxaraõ as suas pretençoens àos sacrificios pecuniarios, que estipularam de França; sendo a actual linguagem dos Francezes, que elles saõ castigados por haverem tido demasiada gloria; e o grito do exercito vai ainda mais longe; porque diz que he preciso pagar aos estrangeiros com ferro.

Os Francezes chamam gloria, o terem pilhado e roubado todas as naçoens da Europa; mas nós julgariamos, que serîa maior gloria o restituir esses roubos, ao mesmo tempo, que a moderaçaõ dos Alliados se faz evidente, por se haverem contentado com tam pequena e desproporcionada compensaçaõ.

A parte da falla d' El Rey, relativa á concordata, tem causado grande murmurio no clero; o qual pretende ver em algumas expressoens, a ameaça de uma perseguiçaõ. El Rey diz, que removerá os obstaeulos, que se oppoem á paz da Igreja; e o Clero, que se chama fiel á Igreja e á El Rey, diz, que isto quer dizer, que El Rey se desembaraçará da parte mais orthodoxa do Clero, que saõ aquelles, que preferem os incommodos, e probeza, a servîrem de instrumentos aos planos politicos, inconsistentes com seus principios religiosos.

A p. 506 copiamos o projecto de ley sobre a liberdade da imprensa. Quanto aos livros parece-nos que he racionavel. Quanto aos jornaes, a suspensaõ ate 1820, vistos os principios adoptados no case dos livros, só se pode justificar pelo estado inquieto em que ainda se acha aquella naçaõ. E sendo isso assim, naõ se podem aquelles mesmos Ministros Francezes, que tal razaõ alegam, queixar, de que os Alliados conservem ainda o Exercito de Occupaçaõ em França.

Mas a verdade he que nenhum Ministro soffrerá por sua vontade, que se discusta lìvremente em publico o seu comporta. mento, ou medidas politicas. Ninguem quer ver os seus erros expostos. O unico remedio, que ésta falha da humanidade pode ter, he forçar os Ministros, por leys constitucionaes, a que se sugeitem a ver discutida sua vida publica, a quem isso importa. Esperar que nenhum Ministro se sugeite a isso de seu alvedrio, he naõ conhecer o character geral dos homens ambiciosos, que saõ os que de ordinario occupam os lugares eminentes do Estado.

Naõ achamos má essa ambiçaõ de figurar nos grandes empregos; porque dessa ambiçaõ tambem resultam grandes serviços ao Estado: mas a essa ambiçaõ attribuimos tambem a repugnancia dos Ministros, de verem suas acçoens publicas discutidas ou censuradas.

Dizem as noticias de Paris de 1 de Novembro, que apparecêra em Paris um importante papel official do Duque de Richelieu, dirigido aos Ministros das quatro grandes Potencias Alliadas. O Duque em resposta as ter-se-lhe pedido novo fundo de garantia, observa, " que, quando a França consentio em satisfazer ás reclamaçoens das Potencias Alliadas tinha razaõ para crer, que a maior somma naõ ecxederia 150 ou 200 milhoens de francos, que foi sobre ésta base, que o tractado de 20 de Novembro 1815, creou um fundo de garantia, para o pagamento destas dividas; e para este fundo se destinou: 1º, 3:500.000 francos nas rendas: 2º Uma massa addicional de 1:500 000 franços nas rendas; cuja totálidade ja se apropriou para effectuar este objecto. Mas parece que ainda se naõ tem liquidado nem a terça parte das reclamaçoens e que se requer outro fundo de garantia. O Duque expôem energicamente o perigo de multiplicar immoderadamente inscripçoens no Livro Grande, unico recurso da França nas suas difficuldades actuaes. Independentemente desta consideraçaõ diz o Duque, que he indispensavel a concurrencia das Camaras, para a creaçaõ de novo fundo de Garantia; e conclue o documento suggerindo aos Embaixadores das quatro grandes Potencias Alliadas, que elles poderaõ achar conveniente apreciar os esforços, que a França tem ja feito, a pezar do empobrecido estado do paiz, e das suas difficuldades da agricultura no anno passado: consideraçoens que naõ podem deixar de os induzir a esperar com paciencia a convocaçaõ do Parlamento, que he somente quem póde determinar sobre o modo de tirar o paiz de seus embaraços

Naõ he porém natural que as Potencias Alliadas desistam de suas pretensoens, em quanto os Francezes continuarem a fazer alarde de suas forças e poder.

Carion-Nisas publicou um folheto intitulado "Organizaçaõ da força armada de França, considerada particularmante em suas relaçoens com as outras instituiçoens militares." Aqui se vê bem os recursos militares da França; porém a obra do General Conde Mathieu Duinas, mostra, que, na revista que se fez em 1790, a guarda nacional armada, vestida de uniforme e exercitada chegava a 3:000.000 de homens. O Conde Jules de Pollignac disse na Camara dos Pares a sessaõ passada, que uma oitava parte da populaçaõ masculina da França, entra no serviço da guarda nacional. Isto a faz montar a 1:500.000 indîviduos.

## HESPANHA.

Publicamos a p. 513 um decreto de perdaõ, que parecia ser a amnistia de tam longo promettida. Achamos porêm que naõ he outra cousa senaõ o custumado perdaõ, por occasiaõ do parto da Raynha. El Rey perdoa a todos, que o naõ offendêram, e faz nisto algumas excepçoens, como o Leitor poderá ver do Decreto, se quizer ter o trabalho de o ler.

## COLONIAS HESPANHOLAS.

As ultimas noticias do Rio-da-Prata deixavam o Governo de Buenos-Ayres consolidando-se, sem experimentar nem temer alguma opposiçaõ. Os seus exercitos tinham marchado, como auxiliares para o Peru aonde seguîam as suas vantajens, como se vê dos documentos, que publicamos a p, 532.

Quanto ao externo, o Governo de Buenos-Ayres parece que se propôem a dar satisfacçaõ ás Potencias Estrangeiras, por algumas capturas, que fizéram seus corsarios, como se vê da seguinte publicaçaõ, da Gazeta de Buenos-Ayres,

"Ha algum tempo, que as gazetas estrangeiras andam cheias de queixas contra os nossos corsarios, por obrarem contra o direito das gentes: porém, como éstas queixas se devem referir a outras partes da America Septentrional, assim como á nossa, esteGoverno espéra informaçoens menos vagas, quanto aos authores destes excessos, a fim de dar plena satisfacçaõ ás potencias neutraes e amigas. A injustiça da Hespanha nos tem posto em um precipicio, e involve o nossos nome em actos repugnantes aos nossos sentimentos. Origimou-se o mal na pouca precauçaõ do Governo passado, concedendo cartas de marca, sem suspeitar o máo uso, que dellas se podia fazer; mas a administraçaõ presente tem tido cuidado em regular tudo, conforme ás leys das naçoens. Ultimamente um de nossos corsarios capturou dous navios Portuguezes; com a errada idea de que nós estavamos em guerra com aquella Potencia. Seraõ elles immediatamente restituidos, a fim de mostrar que nós naõ temos outro interesse nos corsarios, senaõ em tanto quanto elles contribuem para a nossa defensa nacional; e que naõ temos outros inimigos senaõ os Hespanhoes, contra quem se dirigem todos os nossos esforços. Presentemente o Supremo Governo tem nomeado uma Commissaõ, que obra incessantemente, a fim de fazer parar para o futuro os abusos de nossos corsarios. Nada temos por mais sagrado do que a honra; e naõ se perderá tempo em remover toda a occasiaõ destas calumnias que inventam os nossos inimigos. Nem ideas anarchicas, nem de *sans culotte* existem na America Meredional. Nós naõ declarâmos a nossa independencia até que naõ se completou inteiramente a ordem interior."

Parece-nos, que a este respeito o Governo de Buenos-Ayres cantou a Palinodia. E pretende escapar-se da incongruencia, imputando o erro á administraçaõ precedente. Como quer que sêja, se o emendarem para o futuro, e evitarem o envolver-se em guerras externas, attenderaõ como devem a seus interesses.

Na parte de Venezuela encontram os Insurgentes com mais opposiçaõ; e no entanto fazem progressos.

Depois da tomada da Guyana, o General Bolivar, e os demais generaes Insurrecicionarios, desfilaram em varias collumnas pelos Llanos destinando-se a Caracas, em cujas vizinhanças se achavam ja alguns corpos Insurgentes bloqueando, e impedindo a entrada de mantimentos naquella cidade. A p. 536 achará o Leitor os ultimos officios recebidos relativamente áquella parte dos Exercitos de Venezuela.

O General Morilho e sua força, depois de varios conflictos com os Insurgentes, em que estes fôram batidos, chegou aos 3 de Septembro a Laguira, e intentava naõ perder tempo, em marchar com todas as forças para fazer levantar o cerco de Caracas, em soccorro daquella praça, de maneira que anticipasse, sendo possivel, os insurgentes, cujo objecto éra tomar aquella cidade, antes que lhe chegasse socorro.

O General Macgregor resignou o seu commando na Ilha de Amelia, dando em razaõ, que lhe tinham falhado os soccorros, que esperava. Tomou o commaudo em Chefe um official chamado Aury, e ficou de Governador R. Hubbard. Os Hespanhoes aproveitáram-se desta occasiaõ, para fazerem um ataque; mas foram repulsados. O commandante Aury expedio entaõ a seguinte proclamaçaõ

Fernandina, Florida Oriental
20 de Septembro, 1817,

Os habitantes da Ilha de Amelia saõ por ésta informados. de que a manhãã se arvorará a bandeira Mexicana no forte, com as formalidades usuaes. Elles saõ convidados a voltar o mais breve possivel para suas casas, ou mandar pessoas de sua confiança, que tomem posse da propriedade, que existe em suas casas, e que se tem como sagrada. Todas as pessoas, que desejarem recobrar a sua propriedade, saõ convidadas a mandar ordens por escripto—sem isto naõ se permittirá o embarque de cousa alguma.

AURY. Commandante em Chefe.
R. HUBBARD. Governador.

## INGLATERRA.

O falecimento de S. A. R. a Princeza Carlota, unica filha de S. A. R. o Principe Regente, he um acontecimento lamentavel para a Inglaterra, succedido durante este mez; e que foi annunciado na gazeta da Corte do seguinte modo.

Gazeta de Londres Extraordinaria, Quinta Feira, 6 de Novembro, 1817.—Sua Alteza Real, a Princeza Carlota Augusta, filha de Sua Alteea Real o Principe Regente, e Consorte de Sua Alteza Serenissima o Principe Leopoldo de Saxe Cobourg, deo á luz um menino morto, ás 9 horas da noite passada; e á meia hora depois da meia noite, sua Alteza Real foi accomettida por difficuldade de respiraçaõ, desasocego, e inaniçaõ, cujos symptomas fataes augmentáram ate ás duas horas e meia da madrugada, quaudo Sua Alteza Real expirou, com inexpressivel dôr de S A. R. o Principe Regente, de seu illustre consorte o Principe Leopoldo, e de toda a Familia Real."

Este acontecimento pôem em grande duvida a successaõ á corôa, para o tempo futuro: por causa de naõ terem filhos os Principes e Princezas da Familia Real em Inglaterra; o que fará passar o throno a algum dos Principes Estrangeiros, que se acham em linha de successaõ:

Para darmos á conhecer o estado actual da linha de successaõ ao throno Inglez, copiamos a seguinte arvore genealogica; em que os nomes dos individuos mortos saõ impressos em Italicos; e os numeros, affixos a cada nome, mostram a ordem em que saõ chamados á successaõ.

- *Frederico* Principe de Gales filho de George II.
  - George III.
    - 1. Principe Regente, *nasceo em* 1762
    - 2. Duque de York. *n* 1763
    - 3. Duque de Clarence *n* 1765
    - 4. Duque de Kent *n* 1767
    - 5. Duque de Cumberland *n* 1771
    - 6. Duque de Sussex *n* 1773
    - 7. Duque de Cambridge *n* 1774
    - 8. Raynha viuva de Wirtemberg *n.* 1766
    - 9: Princeza Augusta *n.* 1768
    - 10. Princeza Elizabeth *n.* 1770
    - 11. Duqueza de Gloucester *n.* 1776
    - 12. Princeza Sophia *n.* 1777
  - *Duque de Gloucester.*
    - 13. Duque de Gloucester *n.* 1776
    - 14. Princeza Sophia de Gloucester *n.* 1773
  - *Duqueza de Brunswick*
    - *Duque de Brunswick.*
      - 15. Duque Carlos de Brunswick *n.* 1804.
      - 16. Duque Guilherme, Dicto *n.* 1805.
    - *Duqueza de Wirtemberg*
      - 17. Rey de Wirtemberg
        - 18. Principe 1817
      - 19 Principe Paulo
        - 20. Principe Frederico 1808
        - 21. Princeza Frederica 1807
      - 22: Princeza Frederica
        - 23. Jeronino Napoleaõ 1814
    - 24. Princeza de Gales *n.* 1768
  - *Raynha de Dinamarca.*
    - 25. Rey de Dinamarca *n.* 1768 - - - -
      - 26. Princeza Carolina 1793
      - 27. Princeza Guilhermina 1808
    - 28. Princeza Luiza *n.* 1771

## PAIZES BAIXOS.

O Ministro das Finanças apresentou, á Segunda Camara dos Estados Geraes, tres projectos de leys.

O primeiro, determinando o regulamento das necessidades e despezas do Reyno, no anno de 1818; que chegam, segundo ésta ley, á soma de 74:000.000 de florins.

O segundo fixa o deficit, no anno de 1817. A somma dos desembolços, fixada pela ley de 28 de Dezembro de 1816, devia ser de 73:400.000 florins. Por ésta ley se propôem providenciar ao deficit de 3:381.000 florins.

O terceiro, propoem uma ley, para determinar os meios, naõ sómente de providenciar as exigencias explicadas nos dous ultimos casos; mas tambem em varios outros ramos, que naõ admittem demora, e a que El Rey tem dirigido toda a sua attençaõ — Este projecto tracta dos meios de cubrir as despezas de 1818, no mesmo pé, e conforme as mesmas leys sobre tributos, que estivéram em vigor em 1817.

A comma ordinaria dos rendimentos, em 1818, se avalia em 67:500.000 de florins. O projecto contém outras medidas para providenciar aos credores do Estado, que tem ligitimas reclamaçoens, a fazer; e para cuja satisfacçaõ se naõ tinham até aqui podido adoptar medidas algumas. Isto comprehende a divida antiga fixada, nas provincias Meredionaes, e os atrazados da divida dos Paizes Baixos.

Para occurer á somma requerida de 30:000 000 de florins, este terceiro projecto abre ao Governo um credito de 45:000.000 de florins, para o que se poraõ em circulaçaõ cedulas, chamadas *Syndicate bons*, de 1.000 florins cada uma com divisoens para o juro annual de 50 florins: estas cedulas entraraõ em circulaçaõ nos annos de 1818, 1819, e 1820, segundo o pedir a necessidade do Estado. Para o pagamento do principal e juros deste emprestimo, se venderaõ em leilaõ terras nacionaes; gradualmente, e sem precipitaçaõ.

O Governo apresentou outro projecto de ley, para proteger o commercio contra os piratas do Mediterraneo; e que em summa he o seguinte: —

Artigo I. Desde o I°. de Janeiro de 1818, em diante se co brará um direito de tonelada, de 2 florins por *last*, de todo o navio que saîr de qualquer porto dos paizes baixos para o Mediterraneo ou Gibraltar, ou chegar daquellas partes a portos dos Paizes Baixos. Um direito de tonelada de 60 centos por last, em todos os navios que saîrem para Cadiz, Sevilha, S. Lucar, ou que dali viérem.

2. Os sobredictos direitos seraõ reduzidos á metade, a favor dos vasos com bandeira Belgica, e a favor dos daquellas Potencias, em cujos portos os vasos dos Paizes Baixos naõ saõ sugeitos a maiores direitos do que os de seus mesmos subditos.

3. Meio por cento *ad valorem* em todas as mercadorias importadas do Levante (a excepçaõ do algudaõ e fructas) em vasos Hollandezes.

4. Cinco por cento sobre os artigos importados para os Paizes Baixos, em vasos estrangeiros.

5. Cinco por cento sobre o frete de todos os navios que vierem do Levante.

Os capitaens dos navios seraõ obrigados a exhibir os seus manifestos e a verificallos debaixo de juramento.

Art. 2o. Desde o principio da sobredicta epocha se cobrará nos portos do Levante 2 por cento *ad valorem* por todas as mercadorias embarcadas ali para os Paizes Baixos em vasos dos Paizes Baixos, debaixo da denominaçaõ de *direitos de consulado.*

Art. 3o. As sommas procedentes destes direitos de tonelada, acima especificados, seraõ postas debaixo da administraçaõ dos Directores do Commercio do Levante, os quaes, debaixo da responsabilidade de submetterem as suas contas annualmente ao exame da Camara de Contas, as despenderaõ em pagar os encargos incidentes á protecçaõ especial, que possa requerer delles o commercio e navegaçaõ.

---

As noticias dos Paizes Baixos referem uma disseuçaõ, que ultimamente tivéra lugar entre El Rey, e o Principe Herdeiro, seu filho.

A causa se diz ser ésta. Quarenta e dous officiaes, que estávam a meio soldo, foram recommendadas pelo Principe d' Orange. como

General em chefe, e Director da Repartiçaõ de Guerra, para que entrassem em serviço activo. O Conde Goltz, Commissario Geral do Exercito, executou isto, mas empregando os taes officiaes em Batavia. O Principe considerou tal emprego como um subterfugio, para evadir a sua recommendaçaõ, e pedio como satisfacçaõ do insulto a demissaõ de Goltz, e como El Rey naõ accedesse a isso, resignou o Principe os seus lugares; e vestio-se logo de Paizano.

## Parma.

A gazeta de Parma pbulicou o seguinte artigo, que, naõ sendo official, mas em uma gazeta sugeita á censura do Governo, parece servir de contradicçaõ ao papel que se publicou como Protesto da Ex-Imperatriz, no Congresso de Vienna: e com tudo naõ se aclára muito a duvida, para com os scepticos politicos.

O tal artigo diz; — "que S. M. a Duqueza do Parma nunca pensou de apresentar alguma Declaraçaõ; nem de minutar em seu nome, nem antes nem depois do Congresso de Vienna, algum acto authentico, contrario ás estipulaçoens fixas naquelle Congresso, ou pelos tractados que o precedêram ou se lhe seguîram."

## *Reposta a Conrespondentes.*

*Manuel Coherente.* No seguinte Nº.

# CORREIO BRAZILIENSE

## DE DEZEMBRO, 1817.

Na quarta parte nova os campos ára
E se mais mundo houvéra la chegára.

CAMOENS, C. VII. e. 14.

# POLITICA.

REYNO UNIDO DE PORTUGAL; BRAZIL, E ALGARVES.

*Carta Regia ao Juiz do Povo de Lisboa.*

MUITO Honrado Juiz do Povo da Minha Cidade de Lisboa: Eu El Rey vos envio muito Saudar. Os respeitosos sentimentos de Vassallagem á Minha Augusta Pessoa, e os de regozijo pela Minha Exaltaçaõ ao Throno, referidos na Vóssa Carta de 7 de Abril do corrente anno, em o vosso nome, e dos Habitantes dessa Capital, e que por certo saõ os de todos os Portuguezes, naõ podendo deixar de ser de muito bom grado por Mim acolhidos, como uma justa correspondencia dos Paternaes Cuidados, com que incessantemente vélo pelo maior bem dos Meus Vassallos, excitáram no meu coraçaõ os da mais viva saudade de um Povo, que na sua lealdade, e constante adhesaõ ao seu legitimo Soberano, jamais tem desmentido o caracter honrado, que foi em todas as idades privativo dos Portuguezes.—O muito que os Habitantes dessa Cidade, e os mais Povos desses Reynos se distinguíram, pugnando pela estabilidade do Meu Throno, naõ Me deixava por um momento duvidar, de que exultariam de prazer no dia que Eu subia a elle; e Reconhecendo o testemunho fiel de Amor, que Me consagra esse Povo, Eu lhe Affianço em recompensa a estima, amor, e saudade, de que he taõ digno; e lhe Prometto, e a todos os Portuguezes a continuaçaõ da Minha Real Protecçaõ, e Beneficencia, persuadido do muito que a merecem, e de que sempre a mereceraõ, como descendentes dos que em todas as Partes do Mundo déram a conhecer virtudes naõ vulgares e mostráram sempre Amor, e Lealdade aos Meus Augustos Predecessores. Escripta no Palacio do Rio-de-Janeiro em 28 de Agosto de 1817.

(*Assignado*) REY.

Para o Muito Honrado Juiz do Povo da Minha Cidade de Lisboa."

---

*Edictal da Juncta da Saude Publica de Lisboa.*

"Constando á Juncta da Saude Publica, que uma Escuna pertencente á Esquadra Argelina, que cruzava no Mediterraneo, fora avistada ao Norte do Cabo da Róca por uma Sumaca Portugueza, chegada da Ilha de S. Miguel na tarde do dia 7 do corrente, manda publicar esta noticia, naõ só para que todos em geral hajam de concorrer para a execuçaõ das cautélas, e providencias, que o caso exige, mas que os Empregados Publicos, e particularmente os das Repartiçoens da Saude, se prestem, como he de esperar, ao restricto cumprimento dellas; visto que ellas procedem da probabilidade que ha da existencia do Contagio a bordo das embarcaçoes, de que se compôem a referida Esquadra: Por tanto, sendo a Classe dos Pescadores aquella, que primeira, mais facimente viria a ser sacrificada, e consequentemente conductora do contagio, naõ só porque os empregados neste trafego andam mais expostos a ser surprehendidos pela embarcaçaõ contagiada, ainda que voluntariamente naõ procurem similhante communicaçaõ, como porque affastando-se demasiadamente da costa como custumam, offerecem maior opportunidade aos cruzadores para obrigallos violentamente a irem a seu bordo, ou seja para obterem as noticias, que desejam, ou para se proverem de peixe fresco, que sempre necessitam, ainda quando se abstenham de outras quaesquer hostilidades: He pois aos Pescadores em particular, a quem a Juncta dirige as mais austéras recommendaçoens, para que se sujeitem com prompta vontade ás restricçoes, que o Bem Publico prescreve em tam melindrosa crise, as quaes se reduzem simplesmente ao exacto cumprimento das disposições anteriormente publicadas nos Edictaes da Junta, a respeito dos passaportes, ou Cartas de Saude, e das Insignias destinadas para as Embarcações de Pesca em todos os Portos do Reyno, principalmente no de Lisboa, a fim de se subtrahirem aos procedimentos, que por qualquer duvida, ou irregularidade nelles encontrada, ìrremissivelmente se haõ de praticar; E porque os Pilotos das Barras entram no numero dos Pescadores do Alto, a estes igualmente se adverte a pontual observancia das respectivas Instrucçoens a respeito do modo porque devem desempenhar o seu ministerio, bem como a responsabilidade em que ficam, tanto pelas omissoens, que commetterem, como pela falta de verdade com que fizerem os seus depoimentos nas entradas, tomadas pelos Officìaes da Saude, os quaes naõ tendo outro meio por onde possam ordinariamente obter os esclarecimentos precisos para classificar devidamente as Embarcações, que entram nos Portos, he forçoso, que as suas deliberações se tornem mais rigorosas, quantas forem as desconfianças, que possam suscitar-se no acto das perguntas a que procedem, a respeito das intençoens de encobrir a verdade, o que algumas vezes acontece com o fim de escapar às cautélas prescriptas para segurança da Saude Publica.

Finalmente aos Guardas Móres, e mais Officiaes da Saude se recordam as cautélas recommendadas naCircular de 30 de Março de 1816, impondo-lhe além dellas o dever de fazerem as mais escrupulosas indagaçoens para virem no conhecimento, se asEmbarcaçoens entradas tiveram alguma communicaçaõ com a Esquadra Argelina, e positivameute com a mencionada Escuna, sendo este Artigo separadamente especificado nos Autos da Entrada, até que conste á Juncta o haver-se recolhido a sobredicta Esquadra; devendo prestar-se mutuamente os auxilios de que cada um poder dispôr, e a communicar immediatamente entre si qualquer noticia que a este respeito haja de chegar ao seu conhecimento: e outro sim se lhes recommenda mui efficazmente, que em caso duvidoso prefiram sempre medidas, ainda que mais rigorosas, mais seguras, a mal entendidas contemplaçoens, ou equidades, que por qualquer modo se lhe representem; porque, sendo a conservaçaõ da Saude dos Povos, uma Ley Suprema, he mais prudente prevenir á custa de leves sacrificios, do que applicar tardios remedios, que por mais poderosos que sejam, nem já evitam o mal causado, e difficilmente atalham o seu progresso.

E para que chegue á nôticia de todos, e se naõ possa allegar ignorancia de tam inesperado acontecimento, se mandou affixar o presente Edital em todos os Lugares, e Praças Publicas dos Portos do Reyno. Lisboa 8 de Novembro de 1817.

MANOEL CYPRIANO DA COSTA.

## *Edictal da Juncta da Saude de Lisboa.*

A Juncta da Saude Pública, querendo evitar os inconvenientes que póde causar ao Commercio a demora das descargas das embarcaçoens, que, pelas circumstancias em que saõ considerados os Portos donde saîram, ou aonde arribáram, as devem fazer debaixo da Inspecçaõ dos Officiaes da Saude; assim como prevenir a continuaçaõ daquelles, que em varias occasioens tem motivado contestaçoens prolongadas, cujo resultado, sendo sempre opposto á regularidade, e circumspecçaõ, com que deve praticar-se o serviço de tal Repartiçaõ, naõ he menos prejudicial á utilîdade do Commercio, julga do seu dever naõ demorar a publicaçaõ de algumas declaraçoens absolutamente necessarias a estes, e outros respeitos; tanto para que o Público, e particularmente as pessoas interessadas, tendo dellas o devido conhecimento, naõ possam allegar ignorancia, como para que em tempo algum se hájam de attribuir á Juncta da Saude Publica irregularidades, e omissoens, para que ella naõ só naõ concorre, mas que sempre tem procurado remover, e atalhar, sem com tudo arriscar a segurança da Saude dos Povos, unico objecto dos seus assiduos, e bem intencionados desvélos.

I. A quarentena determinada por Edictaes da Juncta da Saude para as embarcaçoens entradas no Porto de Lisboa só começará a contar-se tanto para as fazendas, como para as pessoas, do dia em que se ultimar a respectiva descarga, qualquer que tenha sido a demora da embarcaçaõ no Porto: por tanto ficam prevenidos os Donos, Consignatarios, Capitaens, ou outros quaesquer interessados na Carga, de que a elles privativamente, ou seus Procuradores, compete o promover a descarga; dirigindo para isso os seus Requerimentos, assignados, e datados, nos dias de Sessaõ da

Juncta, ou, quando esta se naõ achar reunida, ao Inspector do Ramo da Saude Pûblica, como authorizado pela Portaria de 20 de Outubro de 1813 para em taes circumstancias dar estas, e outras extraordinarias providencías.

II. Fica ao arbitrio dos passageiros vindo em qualquer embarcaçaõ sujeita a quarentena, a escolha de a fazerem a bordo, ou no Lazareto; com declaraçaõ porém, que no primeiro caso se lhes contará a sua quarentena do mesmo modo, que á Tripulaçaõ, isto he, depois de finda a descarga e no segundo começar-se-ha a contar do dia em que entrarem no Lazareto, para onde lhes he permittido levar a cama, e fato de uso diario, ficando o mais que trouxerem em caixas, bahús, malas, etc. sujeito ao expurgo no Lazaretto pelo tempo determinado, segundo as qualidades delle.

III. Quando succeda adoecer, ou morrer qualquer pessoa empregada no expurgo das fazendas, ou pertença á Tripulaçaõ, ou passageiros da embarcaçaõ, que as conduzio, a quarentena, começará de novo tanto para as fazendas como para as pessoas; e o mesmo se entenderá a respeito da Tripulaçaõ de qualquer embarcaçaõ, se, durante a sua quarentena, tiverem lugar iguaes acontecimentos; porém sendo as molestias de natureza, que possam induzir a mais leve suspeiçaõ de pestilenciaes, a quarentena se prolongará pelo tempo, que a Juncta julgar sufficiente, para impedir o progresso de tam terrivel flagello.

IV. Se de bordo de qualquer embarcaçaõ forem conduzidos ao Lazareto algum doente, ou doentes, tal embarcaçaõ ficará em quarentena pelo tempo que a Juncta regular, segundo a natureza, e circumstancias dos doentes recebidos no Lazareto; ficando entendido, que todas as despezas feitas por tal motivo com Piloto, Guardas de Saude, Curativo, etc. seraõ pagas pontualmente por conta da embarcaçaõ, á vista das contas legalmente certificadas pelos Oficiaes do Juizo competente, e apprôvadas pela Juncta.

V. Sempre que entrarem neste Porto embarcaçõe s que na conformidade do Regimento da Saude, ou de quaesquer determinaçoens da Juncta da Saude Pública, devam saîr a barra sem terem prâctica, seraõ intimados pelo Juizo da Saude do Porto de Belém, ou pelos Provedores da Saude de Lisboa, e Termo, os Consules das respectivas Naçoens, quando naõ hajam Donos, Consignatarios, ou Correspondentes, para no termo de cinco dias, contados daquelle, em que tiver lugar a referida intimaçaõ hajam de apromptar, e fazer entregar na Casa da Saude de Belém os soccorros, e aprestos, que lhes forem deprecados pelo Capitaõ, e que seraõ constantes do Auto da sua entrada, de que na mesma occasiaõ se lhes dará cópia; na certeza de ficarem responsavies por qualquer acontecimento, ou prejuizos, que possam seguir-se, quando seja necessario empregar a força armada, que auxilie o serviço aa Saude, para se effectuar a sahida da embarcaçaõ, findo que seja o prazo acima indicado: quando porém se conhecer por legitima verificaçaõ, que tal embarcaçaõ está em estado de naõ poder saîr a barra sem eminente perigo de naufragio, entaõ as pessoas intimadas faraõ apromptar uma embarcaçaõ dentro dos dias, que pela Juncta lhes forem arbitrados, para receber a carga, conduzilla com a mesma Tripulaçaõ a fazer quarentena em um dos Lazaretos acreditados da Europa, ou dar-lhe o destino, que mais lhes convier: applicando-se esta mesma determinaçaõ aquellas embarcaçõens, cuja Carga se manda ficar neste Porto, passando primeiro pelos expurgos, e cautélas, que as suas circumstancias exigirem; mas que a sua Tripulaçaõ naõ deva obter practica.

Sendo as declaraçoens contúedas neste Edictal conformes com pratica geralmente adoptada por todos os Estabelecimentos de Saude, he por isso que se mandam fazer públicas, para terem a sua devida execuçaõ da data deste em diante, ou em quanto naõ forem alteradas, ou derogadas por outro Edictal. Lisboa 21 de Novembro de 1817.

MANOEL CYPRIANO DA COSTA.

## ALEMANHA.

*Petiçaõ appresentada á Dieta, por Mr. Beck, Conselheiro de Justiça em Darmstad; e assignada por varios milhares de pessoas.*

Alta Assemhlea Federal.

O direito, que tem todos os povos, e mais particularmente os Alemaens, segundo a sua constituiçaõ original, de ter a vóz livre para expressaõ de sua livre vontade, foi recentemente reconhecido como pertencente a toda a Alemanha, pelo artigo 13º. do Acto Federal Alemaõ, e os Altos Alliados prometteram a execuçaõ deste artigo: esta promessa foi garantida pela fé e verdade da naçaõ, e pela honra publica.

A verdade, de que nenhum povo elevado ao gráo de cultura, em que presentemente se acha o povo Alemaõ, póde sem uma Constituiçaõ Representativa, apoiada sobre um contracto firmemente estabelecido, obter prosperidade duravel, nem perfeiçaõ e dignidade moral e politica, foi consagrada na opiniaõ publica, como um principio, cuja exactidaõ he demonstravel pela razaõ e pela historia, e que o dicto artigo 13º do Acto Federal tem reconhecido e adoptado como tal para a Alemanha, pelos altos fundadores da Uniaõ Alemaã.

Porém, ainda que se tenham passado dous annos, depois que se deo aquella garantia, que o povo Alemaõ recebeo, com tanta confiança e sem suspeita, apenas se tem ainda feito cousa alguma para se pôr em execuçaõ, o que este principio tam solemnemente prometteo, e desta procrastinaçaõ e reserva, desde uma até á outra extremidade da Allemanha, se tem insinuado, no espirito de todos, que tem a peito o bem de sua patria, e que tem clara idea de seus direitos e suas necessidades, uma penosa sensaçaõ de descontentamento, que ameaça minar a confiança do povo nos seus Governos.

O descomtentamento, como he fundado na privaçaõ de um direito iindubitavel e reconhecido, acha continuo nutrimento nos mais nobres sentimentos da humanidade, e somente póde ser tranquillizado, pela satisfaçaõ das bem fundadas esperanças, e honrada cooperaçaõ.

Se ésta tranquillizaçaõ, que as difficuldades do tempo imperativamente exigem, se naõ prestar immediatamente,dará isso origem ao grande mal,de que as Potencias, que deviam concurrer em adiantar o bem commum se consumiraõ em rancoroso descontentamento, ou inuteis contendas, e o desprezo dos mais ardentes desejos de um povo nobremente espirituoso será seguido do maior perigo, para o verdadeiro bem da patria.

He verdade, que tempos arduos e calamitosos se tem passado na maior tranquillidade, porem naõ sem augmentar evidentemente o descontentamento geral.

A quieta equanimidade, e o respeito hereditario ás leys e custumes, a bondade do povo Alemaõ, o tem ainda conservado dentro dos limites da ordem, e o tem preservado de recorrer a medidas perigosas.

E com tudo, tal he a situaçaõ politica da Alemanha, no Oriente e no Ocidente, que o primeiro accidente, a morte de um monarcha estrangeiro,incendiaria os materiaes combustiveis, que se acham em toda a parte, perturbando assim o estado artificial de tranquillidade, e fazendo que a demora, que até agora poderia admittir justificaçaõ, ficasse sendo um mal da mais destructiva natureza. Que motivos se poderaõ entaõ offerecer ao povo? Como poderá elle entaõ ser instigado a medidas activas? A que amor ou a que inclinaçaõ se appellará entaõ para despertar sequer uma apparencia de enthusiasmo, e que promessas se lhe podem fazer, que elle naõ regeite com desprezo? O poder ou a força seraõ entaõ bastantes para fazer apparecer o que sómente póde produzir o magnanimo amor da patria?

Como he a firme convicçaõ dos abaixo assignados, que o espirito publico na Alemanha naõ deve continuar neste estado naõ natural de excitaçaõ: elles se crem, como cidadaõs Alemaens, chamados por sua consciencia, e justificados, em se apresentar respeitosamente ante ésta illustre Assemblea, a mais alta authoridade da Alemanha, com o requirimento, de que vós, conforme aos vossos altos deveres, entreis como mediadores, para o fim de adiantar esta primeira e urgentissima requisiçaõ do tempo, até seu final complemento:

Elles, portanto, fazem á Alta Assemblea Federal Alemaã a sua respeitosa petiçaõ:—

Que a Alta Assemblea Federal sêja servida, na conformidade das mais sublimes e sagradas promessas, effectuar a execuçaõ do artigo 13°. do Acto Federal, e isto por tal maneira, que em todas as terras da Alemanha sêja o povo chamado a participar, como parte contractante, na execuçaõ do sobredicto artigo, e que uma verdadeira e digna representaçaõ, sobre principios de igualdade essencial, sêja introduzida em toda a Alemanha.

## FRANÇA.

*Resumo do projecto de ley sobre o recrutamento.*

### Titulo 1°. Alistamenlo Voluntario.

Artigo. 1. As guardas Reaes, e cavallaria, artilheria, e engenharia seraõ recrutadas por alistamentos voluntarios.

As legioens departamentaes seraõ recrutadas por alistamentos similhantes, e no caso de que o numero sêja insufficiente por appellaçoens (sortes) feitas segundo os arranjamentos prescriptos.

2. Será permittido a todo o Francez o contrahir um ajuste voluntario, provándo que tem 18 annos de idade, e que goza dos direitos civis, e que póde ser admittido ao corpo para que se offerece.

3. A duraçaõ do alistamento voluntario será de seis annos nas legioens departamentaes, e oito annos nos outros corpos.

Naõ haverá nas tropas Francezas nem ajuda de custo em dinheiro, nem outra qualquer remuneraçaõ pelo alistamento.

As outras condiçoens seraõ determinadas por El Rey, e publicadas.

4. Os ajustes de alistamentos voluntarios seraõ feitos ante o official civil, e os termos especificados e assignados.

### Titulo 2°. Appellaçoens.

5. O complemento das Legioens Departamentaes, em tempo de paz, incluindo officiaes, e subofficiaes, he fixo em 150.000 homens

A appellaçoens (sortes) annuaes naõ excederaõ 40.000 homens.

Se for necessario maior numero, providenciar-se-ha a isso por nova ley.

6. O resto dos artigos prescrevem a factura das listas

nos Departamentos, os arranjamentos para as sortes das pessoas que tem de servir nas Legioens Departamentaes, a natureza das izençoens, e os regulamentos sobre a obrigaçaõ de achar substitutos.

Titulo 3º. Dos Re-alistamentos.

Dous artigos prescrevem o modo dos re-alistamentos, que devem ser pelo mesmo periodo do primeiro ajuste, e daõ direito á parte, que se torna a alistar, a um augmento de soldo, e admissaõ á Gendarmeria ou Veteranos de linha.

Titulo 4º. Veteranos Legionarios.

Dous artigos.—Haverá uma companhia de Veteranos em cada cantaõ; que deve consistir de subofficiaes e soldados, que tiverem voltado para suas casas depois de terem acabado o seu termo de serviço, incluindo aquelles, que saõ agora despedidos do serviço actual. Os Legionarios naõ seraõ obrigados a servir fóra dos seus departamentos em tempo de paz, nem fóra da sua divisaõ militar em tempo de guerra.

O quinto titulo estabelece as penas, o Sexto regula as promoçoens,

## INGLATERRA.

*Proclamaçaõ, prohibindo aos Inglezes, que sirvam na guerra entre a Hespanha e suas Colonias.*

George P. R.

Por quanto existe infelizmente um estado de guerra entre S. M. Catholica e varias Provincias ou partes de Provincias na America Hespanhola; e porquanto se nos tem representado, que muitos de nossos subditos se alistáram, sem licença nossa, e entráram a servir nas forças militares, ou navios de guerra armados ou levantados, ou que se intentam armar ou levantar, por pessoas, que exercitam ou assumem os poderes do Governo em taes provincias ou partes de Provincias; e que varios outros de nossos vassallos, similhantemente, estaõ ao ponto de entrar e de se alistar: e porquanto taes practicas saõ altamente prejudiciaes, e tendem a pôr em perigo a paz e bem da nossa corôa e dominios; nós, portanto, por ésta, com e pelo parecer do nosso Conselho Privado, estrictamente encarregamos e ordenamos a todos e cada um de nossos subditos por nascimento, de qualquer gráo ou qualidade que sêjam, que naõ sirvam em alguma das forças militares ou navios de guerra sobredictos; e se naõ alistem ou entrem a servir nelles, e naõ vam para alem mar, ou se embarquem a fim de servir, ou com intençaõ de entrar ou de se alistar para servir em taes forças militares ou navios de guerra: e he ao mesmo tempo nossa Real vontade e prazer, e por ésta, com e pelo parecer sobredicto, encarregamos e ordenamos estrictamente a todos e cada um de nossos dictos subditos, que naõ sirvam, se alistem, nem entrem a servir em alguma das forças militares ou navios de guerra levantados ou que se intentarem levantar por S. M. Catholica, e que naõ vám para alem mar, nem se embarquem, em ordem ou com intençaõ de servir ou entrar ou alistar-se para servir em taes forças militares ou navios de guerra: he com tudo nossa Real vontade e prazer, que nada do que aqui se contém se entenda ou tome como prohibiçaõ a nossos subditos, que, ao tempo da data desta nossa proclamaçaõ, estiverem empregados, servindo nas forças militares de S. M. Catholica, com permissaõ ou licença nossa, para que continuem a servir ali, com tanto que os taes dictos nossos subditos naõ sirvam com as forças militares de S. M. Catholica, quando forem empregadas na America Hespanhola; e nos por ésta, com e por o parecer sobredicto, estrictamente requeremos de todos os dictos nossos subdictos, que se conformem devidamente com as nossas ordens aqui contheudas, sob pena do nosso maior desprazer, e dos maiores perdimentos, penas, e castigos, a que pelas leys seraõ outro sim sugeitos.

Dada na nossaCorte, em Brighton, aos 27 de Novembro de 1817, e 58 do nosso Reynado.

Deus guarde El Rey.

---

*Satisfacçoens dadas ao Governo Portuguez por insultos commettidos por alguns officiaes da MarinhaBritannica.*

Em 3 de Janeiro de 1817, S. E. Conde da Palmella dirigio uma nota official a My Lord Castlereagh, em que lhe disse:—" que por ordens expressas que recebeo de sua Côrte, éra mandado pôr na presença de S. A.R. o Principe Regente do Reyno Unido da Gram Bretanha, e Irlanda as justas queixas e reclamaçoens, que S. M. tinha direito a fazer pela violaçaõ da neutralidade do territorio Portuguez, que teve lugar na ilha de St. Yago, no dia 13 de Março de 1815, commettida por G. R. Collier, commandante da fragata de S. M. B. the Leander, o qual atacou e tomou um Corsario Americano naquella porto.

Na mesma nota se queixou dos repetidos insultos das embarcaçoens de guerra Britannicas, contra a independencia do territorio e pavilhaõ Portuguez, e contra as propriedades dos particulares, debaixo do pretexto de impedir o trafico illegal de escravos na costa d' Africa: pretexto "que, segundo diz S. E. no seu officio, naõ pode deixar de dar muitas vezes occasiaõ (visto o interesse que os cruzadores tem em fazer prezas) ás maiores injustiças, ainda mesmo sem fallar do direito, que se arrógam os commandantes Inglezes de insultar o pavilhaõ Portuguez

Entre outros motivos de queixa,teve S. Ex$^{a}$.ordem para apontar os seguintes:— 1°. Os insultos commettidos na ilha de S. Thomé, em 1815, pelo Commodoro Thomaz Brown, commandante da fragata Ulyses. 2°. O insulto practicado na cidade das Hortas, nas ilhas dos Açores, por J. B. Umfreville, commandante do brigue de guerra Chielders,

Esta nota foi acompanhada da traducçaõ dos proprios officios, dirigidos ao Ministro da Marinha no Brazil, pelas authoridades locaes da ilha de S. Thomé; e por occasiaõ disto fez S. E. Conde de Palmella a My Lord Castlereagh as seguintes reflexoens,que saõ bem dignas de notar-se:— " Pelo seu contheudo (dos officios que se acabam de mencionar) poderà V. E. ajuizar,qual deve ser o azedume que causa aos vassallos Portuguezes a continuaçaõ de attentados desta natureza: e quanto importará, para a conservaçaõ da intima uniaõ, que existe ha tantos tempos entre os dous paizes, que seus governos se ponham de acordo, a fim de que o commercio, que houver de fazer-se para o futuro sobre a costa d' Africa, em contravençaõ dos seus tractados, sêja reprimido por um modo igualmente honroso para ambos os paizes, e naõ sugeito unicamente á direcçaõ de alguns commandantes de navios Inglezes, a quem pouco importa, muitas vezes, lezar os interesses, e muito menos ainda offender o amor proprio da naçaõ Portugueza."

S. E. Conde de Palmella concluio ésta nota, com outras expressoens igualmente energicas: dizendo:—" que se limitava em nome d' El Rey seu Amo, a reclamar do Governo Britannico as medidas necessarias, para se obstar á renovaçaõ de attentados, similhantes aos que tinha para queixar-se: que taes attentados éram contrarios á alliança e amizade que subsistem entre as duas coroas, e que a repetiçaõ delles naõ poderia deixar do exasperar o resentimento dos vassallos Portuguezes, contra uma oppressaõ injusta e deshonrosa."

Em uma segunda nota, com data de 16 de Janeiro, 1817, remetteo S. E. Conde Palmella, a My Lord Castlereagh a traducçaõ do Officio, que o Governador das ilhas de S. Thome e Principe dirigio ao Ministro da Marinha no Brazil: e dizia-lhe:—"Pelo conteúdo deste officio verá V E. que Sir James Yeo, commandante da fragata Ingleza, *The Inconstante*, commetteo em 28 de Junho proximo passado na ilha do Principe a violaçaõ de territorio a mais atroz, que se póde commetter em um porto de um soberano independente. Este official depois de ter recebido naquelle porto o acolhimento mais favoravel, e os viveres e provimentos de que precisava, levou durante a noite, em violaçaõ do direito das gentes, por meio de suas chalupas armadas, um navio Portuguez, que estava anchorado em um porto Portuguez, debaixo da protecçaõ da bandeira e fortalezas nacionaes!"

O navio de que se tracta naõ tinha feito commercio illicito; mas, ainda quando o tivesse feito, naõ tinha Sir James Yeo direito para punillo, commettendo para isso uma violaçaõ ainda mais aggravante do direito das gentes. O mesmo commandante Britannico conhecia tanto o seu crime, que só ouzou comettêllo de noite. A vista disto, o nosso Ministro Portuguez declarou a Lord Castlereagh, que—"tinha ordem positiva d' El Rey, para pedir uma satisfacçaõ, e o castigo do culpado."

Lord Castlereagh deo resposta ás duas Notas antecedentes, no dia 3 de Fevereiro, 1817, e certificou ao nosso Ministro, que immediatamente se tinham dado as ordens aos Lords Commissarios do Almirantado, para que sem perda de tempo fizessem as indagaçoens, que exigîam as circumstancias, particularmente do ultimo caso; e que os mesmos Lords do Almirantado ja tinham respondido, que îam pedir conta a Sir James Yeo do seu comportamento.—Concluio a sua nota da maneira seguinte:—

"Que, participando a S. E. Conde de Palmella o que acabava de referir para informaçaõ de sua Côrte, tinha a honra de lhe assegurar, que S. A. R. o Principe Regente estava sempre prompto para satisfazer a todo e qualquer insulto, que se commettesse, quer inadvertidamente, quer em violaçaõ directa das suas instrucçoens, pelos officiaes de S. M. contra as authoridades Portuguezas: e particularmente lhe participava mais, para informaçaõ da sua Côrte, que ultimamente se havîam expedido ordens mui explicitas aos officiaes de S. M. de fronte da d'Africa, para se absterem de todo e qualquer acto de coerçaõ desnecessario para com os navios e propriedade dos vassallos de S. M. F."

Em data de 27 de Fevereiro, 1817, S. E. Conde de Palmella agradeceo as explicaçoens francas e amigaveis, com que Lord Castlereagh tinha respondido, na sua nota antecedente, porém accrescentou, que lhe éra ainda bem doloroso o participar-lhe uma nova queixa, sobre a qual ja S. E. Conde de Funchal tinha feito uma representaçaõ, sem até agora se lhe haver dado resposta.

Esta queixa éra relativa ao caso de Brigue General Armstrong, navio Americano, destruido nas ilhas dos Açores pelo Capitaõ Lloyd, com violaçaõ manifesta da neutralidade do territorio Portuguez. O Capitaõ do brigue Americano tinha feito um protesto desta violaçaõ (de que mandava copia) conjunctamente com a sua tripulaçaõ e o Consul Americano nas ilhas dos Açores: além disto, este facto tinha sido referido em todas as gazetas da Europa, e îa comprometter muito o Governo Portuguez com o dos Estados Unidos. Nestas circumstancias, "o Governo Inglez naõ se podîa dispensar de desapprovar o comportamento do capitaõ Lloyd; e dar uma satisfacçaõ ao seu Alliado; e de lhe fornecer as devídas indemnizaçoens, pela perda que soffrêram os proprietarios do brigue Americano, assim como pelo estrago, que o combate occasionou a varios edificios da cidade."

Lord Castlereagh só respondeo á nota antecedente, em 16 de Agosto de 1817. Nesta disse, que os Lords do Almirantado, na communicaçaõ circumstanciada, que tinham feito, expressavam em termos mui energicos o pezar que lhes motivou a precipitada conducta do Capitaõ Lloyd commandante da náo de S. M. *the Plantagenet*; pois ainda que o commandante Americano foi, pela sua propria relaçaõ, o primeiro que commetteo hostilidades, fazendo fogo contra uma das embarcaçoens de S. M., toda a via fora muito mais acertado, se o commandante, em vez de tomar sobre si a retaliaçaõ, fazendo-lhe tambem fogo, seguisse o partido mais proprio e regular, em territorio de uma potencia neutral e amiga, que éra o de pedir ao Governador da Ilha o seu desaggravo. Por estas e outras razoens, sendo o Commandante Americano o aggressor, e portando-se tambem mal no territorio de uma potencia neutral e amiga, parecia que em vez de ter direito a queixar-se ou a pedir indemnizaçoens, antes éra elle quem as devìa dar ao Governo neutral, pela violaçaõ de seu territorio."

Concluio Lord Castlereagh, "rogando a S. E. Conde de Palmella quizesse communicar á sua Côrte os factos que lhe expunha, porque em tal caso confiava, que, sendo ali examinados na sua verdadeira luz, se admittiria por satisfactoria a apologia que tinham feito os Lords do Almirantado, pelo precipitado comportamento do seu official naquella occasiaõ."

S. E. Conde de Palmella, em uma communicaçaõ particular, que fez a Lord Castlereagh, com o titulo de *Memorandum*, em data de 21 de Agosto do mesmo anno, respondeo-lhe em summa o seguinte: — "Que a resposta de S. E. Lord Castlereagh, a respeito da violaçaõ do porto do Fayal, commettida pelo capitaõ Lloyd da náo de S. M. o Plantagenet, poderìa parecer satisfacçaõ sufficiente, se o Governo Inglez lhe ajunctasse a medida de indemnizar o valor do corsario Americano, que foi destruido naquella occasiaõ. Que ésta indemnizaçaõ éra de rigorosa justiça e o Governo dos Estados Unidos d' America a reclamava de S. M. F. Qualquer que fosse o erro commettido pelo corsario Americano, sempre éra certo que a embarcaçaõ fora queimada pelo capîtaõ Lloyd em um porto pertencente a S. M. F. e o máo comportamento do corsario Americano nunca podia legitimar o attentado do Capitaõ Lloyd, senaõ no caso de ter recorrido ás authoridades do paiz, e de naõ haver obtido dellas justiça. Neste caso o Governo Inglez éra assas poderoso e nobre, e naõ lhe convinha affectar um falso orgulho, recusando ao seu Alliado uma reparaçaõ que a justiça pedia:"

No dia 17 de Outubro, de 1817, os Lords do Almirantado mandáram escrever a Sir James Yeo, á cerca do comportamento que tivera, tomando a escuna Portugueza os Dous-Amigos, no porto da ilha do Principe, de fronte da costa d' Africa; e lhe fizéram saber, á vista das suas mesmas respostas:—" Que, tendo-lhes mandado o Principal Secretario de S. M. na Repartiçaõ dos Negocios Estrangeiros a opiniaõ do Procurador da Coroa sobre a violaçaõ de territorio, que havia commettido com aquelle acto, e examinando todo o caso, éram de parecer, que o seu comportamento fora muitissimo improprio, e julgavam necessario mandar-lhe uma forte reprehensaõ pelo seu desacertado e violento proceder, admoestando-o de que para o futuro se houvesse com maior cuidado e cautella no seu comportamento."

Lord Castlereagh replicou ao *Memorandum*, de que

acima fizemos mençaõ, em uma nota com data de 24 de Outubro, 1817, e deo pouco mais on menos a resposta seguinte.—" Que tinha a honra de participar a S. E. Conde de Palmela que havendo sido attenta e maduramente consideradas suas razoens pelo Governo de S. A. R. tinha ordem de responder a S. E. que o seu Governo estava persuadido, que o de S. M. F. havia de ver naõ existir fundamento bem razoavel para se reclamar indemnizaçaõ pecuniaria pelo referido acontecimento, pois que o prejuizo fôra soffrido por aquelles mesmos, que tinham sido os aggressores originaes, e que portanto havîam sido a causa da sua propria perda." Accrescentou a isto :— que o Governo Britannico éra igualmente de parecer, que a satisfacçaõ mais propria, que se podia dar, pela violaçaõ da neutralidade do territorio Portuguez, éra a que ja se tinha offerecido por parte do Seu Governo, isto he,— a desapprovaçaõ do procedimento do official Inglez, e uma ampla e liberal apologia ao Governo Portuguez, pela violencia a que fora exposto, pela aggressaõ do brigue Americano. Toda via, que, para mostrar a uniforme disposiçaõ do Governo Inlgez, para fazer o que mais grato fosse aos desejos do Alliado de S. M. B. El Rey de Portugal, elle Lord Castlereagh tinha ordem para participar a S. E, Conde de Palmella, que o seu Governo estava prompto para ressarcir aos habisantes da Ilha o valor dos damnos, que lhes tivesse causado o fogo da Fragata."

Logo no dia seguinte, 25 de Outubro, escreveo Lord Castlereagh outra nota a S. E. Conde de Palmella, naqual lhe participou officialmente a reprehensaõ, que os Lords do Almirantado tinham mandado dar a Sir James Yeo, e accrescentava — " Que; quanto á indemnizáçaõ devida ao dono do navio, fosse ella submettida á decisaõ da Commissaõ mixta, que se havia de estabelecer em Londres, guardando tudo o mais que houvesse a este respeito para quando o caso fosse trazido a juizo."

S. E. Conde de Palmella respondeo logo a esta nota, em data de 28 de Outubro, 1817, na qual disse que;—" "á vista da explicaçaõ contida em a nota de S. E. Lord Castlereagh, em data de 25 do mesmo mez, elle se julgava sufficientemente authorizido pelo seu Governo, para aceitar como satisfacçaõ, a reprehensaõ que os Lords do Almirantado tinham mandado a Sir James Yeo; e que sobre esta materia so lhe restava exprimir a Lord Castlereagh o prazer que sentia em ver terminado assim um negocio tam desagradavel na sua origem."

"Em quanto á indemnizaçaõ, a que tinham direito os proprietarios do navio tomado, convinha tambem em que fosse liquidada perante a Commissaõ mixta, que se havia de estabelecer em Londres; bem entendido porém, que neste caso, de que se tractava, naõ julgaria a commissaõ da legalidade da preza, pois que, mesmo pela confissaõ do proprio Governo Inglez, devia ser ja olhada como illegal."

## PRUSSIA.

### *Extracto das Instrucçoens, que o Conde Goltz recebeo de sua Corte, sobre a liquidaçaõ da divida Franceza.*

Entre os fundumentos allegados pelo Governo Francez, para provar a necessidade da diminuiçaõ de sua divida, se faz grande força no descontentamento, que este pezo póde produzir entre seus subditos. Porém as Potencias Alliadas pódem com muito mais justiça valer-se destes fundamentos; porquanto a renuncia de suas pretençoens serîa, em muitos casos, roubar a seus vassallos de novo adquiridos, da propriedade sancionada por tractados, e que ja pelo tractado de 20 de Novembro soffreo diminuiçoens, a que o povo se submetteu, na esperança de segurar com este sacrificio a posse do que se lhe reconhecia por aquelle tractado.

S. M. El Rey, ante quem tenho tenho apresentado as propostas do Governo Francez, para fixar uma somma certa pelo total das reclamaçoens particulares, se acha em um penoso embaraço, entre o seu sincero desejo de contribuir ao alivio da França, assim como a tudo quanto pode favorecer a prosperidade de um Estado, com quem está connexo por laços de verdadeira amizade; e entre os deveres, que lhe impôem, a situaçaõ de seus novos vassallos, assim como as obrigaçoens, que tem tomado sobre si para com toda a Europa: sería annihilar a confiança, que a palavra d' El Rey tem inspirado a seus vassallos; sería atraiçoar a confiança daquellas Potencias que accedêram aos tractados de Paris, se El Rey consenlisse que se naõ mantivessem obrigaçoens, que obtivéram tam solemne garantia.

El Rey naõ mais pode roubar os vassallos de seus alliados dos direitos que lhes competem, do que tem em seu poder o entrar em nenhuma transacçaõ a respeito da propriedade de seus subditos. A justiça e a prudencia lhe prohibem de obrar assim. Se alguma cousa tem tranquillizado a opiniaõ publica, a respeito dos ultimos tractados de Paris, foi o cuidado que mostrou o Governo, de segurar naõ tanto os seus interesses como os de seu povo, e exercitar uma justiça, que se tinha algumas vezes perdido de vista nos primeiros tractados. E pede-se agora, que as Potencias Alliadas, pela destruiçaõ de sua mesma obra, abandonem a unica estipulaçaõ, para que os subditos tem até aqui olhado como indemnizaçaõ de seus soffrimentos; estipulaçaõ que os moveo a abençoar os paternaes cuidados de seu Soberano.

Independentemente destas consideraçoens geraes, que naõ permittem a El Rey o acceder ás propostas do Governo Francez, ha varias outras razoens collateraes, que se oppoem á aceitaçaõ d uma somma por via de composiçaõ por direitos de particulares. ¿ De que principio poderiamos partir para determinar ésta somma ; pois he somente por uma liquidaçaõ formal que se póde estabelecer uma proporçaõ entre as pretensoens, que saõ bem fundadas, e as que se devem regeitar. ¿ Que principio se póde estabelecer para a divisaõ da somma entre os differentes Governos ; pois alguns delles sugeitáram as reclamaçoens de seus subditos a uma estricta revisaõ de contas, ao mesmo tempo que se tem apresentado outras reclamaçoens, que naõ fôram sugeitas a rigorosa investigaçaõ? ¿ como se pode estabelecer o equlibrio entre os reclamantes, cujas pretensoens tem sido liquidadas na conformidade do tractado, e aquelles que com iguaes pretensoens deverìam ser sugeitos a nova e de todo arbitraria diminuiçaõ? Finalmente porque meios se haõ de ajustar as infinitas difficuldades, que se levantarìam entre os credores originaes, que, confiando na sanctidade dos tractados, vendêram os seus direitos, e os compradores desses direitos? Junctos todos estes fundamentos parecêram a S. M. de tal fortaleza, que elle está convencido de que he impossivel renunciar alguma das estipulaçoens da convençaõ de 2º de Novembro 1815, relativa ás reclamaçoens de particulares. Pelo contrario El Rey me tem ordenado pedir ao Governo Francez, que se execute agora este tractado com mais actividade do que até aqui ; e tambem que se dem ordens aos agentes Francezes, na sua execuçaõ, para que obrem com aquella justiça e imparcialidade, por que taes operaçoens se devem governar em todos os tempos.

Ao mesmo tempo, El Rey naõ deseja impôr carrego algum ao Reyno de França, que exceda as suas possibilidades, e está inclinado a acceder áquelle alivio, que a sua situaçaõ requer: somente deve provar-se a necessidade, e naõ deve caîr sobre os credores, que saõ vassallos das Potencias Alliadas.

Quando houvereis de fazer conhecer ao Governo Francez os benignos sentimentos d'El Rey, de que as presentes instrucçoens saõ prova; e de que sem duvida participaraõ as Cortes de Austria, Gram Bretanha, e Russia, a quem se communicam estas instrucçoens, unir-vos-heis com os Ministros das dictas Cortes para pedir ao Governo Francez:—

1º. Que renuncie, pelo presente, a toda a tentativa para mudar ou fazer que se mudem as estipulaçoens da convençaõ de 20 de Novembro 1815; relativamente ás reclamaçoens de particulares.

2º. Que a respeito das reclamaçoens liquidadas, e entradas nas ultimas listas, se cumpra o artigo 18 da convençaõ, do mesmo modo, que se entendeo e cumprio até o mez de Maio proximo passado, sem prejuizo de qualquer alivio, que para o futuro se possa conceder a favor da França, no caso em que a França conclua a obra da liquidaçaõ em tempo determinado.

3º. Que os pontos, contidos na Memoria annexa, sejam reconhecidos pelo Governo Francez, como fundados nos tractados, o que de facto saõ, e dê instrucçoens a seus agentes para se regularem nessa conformidade.

4º. Que se empenhe em dar a seus Commissarios de liquidaçaõ taes instrucçoens e tal organizaçaõ, que toda a obra da liquidaçaõ se finalize em seis mezes, para que toda a somma das liquidaçoens verificadas seja sabida, e se possa entrar em deliberaçaõ sobre a necessidade e modo de se conceder algum alivio.

5º. Que para dar uma prova de seu respeito aos tractados, o Governo Francez dê aos Commissarios de líquidaçaõ novo fundo de garantia, em inscripçoens no Livro Grande da Divida Publica, o qual, porém, naõ será empregado immediatamente em pagamento das reclamaçoens liquidadas, mas administrado a bem dos credores.

*Extracto da Memoria, que acompanhou as Instrucçoens para o Conde Goltz.*

Desde o principio da liquidaçaõ, levantáram os Commissarios de Liquidaçaõ Francezes varias difficuldades, fundadas na exposiçaõ falsa e arbitraria da Convençaõ de 20 de Novembro de 1815 ; e por este meio aquelles agentes trabalháram por annihilar as estipulaçoens da Convençaõ, e libertar o seu Governo das obrigaçoens concordadas e reconhecidas. Os commissarios das Potencias Alliadas, vendo isto, minutaram uma exposiçaõ a de suas queixas, comprehendidas em seis artigos principaes, que n' uma conferencia com o Duque de Richelieu, aos 3 de Outubro de 1816, fôram reconhecidas como bem fundadas, e prometteo elle que serîam removidas. Porém os Commissarios Francezes outra vez armáram o escapar-se da decisaõ do Duque. Portanto he necessario que o Governo Francez se empenhe em cumprir com as obrigaçoens, em que entrou, com aquella honra, sem a qual todos os tractados serîam méra illusaõ. Os pontos sobre que consistia o ajuste éram os seguintes:—

1°. A promessa de accelerar as verificaçoens preliminares nas Mezas (Bureaux) naõ se cumprio, porque os documentos ficaram accumulados nas Mezas, sem serem examinados. O Ministro da Guerra, em particular, deo constantemente respostas evasivas a todas éstas representaçoens. Pede-se que se finalizem em dous mezes estas verificaçoens preliminares,

2. (Refere-se a um procedimento contra os officiaes Francezes de contadorias, de quem os Francezes pedîam uma conta relativa ás suas Caixas, na entrada das tropas Alliadas, pelo que se demoráram os procedimentos.)

3. (Refere-se á forma da certidaõ, que deviam trazer os Recebedores Communaes.)

4. Ha algumas vezes reclamaçoens contra os credores, a que se deve attender, porém de que os Commissarios Francezes naõ deviam fazer uso, como pretexto para evadir de todo o pagamento.

5. Os Commissarios Francezes quizéram, no caso de varias reclamaçoens, allegar as Ordenanças de Seu Governo, relativas á expiraçaõ ou prescripçaõ de direitos: porém estas ordenanças saõ defectivas na forma prescripta pela Constituiçaõ; e por este motivo, assim como por outros defeitos, naõ saõ applicaveis.

6. (Refere-se á maneira de ajustar as reclamaçoens mutuas, cujos documentos originaes se perdêram.)

7. Todas as mais recentes exposiçoens dos Commissarios Francezes nomeados em 1817, a respeito da intelligencia da Convençaõ, tem desgostado a todo o homem honrado. Os precessos, que se trouxéram ante este tribunal, fôram olhados como negocios de partido, e se fez com que a propriedade dos credores dependesse da circumstancia accidental, que lhes dá uma maioridade de Francezes, ou uma maioridade de seus compatriotas por juizes. A consciencia dos juizes se naõ amedrontou com o mal, que elles occasionávam, trabalhando por libertar arbitrariamente a França do pagamento das sommas que deve, roubando por isso os credores de sua propriedade; e pois a França só podia ser devedora, pelos fornecimentos que se lhe fizéram, estes credores sómente podîam dirigir-se aos Soberanos, que presentemente estaõ em posse dos territorios cedidos. A circumstancia injustificavel (escandalo) se tem testemunhado, em que, na decisaõ, pronunciada por tres Arbitros Francezes e dous Estrangeiros, se alegou, que a cidade de Dantzic fóra defendida contra os Alliados, para o bem dos habitantes, e naõ para beneficio do antigo Governo Francez. Um orador do Governo Francez, na ultima sessaõ da Camara dos Deputados,

fallando destes Arbitros Francezes, se extravíou ao ponto de nomear os homens, que seríam chamados a defender com energia os interesses pecuniarios da França; e com tudo, ésta desgostosa maneira de fallar naõ foi censurada por pessoa alguma.

Era para desejar, que toda a Commissaõ de Arbitros se renovasse desde o primeiro até o ultimo membro, e que as instrucçoens destes Arbitros se limitassem a fazer justiça a todos, sem tomar sobre si o defender o interesse de uma das partes. Se o Governo Francez hesitar em adoptar ésta medida, ao menos se deverá insistir em que, para o futuro, todas as decisoens se lávrem com a enumeraçaõ dos fundamentos da decisaõ. Este será o unico meio de dar outra vez ao Tribunal, nomeado pela Convençaõ, o respeito que tem perdido, e prestar segurança aos credores, para que a conservaçaõ de sua propriedade naõ dependa de uma bola preta.

9. O Governo Francez naõ excluirá aquelles credores, que saõ Francezes de nascimento, e que ao tempo da conclusaõ da paz residîam em outros paizes.

10. Os atrazados dos soldos dos militares, que ficáram sendo vassallos de outra potencia, naõ se subtrahiraõ, com o fundamento de que devem ser considerados como desertores, ou que os seus papeis naõ estaõ em ordem; o que naõ póde ser assim; porque muitos destes militares deixáram as bandeiras do Usurpador, em consequencia de uma proclamaçaõ de seu legitimo Soberano.

11. A terceira secçaõ do 2º artigo da Convençaõ de 20 de Nevembro 1815, carrega a França com a despeza da manutençaõ dos militares Francezes, nos hospitaes civis, que naõ pertencîam ao Governo. Ao presente os Agentes Francezes querem fazer distincçaõ entre os soldados Francezes, que servîam nos regimentos nacionaes, e os que naõ servîam em regimentos nacionaes (como os

Italianos) porém meramente succedia acharem-se ao soldo Francez. Esta distincçaõ he tanto mais injusta, quanto os Administradores destes hospitaes fizéram os seus arranjamentos, relativamente a ambos, com as authoridades Francezas, e para éstas dividas se naõ póde achar outro credor mais do que o Governo Francez.

12. (Refere-se aos pagamentos dos *Mandats*, *Bonds*, e outras ordens de pagamento.)

13. A nona secçaõ do segundo artigo concede indemnizaçoens áquellas pessoas particulares, cujas terras lhes fôram tomadas, ou cujas casas fôram destruidas; porque taes medidas se acháram necessarias para a segurança das fortalezas. Esta estipulaçaõ he geral, e se refere a todas as fortalezas situadas fóra do territorio Francez.— E com tudo os Agentes Francezes trabalháram por se evadir a isto, affirmando que estas destruiçoens tivéram lugar somente para o bem dos habitantes; ou pretendendo, que as vantagens destas fortificaçoens ficáram sendo a favor de seus presentes possuidores. A objecçaõ, porém, he directamente contraria á Convençaõ, em que esta secçaõ se inserio, para o unico fim de obviar ésta mesma objecçaõ. De facto, naõ ha juiz competente, que possa julgar, se a fortificaçaõ he vantajosa ao presente Soberano. Os commissarios Francezes devem receber ordens para naõ tornar a instar com ésta difficuldade.

14. Existem nas terras, que antigamente pertenciam á França, varios fundos especiaes, que ou se formávam de contribuiçoens particulares, ou tributos locaes, ou éram empregados em objectos especificos, construcçaõ de diques, canaes, mantença de hospitaes, &c. Como o Governo antigo, no momento de necessidade, desviou estes fundos de seu destino original, a França naõ recusará tornar a repôllos ás communs, instituiçoens, ou individuos particulares a quem pertencîam.

15. Tal fundo especial he a Caixa da Agricultura na Hollanda, cuja reclamaçaõ deverá tambem ser satisfeita.

16. Existe no Gram Ducado de Berg, assim como em França, uma caixa, formada de certas deducçoens de salarios, e da qual as pessoas de varios empregos, depois de certo numero de annos de serviço, recebem pensoens.— Os dinheiros desta caixa fôram applicados para o *Tiers Consolidée;* e as annuidades naõ somente devem ser pagas aos Francezes, que dantes residíam em Berg, màs ás pessoas, que tem empregos em Berg; porque as deducçoens de seus salarios contribuîram para a formaçaõ desta caixa.

17. A respeito dos direitos das alfandegas, depositos, &c. que entraram nos cofres Francezes, e a respeito dos atrazados dos soldos, se apresentaraõ contas exactas aos Commissarios de liquidaçaõ.

18. A somma da divida remittida a favor da França para obras publicas e uteis, naõ completas aos 31 de Dezembro, 1812, se extenderá ás fortificaçoens.

19. As obras particulares, que estavam sugeitas a empreitada particular, naõ seraõ confundidas com as obras publicas.

20. O quinto e decimo artigos da paz de Campo Formio, e o oitavo da de Luneville, carregáram a França com aquellas dividas, que na sua origem fôram hypothecadas sobre as terras cedidas naquelles tractados, ou fôram contractadas a bem de sua administraçaõ. Como estas terras, pela paz de Paris de 1815, fôram outra vez cedidas pela França, o artigo 21 desta paz aliviou a França da divida. Porém os Commissarios Francezes e Arbitros confundem estas dividas contrahidas antigamente a bem da administraçaõ interna das terras de que se tracta, e cujos devedores tem variado, com as dividas, que a França ainda deve, pela administraçaõ daquelles annos, em que recebia

os seus rendimentos; e referem o artigo 21 do tractado de 30 de Maio 1814, recusando pagar éstas dividas. As primeiras ideas de direito nacional saõ bastantes para mostrar, que tal interpretaçaõ se oppôem aos principios de Logica. O Governo Francez será convidado a renunciar a ésta pretençaõ

## ROMA.

*Resumo da Concordata entre Sua Sanctidade e El Rey de Baviera: concluida aos 5 de Junho, 1817; e annunciada na allocuçaõ de S. S. de 15 de Novembro, 1817.*

Artigo 1. A Religiaõ Catholica permanecerá intacta na Baviera, e suas dependencias, com os direitos e prerogativas, que deve gozar, segundo as disposiçoens Divinas e leys Canonicas.

2. e 3. (Estes artigos regulam o numero e posiçaõ das dioceses e cabidos, com a jurisdicçaõ destes.)

4. Os rendimentos Archiepiscopaes e Episcopaes seraõ estabelecidos em fundos fixos, que seraõ deixados á livre administraçaõ dos prelados. Segue-se entaõ o estado das rendas ecclesiasticas. As sommas provenientes destas rendas seraõ sempre conservadas intactas, e a propriedade e fundos de que ellas resultam nunca seraõ divertidos de seus fins, nem mudados em pensoens. Durante as vacancias das Sées e beneficios, seraõ estes rendimentos preservados para os usos de suas respectivas igrejas. Os bispos arcebispos, dignitarios, conegos, e vigarios, teraõ outrosim convenientes residencias, que lhes seraõ appropriadas.

5. e 6. (Estes artigos referem-se ao estabelicimento de seminarios e casas de retiro, para os ecclesiasticos velhos.)

7. Sua Majestade, considerando as vantagens, que a

Igreja e ainda mesmo o Estado, podem tirar das Ordens Religiosas ; e desejando mostrar a sua boa vontade para com a Sancta Sée, se obriga a estabelecer de concerto com a Sancta Sée, alguns mosteiros de Ordens Religiosas de ambos os sexos, para formarem a mocidade na Religiaõ e Sciencias, e ajudarem os pastores, e tomarem cuidado dos doentes.

8. A propriedade dos seminarios das igrejas parochiaes, e dos beneficios pertencentes a todas as sortes de estabelicimentos ecclesiasticos será sempre conservada intacta. A Igreja terá, alem disto, o direito de adquirir novas possessoens; e tudo quanto ella adquirir lhe pertencerá, e gozará da mesma segurança que as antigas fundaçoens ecclesiasticas. Naõ se poderá supprimir nem unir a propriedade antiga ou nova, sem authoridade da Sancta Sée, excepto em virtude dos poderes concedidos aos bispos pelo Concilio de Trento.

9. O papa concederá a bulla de instituiçaõ, quando El Rey nomear para as Sées pessoas idoneas.

10. 11. e 12. (Estes tres artigos prescrevem as formas das nomeaçoens dos bispos; e regulam os seus direitos e funcçoens, na administraçaõ de suas dieceses.)

13. Quando os Arcebispos ou Bispos indicarem ao Governo obras impressas no Reyno, ou nelle introduzidas de fóra, em que se contenham doutrinas contrarias á fé, o Governo tomará o cuidado de as supprimir pelos proprios meios.

14. Sua Majestade previnirá, que a Religiaõ Catholica, seus direitos e liturgia sêjam expostos a ridiculo nem por palavras, nem por acçoens, nem por escriptos; e terá cuidado em que os Bispos e Pastores naõ encontrem obstaculos no exercicio de suas funcçoens.

15. Os Arcebispos e Bispos prestaraõ ante El Rey o juramento de fidelidade, concebido nas seguintes pa-

lavras:—Eu N. juro e promêtto, sobre os Sanctos Evangelhos, fidelidade e obediencia a El Rey. Prometto que naõ terei communicaçaõ, que naõ assistirei a alguma assemblea, que naõ manterei relaçoens, dentro ou fóra do Reyno, que póssam ser nocivas á tranquillidade do Reyno; e se souber que se forma, na minha diocese, alguma machinaçaõ contra o Estado, o farei saber a Sua Majestade.

# COMMERCIO E ARTES.

*Rio de Janeiro* 19 *de Julho.*

*Resumo de todos os effeitos, que no decurso do anno passado foram importados dos Reynos de Portugal do Brazil, e das suas dependencias, ao porto de Hamburgo.*

Assucar 17.028 caixas, 109 fechos, 141 barrís, 22 sacas. Agoardente de cana 31 pipas, 10 barrìs. Algodaõ 1.141 fardos, 2.310 sacas. Dicto fabricado 39 volumes. Amendoas 4 barrís. Arroz 5 barrís, 2.747 sacas. Anil 16 caixas. Azeite 3 barrís, 4 caixas com dicto enfrascado, 1 jarro. Azougue 550 frascos. Baga 122 sacas. Balsamo 32 barrís. Dicto de Copaiva 61 barris. Borra de vinho 6 barris. Cacáo 1.273 sacas. Caffè 2.580 dictas, 25 fardos. Canella 4 caixas, 1 dito. Casca de laranja

16 dictas, 13 sacas. Cassia lignea 81 caixas. Cebollas 41 cestos. Cerdas de cavallo 43 fardos. Chá 3.181 caixas inteiras, meias, e quartas. Chocolate 7 dictas. Cobre 287 barrís. Cortiça 528 quintaes. Couros 31.377 Curcuma 29 sacas. Doces 12 caixas. Drogaria 22 barris, 6 fardos, 14 volumes. Figos passados 40 barrís, 100 ceiras, 300 arrobas. Folhas de louro 135 fardos, 767 sacas. Fruta 7.078 caixas, 209 meias dictas. Gengibre 300 sacas. Gommas 18 barris, 27 sacas. Dicta elastica 12 dictos, 37 dictas. Ipecacuanha 1 barríl. Laã 6 balões. Liquores 43 caixas com frascos. Lixa 2 fardos. Louça 1 caixa. Melaço 8 barrís. Páo amarello 2.200 arrobas, p. m. o. m. Dicto Brazil 1.108 trancas. Dicto campeche uma partida. Dicto ebano 31 trancas. Páos diversos de tintura 1.020 trancas. Passas 500 caixinhas. Pimenta 15 fardos, 35 sacas. Pontas de boi 821.762, e 2 partidas 6.200 chapas. Pontinhas dicto 15.242, 50 barris. Rolhas 8 fardos. Sal 288 moios, e 1 partida. Salsa parrilha 4 fardos, 9 sacas. Sassafraz 1 partida.— Sebo 80 barrís, 110 marquetas. Tabaco 133 dictos, 5.590 balões, 776 fardos, e 4.563 rolos. Dicto em pó 1 caixa. Tapioca 135 barris, 709 sacas. Uvas 20 caixas, 6 meias dictas, 35 jarros. Vinho 178 pipas, 170 meias, 111 quartolas. 11 ciaxas com dicto engarrafados 37 barrís varios Varías fazendas e effeitos anonymos 14 caixas, 16 barris, 1 fardo, 11 sacas, 4 volumes.

## *Preços Correntes dos principaes Productos do Brazil.*

**Londres, 26 *de Dezembro, de* 1817.**

| Generos. | Qualidade. | Quantidade. | Preço de | a | Direitos. |
|---|---|---|---|---|---|
| Assucar | Redondo | 112 lib. | 56s. 0p | 64s. 0p. | Livre de direitos por exportaçaõ. |
| | Batido | ...... | 47s. 0p. | 51s. 0p. | |
| | Mascavado | ...... | 43s. 0p. | 46s. 0p. | |
| Arroz | Brazil | ...... | 32s. 0p. | 36s. 0p. | |
| Caffe | Rio | ...... | 87s. 0p. | 91s. 0p. | |
| Cacao | Pará | ...... | 50s. 0p | 55s. 0p. | |
| Cebo | Rio da Prata | ...... | 58s. 0p. | 64s. 0p. | 3s 2p por 112lb |
| Algodaõ | Pernambuco | libra | 2s. 0½p | 2s. 1¼p | 8s. 7p. por lb. 100 em navio Portuguez ou Inglez. |
| | Ceará | ...... | 2s. 0p. | 2s. 0½p | |
| | Bahia | ...... | 1s. 11¼p | 2s. 0p. | |
| | Maranhaõ | ...... | 1s. 11¼p | 2s. 0p. | |
| | Pará | ...... | 1s. 10½p | 1s. 11p. | |
| | Minas novas | ...... | 1s. 9½p | 1s. 10p. | |
| | Capitania | ...... | ...... | ...... | |
| Annil | Rio | ...... | 3s. 0p. | 3s. 6p. | 4¾p. por lb. |
| Ipecacuanha | Brazil | ...... | 10s. 6p. | 12s. 0p. | 3.6¾p. |
| Salsa Parrilha | Pará | ...... | 4s. 0p. | 4s. 6p. | 1s. 2¼p. |
| Oleo de cupaiba | | ...... | 3s. 0p. | 3s. 8p. | 1s. 11¾p. |
| Tapioca | Brazil | ...... | 0s. 9p. | 0s. 10p. | 4 p. |
| Ourocu | | ...... | 3s. 0p. | 3s 6p. | direitos pagos pelo comprador |
| Tabaco | em rolo | ...... | | | Livre de direitos por exportaçaõ. |
| | em folha | ...... | | | |
| Couros | Rio da Prata, pilha A | ...... | 7¾p | 9¾p | 9½p. por couro em navio Portuguez ou Inglez. |
| | Rio da Prata, pilha B | ...... | | | |
| | Rio da Prata, pilha C | ...... | | | |
| | Rio Grande A | ...... | 6¾p | 8¾p | |
| | Rio Grande B | ...... | | | |
| | Rio Grande C | ...... | | | |
| | Pernambuco, salgados | ...... | | | |
| | Rio Grande, de cavallo | Couro | 4s 6p. | 6s. 0p. | |
| Chifres. | Rio Grande | 123 | | | 5s. 6½p. por 100. |
| Páo Brazil | Pernambuco | Tonelada | 140l. | | direitos pagos pelo comprado |
| Páo amarello | Brazil. | ..... | 7l. | 9l. | |

### *Especie.*

| | | | | |
|---|---|---|---|---|
| Ouro em barra | £4 | 0 | 6 | por onça. |
| Peças de 6400 reis | 4 | 0 | 6 | |
| Dobroens Hespanhoes | 0 | 0 | 0 | |
| Pezos . . dictos | 0 | 5 | 3½ | |
| Prata em barra | 0 | 5 | 3½ | |

### *Cambios.*

| | | | | | |
|---|---|---|---|---|---|
| Rio de Janeiro | 65 | | Hamburgo | 34 | 6 |
| Lisboa | 59 | | Cadiz | 38 | |
| Porto | 59½ | | Gibraltar | 33 | |
| Paris | 24 | 60 | Genova | 47 | |
| Amsterdam | 11 | 10 | Malta | 49 | |

### *Premios de Seguros*

| | Hida | Vinda |
|---|---|---|
| Brazil | 2 Guineos | 2 Guineos |
| Lisboa | 30s. | 30s |
| Porto | 35s. | 35s |
| Madeira | 40s. | 40s |
| Açores | 50s. | 50s |
| Rio da Prata | 0s. | 0s |
| Bengalá | 3½ Guineos | 3½ Guineos |

# LITERATURA E SCIENCIAS

## NOVAS PUBLICAÇOENS EM INGLATERRA.

*Walpole's Memoirs on Turkey.* 4to. preço 3 *l.* 3s. Memorias sobre a Turquia Europea e Asiatica, tiradas dos Jornaes manuscriptos de viajantes modernos naquelles paizes. Dadas á luz por Roberto Walpole. Illustradas com estampas,

---

*Abernethy's Phisiological Lectures.* 8vo. preço 8s. Liçoens Phisiologicas, exibindo uma vista geral da Phisiologia de Mr. Hunter, e de suas indagaçoens na Anatomia comparada; explidadas perante o Real collegio de Medicos no anno de 1817. Por Joaõ Abernethy F. R. S. Cirurgiaõ dos hospitaes de S. Bartholomeo, e Christo.

---

*Sutcliffe's Introduction to Geology.* 8vo. preço 1s. 6d. Introducçaõ ao estudo da Geologia, com algumas observaçoens sobre a verdade da narraçaõ Mosaica da creaçaõ e do diluvio. Por Joseph Sutchiffe. M. A.

---

*The Naturalist's Journal,* 4to. preço 5s. O Jornal do Naturalista. Pelo Honr. Daines Barrington.

Este Jornal he destinado para servir de memorial annual, a toda a pessoa que deseja melhorar as suas terras, seja para objectos de lucros, seja para recreaçaõ e beleza.

PORTUGAL.

Saío á luz: *Tractado practico do Processo Executivo Sumario;* por Graça, que communique este privilegio; e, ad instar, por Direito Commum, e estylo forense. Por Manuel de Almeida e Souza, de Lobaõ.

---

*Arria.* Tragedia; por Manuel Caetano Pimenta de Aguiar.

---

*Escola Mercantil:* sobre o Commercio assim antigo como moderno, entre as naçoens commerciantes dos velhos Continentes. Contendo a Historia geral do Commercio, e de todos os ramos de que este se compôem, Agricultura, Artes, Pesca, Navegaçaõ, Cambios, &c. uma noticia historica particular do commercio de Portugal, e suas producçoens commerciaveis: um mappa geral da conrespondencia das moedas das 36 principaes praças da Europa, um formulario das letras e bilhetes de Cambio, cartas de affretamento, e outros documentos de que se faz uso no Commercio destes Reynos, e um tractado dos arbitrios de cambio bem demonstrados em todas as suas operaçoens; composta por Manuel Luiz da Veiga, e agora novamente impressa correcta e accrescentada. Preço 1.200 reis.

---

*Destruiçaõ de Jerusalem:* Tragedia por Manuel Caetano Pimenta de Aguiar.

---

*Ensaio sobre o homem:* Poema Philosophico de Alexandre Pope; traduzido do original Inglez na lingua Porugueza por A. Teixeira. Preço 240 reis.

## Economia Politica de Mr. Simonde.

(Continuada de p. 531)

Das materias primas umas podem obter-se pelo preço necessario, e outras pelo preço intrinseco: as primeiras saõ os productos da pesca; os da caça, nos paizes aonde ella he livre; e os de algumas minas: as segundas saõ os productos da cultura das terras.

Como á sociedade naõ resulta vantagem alguma da appropriaçaõ dos mares, dos rios, dos lagos e dos tanques, estas differentes massas d'agua saõ geralmente olhadas como propriedade de todos os homens, e ninguem tem direito de exigir retribuiçaõ dos que fazem uso dos seos productos. He verdade que debaixo do regime feudal a pesca foi muitas vezes infeodada, e o preço do peixe, por conseguinte, augmentado da renda dominical, que deviam pagar os pescadores ao proprietario; mas esta renda era uma perda para o consumidor, porque naõ contribuia de modo algum para augmentar o producto. A pescaria de certo naõ he mais abundante em um rio infeodado do que em um rio publico, mas a colheita he mais rica nas terras de um proprietario do que em um maninho.

Segundo as leys d'alguns paizes, aquelle que descobre uma mina adquire a propriedade, ou para si, ou para o Soberano: no primeiro caso está dispensado de pagar renda do chaõ; no segundo, a renda que paga ao Soberano, sendo considerada como um imposto, he mui moderada.

Naõ consideraremos aqui se esta disposiçaõ das leys he justa: ve-se comtudo que ella deve contribuir a multiplicar a producçaõ dos metaes, pois reduz as despezas da extracçaõ do preço intrinseco ao preço necessario.

De outra parte todos os productos da agricultura devem pagar a renda das terras; e como estes productos fórmam a parte mais consideravel do salario necessario, uma parte deste he sempre apropriado ao pagamento desta renda.

As materias primas, uma vez produzidas, saõ em parte destinadas a passar por novas operaçoens, que lhe augmentam o valor: mesmo as que devem ser convertidas em alimentos exigem para o seu preparo a industria de varios artifices: todavia aquellas que se destinam a outros usos requerem uma accumulaçaõ de trabalho ainda maior: consagra-se ao linho mais um trabalho de o molhar &c. , fiar e tecer ; mais um capital fixo para facilitar o trabalho aos jornaleiros que fizeram estas operaçoens ; mais outro capital circulante para substituir o valor da materia prima e o salarios dos trabalhadores.

O preço intriuseco da tea conterá, portanto, além do linho, o salario dos outros jornaleiros, a renda do novo capital fixo, e o lucro do capital circulante, sobre a somma total. Se estes salarios, esta renda, e este lucro foram regulados pela taxa media dos preços correntes, chegará o panno ás maõs do comprador pelo preço mais barato possivel. Se lhe abatessem alguma cousa, cessaria logo a sua producçaõ: de sorte que por este preço naõ pode occasionar perda alguma, ainda que pague a sua renda a todos os que contribuiram para a sua producçaõ.

Se este panno, produzido em um paiz, he destinado ao consumo de outro, he preciso ajunctar ao seo preço intrinseco os alugueres dos transportes, marujos ou conductores, e outros empregados ; o salario dos guardas dos almazens, dos negociantes e seos agentes ; a renda do capital fixo empregado na construcçaõ dos navios, dos carros e dos almazens: e emfim o lucro sobre a somma total do capital circulante adiantado. Se estes tres valores saõ calculados ao preço corrente, attendido o tempo e os logares, ainda a mercadoria fica pelo preço mais barato possivel, e por menos do qual a sua producçaõ ou a sua importaçaõ cessariam. Portanto pode o lucro do negociante por atacado naõ ser uma perda para o comprador. Naõ he assim o lucro do Negociante de retalho: porque, como para a commodidade da venda por miudo se haõ de asoldadar novos agentes para tractar com os consumidores novos almazens para ter a fazenda; e a venda ha de ser sujeita a maior demora, porque o capital naõ ha de ser reposto pelo do mercador de retalho, mas sómente pouco-e-pouco pela renda do consumidor; naõ haverá capitalista que adiante estes novos salarios, esta nova renda, e que prolongue o emprego do seo capital, uma vez que a venda da sua mercadoria lhe naõ de, naõ somente para todas estas despezas, mas ainda um lucro proporcionado aos seos avanços.

Pode-se portanto dizer, em geral, que em qualquer ponto de perfeiçaõ que esteja uma manufactura, o preço intrinseco dos seos productos he composto de salarios, lucros, e rendas necessarios, para os pôr ao alcance dos compradores, calculados ao preço corrente, em um tempo e logar determinado: e que este preço intrinseco, que procura à sociedade as suas rendas, pode dar-se sem occasionar perda alguma ao consumidor. Naõ he todavia sobre o preço intrinseco que o comprador calcula o sacrificio, que estará disposto a fazer para alcançar uma mercadoria; he sobre a necessidade que tem della, comparada com as facilidades que tem para a obter, ou se arremediar sem ella. Desta comparaçaõ nasce o preço relativo, ou o que elle está disposto a dar por ella.

O consumîdor he sempre quem tem necessidade de uma mercadoria; o que a compra para lha vender naõ he obrigado a emprehender este commercio mais depressa doque outro, de sorte que o deixará desde o momento que elle lhe naõ der tanto lucro como outro lhe poderia dar. A sua precisaõ de comprar he sempre absolutamente nulla;

mas como elle representa a necessidade dos consumidores, decide-se pelo que presume delles. Portanto, o preço por que a mercadoria se vende naõ he o resultado dos esforços dos compradores e vendedores intermedios, mas sim o da lucta do productor contra o consumidor; naqual o primeiro faz diligencia por conservar a maior parte do valor superfluo do trabalho aperfeiçoado, e o segundo por lhe ceder a menor parte possivel. O comprador busca entre todos os vendedores aquelle que lhe pede o menor preço intrinseco, ou seja porque elle se contente com menos lucro, ou porque a mercadoria lhe esteja realmente mais barata: o vendedor augmenta o seo preço á proporçaõ que vê crescer a azafama dos compradores; e como de ambas as bandas concorrem vendedores e compradores, e se rivalizam entre si, acham-se as forças de cada partido em razaõ inversa do seo numero, e da necessidade que elles tem de vender ou de comprar.

O preço relativo, ou o que o comprador está disposto a dar em troco, comparado ao preço intrinseco, constitue para cada vendedor a extençaõ do seo proprio mercado. Aonde quer que estiver situado um productor, o seo mercado estender-se-ha a todo o consumidor, que lhe offerecer um preço relativo, igual ao preço intrinseco da sua mercadoria posta em sua casa. O mercado, por exemplo, do relojoeiro Genebrino estende-se até o Perú, até o Indostaõ, e até a China, porque o preço intrinseco dos seos relogios, mesmo depois de terem chegado a estes paizes distantes, ainda he o mais baixo de todos os preços intrinsecos dos relogios, que podem rivalizar com os os seos. Ora pois sobre o mais baixo de todos os preços intrinsecos, que se fazem concurrencia, he que o consumidor estabelece o que ha de offerecer, e fixa o seo preço relativo.

Como as forças dos productores saõ em razaõ do numero e necessidade dos consumidores (que he o mesmo que ser em razaõ inversa do seu proprio numero, e das suas proprias necessidades) he muito do interesse dos primeiros augmentar o numero dos seos compradores, ou extender o seo mercado. Este ultimo extende-se por si mesmo pela diminuiçaõ do preço intrinseco; ou porque uma maior divisaõ do trabalho ou o emprego de maior industria façam a mercancia realmente mais barata; ou porque o mercador se contenta com menos ganho: em qualquer dos casos attrahirá a si, em maior numero, e de maior distancia, os consumidores, para quem o seu preço intrinseco fôr o mais baixo de todos, e que por conseguinte viraõ a ser seos compradores. Porem a administraçaõ pode tambem contribuir muito para estender o mercado, tornando as communicações faceis, já removendo as objecçoens, que quasi sempre se lhe oppôem; ja fazendo as estradas seguras e commodas e abrindo novos canaes á navegaçaõ. Porque quanto mais o preço intrinseco do producto for augmentado pelos gastos de transporte, mais convirá a mercadoria a compradores distantes, e mais facilmente lhes poderá ser cedida pelo mesmo preço relativo que elles offerecem a outros. Portanto, dando-se extençaõ ao mercado servem-se ao mesmo tempo os vendedores, a quem se procuram mais freguezes e os compradores, a quem se provê mais barato.

[Continuar-se-ha.]

# MISCELLANEA.

## Novidades deste mez.

---

### Venezuela.

*Officio do Almirante Brion ao General Bolivar.*

28 de Agosto 1817.

Exmo. Snr.—— Em conformidade das ordens de V. Exa., que me determinavam cooperar com o exercito, que obrava contra Guayana, com as vistas de tomar aquella fortaleza, e segurar a liberdade do Orinoko; sahi de Margarita aos 29 de Maio, com a esquadra debaixo do meu commando, composta de 17 vasos. No 1o. de Junho dei fundo em Carupano, a fim de ajunctar as minhas forças. Ali fiz os arranjamentos, para que as barcas canhoneiras e vasos pequenos, sob o commando do capitaõ Antonio Dias, procedessem ao longo da costa, a encontràr-se com os vasos maiores em Ponta de Cangrejos. Aos 15, estando á vista de Tobago, apanhou-nos uma grande trovoada, que, durando toda aquella noite e dia seguinte, nos espalhou em tal maneira, que, quando o vento abateo, achei que tinha comigo somente cinco vasos. Este infeliz acontecimento terîa sido bastante para nos fazer desistir da tentativa de entrar no Orinoko, se eu naõ tivesse observado a determinaçaõ de meus officiaes e companha, de ganhar o ponto ou morrer. Segui portanto o nosso plano original, naõ obstante que o unmero dos nossos vasos estava tam diminuido pela sobredicta desgraça, e que tinha tido a desventura de haver quebrado o mastro grande do cuter Aurora, ao qual mandei que se fosse concertar em Guyria.

Aos 30 cheguei á ponta de Barinas, com dous brigues somente, e duas escunas, que subîram pela corrente do rio até os 9 de Julho, sem que acontecesse cousa alguma notavel: e entaõ se nos unio a barca canhoneira Indepente S. José, capitaõ Blas Sarinas, que me fôra enviada pelo commandante Díaz. Este tinha passado o Rio Grande com as cinco barcas canhoneiras, de seu commando, naõ nos tendo encontrado na entrada do Macarro, por onde viéra. Procedeo em sua viagem, quando aos 7 pelas 8 horas da manhaã, foi atacado pelas forças do inimigo, pertencentes a Guayana, compostas de 19 vasos, principalmente *flexeras* e barcas canhoneiras, commandados pelo official Hespanhol Ubareda. Diaz nem desejava, nem podîa evitar o combate, que instantaneamente começou, naõ obstante a enorme disparidade das forças. A acçaõ, que foi bem disputada e sanguinolenta, durou por tres horas, e por fim acabou a favor das armas da Republica. O inimigo perdeo 7 *flexeras*, que se mettêram a pique, duas barcas canhoneiras tomadas, e 200 homens mortos e feridos.—A nossa pêrda foi de 60 em mortos e feridos. O resto dos vasos do inimigo fugîram vergonhosamente sem que fossem perseguidos; porque as nossas flexeras tinham de concertar os estragos que havìam soffrido; o que fizéram na ilha de Papagaios.

Naõ obstante que eu me achasse tam perto do lugar em que se pelejou ésta acçaõ, e com os vasos maiores; e que até ouvisse todo o fogo, naõ pude ir auxiliar o commandante Diaz; porém tendo sabido por um vaso mercante o resultado da acçaõ, e a vergonhosa fugida do inimigo, continuei a subir a corrente até Ponta Cabrian, aonde cheguei aos 15.

A fim de pôr os meus navios em abrigada segura, e poder melhor cortar toda a communicaçaõ com os pontos fortificados, que tinham os realistas, fortifiquei os dictos pontos, com tanta actividade, que, depois de tres dias de pezado trabalho, ficou inexpugnavel, e protegido pela artilheria pezada, que desembarcamos.

Naõ aconteceo novidade alguma até os 3 do corrente; apezar de que os meus vasos avançáram até o porto de Guayana, em observaçaõ do inimigo. No sobredicto dia, ás 10 horas da manhaã, se observou que a esquadra do inimigo em numero de 28 vasos, dos quaes a maior parte éram grandes, vinha pelo rio abaixo, tendo evacuado as fortalezas, e cidade de Guayana a Velha. No momento em que observamos este movimento do inimigo, tive a satisfacçaõ de ver o capitaõ Rosales, com dous dos vasos dispersos, que chegava e se nos unio. O inimigo estava em frente de nosso porto ás 11 horas e meia. As nossas baterias e navios abríram o seu fogo, a que o inimigo naõ respondeo, occupando-se somente com as suas manobras, para descer o rio e escapar-se. Nós acertamos alguns tiros que passáram o commandante Hespanhol, matando e ferindo varios homens.

Pela uma hóra da tarde se fez a nossa esquadra á véla em procura do inimigo, porém sendo obrigado a dar fundo outra vez, para concertar os estragos, que tinham recebido as escunas, General Marino e Brion, as quaes durante a escuridade da noite corrêram uma contra a outra teve o inimigo tempo de ganhar grande distancia, e naõ pudemos alcançallo senaõ no dia seguinte, ás 2 horas da tarde, e entaõ começou o nosso fogo, que occasionou grande estrago aos perseguidos. Nesta occasiaõ tomamos vesos grandes e pequenos do inimigo. Continuamos a perseguir o inimigo alé a ilha de Papagaios; aonde tornou a começar a acçaõ, e tomamos alguns vasos.

O accidente dos brigues Indio, Libre, e Conquistador, os quaes encalhâram, nos impedio de seguir o inimigo ao alto mar, com todas as nossas forças navaes. Isto só pudéram fazer alguns de nossos vasos, até a distancia de 30 leguas, sendo impellidos pela coragem e resoluçaõ de seus capitaens. Nesta distancia tomáram mais dous vasos armados, e voltando com suas prezas, nos ajunctamos outra vez no rio.

Subindo pelo rio, recebi noticia de que tres vasos do inimigo tinham passado pelo canal de Oran, e que um desses vasos tinha encalhado. Ordenei logo que fosse perseguido e o General Arismendi se encarregou desta commissaõ, cujo resultado respondeo ás esperanças que se haviam formado, pelo zelo, e actividade de tam digno chefe. O vaso foi aprezado e se salvou toda a preciosa carga que tinha a bordo.

A escuna Tigre, que se separou de nós, durante a caça de alguns vasòs, que tentaram escapar-se pelo canal de Macaro, está agóra subindo o rio com tres prezas.

O resultado destas operaçoens foi mui importante.—Tomamos 14 vasos, carregados de preciosa propriedade armas, muniçoens, &c. e fizemos 1.500 prisioneiros, muitos dos quaes saõ pessoas de grande distincçaõ e graduaçaõ.

Naõ se tem bem averiguado a perda do inimigo; porém segundo o testemunho de alguns prisioneiros, foi mui consideravel particularmente na fragata do commandante.

Recomendo a V. Exa. o valoroso comportamento de todos os officiaes, marinheiros e soldados de marinha, que servîram durante éstas operaçoens. Todos se distinguîram preenchendo os seus deveres da maneira mais zelosa e espirituosa, merecendo assim a estima e consideraçaõ de V. Exa.

Deus guarde a V. Exa. muitos annos.

(*Assignado*) LUIZ BRION.

Guayana 28 de Agosto de 1817.

## *Proclamaçaõ do General Bolivar.*

Simaõ Bolivar, Supremo Chefe da Republica de Venezuela aos habitantes deGuayana, que emigráram para as Ilhas do Golpho Mexico.

Emigrantes Guayanezes?—As armas da Republica tem tornado a pôr o vosso paiz debaixo da protecçaõ das leys.

Voltai para vossas casas a gozar dos beneficios de um systema, em que a justiça he a base fundamental, igualando as condiçoens, e naõ conhecendo outros titulos mais do que a virtude, valor e talentos.

Guayanezes! Vinde para o azylo da liberdade. Que o mundo vos naõ vêja distantes do vosso paiz, seguindo os estandartes de tyrannos, que vos retém no estado da maior penuria, e vos reduzem á miseravel condiçaõ de desertores e pedintes. Naõ temais a quem tem arrostado todos os perigos, para vos libertar do jugo, que vos opprimia. Os principios do Governo de Venezuela saõ liberaes por extremo, e vós naõ ignoraes, que um Americano tem sempre sido julgado innocente por seus libertadores. O titulo de filho da America he toda a sua herança. Com elle se perdoam todos os crimes.

Guayanezes Emigrantes! Voltai vossos olhos para os vossos compatriotas, e vós os vereis contentes gozando de sua liberdade, dos fructos de sua industria e dignidades do Governo. Entrando no vosso territorio vos tornareis cidadaõs, e vossos direitos seraõ iguaes aos do primeiro Magistrado.

Em nome da Republica eu vos asseguro uma absoluta amnestia.

Quartel General de Guayana, 3 de Septembro de 1817.

*(Assignado)* BOLIVAR.

*Proclamaçaõ levantando o Bloqueio de Guayana.*

Simaõ Bolivar, Supremo Chefe de Venezuela, &c. A todos que a presente virem saude.

Estando toda a Guayana occupada pelas tropas da Republica, e naõ havendo inimigo em nenhuma das margens do Orinoko, capazes de interromper o commercio; tenho resolvido declarar, como pela presente declaro, levantado o bloqueio, decretado aos 6 de Janeiro deste anno a respeito da Guayana, permittindo sómente que fique em força, quanto aos portos de Cumana, la Guayra e Puerto Cabello.

Em consequencia desta declaraçaõ os vasos de todas as naçoens seraõ admittidos e recebidos em todos os portos do Orinoko, e aguas que nelle cáhem, com quaesquer fazendas ou mercadorias que tenham a seu bordo, sendo daqui em diante permittida toda a sorte de importaçoens. Porém ao mesmo tempo se notifica, para informaçaõ dos negociantes estrangeiros, que ainda que os principios eminentemente liberaes, de que a Repnblica faz profissaõ haõ de ser sempre seguidos; isto, he a remoçaõ de todas as restricçoens, e aboliçaõ de todos os monopolios do antigo Governo, a reducçaõ dos enormes direitos de entrada a uma justa proporçaõ, e a facilidade, por todos os meios possiveis das relaçoens do genero humano; com tudo se poraõ em força daqui em diante os mesmos regulamentos que temos ja estabelecido.

Quartel General de Guayana, em 3 de Septembro de 1817.

(*Assignado*) BOLIVAR.

---

*Bulletim do Exercito Libertador de Venezuela.*

2 de Septembro, 1817.

A Republica de Venezuela prospéra em toda a parte, e as suas continuadas vantagens nos promettem prompta e completa liberdade.

S. Exa. o Chefe Supremo recebeo as mais plausiveis participaçoens da Divisaõ de Apuré, e da Brigada do General Zarasa.

O meritissimo General Paez marchou contra Varinas e San Carta, com 2.000 homens, e ja aquella cidade tinha sido tomada pelo commandante Vellasana. Em Barbacoas ha muitas partidas Republicanas, e aonde quer que saõ encontrados os Hespanhoes, elles soffrem extremamente.

Merida foi occupada pelos Patriotas de Muenchies. Nova Granada está em insurreiçaõ contra seus oppressores. Affirmam muitas pessoas daquelles lugares, que S. Fernando foi evacuado pelos inimigos.

O coronel Nonato Perez derrotou em Casanare um reforço de tropas Hespanholas, mandadas contra elles de S. Fé.

O commandante Remigio Ramos soube por uma carta interceptada, que a cidade de Nateas estava ao ponto de ser evacuada; e que o inimigo se ìa a retirar para o Baixo Apure, temendo ser flanqueado pelas tropas do General Paez.

O commandante Hespanhol Palmero, com 300 homens se rendeo ao commandante Guerreno, que commandava em Yagual.

A Brigada do General Zarasa, postada em Chaguaramos mandou partidas de guerrilhas para as vizinhanças de S. Sebastian de los Reyes, e Calabozo; tem derrotado o campo volante de Chaguaramos, e a guarniçaõ de Calabozo, que fez uma sortida com o seu commandante Juez, para auxiliar os que estávam de posse de Chaguaramos: de maneira que em todas as planicies de Venezuela naõ existe inimigo que se atreva a oppor-se ás nossas armas. O mesmo General Zarasa terá a este tempo formado a sua uniaõ com o General Paez: obrando de concerto estes dous chefes, devem fazer a situaçaõ do Governador de Caracas mui embarassante.

Quartel General do General em Chefe de Guayana, aos 2 de Septembro, de 1817.

No impedimento, por molestia, do Sub-general do Estado Maior.

O Ajudante General, F. GALINDO.

---

*Proclamaçaõ do General Bolivar aos Margaritanos.*

Simaõ Bolivar, Supremo Chefe da Republica de Venezuela: &c. aos valorosos defensores de Margarita.

Novos louros tem ganhado os bravos ilheos de Margarita. A expediçaõ dos Generaes Copigny e Cancarat, que ameaçáram a vossa liberdade, desappareceo—destruida por vossas armas victoriosas. O tyranno Morillo, que se cria invencivel; porque vos tinha sugeitado em outro tempo pelos meios da perfidia e da seducçaõ, recebeo agóra o castigo, devido a suas covardes crueldades.—Vós estais vingados de vosso desnatural oppressor; e tendes arrancado de sua fronte os louros, que elle tinha adquirido nas campanhas de França. Tres vezes o tendes conquistado! ainda que elle tinha triplicadas forças.—A penas resta um terço de suas tropas; e estas, fugitivas e cheias de terror panico, somente pensam no modo do se escapar do valor Republicano.

Margaritanos! Os vossos primeiros triumphos déram occasiaõ ao terceiro periodo da Republica, e as vossas ultimas victorias certamente contribuiraõ importantissimamento para o alcance da liberdade em Venezuela. Assim vos deverá a nossa Republica a maior parte de sua existencia.

Muitos de vossos illustres companheiros succumbîram mas o seu sangue tem sellado a nossa liberdade, e feito o vosso nome temivel aos tyrannos. Estes nunca se esqueceraõ de que Margarita prefere a morte á escravidaõ; e que he mais facil exterminar do que conquistar os seus habitantes. Recebei, em nome da Republica e dos vossos companheiros em armas, aquelle tributo de admiraçaõ, que he devido a um povo, resolvido a ser livre ou perecer.

Margaritanos! A vossa devisa será "He livre, quem se resolve a ser livre."

Quartel General de Guayana, 1 de Septembro, 1817

(*Assignado.*) BOLIVAR.

---

*Ordem do dia annunciando a derrota do General Morillo em Margarita.*

Quartel-General de Guayana, 1 de Septembro 1817.

Soldados! As armas da Republica acabam de ganhar novas glorias: a expediçaõ Hespanhola, que chegou á costa de Cumana, no mez de Maio, foi totalmente destruida pelos defensores de Margarita. Morillo, tres vezes batido, fugio para Caracas, tendo as suas forças sido reduzidas ao mais miseravel estado. De 3.000 homens, quasi metade achou a sua sepultura em Margarita, e do resto alguns feridos outros doentes, e todos cheios de terror panico, fugîram diante do valor republicano.

A sorte da campanha está decidida, e a liberdade de Venezuela será a consequencia immediata das victorias de Margarita, porém temos a deplorar a perca de 300 Margaritanos, que sacrificáram as suas vidas pela liberdade e honra de sua patria, em batalhas tam gloriosas como eram desiguaes, e contra inimigos superiores em tudo, excepto em valor e patriotismo. He justo que offereçamos um tributo á memoria destes illustres mortos.

Ritos solemnes seraõ celebrados em honra dos mortos libertadores—Os Coroneis Cayetano Silva, e Joaõ Manuel Fermin, Tenentes Coroneis Joaõ Rodaljo, e Domingos Gonzales, Capitaens Joaõ Lugo, Coriano, Carlos Gonzales Christovaõ Tonins, Joaõ Galindo, Vlcente Gonzales, e Tenentes Felix Gonzales, Francisco Benites, Nemencio Malávea, Manuel Espinosa, Waldo Roxas, Joaõ Mariano, Manuel Salazar, Joaõ Fermin, filho do Coronel, José Maria Fermin, Joaõ Antonio Villalva, Joaõ Antonio Losada, Felipe Varela, Miguel Arocha, Lucas Lares, Thomaz Garcia, Jozé Mariano, o valente Francisco Adriano, e outros bravos soldados.

(*Assignado.*) GALINDO, Ajudante General.

---

## *Bulletim do General Bolivar.*

4 de Septembro 1817.

A situaçaõ dos Hespanhoes he, presentemente, tam desesperada, que, naõ obstante terem recebido um reforço de 400 homens, que o commandante Juez trouxe com sigo de Calabozo, aos 24 de Agosto, foram obrigados a evacuár vergonhosamente o importante ponto de Chaquarames, que foi sempre considerado como centro dos Llanos aonde estávam bem fortificados, ainda que durante os ultimos dous mezes bloqueados por alguns esquadroens Republicanos. Deixáram todos os armazens em nossas maõs, dirigîram a sua marcha para Orituco, aonde Juez se tinha postado, segundo as ultimas noticias.

As nossas partidas vam marchando para o interior, na direcçaõ daquella povoaçaõ, em cujas vizinhanças, outros estaõ obrando.

As tropas do General Monagas obtivéram vantagens igualmente bem succedidas. Os valoroses corpos do Geronel Blanca, e dos Capitaens Magdaleno, Hernandez, e Pedro Noguera, destruiram outras do inimigo, que lhes éram superiores em numero, e nos pantanos de Gatuche e Acario, assim como em Carizal, e em todos os Llanos na retaguarda da capital, estaõ completamente livres do inimigo.

(*Assignado.*) GALINDO.

---

*Proclamaçaõ do Clero.*

Nós os Doutores Filipe Avila e Remigio Perez Hurtado, Conegos de Sancta Igreja de Guayana, na America Meridional.

Ao Veneravel Clero e Povo deste Bispado.

Emigrantes desta Provincia, por causa dos ultimos acontecimentos, que a puzéram nas maõs dos Independentes Americanos, e seperados de nós, mais para evitar os desastres, que foram apoiados pela obstinaçaõ e comportamento dos Chefes Hespanhoes, do que por medo dos illustres chefes Republicanos, nós temos voltado para o serviço da nossa Igreja, depois de ter obtido todo o auxilio da humanidade, respeito e generosidade dos Generaes de Venezuela.

Os vasos, em que nos embarcamos, naufragáram, e nós fomos lançados na ilha de Guacamaios, com o illustre Bispo Eleito desta Diocese, aonde experimentamos todas as necessidades e privaçoens, consequentes ao estado de miséria, a que a fortaleza de Guayana ficou reduzida, quando foi evacuada por aquelles, que vaãmente a defendêram; e sem duvida teriamos sido victimas de nossas necessidades, se S. Exª. o General Arismendi naõ tivesse opportunamente chegado. Este virtuoso chefe nos deo, assim como ás numerosas pessoas de ambos os sexos, que nos acompanhavam, todo o auxilio, que estava em seu poder, e por fim nos poz fóra de todo o perigo: porém foi em vaõ que o religioso General Arismendi applicou todos os seus esforços para salvar o illustre Bispo, a sua idade, as suas enfermidades, e o estado de miseria, a que estavamos reduzidos, o leváram á sepultura aos 21 de Agosto, deixando ao dicto Goneral a unica consolaçaõ de celebrar nos seus ritos funeraes todos os deveres prescriptos pela religiaõ.

Nós vos informamos deste fatal acontecimento, naõ somente pasa que possais rogar a Deus pelo defunto illustre Bispo, mas tambem para que naõ hajais de crer, que a sua morte fôi occasionada por alguma outra cousa mais do que enfermidade. Talvez a malignidade de nossos inimígos possa attribuir a sua morte a excessos e violencia, ao mesmo tempo que elle naõ achou outra cousa senaõ soccorros e generosidade. Nos fomos testemunha occular deste acontecimento, e tambem da religiaõ e humanidade dos Generaes, Chefes, e Soldados da Republica. Atrevemo-nos, com esta certeza, a desmentir todas as imposturas inventadas pelos Hespanhoes, contra os Patriotas, e asseveramos diante de Deus e dos homens, que nesta Provincia, felizmente occupada por elles, somente reyna a Religiaõ de nossos pays, a ordem e a humanidade

Nós, portanto, dirigimos as nossas oraçoens ao Deus dos exercitos, para que se digne abençoar os defensores da sua patria, e proteger as suas operaçoens; e vos supplicamos e encarregamos de fazer o mesmo, instruindo os fieis em seus deveres, e exhortando-os á uniaõ, que he necessaria para nos fazer formidaveis, assim como na obediencia e respeito devidos ás authoridades estabelecidas; e sobre tudo no sancto temor de Deus, como principio da verdadeira sabedoria.

Dada em Guayana, aos 2 de Septembro de 1817; 7mo da Republica.

Dr. FELIPE ANTONIO AVILA.

Dr. REMIGIO PEREZ HURTADO.

Por Ordem dos Conegos.

FELIPE DELIPIANE, Notario Publico.

---

*Proclamaçaõ da Juncta de Governo das Floridas.*

A Suprema Juncta das Floridas aos habitantes de Amelia.

Uma horrida machinaçaõ tinha ameaçado arruinar em sua infancia a nossa Republica nascente: a discordia, sempre prompta a espalhar seus perniciosos sustos, nos tinha posto no perigo de uma guerra civil: felizmente ainda conservamos entre nos o respeito pela liberdade, e pela causa, que defendemos: temos descuberto as machinaçoens secretas de um Governo despotico, e nos salvamos da ruina, em que a perfidia Hespanhola estava ao ponto de nos submergir. Sim, Cidadaõs, o terrivel golpe, que nos ameaçava, procedeo das intrigas de nosso covarde inimigo; temos disso a mais certa convicçaõ: basta lançar a vista sobre os promotores e cabeças das horriveis scenas, que tem acontecido. ¿ Apparece nellas um só dos valorosos homens, que, tam galhardamente, e com tanta gloria, defendêram este lugar contra forças dez vezes mais numerosas? Naõ: os olhos procuram em vaõ achar algum delles. Aonde quer que se percebe um cabeça se vê uma pessoa, das que vos abandonou na hora do perigo; homens, que guiados por seu egoismo, brincam com o derramamento do sangue dos valentes defensores da liberdade; comtanto que póssam conseguir o seu objecto, e completar suas vistas. Vos, valentes marinheiros, fostes os que fizestes tantos sacrificios: he o vosso valor, que elles desêjam puchar em frente, para perpetrar tam execraveis feitos: elles creáram um phantasma, que na realidade naõ he senaõ uma chimera.

Quaes serîam os resultados, se nós infelizmente tivessemos sido obrigados a chegar á extremidades; e tivessemos expulsado aquelles, que se disse que havîam de ser expulsados? Vindo a extremidades, a mais cruel carniceria: mandando-os para fora; privar ésta nascente Republica do auxilio de homens valorosos, que tem pelejado com vosco até agóra, e que nunca vos abandonaraõ na hora do perigo. Se isto tivesse acontecido, vós, valentes marinheiros, seguramente só terieis seguido o caminho dictado pela honra; porém, enfraquecidos por isso, terieis sido victimas da traiçaõ, e de vistas individuaes; e os poucos, que restassem, se terîam visto obrigados a abandonar este lugar, e satisfazer ás vistas de nossos implacaveis inimigos, que naõ tem outros meios de destruir o germen da liberdade, senaõ a dissençaõ entre seus defensores.—Naõ serîa este o unico mal: o maior teria sido de consequencia para vós. O remorso, a desesperaçaõ, terîam gravado as vossas consciencias até a sepultura, quando a fria reflexaõ e socego vos tivesse dicto, que vós tinheis manchado as vossas maõs no sangue dos patriotas, que por longo tempo tinham defendido a causa, que temos abraçado, e isto por intrigas Castelhanas.

Valorosos e galhardos marinheiros! Demos graças áquella Divina Providencia, que rodea e vigia, com olhos cuidadosos, ésta infante Republica, por nos ter salvado da perpetraçaõ de tam horrorosos feitos! Unamo-nos, e sirvanos este exemplo para o futuro de liçaõ, para nos guardarmos contra a seducçaõ!

(*Assignado.*) L. Aury, Commandante em Chefe.

Fernandina, 14 de Outubro, 1817.

*Resoluçaõ da Juncta Suprema.*

A Suprema Juncta do Conselho de Estado tem resolvido o seguinte:—

1º. Que toda a pessoa ou pesoas, que forem convencidas de haver persuadido algum escravo ou escravos, a que fujam dos Estados Unidos; sendo isso provado, percam e paguem, pela primeira vez 100 dollars, e sêjam prezos por um termo que naõ exceda 30 dias: e pela segunda, percam e paguem 300 dollars, e sêjam expulsos do paiz.

2º. Que o escravo ou escravos, que fôrem apanhados, seraõ conservados na prizaõ, até que sejam entregues a seu senhor ou senhores.

3º. Que todos os escravos, que vierem a esta cidade buscar emprego, teraõ uma licença por escripto de seus senhores.

*(Assignado)* W. YOUNG, Secretario.

Casa do Governo, em Fernandína.

8 de Outubro de 1817.

BRAZIL.

*Relaçaõ dos Despachos publicados na Corte, no dia 4 de Julho de 1817, Anniversario Natalicio da Serenissima Senhora Infanta D. Izabel Maria.*

*Pela Secretaria d' Estado dos Negocios do Reyno.*

Governador e Capitaõ General da Capitania da Bahia, o Conde da Palma.

Governador e Capitaõ General da Capitania do Pará, o Conde de Villa Flor.

Governador e Capitaõ General da Capitania de S. Paulo, Joaõ Carlos Aguusto d' Oyenhausen.

Governador e Capitaõ General da Capitania de Matto Grosso, Francisco de Paula Magessi Tavares de Carvalho, Marechal de Campo Graduádo

*Pela Secretaria d' Estado dos Negocios da Marinha e Dominios Ultramarinos.*

Chefe de Esquadra Graduado, o Chefe de Divisaõ Rodrigo José Ferreira Lobo, pelo desembarque e mais serviços prestados na Expediçaõ de Pernambuco.

Chefe de Divisaõ effectivo, o Capitaõ de Mar e Guerra Conde de Vianna, pelo desembarque e mais serviços feitos em Maldonado.

Inspector Interino do Arsenal Real da Marinha desta Corte, o Capitaõ de Mar e Guerra Francisco Antonio da Silva Pacheco.

Capitaõ de Fragata Graduado, o Capitaõ Tenente Rufino Peres Baptista, pelo serviço que prestou nos soccorros dados á Comarca das Alagoas.

Capitaõ Tenente effectivo, o Primeiro Tenente D. Nuno Jose de Sousa Manoel, por ter sido portador das primeiras noticias dos successos da expediçaõ do Sul, e igualmente dos da sujeiçaõ da Capitania de Pernambuco.

Capitaõ Tenente Graduado, o 1º Tenente Raymundo Eustaquio Monteiro por ter sido o portador dos Officios, em que o Governador e Capitaõ General da Capitania da Bahia participou as primeiras noticias, que tivera da sujeiçaõ de Pernambuco.

*Pela Secreiaria d' Estado dos Negocios Estrangeiros e da Guerra*

Coronel Graduado, continuando no mesmo exercicio, Cosme Damiaõ da Cunha Fidié, Tenente Coronel de Infanteria addido ao Estado Maior do exercito, e Ajudante de Ordens do Governo da Bahia, por ter sido portador dos Officios, que dirigio o Governador e Capitaõ General da dicta Capitania, com as noticias de Pernambuco.

Sargento Mór Graduado, continuando no mesmo exercicio, Francisco Vicente Souto-Maior, Capitaõ de Infanteria addido ao Estado Maior do exercito, e Ajudante do Ordens do General Luiz do Rego Barreto, por ter sido portador dos Officios, que dirigio este General, com as noticias de Pernambuco.

Igualmente temos o maior prazer em copiar os Decretos e Relaçoens junctas, que mostram quanto S. M. se esmera em premiar os Vassallos, que se distinguem em serviço do melhor dos Soberanos.

*Decreto.*

Sendo-me presente pelos officios e competentes informaçoens de Carlos Frederico Lecôr, General em Chefe das tropas destinadas á pacificaçaõ da margem esquerda do Rio da Prata, o bem que me tem servido os Officiaes Generaes, Officiaes e geralmente todas as tropas debaixo das suas ordens ; assim como a intrepidez e decedido valor e lealdade, com que se tem distinguido, especialmente alguns dos Officiaes, que entraram nas acçoens de Chafalote, e India-Morta, e querendo Eu desde já fazer-lhes Mercês em contemplaçaõ de taes serviços, entretanto que sobem á Minha Real Presença as propostas de todos os Corpos a que mandei proceder: Hei por bem promover os Officiaes indicados na Relaçaõ, que com este baixa, assignada por Joaõ Paulo Bezerra, do Meu Conselho, Presidente do Meu Real Erario, Encarregado interinamente da Repartiçaõ dos Negocios Estrangeiros e da Guerra, nos postos indicados na mesma Relaçaõ, devendo contar-se-lhes as suas respectivas antiguidades, nestes postos, desde o dia vinte e cinco de Abril do corrente anno. O Conselho Supremo Militar o tenha assim entendido, e nesta conformidade faça expedir os Despachos necessarios. Palacio de Rio de Janeiro, em vinte e quatro de Junho de mil oitocentos e dezesete.—Com a Rubrica de Sua Majestade-

*Relaçaõ dos Officiaes Generaes, e mais Officiaes das tropas empregadas debaixo das ordens do General Lecor, promovidos pelo Decreto acima.*

Para Tenente General, o Marechal de Campo Ajudante General, e Secretario Militar da Divisaõ dos Voluntarios Reaes de El Rey, Sebastiaõ Pinto de Araujo Corrêa.

Para Marechaes de Campo, o Brigadeiro Commandante da 1a. Brigada da Referida Divisaõ, Jorge de Avelez Zuzarte, o Brigadeiro Commandante da 2a. Brigada da sobredicta, Francisco Homem de Magalhães Quevedo Pizarro, o Brigadeiro Quartel Mertre General da mesma Divisaõ, Bernardo da Silveira Pinto,

Para coronel do Real Corpo de Engenheiros, continuando no mesmo exercicio, o Tenente Coronel do mesmo Corpo, Francisco Antonio Rapozo.

Para Coronel de Artilheira, continuando no mesmo exercicio de Ajudante de Ordens do General em Chefe, Carlos Frederico Lecór, o Tenente Coronel Joaõ Pedro Lecór, por ter trazido a sua Majestade as noticias da entrada das tropas em Monte Video.

Para Coronel de Cavallaria, o Tenente Coronel da Divisaõ dos Voluntarios Reaes de El Rey, nomeado Governador da Ilha de Santa Catharina, Joaõ Vieira Tovar; e por distinçaõ na acçaõ de India-Morta, aonde perdeo um braço.

Para Coronel de Infantaria, continuando no mesmo exercicio, o Tenente Coronel D. Alvaro da Costa de Souza Macedo, por ser o deputado do Ajudante General da sobredicta divisaõ, que primeiro esteve ás Ordens de sua Majestade.

Para Tenente Coronel de Infantaria, continuando no mesmo exercicio, o Major Filippe Neri Vidal Gorjaõ, por ter sido o deputado do Quartel Mestre General da referida Divisaõ, que primeiro esteve ás ordens de S. M.

Para Tenente Coronel de Cavallaria dos Voluntarios do Rio Grande, ficando aggregado para entrar em effectivo logo que vagar este posto, o Major do Mesmo Corpo, Manoel Marques de Souza, por distincçaõ na surpreza do forte de Sancta Thereza, e na acçaõ de Chafalote, que commandou, e na acçaõ de India-Morta, aonde foi contuso.

Para Tenente Coronel de Cavallaria da Legiaõ de S. Paulo, aggregado para entrar em effectivo, quando por antiguidade lhe pretencer, o Major do mesmo Corpo, José Pedro Galvaõ de Moura e Lacerda, por distincçaõ na surpreza do forte de Sancta Thereza, e nas acçoens de Chafalote e India-morta, onde foi contuso.

Para Tenente Coronel aggregado ao Regimento de Cavallaria de Milicias do Rio Grande, conservando o soldo que tem, o Major Graduado do mesmo Regimento, Joaquim Gomes de Mello, por distincçaõ na surpreza do forte de Santa Thereza, na acçaõ de India-Morta, e distincto serviço no commando do forte do Serro.

Para Sargento Mór de Infantaria, continuando no mesmo exercicio de Ajudante de Ordens do General em Chefe Carlos Frederico Lecór, o Captiaõ D. José Miguel de Noronha, e por ter trazido a S. M. os officios da acçaõ de India-Morta.

Para Major de Cavallaria, continuando no exercicio, que tem, até se lhe dar o destino correspondente a sua Patente, o Capitaõ Ajudante de ordens do Tenente General Sebastiaõ Pinto de Araujo Corrêa, Carlos Infante de Lacerda, por distinçaõ na acçaõ de India-Morta.

Para Major do Regimento de Cavallaria da divisaõ dos Voluntarios Reaés d'El Rey, vago por fallecimento de Duarte de Mesquita, na acçaõ de India-Morta, o Major de Cavallaria Deputado do Ajudante General da sobredicta Divisaõ, Joaquim Claudido Barboza Pita, ficando desligado deste exercicio.

Para Majores Graduados continuando nos mesmos exercicios, o Capitaõ de Cavallaria da referida Divisaõ, Joaõ Nepomuceno Izidoro de Macedo, por se ter distinguido no commando da Cavallaria na acçaõ de India-Morta, e o Capitaõ do Regimento de Cavallaria da mesma Divisaõ, Antonio de Serqueira, por distincçaõ na acçaõ do passo de Santa Luzia.

Para Capitaõ Graduado de Cavallaria, o Tenente de Cavallaria da mencionada Divisaõ, Theodoro Burlamaque, por distincçaõ na acçaõ da India-Morta.

Para Alferes do Regimento de Cavallaria da Divisaõ dos Voluntarios Reaes d'El Rey, vago pelo fallecimento de José Dias de Carvalho, o Cadete do mesmo Regimento José Perestrello Betencourt, por distincçaõ na acçaõ de India-Morta.

Para Alferes do 1º Regimento de Infanteria da sobredicta Divisaõ, vago pelo fallecimento de Carlos Ernesto Krusse, o Cadete do mesmo Regimento Diogo Dionizio Cardozo, por distincçaõ na acçaõ de India-Morta.

Para Alferes de Caçadores, os Sargentos do 2º batalhaõ de Caçadores da mesma Divisaõ, Francisco Rodrigues Pereira, por distincçaõ na acçaõ do Passo do Coelho.

Para Official Maior da Secretaria do Ajudante General da referida Divisaõ, em lugar do que falleceo, o Official da mesma Secretaria, Narcizo José de Araujo Soares.

Para Official da mesma Secretaria, Vitorino Jozé Rodrigues França.

---

*Rio de Janeiro 9 de Junho.*

Um similhante Decreto ao que se dirigio ao Excellentissimo General Lecor foi dirigido ao Excellentissimo Marquez de Alegrete, ácerca dos Officiaes, que se distinguiram nas differentes acções de Saõ Borja, Ebirocay, Carumbe, e Catalaã promovidos na mesma conformidade.

*Relaçaõ dos Officiaes Generaes, e mais Officiaes das Tropas empregadas na Capitania de S. Pedro, promovidos pelo Decreto mencionado.*

Para Tenentes Generaes effectivos, o Marechal de Campo Marquez de Alegrete, Governador e Capitaõ General da Capitania de S. Pedro.—O Tenente General Graduado Manuel Marques de Sousa.—O Tenente General Graduado Joaquim Xavier Curado.—O Tenente General Graduado Patricio José Corrêa da Camara.

Para Brigadeiros effectivos continuando no commando dos corpos de que saõ Chefes, o Brigadeiro Graduado Joaquim de Oliveira Alvares por distincçaõ na acçaõ de Carumbé e de Catalaã—O Brigadeiro Graduado Francisco das Chagas Santos, Commandante de Missões.—O Brigadeiro Graduado Joaõ de Deus Mena Barreto, por distincçaõ na acçaõ de Ebirocay, em que foi ferido, e na de Catalaã.

Para Brigadeiro Graduado, continuando no commando do Batalhaõ de Infanteria e Artilheria, o Coronel Commandante do mesmo Batalhaõ Felix José de Matos Pereira de Castro.

Para Coronel de Cavallaria de Linha com o commando do novo Regimento de Cavallaria de Milicias de Entre Rios, o Tenente Coronel de Milicias José de Abreo, por distincçaõ nas acçoes de Saõ Borja, Ebirocay, e Catalaã.

Para Coronel effectivo de Milicias, para ter o commando do 1º Ragimento desta Linha, em que vier a vagar Chefe, o Coronel aggregado ao Regimento de Cavallaria de Milicias de Porto Alegre, Bento Cerrêa da Camara, por distincçaõ na acçaõ de Catalaã, em que foi ferido.

Para Coroneis Graduados, continuando nos mesmos exercicios, o Tenente Coronel da Legiaõ de S. Paulo, Joaquim Marianno Galvaõ, por distincçaõ na acçoens de Carumbé: e de Catalaã, em que foi ferido.—O Tenente Coronel do Regimento de Milicias do Rio Pardo, Antonio Pinto da Fontoura, por distincçaõ na acçaõ de Birocahy.

Para Tenente Coronel effectivo continuando no mesmo exercicio, o Tenente Coronel Graduado, Ajudante de Ordens do Governador e Capitaõ General Marquez de Alegrete, Lourenço Maria de Almeida Portugal, por ter sido portador dos Despachos do referido General.

Para Tenente Coronel aggregado ao Regimento de Cavallaria de Milicias do Rio Pardo, o Tenente Coronel Graduado do mesmo Regimento Manoel Carneiro da Silva e Fontoura, por distincçaõ na acçaõ de Catalaã, em que foi ferido.

Para Tenente Coronel Graduado continuando no mesmo exercicio, o Sargento Mór do Regimento de Dragoens Sebastiaõ Barreto Pereira Pinto, por distincçaõ nas acçoens de Catalaã e de Carumbé.

Para Tenente Coronel do Real Corpo de Engenheiros, o Sargento Mór do mesmo Corpo Joaõ Vieira de Carvalho, por distincçaõ na acçaõ de Catalaã.

Para Sargentos Móres aggredados á Legiaõ de S. Paulo na arma de Infantria, Jozé Joaquim da Rocha, Sargento Mor Graduado do mesmo Corpo, por distincçaõ na acçaõ de Catalaã, em que foi ferido — José Joaquim Cezar de Serqueira Leme, Sargento Mor Graduado, por distincçaõ na acçaõ de Carumbé.

Para Sargentos Móres Graduados continuando nos mesmos exercicios, Gaspar Ribeiro da Roza, Capitaõ de Infanteria da Legiaõ de S. Paulo, por distincçaõ na acçaõ de Catalaã, em que foi ferido, Antonio Simplico da Silva, Capitaõ de Cavallaria da Legiaõ de S. Paulo, por distincçaõ na acçaõ de Carumbé.—José Maria da Gama Lobo Coelho, d' Eça, Capitaõ do Regimento de Infanteria de Linha de Santa Catherina.—Jaquim Fernandes da Fonseca, Capitaõ do Regimento de Cavallaria de Milicias do

Rio Pardo, por distincçaõ na acçaõ de Catalaã, em que foi ferido.—Francisco Alves, Capitaõ do dicto Regimento de Milicias do Rio Pardo, por distincçaõ na acçaõ de Catalaã, em que foi ferido.—Manoel Thomaz Ferreira Prestes, Capitaõ de Guerrilhas.

Para Capitaõ de Cavallaria addido ao Estado Maior do Exercito, e ajudante de Ordens do Tenente General Joaquim Xavier Curado, Januario Soares de Bulhoens, Tenente de Cavallaria da Legiaõ de S. Paulo, com exercicio de Ajudante de Campo do mesmo Tenente General.

Para Capitaõ de Cavallaria com o soldo de vinte mil réis mensaes, Manoel Joaquim de Carvalho, Capitaõ de Guerrilhas.

Para Capitaõ aggregado ao Corpo de Cavallaria da Legiaõ de S. Paulo, José da Silva Brandaõ, Capitaõ Graduado da mesma Legiaõ, por distîncçaõ na acçaõ de Carumbé.

Para Capitaens Graduados,continuando nos mesmos exercicios, Francisco Antonio Borba, Ajudante.—Joaquim Antonio de Alencastre, Quartel Mestre.—José Rodrigues Barboza, Tenente, todos do Regimento de Dragões, por distincçaõ, o primeiro na acçaõ de Carumbé e Catalaã, em que foi ferido, e os outros dous na acçaõ de Carumbe, e Gaspar Francisco Mena Barreto, Tenente do dicto Regimento de Dragões, por distincçaõ na acçaõ de Catalaã em que foi ferido.—Marçal José da Fonseca, Ajudante de Cavallaria da Legiaõ de S. Paulo, por distincçaõ na acçaõ de Catalaã, em que foi ferido. José Placido de Castro, Ajudante de Infanteria da dicta Legiaõ de S. Paulo, por distincçaõ na acçaõ de Carumbe.—José Joaquim de Santa Anna, Tenente de Infanteria da mesma Legiaõ de S. Paulo, por distincçaõ na dicta acçaõ de Carumbé.

Para Capitaes Graduados do Regimento de Milicias do Rio Pardo, Antonio de Medeiros, e Bento Manoel Ribeiro ambos do mesmo Regimento de Milicias, por distincçaõ na acçaõ de Carumbé.

Para Primeiro Tenente aggregado ao Corpo de Artilheria da Legiaõ de S. Paulo, Bento José Marques, de Moraes, Primeiro Tenente Graduado do mesmo Corpo, por distincçaõ na acçaõ de Carumbé.

Para Tenente aggregado ao Corpo de Cavallaria da dicta Legiaõ de S. Paulo, Joaquim Maria da Costa, Ferreira, Tenente Graduado de mesmo Corpo, por distincçaõ na acçaõ de Catalaã, em que foi ferido.

Para Tenentes Graduados, José Luiz Mena Barreto, Alferes do Regimento de Dragões, por distincçaõ na acçaõ de Carumbé.—Manoel José da Conceiçaõ Ramalho, Alferes de Infanteria, da Legiaõ de S. Paulo, por distincçaõ na acçaõ de Carumbé.— José Cardozo, Antonio Garcez, Francisco das Chagas Rocha, e Marrianno Antonio Gonçalves, todos Alferes do Regimento de Cavallaria de Milicias do Rio Pardo, por distincçaõ os dous primeiros na acçaõ de Carumbé, e os outros dois na de Catalaã, em que foram feridos.

Para Alferes aggregados, Francisco Ignacio de Azambuja, Cadete do Corpo de Cavallaria da Legiaõ de S. Paulo.— José Fialho, Cadete do Regimento da Cavallaria de Milicias do Rio Pardo, todos por distincçaõ na acçaõ de Catalaã, em que foram feridos.

*Relaçaõ dos Officiaes promovidos por Decreto de 24 de Junho*

Para Sargentos Móres Graduados do Regimento de Cavallaria da Divisaõ dos Voluntarios Reaes d' El Rey, Miguel Pereira de Araujo, Capitaõ do mesmo Regimento, por ter sido ferido na acçaõ de India-Morta, José de Barros e Abreu, Capitaõ do mesmo Regimento, por distincçaõ na acçaõ do Campo de Toledo.

Para Tenente Graduado, Joaõ Gomes da Silva, Alferes do mesmo Regimento, por ter sido gravemente ferido no combate do Passo de Santa Luiza.

---

*Extracto da Gazeta do Rio-de-Janeiro, de* 12 *de Julho*, 1817.

*Proclamaçaõ.*

*D. Francisco de Assis Mascarenhas, Conde de Palma, do Conselho de Sua Majestade Fedelissima, e do de Sua Real Fazenda, Governador e Capitaõ General da Capitania de S. Paulo etc. etc. etc.*

"Paulistas fieis, que vos achaes alistados nos corpos Milicianos desta Capitanía, ElRey Nosso Senhor, bem convencido da vossa inabalavel lealdade, e experimentada coragem, chama nesta occasiaõ os vossos robustos braços, em reforço de exercito do Sul, aonde já milita parte dos vossos compatriotas, que tanto se tem distinguido e coberto de gloria, eternizando assim o seu nome, que nós repetimos com a maior complacencia. Vós sois os mesmos que elles saõ, e a Capitania de S. Paulo, a que tendes a honra de pertencer, vai tambem agora dever-vos o augmento de sua reputaçaõ, e mais um motivo para continuar a merecer a devida benevolencia, com que he olhada por El Rey nosso Senhor Eu tenho toda a confiança em vós, e a maior certeza da vossa promptidaõ e boa vontade nesta importantissima occasiaõ: Ordena pois El Rey Nosso Senhor, que eu levante dous corpos de Milicianos Voluntarioz, formados dos dous regimentos de cavallaria desta Cidade, e mesmo dos de infanteira, que a elles se quizerem reunir, e que ao mesmo tempo vos assegure em seu Real Nome, que, alem das graças concedidas no Alvará de 9 de Agosto de 1808 os que assim marcharem voluntariamente, serviraõ nesta campanha sómente por dous annos, no fim dos quaes, ou antes se as circumstancias o permittirem, voltaraõ a seus lares ficando para sempre isentos de servirem em tropa de linha. Os cavallos e armamento lhes seraõ fornecidos competentemente, e o soldo tanto para Officiaes, como para Soldados começará desde o dia, em que se reunirem aos referidos corpos, recebendo tres mezes adiantados antes da marcha. Paulistas fieis, eu me offereço a proteger as familias dos defensores do Estado, que as deixarem por occasiaõ do serviço do melhor dos Soberanos, que com maõ liberal ha de premiar os relevantes serviços, que lhe vaõ prestar naquella fronteira os leaes e valorosos Milicianos Voluntarios de S. Paulo.

Espero, portanto, que a corajosa mocidade corra apressada a dar o seu nome para esta expediçaõ, encaminhandose ao Quartel do Brigadeiro Inspector Geral das Milicias, a quem tenho encarregado a execuçaõ das minhas ordens a a este respeito. E para que a Real determinaçaõ acima referida conste prompta e geralmente, mando que o Coronel Ajudante de Ordens, que está de serviço, envie esta por copia a todos es Chefes Milicianos, que ficam mui particularmente incumbidos de prover, e ajudar o cumprimento desta diligencia, aonde levarei sem demora o nome daquelles, que no mesmo se distinguirem. Quartel General de S. Paulo, 4 de Maio de 1817.

(*Assignado*) O Excellentissimo CONDE DE PALMA.

Para darmos uma idea do enthusiasmo, com que foi recebida esta Proclamaçaõ, e da alegria com que os fieis vassallos do melhor dos Soberanos corrêram ás armas, soffregos de se apresentarem ao convite, que se lhes fez em nome de Sua Majestade, copiaremos o seguinte de uma carta datada de S. Paulo a 20 de Junho 1817, a qual acompanhava a mencionada Proclamaçaõ.

"Nesta occasiaõ naõ posso deixar de dizer-lhe, que se tem offerecido a marchar para o Sul com o maior enthusiasmo, e patriotismo os Paulistas, cujo genio soube assaz desenvolver o nosso recto e justo Governador, applicando meios mui sauveis, bem como a Proclamaçaõ, que por copia remetto.

"Parece-me que o resultado sobrepujou as esperanças, já pela promptidaõ, com que voluntariamente se appresentáram, já pela bizarria, com que o Commercio farda e aprempta esta expediçaõ.

"Aqui dous filhos de um bom Pay disputáram qual devia offerecer-se ao Soberano; o mais velho allegava que a robustez do mais moço era precisa ao Pay; e o mais moço servia-se desta mesma razaõ, para que o mais velho ficasse: a disputa tomou calor, nenhum cedeo; e o Pay decidio que fossem ambos morrer pela Patria.

"Aqui um lavrador, naõ tendo filhos para offerecer, comprou quatro escravos pardos, deo-lhes liberdade, e sentou-lhes praça.

"Este e outros casos provam os bons sentimentos destes povos, e as bem acertadas medidas, que se tem tomado para ultimar taõ importante commissaõ etc."

Nem só Spárta e Roma appresentam exemplos de lealdade; e os Albubuerques e Farias naõ existiram só no berço do Sol.

*Rio de Janeiro* 16 *de Julho.*

Havendo transcripto, no N°. 55, os decretos, porque Sua Majestade, por effeitos da Sua Real Munificencia e Bondade, foi servido promover os Officiaes, que se distinguiram no Sul, he hoje do nosso mui grato dever patentear que a Liberalidade de Sua Majestade acompanha ainda as familias daquelles, que perdêram a vida pela Patria, como se verá da seguinte Carta Regia.

"Honrado Marques de Algrete, do Meu Conselho, Governador e Capitaõ General da Capitania de S. Pedro, Amigo, Eu El Rey vos envio muito saudar como aquelle que Amo e Prezo. Tendo-Me sido presentes os Officios, que dirigistes pela Secretaria de Estado dos Negocios Estrangeiros e da Guerra, em que informaes o zelo, lealdade, e valor, com que em geral se tem constantemente distinguido no Meu Real Serviço os Officiaes Generaes, Officiaes e Todas as Tropas empregadas debaixo das vossas Ordens nessa capitania, merecendo por tam recommendaveis titulos a Minha especial contemplaçaõ, e louvor; Hei por bem que em Meu Real Nome assim o signifiqueis aos referidos Officiaes Generaes, Officiaes, e a todos os corpos Militares, que taõ dignamente Me servem nessa Capitania, expressando-lhes ao mesmo tempo o Meu Real agradecimento pela briosa intrepidez, com que se houveram em geral em todas as occasiões de combate, e especialmente nas acçoens de Saõ Borja, Ebicoray, Carumbé e Catalaã. E porquanto he da minha Real Intençaõ dar aos Officiaes, que mais se tem distinguido, um testemunho da minha Satisfacçaõ, tendo ja sido servido promover os indicados na Relaçaõ, que acompanhou o Decreto, de que vos será remettido com esta uma copia, e que fareis logo publicar, Vos ordeno, que mandando proceder ás competentes propostas para prehencher em todos os corpos Postos vagos, tendo-se nestas Propostas contemplaçaõ, e preferencia em igualdade de circumstancias aos Officiaes, que mais se tem distinguido nas acções, as façaes sem demora subir á minha Real Presença com as vossas observaçoens, para merecerem a Minha approvaçaõ, ou eu resolver o que julgar mais acertado. Similhantemente vos encarrego, que façaes logo formar relações de todas as viuvas dos Officiaes, e Officiaes inferiores, que morreram nos differentes combates, com especificaçaõ dos seus nomes e postos, e das acçoens, em que morreram, para que subindo immediatamente á Minha Real Presença, Eu Mande expedir as ordens precisas para serem as mesmas viuvas contempladas com o vencimento de metade dos respectivos soldos, que tinham seus maridos, que Hei por bem conceder-lhes. Assim o tereis entendido e executareis. Escripta no Palacio do Rio-de-Janeiro em vinte e quatro de Junho de mil oitocentos e dezesete —Rey.—Para o Honrado Marquez de Algrete.

Outra similhante Carta Regia foi dirigida ao Excellentissimo Tenente General Carlos Frederico Lecór, só com a differença de serem as acções mencionadas as de Chofalote e India-Morta.

Tambem por esta occasiaõ trasladaremos o Benignissimo Decreto de perdaõ dos desertores, que procurarem outra vez as suas bandeiras.

Querendo usar de clemencia com os militares pertencentes aos corpos de linha e de milicias da Capitanîa do Rio Grande de S. Pedro, da Capitania de S. Paulo, e do Governo da Ilha de Santa Catharina, que tiveram a desgraça de desertar das suas bandeiras; Sou servido perdoar o crime de deserçaõ, que commetteram a todos aquelles, que dentro do espaço de dous mezes, contados do dia da publicaçaõ deste decreto, em cada uma daquellas Capitanias, e no sobredicto Governo da Ilha de Santa Catharina, se appresentarem a qualquer Authoridade Militar, que os deverá logo remetter aos seus respectivos corpos para nelles continuarem a servir, os que porém se naõ appresentarem dentro do referido prazo voluntariamente seraõ prezos, para serem sentenciados segundo as leys, devendo os que forem milicianos passar a servir na tropa de linha. O Conselho Supremo Militar o tenha assim entendendido, e o faça executar, expedindo as ordens necessarias. Palacio do Rio-de-Janeiro em quatro de Junho de mil oitocentos e dezesete.—Com a Rubrica de Sua Majestade.

*Rio de Janeiro 23 de Julho.*

Na Gazeta N°. 51 copiamos uma carta de Monte Video referindo o brioso denodo, com que alguns Officiaes e Soldados, se haviam libertado da prisaõ, carregados de despojos do inimigo, agora temos occasiaõ de dar mais cabal noticia deste acontecimento, trasladando o proprio Officio do Tenente General Lecór.

Illustrissimo e Excellentissimo Senhor.—Hontem fundeou neste Porto umaGaleota de Guerra de BuenosAyres, denominada Fortuna, que trazia a bordo as pessoas comprehendidas na relaçaõ inclusa, que lograram esquivar-se briosamente aos ferros dos inimigos, cujo pezo soffriam prisioneiros.

Este successo he acompanhado de circumstancias demasiadamente notaveis, e que reflectem muita gloria em todos os individuos, que nelle tiveram parte, e muito principalmente no Tenente Jacinto Pinto de Araujo, Assistente do Quartel Mestre General, que, de accordo com o Alferes Francisco Antonio da Silva, concebeo, e levou a effeito uma empreza tam digna, e que tanta honra lhe dá.

Estes Officiáes estávam com os outros prisioneiros em Santo Domingo Soriano, juncto da confluente do Rio Negro debaixo da guarda, que um Tenente commandava, e sabendo, que naquelle porto se achava uma Balandra com bandeira oriental, carregada com petrechos de guerra, projectaram apossar-se della, naõ so para subtrahir-se á pezada escravidaõ, que os oprimia, mas para tirar ao inimigo um tam avultado numero de artigos interessantes ás suas operações, como os que a dicta Balandra continha.

A Providencia protegeo tam nobre, honrado, e bravo

pensamento; e permittio que elles na noite do dia 17 do corrente, tendo podido praticar na parede da sua prizaõ uma abertura, por onde saîram, sem que pelas sentinellas fossem presentidos, se dirigissem á paraia, aonde malograda a esperança de achar embarcaçaõ, em que se transportassem para a Balandra indicada, possuidos absolutamente do seu objecto, e resolvidos a sacrificar por elle as vidas, que tam comprometidas ja tinham, corajosamente se lançaram a nado, e conseguindo apossar-se de uma lancha, que perto havia, apezar dos gritos, com que seus donos queriam embaraçallos, lograram finalmente apoderar-se da Balandra Cinco-de-Julio e de toda a sua tripulaçaõ, e carga, arvorando, cheios daquelle inexplicavel gozo, que da o bom resultado, quando elle nasce do valor, e da virdtue; a Real Bandeira Portugueza, que miuto á pressa construiram o melhor, que as circumstancias lhe facilitaram.

No dia 1º do corrente, navegando para ésta Praça, deram vista juncto de Martin Garcia, de uma Embarcaçaõ de Guerra, e julgando pela situaçaõ que pertencia aos Orientaes decidiram tomalla, e só os dissuadio o saberem depois que era de Buenos-Ayres, para onde foram dirigidos pela dicta embarcaçaõ, a cujo commandante contaram, que gente eram, de que circumstancias vinham, e o fim, a que se propunham.

O Director Supremo daquelle Governo lhes facilitou soccorros, de que necessitavam, e os enviou a este porto, aonde felizmente chegáram, dando a todos os indivîduos desta Divisaõ um sublime exemplo de bravura, honradez e lealdade, e um dia de completa satisfacçaõ.

Inclusa remetto a V. Exª. a lista dos objectos aprezados a bordo da Balandra, pelos valentes prisioneiros, cujos nomes contem a sobredcita relaçaõ e tenho a honra de rogar a V. Exª. se sirva informar a Sua Magestade este acontecimento, para que S. M. usando da Sua Real munificencia, se digne conceder a taõ benemeritos vassallos o premio, que sua heroica empreza lhes reclama.—Deos Guarde a V. Exa. muitos annos. Quartel General de Monte-Video 2 de Maio de 1817, etc.—Carlos Frederico Lecôr, Tenente General.

Seguia-se a relaçaõ dos prisioneiros Portuguezes, que no dia 17 de Maio taõ gloriosamente se libertaram.

## *Papeis officiaes relativos os Catholicos Romanos, nas Colonias Britannicas das Indias Orientaes*

Continuados de p. 427.

### *Extracto de uma Carta do Governo, em Conselho, de Bombaim, a Côrte dos Directores.*

11 de Março de 1813.

§ 21. As pertençoens do Arcebispo de Goa para ter jurisdicçaõ espiritual sobre as igrejas e habitantes Catholicos Romanos de Bombaim, e as queixas destes contra a ingerencia de S. Exa. nos seus negocios ecclesiasticos, fôram ha alguns annos objecto de representaçoens á Vossa Honr. Côrte: essas pretençoens se tem resentemente asseverado e exercitado de maneira, que excitou consideravel agitaçaõ entre aquella classe dos vossos subditos, temos julgado ser do nosso dever participar todos os nossos procedimentos nessa occasiaõ.

22. Aos 13 de Maio passado recebemos uma carta do Reverendo Francisco Parras, expondo que, em consequencia de sua nomeaçaõ por S. Exa. o arcebispo de Goa. como seu vicegerente; e para vigario da igreja, e para su-

perintender as outras igrejas, debaixo da jurisdicçaõ de S. Exa. nesta ilha; requeria, que a sua nomeaçaõ fosse registrada na forma, usual na Secretaria; e que o Governo lhe permittise tomar cargo da igreja, mudando o vigario, a quem tinha ordem de substituir. O arcebispo de Goa fez igual communicaçaõ: e accrescentou, que a razaõ, que tinha para mandar o Reverendo Francisco Parras com os seus poderes espirituaes, éra evitar alguns zêlos, e a opposiçaõ, que se tinha formado entre os differentes clerigos de Bombaim, quando os seus predecessores concedêram authoridade a muitos delles ao mesmo tempo, de cuja rivalidade estava informado o Governo de Bombaim.

23. No mesmo dia recebemos uma representaçaõ de alguns dos parrochiamos dá igreja de Nossa Senhora da Gloria, queixando-se da extraordinaria e abrupta mudança do padre Donato, seu vigario, que tinha officiado com plena satisfacçaõ delles pelo periodo de doze annos, supplicando ao mesmo tempo a nossa intervençaõ e protecçaõ, e expressando a espreança de que se naõ desse algum passo, para entregar a igreja e as suas pertenças, até que recebecem resposta a um memorial, que elles intentávam fazer a S. Exa. o arcebispo de Goa, a favor do seu vigario, o padre Donato de Lacerda, o qual, elles naõ podîam deixar de notar, devîa ter sido falsamente representado a S. Exa.

24. Fundados nesta representaçaõ, suspendemos a confirmaçaõ da nomeaçaõ do Reverendo padre Francisco Parras, no encargo da igreja de Mazagaõ, informando os parrochianos de que a sua petiçaõ devia ser apresentada por meio do Governo, debaixo de cuja protecçaõ elles residîam, e naõ directamente ao arcebispo de Goa, e que portanto élles devîam entregar a sua representaçaõ, para ser transmittida ao Enviado; e que se ella fosse dictada em

termos proprios e respeituosos receberia o apoio do Governo.

95. Aos 20 de Maio apresentaram os parrochianos o seu memorial; porém, como das communicaçoens pessoaes, que houvéram com o reverendo Francisco Parras, appareceo que elle estava inclinado a sustentar os direitos do Arcebispo no exercicio da jurisdicçaõ espiritual nesta ilha, uaõ foi senaõ aos 15 de Julho que nós tornamos a tomar em consideraçaõ ésta materia; quando se preparou para nossa informaçaõ um relatorio de todos os procedimentos passados do Governo, sobre esta questaõ.

26. No periodo intermediario, porem, recebemos outro memorial dos parrochianos de Mazagaõ, queixando-se da suspensaõ do reverendo Donato da Lacerda do exercicio de suas funcçoens clericaes, até que elle entregasse a igreja ao reverendo Francisco Parras, e representando mui fortemente o susto que tinham de se acharem assim privados de seu eleito pastor: que naõ somente se tinha interrompido o serviço de sua religiaõ; mas que actuálmente estava suspenso, e que a sua igreja estava entaõ sem ministro que officiasse: circumstancias quasi sem exemplo em alguma communidade Catholica, e a mais pezada e pungente a todos os Catholicos Romanos de boa fe: que em tanta afflicçaõ de seus sentimentos e custumes religiosos elles olhávam confiadamente para aquelles sentimentos de benevolencia e tolerancia, e para aquellas expressoens de protecçaõ em mateiras de religiaõ, que a vossa Honr. Côrte tinha patenteado, e que em tantas occasioens tinha este Governo extendido a elles.

27. A vossa Honr. Côrte, séra tambem servida observar nos registros de nossos poocedimentos, que o reverendo Francisco Parras nos fez uma cemmunicaçaõ da allegada resignaçaõ, que fez o reverendoDonato de Lacerda da sua vígairaria (que naõ ha duvida o Arcebispo o obri-

gou a fazer sob pena de excommunhaõ) e solicitando-nos a confirmaçaõ de sua nomeaçaõ como successor, e que tambem se tinha recebido uma carta do Arcebispo de Goa, explicando o dogma da fé Catholica Romana, connexo com os pontos da discussaõ ; e os fundamentos em que se estribava o seu direito, para o exercicio da jurisdicçaõ ecclesiastica.

28. Havendo estes diversos documentos sido tomados em consideraçaõ, julgamos que era indispensavelmente necessario, que puzessemos fim a procedimentos ulteriores do Arcebispo; e que puzessemos em vigor as ordens da Honr. Còrte de 25 de Junho de 1793 ; negando distinctamente as pretençoens de S. Exª. á jurisdicçaõ espiritual sobre os habitantes Catholicos Romanos desta Ilha.

29. A nossa decisaõ, como a vossa Honr. Côrte observará pelos nossos procedimentos, foi fundada no pleno exame de toda a conrespondencia, que se acha em nossos registros, tanto com as authoridades de Goa como com a vossa Honr. Côrte, desde os primeiros periodos, sobre o objecto da jurisdicçaõ Catholica Romana nesta ilha, do que nos parececeo evidente ;

Primeiro, que o tractado entre as côrtes de Inglaterra, e Portugal, na cessaõ desta ilha, ao mesmo tempo que estipulou "que os habitantes gozarîam do livre exercicio da religiaõ Cathotica Romana", naõ segurou ao arcepispo de Goa a continuaçaõ da superintendencia, que S. Exª, tinha estado no custume de exercitar quando este paiz éra sugeito á corôa dePortugal, que, portanto, uma prohibiçaõ do exercicio de tal authoridade naõ contravinha ás disposiçoens daquelle tractado, e que, se a jurisdicçaõ do Arcebispo fosse tolerada, havia muita razaõ para recear, que os habitantes Catholicos Romanos serîam restrictos "no gozo do livre exercicio da religiaõ Catholica Romana."

Segundo. Que tanto o espirito como a letra das ordens

da Vossa Honr. Côrte prescrevem claramente uma inhibiçaõ ao exercicio da jurisdicçaõ espiritual do arcebispo de Goa, sobre ésta ilha, ordenando expressamente, que os habitantes por si mesmos façam a eleiçaõ pastoral, sugeita sómente á approvaçaaõ e confirmaçaõ do Governo; ao mesmo tempo que, quanto ás capelas particul res, deviam ellas ser servidas por aquelles padres, que seus respectivos fundadores, ou seus successores, julgárem proprio escolher, sugeitos, como no caso das igrejas publicas, á approvaçaõ do Governo sómente:

Terceiro. Que naõ obstante éstas ordens prohibitorias, parece que os respectivos arcebispos de Goa se tem aproveitado de todas as accasioens para introduzir uma successaõ de p dres, e de exercitar jurisdicçaõ nesta ilha; que tem promulgado mandados pastoraes, os quaes tem sido offensivos aos habitantes, e dignos de objecçaõ quanto ao Governo; e ainda quo em alguns exemplos modernos a administraçaõ passada desta presidencia tivesse, talvez pelo respeito á situaçaõ do ultimo arcebispo, acquiescido incautamente, e confirmado a recommendaçaõ que S. Exa. fez de alguns individuos, em casos de pessoas, ássim nomeadas, que naõ éram obnoxias aos parochianos, dahi se naõ seguia que essa casual tolerancia se permittisse ao presente primaz (que recentemente succedeo na cadeira sagrada) o assumir e exercitar arbitrariamente poderes que virtualmente lhe naõ pertencem:

Quarto. Que éra essencial á paz e felicidade dos habitantes Catholicos Romanos, em materias de consciencia, e ao devido e imperturbavel exercicio de sua religiaõ, que se naõ permittisse que nenhuma jurisdicçaõ espiritual estrangeira fosse exercitada sobre as igrejas Catholicas Romanas nesta ilha.

30. Com estas impressoens julgamos proprio informar o arcebispo de Goa, de que como este Governo naõ sabia

que houvesse alguma razaõ, que exigisse o tirar-se, o reverendo Donato de Lacerda do exercicio de suas sagradas funcçoens, como vigario da igreja de Nossa Senhora da Gloria, em Mazagaõ, nós naõ podiamos reconhecer a sua mudança ; e que, no caso de ser necessaria alguma mudança, se permittiria aos parrochianos daquella Igreja o eleger o successor, na conformidade das ordens da Honr. Corte dos Directores, e entaõ nos daria grande satisfacçaõ, se a sua escolha recaîsse no Reverendo Francisco Parras, que tinha a vantagem de possuir a boa opiniaõ de S. Exa. e referindo-o para melhor informaçaõ dos fundamentos particulares desta determinaçaõ ao Capitaõ Schuyler, enviado Britannico em Goa, a quem se tinham mandado explicaçoens de todos os procedimentos do Governo, nesta occasiaõ.

(Continuar-se-ha,)

*Reflexoens sobre as novidades deste mez.*

## Reyno Unido de Portugal Brazil e Algarves.

### *Condemnaçaõ dos réos por alta traiçaõ em Portugal.*

Havendo no nosso No. passado exposto, em geral, os defeitos da sentença contra os doze réos, ultimamente processados em Lisboa por crimes d' alta traiçaõ; passaremos agóra, em continuaçaõ desta importante materia, a mostrar a sua nullidade, segundo as leys do Reyno.

He verdade, que se nos dirá, que quer a sentença seja valida, quer nulla, ja os mortos se naõ pódem tornar a trazer á vida.

Dir-nos-haõ tambem os rabiscadores do Governo de Lisboa, que he falta de respeito, e inconveniente, pôr em duvida uma sentença, que passou em julgado.

A' primeira duvida respondemos, que se os mortos se naõ pódem revocar á vida, podem com tudo ser restituidos á sua boa fama e opiniaõ publica; e podendo se descubrir os authores de seus infortunios, quer elles sêjam vivos quer mortos, consignállos á infamia, que de feitos atrozes resultam, muito principalmente, quando taes feitos se cobrem com a capa dos procedimentos de justiça.

Quanto á falta de respeito e inconveniente, que póde resultar de se argumentar contra uma sentença passada em julgado; dizemos, que a sentença nulla nunca passa em julgado, e tal he a practica em Portugal, authorizada pelos melhores jurisconsultos. E bastará alegar com um só exemplo, que he a allegaçaõ do respeitavel Paschoal Joze de Mello, contra a sentença por antonomasia dos Fidalgos, passada como se dizia em julgado, e executada muitos annos antes,

Alem disto julgamos, que o exame publico das circumstancias desta sentença, poderà motivar a que alguem apresente um recurso extraordinario, ou petiçaõ de revista a El Rey; e nesse caso estamos certos, que se obterá uma ampla declaraçaõ a favor dos réos.

Nos julgamos ésta sentença nulla, por ser contra direito expresso, além de outros defeitos ja notados. Que a sentença contra direito expresso he nulla. assim o determina a Ordenaçaõ do Reyno L. 3. tt. 57. in pr.

Vejamos agóra como a sentença he contra direito expresso. A sentença julga os réos incursos no crime da Ord. l. 5. tt. 6 § 5. ¿ Que diz ésta Ley ? Isto—" O quinto se alquem fizesse conselho e confederaçaõ contra o Rey e seu Stado, ou tratasse de se levantar contra elle, ou para isso desse ajuda, conselho, e favor."

Ora a sentença naõ alega um só facto, de que se fizesse conselho e confederaçaõ contra o Rey ou contra o seu Estado, mas sim contra o Marechal Beresford, e indirectamente contra os Governadores de Portugal. A pezar disto, julga os reos incursos nessa ley : logo julga contra direito expresso.

A ley diz, que commette alta traiçaõ, quem faz conselho ou confederaçaõ contra El Rey ou contra o Estado.

A sentença diz, que quem naõ fez conselho e confederaçaõ contra

El Rey nem contra o Estado he incurso nesta ley; logo a sentença he contra direito expresso.

A mesma ordenaçaõ citada tras um exemplo para acelarar o que he sentença contra direito expresso; e he este.

"Se o juiz julgar directamente que o menor de quatorze annos póde fazer testamento ou ser testemunha." Por que a ley diz que o menor de quatorze annos naõ póde fazer testamento nem ser testemunha, a sentença que o contrario decide he contra direito expresso Agora;

Se a sentença dissesse, que os réos tinham feito confederaçaõ contra o Estado, e os condemnassem por isso; provando-se que elles tal confederaçaõ naõ tinham feito, a sentença sería contra o direito das partes, mas naõ contra direito expresso. Porém a sentença naõ diz tal; reconhece, que naõ houve confederaçaõ contra El Rey, nem allega dicto de testemnnha alguma que o prove, e declara que isso que houve ou se fez, foi crime d' alta traiçaõ; logo decide naõ só contra o direito das partes, mas contra direito expresso.

Para que o conselho ou confederaçaõ criminosa seja crime d' alta traiçaõ, segundo esta ordenaçaõ, he preciso que esse conselho ou confederaçaõ seja directamente contra El Rey ou seu Estado; a sentença naõ podìa dispensar-se de declarar o facto com estas circumstancias, para lhe applicar a ley; sem julgar isto he impossivel applicar a ley ao facto, que he o que se chama julgar ou sentencear.

Lea-se a sentença attentamente e se verá, que desde o principio ate o fim naõ ha um so dicto ou depoimento dos réos (e naõ se allegam outras testemunhas) que indiquem acto ou confederaçaõ contra El Rey; e sim que o Marechal éra o objecto do odio dos reos. Tudo o mais saõ frazes e raciocínios vagos, para sustentar a vaã fabrica da organizaçaõ da sentença. Em uma palavra:

¿ Julga a sentença que os réos fizéram uma confederaçaõ ou conselho contra El Rey? Naõ. Logo, concluir que os réos incorrêram no crime da Ordenançaõ do Liv. 5. tt. 6. § 5º. he um disparate logico e juridico tam grande, como dizer; existe o homem logo o elephante he um animal.

Se dos tres actuaes Governadores do Reyno dous saõ leigos, em todo o sentido, um naõ o he; e portanto ao Senhor Ricardo

Raymundo dirigimos submissamente o seguinte § dos Estatutos da Universidade de Coimbra L. 2 tt. 6. Cap. 8. §. 7.

"A applicaçaõ da ley se faz mediante um discurso ou raciocinio, no qual a determinaçaõ adequada e completa da ley deve formar a *premissa maior*, e distribuir-se na *menor*, introduzindo-se nesta a acçaõ ou uso da ley, e ficando servindo de *sugeito* do qual se affirma a mesma determinaçaõ da ley como *predicado*; que para ella he necessario ter bem presentes as determinaçoens sobredictas da ley, e do facto, com todas as suas respectivas circumstancias, e combinallas, e pezallas em uma exacta balança."

Pedimos portanto reverentemente ao Senhor Ricardo Raymundo, que examine se na sentença se acha o raciocinio, aqui applicavel, segundo aquella regra dos Estutatos, que elle explicou e ensinou na Universidade de Coimbra. Segundo aquella regra, o raciocinio dos Juizes devia ser este.

Os reos commetteram taes e taes actos de confederaçaõ contra El Rey.

Os actos de Confederaçaõ contra El Rey saõ crime de alta traiçaõ, pela ordenaçaõ do Liv. 5. tt. 6. § 5o.

Ergo, os réos saõ criminosos d'alta traiçaõ.

A sentença naõ declara acto algum de confederaçaõ contra El Rey; portanto naõ he deduzida conforme aquella regra; e o o Senhor Ricardo Raymundo que a sabe, e que he um dos Governadores do Reyno, naõ devia permittir a execuçaõ de uma sentença contra direito.

A ley de 4 de Septembro de 1765, para obviar erros desta natureza, nas sentenças militares, ordenou: —

"Que nas sentenças dos Conselhos de Guerra, para se evitar o desvio desta regra, se escrevessem as proprias e formaes palavras da ley, em que o réo se dizia incurso, para desta sorte naõ acontecer, que se fizesse a applicaçaõ errada de uma ley a um caso, que naõ estava nas suas palavras"

He pois nossa opiniaõ, que a materia que temos allegado contra a sentença, deve servir de fundamento a uma petiçaõ de recurso a El Rey, o qual sem duvida attenderá aos parentes dos condemnados, a quem resulta a infamia, que todos sabem, pela morte affrontosa de forca, que padecêram os réos. E como D. Miguel Pereira Forjaz he primo do réo Gomez Freire d'Andrade, recommendamoslhe que tambem assîgne aquella petiçaõ, cujo despacho favoravel redundará a bem de sua familia.

As consequencias politicas desta sentença; seraõ ponderadas no No. segninte.

---

## *Melhoramentos no Brazil.*

### (*Extracto da Gazeta do Rio-de-Janeiro de* 3 *de Septembro*, 1817.)

As acertadas providencias, que S. M· tem dado, para melhorar o estado phisico e moral do Brazil, de que temos visto tam prosperos resultados, se conhecem opportunamente desempenhadas pela Policia, em a seguinte noticia, que benignamente nos foi confiada.

" Em 1812, sabendo o Intendente Geral da Policia, que as inundaçoens experimentadas nos campos de Goytacazes, inutilizavam muitos terrenos, e infectavam a atmosphera, mandou alimpar os cinco rios principaes, a saber; Onça, Rio-novo-do-Collegio, Ingá ou Castanheta, Barro-vermelho, e Furado ou Iguassu, o maior de todos assim em largura como em comprimento, (que he de sette leguas) os quaes todos esgotavam a Lagoa-feia: e em 1814 vio acabados estes trabalhos. Nos annos seguintes se cuidou successivamente na limpeza dos mesmos rios, d'onde resultou aproveitar-se muita terra plana para lavoura, reduzindo-se a campinas immensos pantanaes, de que abunda aquelle districto, que bem se pódem calcular de 20 ou 30 leguas; augmentar-se com este soccorro o numero de gado vacum e cavallar; melhorarem os caminhos e estradas, desempachadas das aguas, e o que he ainda mais precioso, desapparecerem as doenças epidemicas, que tantas vezes assolâram o paiz.

" Merecêram igual disvello outros rios mais pequenos, e de novo se abrîram vales para communicaçaõ, e expediçaõ das aguas de outras pequenas lagoas

Diminuindo consideravelmente as aguas da Lagoa-feia, tem-se descoberto caminho para os viajantes, que vem dos Campos para o Rio-de-Janeiro, pela parte occidental da dicta lagoa, o qual ja se tem melhorado com alguns beneficios, e lançando-se uma ponte no Rio-de-Jezus, a qual tem 12 palmos de largo e 50 de comprido, com guardas dos lados, deixando por baixo passagem livre para canoas. Com os outros melhoramentos, que se vám fazendo a este caminho, póde ficar permanente e real, cortando-se por elle mais de 12 leguas que tem a estrada, que passa pela barra do Furado, cujo perigo se pode evitar, assim como algumas outras passagens trabalhosas. Os povos, conhecendo o beneficio que daqui lhes resulta, tem espontaneameute concorrido com os serviços sem dispendio algum da Real Fazenda, e debaixo da direcçaõ do Capitaõ de Milicias Joaõ Carneiro da Silva, empregado nesta administraçaõ por mercê d' El Rey, N. S. a instancia do Conselheiro Intendente Geral de Policia, se irá continuando nestes trabalhos, e na sua conservaçaõ, pelo prestimo, probidade, e zêlo, que constantemente tem empregado o dicto Capitaõ, de que he uma evidente prova a construcçaõ da ponte mencionada, toda á sua custa."

## *Premios por serviços feitos ao Estado.*

Publicamos a p. 629 a lista de alguns despachos, e dous decretos sobre os premios de certos individuos, que se distinguiram no Real Serviço.

He desnecessario entrar aqui no merecimento pessoal dos premiados, porque só desejamos contemplar a medida em geral, e pelo bom resultado que della se deve seguir.

Vemos nisto um exemplo de promptidaõ de premiar, digno de louvor e imitaçaõ; porque a remuneraçaõ immediata ao serviço produz dnplicado incentivo no estimulo dos que servem. Bem como os castigos subsequentes aos crimes, produzem exemplos tanto mais efficazes, quanto saõ mais proximos ao acto, que se dirigem punir.

Os decretos, que acompanham éstas promoçoens, fazem tambem

muita honra ao Soberano; e El Rey colherá sem duvida os fructos destas ajustadas providencias, no amor de seus vassallos, que ellas lhe conciliaraõ.

A linguagem da Corte do Rio-de-Janeiro, nestes decretos, e outros documentos publicos, tambem nos agradam muito, pela liberalidade de sentimentos que indicam e como próva disto copiamos a p. 638 a proclamaçaõ do Conde de Palma, Governador de S. Paulo.

Nesta proclamaçaõ se acha uma appellaçaõ aos sentimentos de patriotismo da naçaõ, e lealdade ao Soberano, que pela maneira porque foi concebida produzio logo os desejados effeitos; como se vê pelas anecdotas, que a gazeta do Rio-de-Janeiro publicou, em seguimento da tal proclamaçaõ.

A morte de Ministros, afferrados a prejuizos antigos, tal vez sêja o motivo deste differente modo de expressar-se, que vamos observando nos documentos publicos do Brazil, ao mesmo tempo que em Portugal tudo tende a representar El Rey, naõ como elle he o Primeiro Portuguez, o Pay da Patria, mas como um Ente destinado a castigar, e absorver as propriedades de todos, por direito orîginario, em imitaçaõ de Saturno, que devorava seus filhos.

Os Ministros, que assim representam o Chefe Supremo da Naçaõ, o Soberano delles assim como de todos os mais vassallos saõ indignos dos lugares, que occupam. E naõ podemos deixar de dar louvor pessoal a El Rey: porque vêmos estes uteis decretos publicados no Rio-de-Janeiro; e estes melhoramentos de linguagem que estimulam o patriotismo, e excîtam a affeiçaõ dos povos para com seu Rey; vemos isto, dizemos, quando El Rey estava sem Ministros, havendo a providencia livrado-o dos carranças velhos, e naõ lhe tendo ainda chegado os novos, que Deus faça melhores que seus predecessores. A El Rey, pois, pessoalmente, julgamos que se deve o louvor dos melhoramentos, que mencionamos; e que devem envergonhar os Ministros, que com a capa do serviço d' El Rey só cuidam em gratificar suas paixoens.

Carlos II de Inglaterra, vendo um homem no pelourinho, perguntou porque crime ali estava: respondeo-se-lhe, que éra por haver publicado um libélo contra os Ministros, o que éra desairoso a administraçaõ e governo d' El Rey. "Tolo," replicou o Monarcha, "escrevesse elle contra mim só, que ja os Ministros se naõ embaraçarîam com elle."

---

*Disputa entre Portugal e Hespanha.*

O conde de Palmella partio de Londres para Paris, a fim de assistir ás conferencias, em que as Potencias Alliadas, por meio de seus Embaixadores, tem de decidir a questaõ entre Portugal e Hespanha, a titulo de mediaçaõ.

Assegura-se, com muita probabilidade, que a Hespanha insiste, em que S.M. Fidelissima lhe entregue o territorio de Monte-Video, que tomara ao Chefe Artigas. A côrte do Rio-de-Janeiro, porém, insiste em conservar aquella posse, até que a questaõ entre Hespanha e suas Colonias se decida, pela força d' armas, ou pelas negociaçoens.

O motivo porque a Hespanha insiste nesta restituiçaõ he; porque deseja desembarcar a expediçaõ, que está preparando em Cadiz, no territorio de Monte-Video; e fazer ali o seu ponto de apoio, para atacar Buenos-Ayres, e mais provincias daquella parte da America.

A cessaõ, porem, da parte de Portugal, trará inevitavelmente com sigo a guerra entre os dominios Portuguezes, e as Colonias Hespanholas revoltadas.

Neste caso, se a Hespanha for mal succedida na expediçaõ, o que he mais que provave , que soccorros poderá dar a Portugal, para o garantir contra as hostilidades assim provocadas, da parte dos Insurgentes?

A gazeta Ingleza, d' onde copiamos estas noticias, (Chron. 25 Dec.) diz, sobre isto, o seguinte; —

"A Hespanha ameaça com tomar Portugal, para o obrigar a acquiescer; — El Rey do Brazil, dizem que está preparado para o sacrificio, que o priva de um paiz, charo a suas affeiçoens, mas que ao mesmo tempo o livra de uma vassallagem, revoltante á sua dignidade, e ruinoso aos interesses, tanto de seus vassallos Europeos como dos Americamos. Em Portugal elle se acha assentado em um throno, que o obriga a receber as ordens dos officiaes d' alfandega Inglezes, e do Alguasil de Madrid; na America se elle adaptar a sua politica ao espirito do paiz, que tem adoptado, pode reynar como senhor independente do terreno, e governador constitucional escolhido por um povo livre. O Negociador d' El Rey do Brazil, que assignasse a restituiçaõ de Monte-Video á Hespanha, em quauto a margem direita do Rio-da Prata está livre, e Artigas rodeando indomito as provincias da margem esquerda, arrancarîa a corôa do Brazil da testa d' El Rey; e quando assignasse o tractado, manisfestarîa a sua opiniaõ, de que o seu soberano éra indigno de a trazer;—de tal ignorancia, ou criminosa deslealdade naõ suspeitamos um Palmella ou um Souza.'

Nós convimos com o escriptor deste paragrapho em tudo, excepto na alternativa, que elle suppôem, de ou restituir Monte Video ou perder Portugal.

Se a Côrte do Rio-de-Janeiro insistir em conservar Monte-Video, como deve fazer para sua segurança, até o ajuste das disputas entre Hespanha e suas Colonias, nada tem que temer na Europa da parte da Corte de Madrid. El Rey de Hespanha naõ tem forças nem meios alguns para conquistar Portugal: assim serîa uma covardia indesculpavel ceder o territorio de Monte-Video, com a certeza dos males, que dahi se devem seguir, pelo temor da contigente conquista de Portugal, improvavel, em todo o sentido, e na melhor opiniaõ absolutamente impracticavel. Em uma palavra, serîa sugeitar-se a um mal certo, pelo temor de outro naõ só incerto mas improvavel: serîa seguir o systema daquelles, que commettem suicidio, com temor de que alguem os mate.

## ALEMANHA

A petiçaõ á Diéta, que publicamos a p. 580, he um documento degrande importancia, por qualquer face, que se olhe.

Vemos delle claramente, qual he a resoluçaõ do povo da Alemanha. Ou as promessas de melhoramento, que se lhe fizéram. quando foi preciso deitar a baixo Buonaparte, se haõ de cumprir, ou o povo ha de fazer por si o que seus Governos naõ quizerem executar.

A linguagem da petiçaõ, ao mesmo tempo que he respeitosa, tem tanta energia, que naõ se pode duvidar que sêja attendida, mais dia menos dia.

## Baviera.

El Rey, depois da concordata com o Papa, que deixamos copiada a p. 602, e de que fallaremos adiante, no artigo *Roma*, nomeou o Principe de Leutchtenberg e Eichtett (na creaçaõ de Napoleaõ chamado Principe Eugenio) coronel proprietario do 6o regimento de cavallaria ligeira Bavara, na guarniçaõ de Nuremberg.

## Estados Unidos.

O Congresso Americano abrio a sua sessaõ na primeira segunda feira de Dezembro, na conformidade de sua Constituiçaõ.

O Governo concluio tractados com varias naçoens de Indios que habîtam juncto ao rio Ohio: por estes tractados adquirîram os Estados Unidos um augmento de territorio de oito milhoens de *acres*. Estes e outros similhantes tractados, que lhes precedêram, formam o principio de um systema, para amalgamar a populaçaõ Indiana com a Branca, por um processo gradual, porém brando e seguro. O Presidente Jefferson foi o fundador deste systema, que tem por objecto a civilizaçaõ das naçoens Indianas: e que tem ja diffundido entre ellas o conhecimento do valor da propriedade individual, e creado o correspondente desejo de a distribuir especificamente; e consequentemente a idea da necessidade de leys para regular e proteger essa propriedade.

Achamos nas gazetas Americanas um caso particular, que supposto naõ sêja em si mesmo de grande importancia, serve para mostrar como o Governo dos Estados Unidos mantem os seus direitos para com as Potencias estrangeiras; ainda as amigas e poderosas.

A chalupa de guerra Ingleza, chamada o Beaver, Capitaõ Felix, achava-se anchorada no porto de Nova Orleans quando foi a seu bordo um vivandeiro da cidade, a vender algum tabaco. Reconheceo-se que esse vivandeiro éra um desertor Inglez, e o Capitaõ Feliz prendeo-o a bordo. Sabida ésta detençaõ pelos amigos do vivandeiro, requerêram ao Juiz da terra nm *writ de habeas corpus*, que ordenava ao Capitaõ Felix, que trouxesse ante o dicto Juiz o corpo do tal vivandeiro. O capitaõ naõ quiz obedecer, e escreveo ao Juiz uma carta explicando-lhe os motivos de assim obrar. O Juiz ordenou ao Sherife que prendesse o Ca pitaõ, o qual resistio á prizaõ, e fez-se á véla; porém despachou-se logo um mensageiro ao forte de S Phillipe; aqui se obstou a saida do Beaver e foi prezo o Capitaõ Felix, que protestou contra a prizaõ mas naõ teve remedio senaõ entregar o vivandeiro, que foi libertado. O Juiz disse ao Capitaõ depois disto, que o naõ castigava como elle merecia, por esperar, que este exemplo bastasse para servir de aviso aos officiaes de sua naçaõ, que para o futuro tentassem desobedecer ás leys do paiz, segundo as quaes o Capitaõ Feliz podia ser condemnado a prisaõ e a mulcta pecuniaria."

Uma gazeta de Nova York de 15 de Novembro diz o seguinte:— " Temos informaçaõ crivel e satisfactoria, de que o Honr. Cesar A. Rodney, de Delaware, Joaõ Braham, Esc. de Washington, e o Honr. Theoderic Bland, de Baltimore, fôram nomeados Commissarios para îr á America Meredional, a negocios, segundo cremos, relativos á independencia daquelle paiz: e que H. M. Brackewaidge, Esc. de Baltimore, irá como Secretario da Missaõ. Espera-se que saîraõ dentro em poucos dias, de Anapole, na fragata Congress. Julgamos proprio notar, que a nossa informaçaõ naõ foi recebida de nenhum dos senhores acima nomeados, nem de pessoa connexa com elles, e com tudo pode-se confiar nella."

Vista ésta missaõ naõ nos admiraremos de que os Estados Unidos reconheçam a independencia das provincias Hespanholas da America, aonde ha ja Governos estabelecidos; e com tudo insista em que conservará a sua neutralidade. Se asssim for, as Potencias Alliadas da Europa, que saõ contra a independencia da America, chamaraõ os Estados Unidos a dar conta de seu comportamento; porém os Americanos Unidos estaõ persuadidos de que, se as Potencias Europeas puderem dar a ley ás Provincias Hespanholas revoltadas, os Estados Unidos seraõ em seu turno obrigados a ceder em muitos pontos, que lhe naõ seraõ demasiado convenientes.

## FRANÇA.

Imprimio-se, para uso dos Membros da Camara dos Deputados, a lista das pessoas, que recebem pensoens do Governo. Contém 196.205 pensionistas, e a somma total das pensoens he de 63:595.003 francos, segundo os arranjamentos feitos em 1 de Janeiro 1807, A somma das pensoens em 1 de Janeiro. 1817, éra somente de 22:268.382 françōs, O augmento actual naõ he pago pelo thesouro; mas resulta das pensoens militares, que tinham sido pagas previameute pelo credito do Ministro da Guerra, debaixo do titulo de meio soldo, e cuja inscripçaõ no thesouro fôra ordenada pela ley de 25 de Março, 1817. Os pensionistas, comprehendidos na tabela saõ todos os que existîam, no 1º de Septembro 1817, na lista de pensoens do Thesouro Real; os que forem para o futuro inscriptos seraõ mettidos da mesma forma, como determina o artigo 34 da ley de 25 de Março, 1817. O numero total de cada classe de pensoens se acha dividido da forma seguinte:—

| | Pessoas | Francos. |
|---|---|---|
| Pensoens civis. . . . | 7.781 | 2:294.682 |
| Militares e viuvas. . . | 132.918 | 48:340.484 |
| Ecclesiasticos. . . . | 55.506 | 12:959.837 |
| | 196.205 | 63:595.003 |

Estas sommas saõ comprehendidas naquellas que a ley concedeo, na receita e despeza do anno de 1817, e que se naõ pódem exceder.

Resta ainda nas pensoens civis uma somma disponivel de 705 318 francos, para occurrer o fundo de tres milhoens, que lhes destina a ley, e em que se inscreveraõ as pensoens das differentes Repartiçoens do Ministerio.

Nas pensoens militares devem cortar dos 3:427.853 francos, que restam do credito de 51 762.317 francos, a somma de 1:577.899 francos, que o Ministro da guerra pensa que devem ser empregados em pensoens provisionaes de reformados. Aqui ha por consequencia uma latitude de 1:843.954 francos, para pensoens militares, que se haõ de inscrever.

As pensoens ecclesiasticas agóra inscriptas saõ muito menos do credito de 15:000.000 de francos, concedidos para ésta classe.

O ministerio Francez fez uma tentativa para amalgamar a antiga com a velha nobreza da França, que naõ surtio todo o effeito que se esperava.

El Rey publicou uma ordenança em 31 de Agosto, mandando que se expedissem Cartas de creaçaõ a todos os membros da Camara dos Pares. O conde de Semonville Gram Referendario foi encarregado de escrever a circular dos Pares, intimando-lhe que depositassem as suas cartas patentes na Secretaria, a fim de se lhe expedirem outras novas. Por ésta manobra a nobreza antiga e moderna viria a datar a sua antiguidade toda de um só tempo.

O Duque de Brancas foi o primeiro que recusou entregar as suas cartas patentes e tirar outras novas: escreveo a outros nobres para que fizessem o mesmo, entrou em conrespondencia com o Gram Referendario, sobre os motivos de seu comportamento; e o Governo foi obrigado a accommodar-se e deixar-se do projecto,

O projecto de ley para a liberdade da imprensa soffreo algumas modificaçoens importantes no committé da Camara dos Deputados aonde foi examinado. Os Minisiros se acham nisto embaraçados, principalmente na restricçaõ que desejavam impôr aos jornaes atê o anno de 1821.

## HESPANHA.

El Rey promulgou um decreto aos 21 de Outubro, destinado a augmentar a populaçaõ branca da ilha de Cuba, annulando todas as leys anteriores, relativas á admissaõ de estrangeiros naquella ilha, e outras dependencias Hespanholas.

As condiçoens para a admissaõ de estrangeiros saõ; que sejam da Religiaõ Catholica Romana; que jurem fidelidade e homenagem a El Rey, que dem provas de terem meios de subsistencia e de talentos, industria e bom comportamento.

As vantagens saõ a protecçaõ das leys, e uma data de terras, cujo producto será para sempre livre de impostos; e por quinze annos exemptos de dizimos. Depois de cinco annos de residencia, seraõ considerados plenamente Hespanhoes, capazes de todos os empregos, e authorizados para fazerem qualquer commercio, ou exercitar qualquer trafico. Em caso de guerra, entre Hespanha e os paizes de taes novos colonos; estes poderaõ ou continuar a ficar na ilha, ou dispôr de suas propriedades e retirar-se.

Compare-se agóra este decreto, com a seguinte declaraçaõ do Governo Insurgente de Venezuela; e ver-se-ha quam impossivel he, que os emigrantes da Europa busquem estabelecer-se em Cuba, quando puderem ir ter a Venezuela. Este Edicto dos Insurgentes diz assim: —

"Todos os estrangeiros, de qualquer naçaõ, seraõ recebidos na Provincia de Caracas.

"As pessoas e propriedades dos Estrangeiros gozaraõ da mesma segurança dos demais cidadaõs, com tanto que reeonheçam a independencia, e respeitem a Religiaõ Catholica, unica deste paiz.

"Os Estrangeiros, que residîrem na Provincia de Caracas, sendo naturalizados, e tendo a propriedade necessaria, gozaraõ de todos os direitos do cidadaõ.

"A immensa quantidade de terras na Provincia de Caracas, a abundancia e perpetuos rios, que a fertilizam, a diversidade de producçoens, e sua riqueza, offerecem ao homem industrioso as maiores vantagens na agricultura. A situaçaõ geographica de uma grande extençaõ de costa, opposta ás Antilhas e outras ilhas, o grande consumo dos Estados de Venezuela, confederados com os de Cundinamarca ou Sancta Fé, abrem e facilitam o commercio mais vantajoso do universo. O character pacifico dos habitantes, a brandura de seu comportamento, a attençaõ, que mostram aos estrangeiros, e utlimamente a bondade do clima, sendo uma primavera perpetua, convida a gente a estabelecer-se na provincia de Caracas, como cultivadores, artitas ou negociantes. O Governo, interessado em proteger a todos dará terras a qualquer pessoa, que desejar cultivallas; segurallos-ha nas suas respectivas profissoens, todos, os que se dedicarem ao commercio, industria e artes; perseguira e expulsará sómente os turbulentos e vadios, que se empregarem em perturbar a tranquillidade e paz daquelles, que virem occupados. O homem pacato e industrioso gozará, em Venezuela, a protecçaõ do Governo e a estimaçaõ do povo.

---

## *Estados de Parma.*

O Ministro de Hespanha tomou posse formal do Principado de Luca, em nome da Infanta de Hespanha D. Maria Luiza (Raynha de Estruria) aos 24 de Novembro.

## COLONIAS HESPANHOLAS.

Assevèra-se, com bastante confiança, que a Hespanha tem pedido ás Potencias Alliadas a sua mediaçaõ, para reduzir as colonias revoltadas ao dominio d' El Rey, por meios de uma negociaçaõ, visto haverem falhado os meio da força.

Como a Russia, Austria e Prussia nnõ tem nesta questaõ interesse algum directo, a Inglaterra intimou, que as negociaçoens da mediaçaõ se tractassem em Londres. A Hespanha queria que isto se fizesse em Madrid, mas considerando as muitas vantagens, que os Insurgentes vam obtendo, acquiesceo por fim em que a negociaçaõ fosse feita em França.

As bazes da mediaçaõ parece que tem por fundamento, as proposiçoens, que a este respeito fez o Marquez de Wellesley ás Cortes de Hespanha, em 1812, e que foram regeitadas pelos Hespanhoes; posto que os Insurgentes de Venezuela, ou ao menos os Deputados nas dictas Côrtes, nomeados para representar aquella provincia, estavam promptos a admittir, como condiçoens de reconhecerem a soberania da Hespanha: as seguintes:—

1. O estabelecimento de Assembleas Provinciaes, com justa e proporcionada representaçaõ dos habitantes de cada districto.

2. A admissaõ de grande proporçaõ dos naturaes da America, em todos os lugares de honra e authoridade.

3. Terem os Americanos o direito exclusivo de impôr sobre si as taxas que tiverem de pagar.

4. Commercio livre com todo o mundo.

5. Nenhumas restricçoens em especie alguma de cultura ou industria, importaçaõ ou exportaçaõ, senaõ aquelles que as suas mesmas Assembleas impozérem.

Se com effeito estas fôram as condiçoens, que os Deputados de Venezuela propuzéram, ou estavam dispostos a aceitar, quando os seus negocios estavam mui duvidosos, naõ se segue, que estejam pelo mesmo, agóra que as suas armas se acham tam victoriosas, porque he da natureza dos partidos politicos o levantar as suas pretençoens com o melhoramento de sua fortuna.

Noticias de Buenos Ayres de 3 de Agosto dizem, que a força Realista, commanda da pelo General La Serna, e que tinha tomado posse de Salta e Jupuy, foi obrigada a fugir precipitadamente aos 8 de Maio, retirando-se para o Potosi. A evacuaçaõ desta provincia, que he o unico celeiro do Peru, foi effectuada pelos constantes e sanguinolentos ataques das guerrilhas e milicias do patriotico Governador Guemes, ajudado pelo coronel La Madrid, que com a sua divisaõ volante ganhou a retaguarda do exercito Real, occupou Tarifa, aprisionou a guarniçaõ, que consistia de 100 soldados veteranos, e sitiou immediatamente Chuquisaca.

O exercito do general Belgrano, em Tucuman, devîa pôr-se em movimento, para o fim de obrar de concerto com o coronel La Madrid e Governador Guemes. Esperava-se que o resultado da campanha fosse a total evacuaçaõ do Peru pelos Realistas.

Na margem oriental do Rio-da-Prata, o general Artigas continua a defender-se; e o seu segundo em commando, o coronel Ribeiro, naõ diminue em sua actividade; molestando os exercitos do General Lecor, do Coronel Curado, e do Marquez de Alegrete, com multiplicadas guerrilhas.

Os de Buenos-Ayres, porém, evidentemente naõ óbram de concerto com Artigas, porque ao mesmo tempo, que as guerrilhas deste, commandadas pelo Coronel Ribeiro cercam Montevideo, e impedem que ali entrem alguns viveres, o Director Puyrredon fornece o General Lecor com mantimentos de Buenos-Ayres. Puyrredon tambem obrou um notavel acto de amizade para com os Portuguezes, como se refere no officio do General Lecor que publicamos a p. 565.

Por um officio do Marechal de Campo D. Pascual Linan, dirigido ao Vice Rey do Mexico, consta, que aquelle official havia tomado o forte de Sembrero, ou Cananjo, aonde se achava o General Mina, havendo-se este previamente escapado. O officio naõ traz data, assim naõ podemos averiguar a que periodo se refere esta acçaõ.

As proclamaçoens, que publicamos a p. 626, servem para mostrar o estado inquieto da colonia de Insurgentes nas Floridas. Estes documentos authenticos sempre saõ preferiveis ás noticias particulares, para formarmos idea do estado publico das naçoens.

A retirada do General Macgregor, que tinha estabelecido esta colonia nas Floridas, por parte dos Insurgentes, naõ bastou para acquietar as cousas. Desta citada proclamaçaõ se vê, que havia dous partidos: um dos marujos, outro dos cidadaõs, e talvez terceiro dos militares.

A resoluçaõ da Juncta Suprema, sobre os escravos dos Estados Unidos, tambem nos dá a conhecer, que os Insurgentes aceitavam ali os escravos dos Americanos, o que devia ser motivo de desordens, entre estes novos vizinhos.

## INGLATERRA.

A tabela seguinte mostra o estado da divida publica, e quem saõ os actuaes credores; igualmente a distincçaõ dos differentes fundos, ou emprestimos do Governo, que levam juros de 3, 4, ou 5 por cento, segundo as suas diversas instituiçoens.

| Como se acham empregados. | 3 por Cento Consolidados. | 3 per Cento Reduzido. | 4 por Cento Consolidados. | 5 por Cento Marinha. | 3 por Cento 1726. | 5 por Cento 1797. | 3 por Cento Imperial. | Gram Total. | Longas Annuidades | Annuidades Imperiaes. |
|---|---|---|---|---|---|---|---|---|---|---|
| Chancellaria e Excheque | 24:896.352 | 4:131.108 | 928.968 | 578.757 | 21.265 | 53.399 | 192.579 | 30:802.430 | 15.897 | 546 |
| Corporaçoens, e Instituiçoens Charitativas. | 8:261.862 | 5:559.401 | 681.341 | 784.114 | 25.294 | 3.004 | 305.965 | 13:620.977 | 3.068 | 26 |
| Fianças e Companhias. | 112:019.608 | 39:035.259 | 19:910.336 | 25:413.502 | 444.332 | 342.006 | 1:509.562 | 198:674.605 | 276.878 | 55.S03 |
| Propriedade fixa de individuos, naõ transferida por 2 ou 3 annos. | 141:128.025 | 27:606.166 | 42:293.750 | 72:248.202 | 384.476 | 489.114 | 3:125.818 | 287:275.557 | 878.428 | 156.966 |
| Tidos por estrangeiros. | 11:748.870 | 2:686.131 | 888.783 | 1:098.234 | 51 142 | 34.316 | 97.045 | 16:599.421 | 5.422 | 941 |
| Divida nacional commum, e reducçaõ das taxas sobre terras. | 29:767.308 | 34:398.010 | | | | | 1:755.822 | 65:921.140 | | |
| Fundos fluctuantes transferidos nos ultimos 6 mezes. | 73:486.427 | 57:249.943 | 8:803.683 | 34;713.416 | 73.128 | 185.110 | 575.845 | 175:026.655 | 179.745 | 15.918 |
| Gram Total. | 401:308.452 | 170:666.019 | 73:506 867 | 134,836.225 | 999.637 | 1:506.949 | 7:502.632 | 789:920.680 | 1:359.435 | 230.200 |

As ultimas noticias da India annunciaram officialmente a conclusaõ da paz, entre o Governo Inglez, e o de Poonah. A proclamaçaõ do Governador General expresa a sua satisfacçaõ pela execuçaõ do novo tractado com Peishwa, pelo qual se explicam e melhóram alguns artigos do tractado precedente.

A narraçaõ e extractos de officios entre o Enviado de Portugal em Londres (Conde de Palmella) e o Ministerio Inglez, que publicamos a p. 584, foram extrahidos do Jornal, que se publica aqui em Londres pela mesma Embaixada Portugueza.

Como ésta materia he connexa, com algumas observaçoens do mesmo Investigador contra o Correio Braziliense, e a sua resposta depende de um documento, que naõ tivemos lugar de publicar neste N°; para o seguinte diremos o que julgamos necessario a este respeito.

## POTENCIAS ALLIADAS.

A liberdade da imprensa he perseguida pelos Alliados, em quasi todo o continente; e os pequenos Estados e cidades livres saõ obrigados a conformar-se com o que exigem as Potencias Maiores. He verdade, que póde haver abuso no fallar, assim como no escrever e nos mais modos de communicar os pensamentos dos homens; mas ainda naõ vimos propostos meios geraes, e saudaveis, de reprimir os abusos, sem destruir a faculdade da communiçaõ dos pensamentos, que he uma das mais distinctivas characteristicas dos homens. Buonaparte aferrolhou a imprensa mais do que ninguem: isso porém naõ tirou, que naõ lavrasse o odio contra o seu despotismo, e que elle naõ caîsse precipitado do cumulo de poder, em que se achava, ao abatimento de um prezo.

Se se pudesse conseguir queimar e destruir todas as imprensas da Europa, procurarîam os homens outros meios de communicar-se diversos da imprensa. Houve tempo em que corrêo mui extensamente em Lisboa um periodico manuscripto, com o nome de Gazeta d'Almada. Nós vimos algumas dessas satiras, que pelo serem naõ deixavam de ser mui justas em varios respeitos; e por naõ serem impressas naõ éram lidas e procuradas com menos avidez.

No sentido desta perseguiçaõ contra a imprensa servio o Duque de Wellington, como homem de grande merecimento na Europa, para tentar destruir, por meio de uma acçaõ de libelo contra o Edictor o Jornal de Gante. Porém o Duque perdeo a demanda, Appellou della, mas aos 18 de Dezembro se decidio a appellaçaõ a favor do Edictor do Jornal, Mr. Debusscher, e foi o Duque condemnado nas custas.

O Jornal da Alemanha, que discorre com mais liberdade, he o que se imprime em Weimar, com o titulo de *Jornal da opposiçaõ.* O Gram Duque, naõ obstante o muito que se apraz em ouvir as opinioens de todos os escriptores, foi obrigado a mandar publicar o seguinte, no mesmo Jornal.

" O Governo do Serenissimo Gram Duque, aos 20 de Novembro determinou o seguinte; — 1° Que se intimasse ao Edictor do Jornal da Opposiçaõ a sua mui séria desapprovaçaõ, pela inserçaõ do artigo contido nos Nos. 245, 246, e 247 sobre as presentes relaçoens da França com os Païzes Estrangeiros, e particularmente com a Alemanha; porque naõ sómente contém expressoens e opinioens injuriosas, contra que se mandou acautellar na ordenança de 3 de Maio deste anno; mas tambem attribue ás acçoens das Altas Potencias Alliadas motivos, que saõ tam impropriamente expressados, como saõ em si mesmo mal fundados, e porque effectivamente se tem feito justas queixas contra este indecente artigo. — 2° Que se ameace, no caso de repetiçaõ de queixas bem fundadas da mesma natureza, som a suppressaõ do dicto Jornal. — 3°. Que se ordene ao Edictor, que insira no Jornal da Opposiçaõ a reprehensaõ official, que por ésta se pronuncia."

## PRUSSIA.

Publicamos a p. 583 extractos das instrucçoens dadas ao Conde Goltz, Ministro Prussiano em Paris, sobre a liquidaçaõ das dividas que a França tem de pagar aos Alliados.

Este papel, com a Memoria annexa, foi publicado em Alemanha no Jornal da Opposiçaõ N. 272: e ainda que sêja dificil julgar de sua authenticidade, ou saber como appareceo em publico, com tudo temos que he genuino, naõ havendo ainda sido contradicto.

Um artigo de Berlin, de 18 de Novembro, diz que, depois de repetidos esforços se conseguio inspirar, no espirito d' El Rey desconfianças sobre os Estudantes, que celebráram aos 18 de Outubro a festa em Wartburg. S. M. mandou fazer indagaçoens rigorosas a este respeito, mas nada se tem ainda descuberto. Os que excitáram éstas suspeitas dizem agóra, que nada se pode descubrir; porque os Estudautes se juramentáram, e dam em prova disso, que elles recebêram o sacramento nesse dia.

Parece que o naõ cumprimento das promessas d' El Rey faz o fundamento do descontentamento na Prussia; e o conhecimento de que existe esse descontentamento obriga o Governo a suspeitar, e indagar seus authores. O author do pagrapho, aonde se acham estas noticias, responde aos taes indagadores, que o segredo, que elles buscam naõ he outro senaõ a propriedade e convicçaõ de todo o homem honrado na Alemanha—está escripto nos annaes sanguinolentos da guerra Revolucionaria, na oppressaõ da Alemanha, na libertaçaõ de jugo estrangeiro, a qual se naõ effectuou meramente pelas guardas Imperaes e Reaes.

Isto saõ indicaçoens mui fortes, e linguagem bastante denodada; mas naõ se entende de todo o artigo, quaes saõ os pontos de disputa, a naõ ser a falta de execuçaõ do artigo 13, do Acto Federal Alemaõ; que se menciona expressamente neste paragrapho; com a predicçaõ de que a sua naõ execuçaõ dissolverá a Uniaõ Alemaã.

## ROMA.

Depois que foi restabelecido o Governo Papal, tem os roubos e outros crimes tornado a tomar aquella fatal ascendencia, que havîam, em grande parte, perdido, durante o Governo usurpado dos Francezes. Notîcias de Roma de 23 de Septembro referem, a este respeito, o seguinte:—

" Os roubos de estráda saõ aqui practicados systematicamente, e em grande escala. Em Veroli, pequena povoaçaõ 15 milhas distante daqui, um mestre eschola e 12 seminaristas, andando a passeio nas vizinhanças, fôram apanhados pelos ladroens e levados prisisioneiros para as montauhas. Os ladroens tivéram a polidez de mandar a Veroli offerecer, que entregarîam os discipulos, pelo resgate de 12.000 scudi, e além disso darîam o mestre de graça. Entrou-se em negoiciaçaõ, e por fim aceitáram os ladroens 4.000 scudi sómente.

Alguns dias depois um moço, baixo mas robusto, pertencente a Angou, andava passeando com sette parentes seus machos e femeas; e toda a companhia foi apanhada pelos ladroens na distancia de 200 passos dos portoens, e todos levados para o seu covil. Tocáram os sinos a rebate; a cidade contém 12.000 habitantes, mas os ladroens retiraram-se a salvo com os seus prisioneiros para as montanhas. Como o moço naõ podia seguillos na appressada marcha cortáram-lhe o pescoço, deixando-o degolado, e levando os outros sette. Estes infelizes prisioneiros fôram ao depois resgatados por seus parentes, pela somma de 5000 scudi. Ha muitos centos destes ladroens; e o seu numero cresce todos os dias. Tem seus guias e cabeças homens e mulheres, e somente recebem pessoas de character irreprehensivel: o exame do moral e as provas de linhagem saõ mui estrictamente attendidas nas suas recepçoens; porque pessoas de consideraçaõ tomam nisto interesse.

---

Se neste sentido o Governo Papal he de tam pouca utilidade a seus subditos, quanto aos interesses ecclesiasticos a Curia Romana se tem mostrado mui diligente. O resumo da concordata, que pnblicamos a p. 602; he disto prova mui conspicua. S. S. obteve para ás Igrejas de Baviera, naõ só a posse imperturbavel da propriedade, que possuem; mas o direito de adquirir outra de novo que ficará sendo igualmente sagrada. Alem disto El Rey se obrigou a fundar conventos de frades e freiras e dotállos; e finalmente o Papa reserva a si a approvaçaõ da nomeaçaõ dos Bispos, que fizer El Rey, se as pessoas nomeadas fôrem idoneas.

Nestes termos naõ se póde dizer, que a Curia Romana se esquece dos interesses ecclesiasticos; pois ainda póde persuadir a soberanos, que he necessario fazer concordatas com ésta potencia estrangeira; para poder governar em seus Estados.

## Russia.

As noticias publicas referem, como prova do augmento do poder de Russîa, o augmento de sua populaçaõ. No Governo de Tobolsk, o numero de habitantes, em 85.380 milhas quadradas, éra de 682.000, actualmente contém 952.780. Naquelle periodo a populaçaõ do Governo de Irkoutsh, éra de 450.500 e he agora de 700.000. A populaçaõ das partes centraes da Russia naõ he inferior á das mais cultivadas partes da Europa: por exemplo no Governo de Moscow ha 2.400 pessoas para cada milha Alemaã (113 milhas Inglezas) quadrada.

Como neste gigantesco Imperio tudo se deve medir por uma escala desconhecida nos outros Estados, assim succede tambem a respeito da liberalidade, que, desde a ultima guerra, tem muitos Russianos ricos mostrado para com seu paiz. Apenas se soube que se tinha estabelecido em Moscow uma instituiçaõ charitativa, debaixo da protecçaõ da Imperatriz Māy, e em parte á custa do seu bolcinho, logo os Russianos abastados de todas as partes se apresentáram, offerecendo contribuiçoens consideraveis para ésta benevola instituiçaõ; e somente o Conde Scheremetien deo para isto á somma de tres milhoens e meio de rublos. Durante a presença da familia Imperîal em Moscow, se lançaram os alicerces daquelle extenso edificio, e se espera que fique completo no anno que vêm.

A Imperatrix Māy, debaixo de cuja immediata guia se acham as mais destas instituiçoens, faz dellas o objecto de sua particular predilecçaõ: aperta-se em todos os outros respeitos, para applicar sommas consideraveis, n'estes beneficos objectos.

A embaixada Russiana na Persia parece que encontrou a mais favoravel recepçaõ, como se vê do seguinte extracto da Gazeta de Petersburgo

"A nossa embaixada na Persia teve o mais lisongeiro acolhimento, e offerece as mais bellas esperanças. O nosso embaixador Yermoloff, ganhou a affeiçaõ de Feth Ali Sehah. Dizem-nos que aquelle Monarcha Persa permittio o estabelicimento de Consules Russianos, nas principaes cidades de seu Imperio; e que os Russos pudessem, pagando um mediocre direito, trafficar em seus, dominios; e passar por elles para a India. Temos razaõ de esperar, que as manufacturas das nossas provincias Meredionaes seraõ admittidas, com favoraveis condiçoens."

" Requer, com tudo, confirmaçaõ a noticia de que Feth Ali Schah pedîra uma entrevista com o Imperador de Russia, e a convocaçaõ de um Congresso Asiatico, em Astracan, na primavera, para o qual serîa convidado o Gram Sultaõ de Constantinopla, á fim de regular como se dizia, a communicaçaõ politica e commercial entre as Potencias Christaãs e Mahometanas."

SUECIA.

Havendo El Rey convocado os Estados do Reyno para o dia 20 de Novembro, mandou S. M. nesse dia chamar á sua audiencia publica, na presença do Principe da Corôa, dos Conselheiros de Estado, e de varios Gram-Officiaes, o Arauto do Reyno, e lhe entregou a Ordenança Real para a abertura da Dieta, mandando-a proclamar publicamente nas praças usuaes da Capital. S. M. nomeou entaõ o Tenente-General Conde Sandels, Presidente da Repartiçaõ de Guerra, para o Lugar de Gram Marechal da Diéta, e lhe entregou a vara de seu officio. O Marechal, depois de prestar juramento, foi conduzido pelos dous Condes mais antigos, Brahe e Loewenhaupt, á casa dos Cavalleiros. S. M. nomeou o Arcebispo, Dr Lindholm, para ser o Orador do Clero, e o Dr. Von Rosensteere, Bispo de Lenkopping, para ser Vice-Orador do Clero, durante ésta Diéta; os quaes ambos prestaram os juramentos a S. M.

No mesmo dia se fez, na Casa dos Cavalleiros, o primeiro registro dos chefes das familias nobres, que vem para a Diéta, e se entregáram no Palacio do Ministro de Justiça os plenos poderes dos Deputados dos outros tres Estados.

A abertura da Dieta teve lugar aos 27 de Novembro. El Rey naõ assistio; e mandou que a sua oraçaõ da abertura fosse lida pelo Duque de Sudermania (Principe Oscar.)

A oraçaõ contem um resumo do que S. M. tem feito a bem do paiz, e do mais que intenta fazer, para promover a agricultura commercio, manufacturas de panos &c. S. M. tem tido cuidado em melhorar a condiçaõ das tropas de mar e de terra, e abrir o caminho para a promoçaõ daquelles que tem derramado o seu sangue por sua patria, e remover todos os obstaculos, que se oppôem áquelles soldados, cuja fortuna naõ admitte que sejam elevados á graduaçaõ de Tenente Coronel. Agmentou o soldo das Generaes e deo providencias sobre as viuvas dos officiaes. Ministrou fundos aos Lazaretos, Hospitaes e Academiasde Musica e Bellas Artes, e se tem adornado a capital com varios edificos novos.

S. M. propôem á Dieta novo plano de finanças, que será ali discutido segundo seu melhor entender.

Por ésta falla d' El Rey se acha, que a somma do papel moeda que em 1802 chegava a 14:000.000 dollars do Banco, he agora 30:000.000.

## WURTEMBERG.

Depois de longo intervallo de discussoens, El Rey removeo de seus lugares os Ministros, que éram obnoxios á opiniaõ publica.

O Ministro Von Waugenheim foi mandado para Enviado na Diéta, e o Ministro Vander Luhe, foi posto em estado de retiro. Este Ministro foi o que perguntou uma vez na Assemblea dos Estados," se ja mais houve algum povo, que houvesse sido consultado, sobre a Constituiçaõ que desejava ter."

Mr. Von Cottendorf (antes chamado Cotta) vai a Napoles, em uma jornada de prazer.

El Rey publicou varios edictos, em que regula a nova organizaçaõ do Reyno, ha muito esperada, desde a dissoluçaõ da Assemblea. A gazeta do Governo promette a publicaçaõ das integras; pelo que contentar-nos-he-mos por agóra com dar o resumo destes edictos.

O 1º. dá as razoens da nova organizaçaõ; que saõ o disproporcionado pezo, que opprime a classe agricultora, e que por isso impede o maior desenvolvimento da cultura do paiz :— as varias fontes de rendas naõ saõ devidamente divididas:— fôram impostas ha um seculo, e ja naõ se accommodam ao actual estado das cousas Promette uma revisaõ e nova ordem em todo o systema de tributos e taxas sobre terras: e fazer uma grande mediçaõ, a fim de obter a maior igualdade possivel nas taxas. Promette-se tambem outro regulamento para as taxas de casas nas cidades, e das rendas de profissioens. Todas as taxas procedentes de servidaõ pessoal (ou vassallagem) se declâram abolidas, sem indemnizaçaõ alguma para a Camara Real, e com razoavel indemnizaçaõ, que se deve fixar legalmente, para os Senhores Dominicaes.

O periôdo de 80 annos, que o estatuto do anno passado tinha fixado para o pagamento da divida publica, he agora reduzido a 45 annos; e isto por uma revisaõ do systema financial, sem impôr mais encargos ao povo. O que mais he, promette-se para o anno que vem, além da aboliçaõ das taxas pessoaes ou de vassallagem, o alivio de varias outras.

O 2o. edicto especifica a maneira por que se haõ de extinguir as differentes taxas, resultantes do systema feudal, que se ha de abolir. Este edicto mostra em grande gráo, as vistas verdadeiramente nobres e liberaes d'El Rey. O seu volume he de dez paginas em 4to ; o seu conteudo o mais importante, e deve assegurar a El Rey a estimaçaõ de toda a Europa illuminada, e a gratidaõ de seu povo, por muitos seculos futuros.

O 3o Edicto contém uma exposiçaõ publica da divida publica, Presentemente sóbe a 29:913.504 florins, e requer milhaõ e meio annualmente, para pagar os juros. O modo de fundir esta divida, e os pagamentos nos 45 aunos, saõ especificados nas differentes secçoeus deste Edicto.

O 4o. Edicto mostra a necessidade de mudança nas formas da administraçaõ, que saõ derivadas de tempos antigos, e de circumstancias mui differentes. O ponto de vista, no novo systema, he a separaçaõ da parte deliberativa da Legislaçaõ, da Administraçaõ Executiva: rigida inspecçaõ no emprego do dinheiro publico: o estabelecimento de jurisdicçoens intermediarias, para o exame prompto e exacto das necessidades do subditos. e mais prompta satisfacçaõ (que de outro modo naõ he possivel) e mais estricta attençaõ ás relaçoens locaes; daqui vem o estabelicimento de authoridades provinciaes de justiça, policia e finanças. He portanto o Reyno dividido em quatro circulos.

O 1o. Circulo do Neckar, com 16 baliados, a sede do Governo, e da Camara de finanças, he Louisberg.

O 2o, Circulo da Foresta Negra, com 17 baliados; a sede do Governo e Camara de Finanças em Reutlingen.

O 3o Circulo de Jaxt, com 14 baliados: sede do Governo, e Camara de finanças. Ellwangen.

O 4º, Circulo do Danubío, com 17 baliados, sede do Governo e Camara de Finanças, Ulm.

Para a cidade de Stuttgard, como capital, e para a cidade de Kaunstadt, e surburbios de ambas, se nomeará uma declaraçaõ especial, para os negocios do Governo. Pelo que respeita a administraçaõ da justiça e finanças, pertence ás côrtes de justiça do Circulo do Neckar. Quanto ao administrativo haverá um tribunal criminal, e uma côrte de appellaçaõ para cada dous Circulos, nos mesmos circulos; a saber, para os circulos do Neckar e Foresta Nerga um Senado do Tribunal criminal em Esslingen e um Senado de Alta Corte de Justiça em Rothenburg: para os circulos do Danubio e do Jaxt, o outro Senado do Tribunal Criminal em Ellwangen, e a Alta Corte de Justiça em Ulm.

---

# CONRESPONDENCIA.

## *Carta ao Redactor sobre o Investigador.*

Senhor Redactor!

Como me fez o frvor de deixar a meu cargo o expôr os extravios de razaõ, que o Investigador atira como argumentos, contra o Correio Braziliense, terei o cuidado de naõ me descuidar da tarefa; e se as minhas luzes naõ saõ grandes, tambem o trabalho, que emprehendo, naõ merece grandiosos esforços.—*parvos parva decent.*

A escura enunciaçaõ do paragrapho do Investigador, sobre a commissaõ mixta para determinar as indemnidades dos donos dos navios Portuguezes, aprezados pelos Inglezes, fez suppor a muita gente, que ésta commissaõ mixta arranjaria todas as indemnidades. Os commentarios do Investigador no Nº. 77, com o pretexto de refutar o Correio Braziliense, aclarâram a materia.

Seja pois assim, vista a sua explicaçaõ; pelo que respeita a primeira parte: mas pelo que respeita a segunda, espero que o Correio Braziliense se naõ conforme com tal opiniaõ: e se naõ fallar nisso, fallarei eu; porque naõ me posso accommodar com a tal commissaõ mixta, em caso nenhum dos referidos. Esperando pois ver o que VMc. diz a esse respeito, passarei a outros pontinhos.

Mui feliz he o Correio Braziliense, que acha sempre defensores novos todos os mezes . . . . diz o Investigador — Sim? Mui feliz he o

Brazilieiro residente em Londres, que escreve no Times, pois acha o Investigador para o defender voluntariamente, — Seraõ parentes?

Investigador N. 77. p. 101. " . . . hoje existem certas verdades politicas e de direito publico, universal, tam luminosas e tam claras, que aquelles mesmos a quem ellas até agora pareciam absurdos ou heresias politicas, saõ obrigados naõ só a confessallas, porém a pregállas, á face de Deus e dos homens."

Muito bem, que ja o Investigador começa a abrir um olho; deixe estar que ainda ha de vir a ser um dos nossos, se o deixarem fallar.

Para se vir aproximando, publicou e comentou a maxima de Mr. de Fievée:—" Certamente se as nossas antigas liberdades naõ tivessem sido annihiladas pelo poder absoluto, os Francezes nunca terîam passado por uma revoluçaõ."

O commentario desta maxima emprega o Investigador a provar, que as desordens das finanças, corrupçaõ publica, &c., foram as que fizeram a revoluçaõ. A. p. 16. , seu conrespondende de Lisboa diz :—"temos visto um roubo quasi geral, e na verdade abominavel, em nossas alfandegas, e em todas as repartiçoens publicas; e depois de tudo isto e do mais que temos visto, nunca até agora viram nossos olhos um só empregado publico punido por mais escandaloso que sêja."

Senhor Investigador: applico el cuento. Se essas desordens, que V. M. diz que existem em Lisboa, foram as causas inevitaveis da revoluçaõ em França; que pensam sobre isso os homens *sensatos e espirituosos do seu paiz?*

A tirada contra os papas (p. 103) he talvez para provocar a defensa delles pelo Correio Braziliense, como aconteceo quando fallou contra os frades: pois desta vez parece-me que se engana; pois V M. foi tam mal pago pelos mal agradecidos frades, que se naõ metterá mais a defender outra classe de Ecclesiasticos. Eu pelo menos o naõ farîa nem ainda aos papas.

Investigador (p. 113.)" He verdade que os escriptores ou os philosophos poderîam ou deveriam ser mais moderados; mas porque se naõ moderava tambem a corte e o Governo? Teria esse sempre direito de commetter quantos desacertos lhe lembrassem, de ser teimoso em naõ os corrigir e o povo deveria sempre ser automato insensivel sem olhos, nem ouvidos, nem lingoa? Exigir isto, éra querer mais do que a natureza humana he capaz de practicar."

O Investigador naõ declara se applica estas maximas a Pernambuco ou a Lisboa; ou se aos homens *sensatos e espirituosos* de todos os paizes: o melhor será declarar-se; ou senaõ a excomunhaõ do padre Nogueira lhe ficará para sempre agarrada, sem esperanças d'absolviçaõ.

Sou &c.

MANOEL COHERENTE.

### *Carta de Manuel Coherente ao Redactor.*

Senhor Redactor!

V. M. despachou-me por esperado no mez passado, mas eu torno a erever-lhe este: porque naõ desejo andar atrazado, até na data.

O Investigador do mez passado vale-se da occasiaõ da nova ediçaõ de Camoens; para elogiar o pay do Ministro Portuguez que vem residir a Londres: (a p. 251). Depois (a p. 255) vem um grande elogio do Conde dos Arcos; que está despachado Ministro de Marinha na Corte do Rio-de-Janeiro. Dahi o seu successor. Segue-se o elogio do Conde de Palmella, que além de ser Ministro aqui, está despachado para Ministro d'Estado.

Mui util he este livro do Investigador; e por tal deve ser julgado por todos os Senhores de Grandes Empregos.

Mas ha neste N. um mysterio, dizendo que os servos de S. M. em Lisboa naõ saõ tam liberaes como seu Amo he na Corte do Rio-de-Janeiro. Alguma cousa naõ vai em Lisboa ao som do padar do Investigador; tomára que algum dos seus Conrespondentes nos decyfrasse este enigma.

A p. 260 tras o Investigador uma tirada, sobre os direitos dos povos, que se viesse no Correio Braziliense de certo merecia ser characterizada de Jacobinica. Mas, como os Investigadores ja "perdêram o medo de correr o mundo," e tambem confessam que "o amor da patria só se perde por outro sentimento ainda maior—uma racionavel independencia—uma racionavel liberdade" tal vez se vam affoiando a adoptar e promulgar doutrinas que neste mesmo Investigodor merecêram ao Correio Braziliense os titulos de Jacobino, perverso, Caraquenho, revolucionario, &c. &c.

Sou &c.

MANUEL COHERENTE.

---

### *Resposta a Correspondentes.*

Recebemos a Carta datada de 27 de Dezembro; sobre Felix José Tavares de Lima, de quem se tinha dicto no Corr. Braz. do Junho, p. 674, que fôra mandado pelo Governo Provisorio de Pernambuco, como seu Agente para Buenos-Ayres.

O nosso conrespondente assevéra, que aquetle sugeito he um respeitavel proprietario de terras em Pernambuco; que se acha agóra em Pernambuco, e nunca dali saío, que naõ foi empregado pelo Governo Revolucionario, nem nesta missaõ, nem em outra alguma cousa.

Nos temos grande prazer em corrigir um derro desta naturoza, que póde ser tam prejudicial aos individuos. He impossivel, porém, verificar a exactidaõ e todas as noticias, que recebemos.

# INDEX

## DO VOLUME XIX.

## No. 110.

## POLITICA.

### *Reyno Unido de Portugal Brazil e Algarves.*



## COMMERCIO E ARTES.



## LITERATURA E SCIENCIAS.

## MISCELLANEA.



### *Reflexoens sobre as novidades deste mez.*



### *Conrespondencia.*

# No. 111.

## POLITICA.

### *Reyno Unido de Portugal Brazil e Algarves.*



## COMMERCIO E ARTES.



## LITERATURA E SCIENCIAS.



## MISCELLANEA.

## *Reflexoens sobre as novidades deste mez.*



## No. 112.

## POLITICA.

### *Reyno Unido de Portugal Brazil e Algarves.*



## COMMERCIO E ARTES.

## LITERATURA E SCIENCIAS.



## MISCELLANEA.



## *Reflexoens sobre as novidades deste mez.*



## *Conrespondencia.*

## No. 113.

### POLITICA.

*Reyno Unido de Portugal Brazil e Algarves.*



### COMMERCIO E ARTES.



### LITERATURA E SCIENCIAS.



### MISCELLANEA.



### *Reflexoens sobre as novidades deste mez.*

## *Conrespondencia.*



# No. 114.

## POLITICA.

### *Reyno Unido de Portugal Brazil e Algarves.*



## COMMERCIO E ARTES.



## LITERATURA E SCIENCIAS.

## MISELLANEA



### *Reflexoens sobre as novidades deste mez.*



## No. 115.

## POLITICA,

### *Royno Unido de Portugal Brazil e Algarves.*

## COMMERCIO E ARTES.



## LITERATURA E SCIENCIAS.



## MISCELLANEA

### *Novidades deste mez.*



### *Reflexoens sobre as novidades deste mez.*

## Conrespondencia.

*Este volume foi fac-similado a partir*
*de coleção de José Mindlin,*
*inclusive capas e sobrecapa.*
*Impresso em Julho de 2002 em papel*
*Pólen Rustic 85g/m² nas oficinas da*
*Imprensa Oficial do Estado de São Paulo.*
*Textos complementares compostos*
*em Bodoni, corpo 9/11/18.*